文春文庫

斜陽《しやよう》 人間失格《にんげんしつかく》 桜桃《おうとう》
走《はし》れメロス 外七篇

太宰 治

文藝春秋

太宰治　斜陽《しやよう》　人間失格《にんげんしっかく》　桜桃《おうとう》　走《はし》れメロス　外七篇　目次

太宰治（昭和23年２月。撮影・田村茂）

斜陽《しゃよう》　人間失格《にんげんしっかく》　桜桃《おうとう》　走《はし》れメロス　外七篇

＊収録作品は文藝春秋刊「現代日本文学館」によりました。

＊原文の品位、格調を守りながら、今日の読者のために現代かなづかいに改めたほか、いちぶ漢字をひらがなに直している個所があります。また、本書のなかには、今日の観点からみると差別的表現ないし差別的表現ととられかねない個所があります。しかし、作者の意図は、決して差別を助長するものではないこと、また筆者がすでに故人であるという事情に鑑み、表現の削除、変更はあえて行いませんでした。読者各位のご賢察をお願いします。

＊側注は瀬沼茂樹氏のものに編集部が追加しました。

斜陽《しやよう》

一

朝、食堂でスウプを一さじ、すっと吸ってお母さまが、

「あ。」

と幽《かす》かな叫び声をお挙《あ》げになった。

「髪の毛？」

スウプに何か、イヤなものでも入っていたのかしら、と思った。

「いいえ。」

お母さまは、何事もなかったように、またひらりと一さじ、スウプをお口に流し込み、すましてお顔を横に向け、お勝手の窓の、満開の山桜に視線を送り、そうしてお顔を横に向けたまま、またひらりと一さじ、スウプを小さなお唇《くち》のあいだに滑《すべ》り込ませた。ヒラリ、という形容は、お母さまの場合、決して誇張ではない。婦人雑誌などに出ているお食事のいただき方などとは、てんでまるで、違っていらっしゃる。弟の直治がいつか、

お酒を飲みながら、姉の私に向かってこう言ったことがある。

「爵位があるから、貴族だというわけにはいかないんだぜ。爵位がなくても、天爵*というものを持っている立派な貴族のひともあるし、おれたちのように爵位だけは持っていても、貴族どころか、賤民《せんみん》にちかいのもいる。岩島なんてのは（と直治の学友の伯爵のお名前を挙げて）あんなのは、まったく、新宿の遊廓《ゆうかく》の客引き番頭よりも、もっとげびてる感じじゃねえか。こないだも、柳井《やない》（と、やはり弟の学友で、子爵の御次男のかたのお名前を挙げて）の兄貴の結婚式に、あんちきしょう、タキシイドなんか着て、なんだってまた、タキシイドなんかを着て来る必要があるんだ、それはまあいいとして、テーブルスピーチの時に、あの野郎、ゴザイマスルという不可思議な言葉をつかったのには、げっとなった。気取るということは、上品ということと、ぜんぜん無関係なあさましい虚勢だ。高等御下宿と書いてある看板が本郷あたりによくあったものだけれども、じっさい華族なんてものの大部分は、高等御乞食《こじき》とでもいったようなものなんだ。しんの貴族は、あんな岩島みたいな下手《へた》な気取りかたなんか、しやしないよ。おれたちの一族でも、ほんものの貴族は、まあ、ママくらいのものだろう。あれは、ほんものだよ。かなわねえところがある。」

　スウプのいただきかたにしても、私たちなら、お皿《さら》の上にすこしうつむき、そうしてスプウンを横に持ってスウプを掬《すく》い、スプウンを横にしたまま口元に運んでいただくのだけれども、お母さまは左手のお指を軽くテーブルの縁《ふち》にかけて、上体をかがめることもなく、お顔をしゃんと挙げて、お皿をろくに見もせずスプウンを横にしてさっと掬って、それから、燕《つばめ》のように、とでも形容したいくらいに軽く鮮《あざ》やかにスプウンをお口と直角になるように持ち運んで、スプウンの尖端《せんたん》から、スウプをお唇のあいだに流し込むのである。そうして、無心そうにあちこち傍見《わきみ》などなさりながら、ひらりひらりと、まるで小さな翼のようにスプウンをあつかい、スウプを一滴もおこぼしになることもないし、吸う音もお皿の音も、ちっともお立てにならぬのだ。それはいわゆる正式礼法にかなったいただき方ではないかも知れないけれども、私の目には、とても可愛《かわい》らしく、それこそほんものみたいに見える。また、事実、お飲物は、うつむいてスプウンの横から吸うよりは、ゆったり上半身を起こして、スプウンの尖端からお口に流し込むようにしていただいたほうが、不思議なくらいにおいしいものだ。けれども、私は直治の言うような高等御乞食なのだから、お母さまのようにあんなに軽く無雑作《むぞうさ》にスプウンをあやつることができず、仕方なく、あきらめて、お皿の上にうつむき、いわゆる正式礼法どおりの陰気ないただき方をしているのである。

スウプに限らず、お母さまのお食事のいただき方は、すこぶる礼法にはずれている。お肉が出ると、ナイフとフオクで、さっさと全部小さく切りわけてしまって、それからナイフを捨て、フオクを右手に持ちかえ、その一きれ一きれをフオクに刺してゆっくり楽しそうに召し上がっていらっしゃる。また、骨つきのチキンなど、私たちがお皿を鳴らさずに骨から肉を切りはなすのに苦心している時、お母さまは、平気でひょいと指先

天爵　「孟子」告子篇上にある言葉。天から賦与された美徳があって自然に貴い者をいう。人爵の対語。

で骨のところをつまんで持ち上げ、お口で骨と肉をはなして澄ましていらっしゃる。そんな野蛮な仕草も、お母さまがなさると、可愛らしいばかりか、へんにエロチックにさえ見えるのだから、さすがにほんものは違ったものである。骨つきのチキンの場合だけでなく、お母さまは、ランチのお菜のハムやソセージなども、ひょいと指先でつまんで召し上がることさえ時たまある。

「おむすびが、どうしておいしいのだか、知っていますか。あれはね、人間の指で握りしめて作るからですよ。」

とおっしゃったこともある。

本当に、手でたべたら、おいしいだろうな、と私も思うことがあるけれど、私のような高等御乞食が、下手に真似《まね》してそれをやったら、それこそほんものの乞食の図になってしまいそうな気もするので我慢している。

弟の直治でさえ、ママにはかなわねえ、と言っているが、つくづく私も、お母さまの真似は困難で、絶望みたいなものをさえ感じることがある。いつか、西片町《にしかたまち》のおうちの奥庭で、秋のはじめの月のいい夜であったが、私はお母さまと二人でお池の端《はた》のあずまやで、お月見をして、狐《きつね》の嫁入りと鼠《ねずみ》の嫁入りとは、お嫁のお仕度《したく》がどうちがうか、など笑いながら話し合っているうちに、お母さまは、つとお立ちになって、あずまやの傍《そば》の萩《はぎ》のしげみの奥へおはいりになり、それから、萩の白い花のあいだから、もっとあざやかに白いお顔をお出しになって、少し笑って、

「かず子や、お母さまがいま何をなさっているか、あててごらん。」

とおっしゃった。

「お花を折っていらっしゃる。」

と申し上げたら、小さい声を挙げてお笑いになり、

「おしっこよ。」

とおっしゃった。

ちっともしゃがんでいらっしゃらないのには驚いたが、けれども、私などにはとても真似られない、しんから可愛らしい感じがあった。

けさのスウプのことから、ずいぶん脱線しちゃったけれど、こないだある本で読んで、*ルイ王朝のころの貴婦人たちは、宮殿のお庭や、それから廊下の隅《すみ》などで、平気でおしっこをしていたということを知り、その無心さが、本当に可愛らしく、私のお母さまなども、そのようなほんものの貴婦人の最後のひとりなのではなかろうかと考えた。

さて、けさは、スウプを一さじお吸いになって、あ、と小さい声をお挙げになったので、髪の毛？とおたずねすると、いいえ、とお答えになる。

「塩辛かったかしら。」

けさのスウプは、こないだアメリカから配給になった缶詰《かんづめ》のグリンピイスを裏ごしして、私が*ポタージュみたいに作ったもので、もともとお料理には自信がないので、お母

ルイ王朝　ルイ Louis は歴代フランス王の名で、家名ではないから、ルイ王朝という名称はない。フランス王朝という意味で使っている。　**ポタージュ**　potage（仏）濃厚なスープ。コンソメ（清汁）に対していう。

さまに、いいえ、と言われても、なおも、はらはらしてそうたずねた。

「お上手《じょうず》にできました。」

お母さまは、まじめにそう言い、スウプをすまして、それからお海苔《のり》で包んだおむすびを手でつまんでおあがりになった。

私は小さい時から、朝ごはんがおいしくなく、十時ごろにならなければ、おなかがすかないので、その時も、スウプだけはどうやらすましたけれども、食べるのがたいぎで、おむすびをお皿に載《の》せて、それにお箸《はし》を突っ込み、ぐしゃぐしゃにこわして、それから、その一かけらをお箸でつまみ挙げ、お母さまがスウプを召し上がる時のスプウンみたいに、お箸をお口と直角にして、まるで小鳥に餌《え》をやるような具合いにお口に押し込み、のろのろといただいているうちに、お母さまはもうお食事を全部すましてしまって、そっとお立ちになり、朝日の当たっている壁にお背中をもたせかけ、しばらく黙って私のお食事の仕方を見ていらして、

「かず子は、まだ、駄目なのね。朝御飯が一番おいしくなるようにならなければ。」

とおっしゃった。

「お母さまは？　おいしいの？」

「そりゃもう。私はもう病人じゃないもの。」

「かず子だって、病人じゃないわ。」

「だめ、だめ。」

お母さまは、淋《さび》しそうに笑って首を振った。

私は五年前に、肺病ということになって、寝込んだことがあったけれども、あれは、わがまま病だったということを私は知っている。けれども、お母さまのこないだの御病気は、あれこそ本当に心配な、哀《かな》しい御病気だった。だのに、お母さまは、私のことばかり心配していらっしゃる。

「あ。」

と私が言った。

「なに？」

とこんどは、お母さまのほうでたずねる。

顔を見合わせ、何か、すっかりわかり合ったものを感じて、うふふと私が笑うと、お母さまも、にっこりお笑いになった。

何か、たまらない恥ずかしい思いに襲われた時に、あの奇妙な、あ、という幽《かす》かな叫び声が出るものなのだ。私の胸に、いま出し抜けにふうっと、六年前の私の離婚の時のことが色あざやかに思い浮かんで来て、たまらなくなり、思わず、あ、と言ってしまったのだが、お母さまの場合は、どうなのだろう。まさかお母さまに、私のような恥ずかしい過去があるわけはなし、いや、それとも、何か。

「お母さまも、さっき、何かお思い出しになったのでしょう？　どんなこと？」

「忘れたわ。」

「私のこと？」

「いいえ。」

「直治のこと?」

「そう、」

と言いかけて、首をかしげ、

「かも知れないわ。」

とおっしゃった。

弟の直治は大学の中途で召集され、南方の島へ行ったのだが、消息が絶えてしまって、終戦になっても行先が不明で、お母さまは、もう直治には逢《あ》えないと覚悟している、とおっしゃっているけれども、私は、そんな、「覚悟」なんかしたことは一度もない、きっと逢えるとばかり思っている。

「あきらめてしまったつもりなんだけど、おいしいスウプをいただいて、直治を思って、たまらなくなった。もっと、直治に、よくしてやればよかった。」

直治は高等学校にはいったころから、いやに文学にこって、ほとんど不良少年みたいな生活をはじめて、どれだけお母さまに御苦労をかけたか、わからないのだ。それだのにお母さまは、スウプを一さじ吸っては直治を思い、あ、とおっしゃる。私はごはんを口に押し込み眼が熱くなった。

「大丈夫よ。直治は、大丈夫よ。直治みたいな悪漢は、なかなか死ぬものじゃないわよ。死ぬひとは、きまって、おとなしくて、綺麗《きれい》で、やさしいものだわ。直治なんて、棒でたたいたって、死にゃしない。」

お母さまは笑って、

「それじゃ、かず子さんは早死にのほうかな。」

と私をからかう。

「あら、どうして？　私なんか、悪漢のおデコさんですから、八十歳までは大丈夫よ。」

「そうなの？　そんなら、お母さまは、九十歳までは大丈夫ね。」

「ええ、」

と言いかけて、少し困った。悪漢は長生きする。綺麗なひとは早く死ぬ。お母さまは、お綺麗だ。けれども、長生きしてもらいたい。私はすこぶるまごついた。

「意地わるね！」

と言ったら、下唇《したくちびる》がぶるぶる震えて来て、涙が眼からあふれて落ちた。

蛇《へび》の話をしようかしら。その四、五日前の午後に、近所の子供たちが、お庭の垣《かき》の竹《たけ》藪《やぶ》から、蛇の卵を十ばかり見つけて来たのである。

子供たちは、

「蝮《まむし》の卵だ。」

と言い張った。私はあの竹藪に蝮が十四も生まれては、うっかりお庭にも降りられないと思ったので、

「焼いちゃおう。」

と言うと、子供たちはおどり上がって喜び、私のあとからついて来る。

竹藪の近くに、木の葉や柴《しば》を積み上げて、それを燃やし、その火の中に卵を一つずつ

投げ入れた。卵は、なかなか燃えなかった。子供たちが、さらに木の葉や小枝を焔《ほのお》の上にかぶせて火勢を強くしても、卵は燃えそうもなかった。

下の農家の娘さんが、垣根の外から、

「何をしていらっしゃるのですか？」

と笑いながらたずねた。

「蝮の卵を燃やしているのです。蝮が出ると、こわいんですもの。」

「大きさは、どれくらいですか？」

「うずらの卵くらいで、真白なんです。」

「それじゃ、ただの蛇の卵ですわ。蝮の卵じゃないでしょう。生《なま》の卵は、なかなか燃えませんよ。」

娘さんは、さも可笑《おか》しそうに笑って、去った。

三十分ばかり火を燃やしていたのだけれども、どうしても卵は燃えないので、子供たちに卵を火の中から拾わせて、梅の木の下に埋めさせ、私は小石を集めて墓標を作ってやった。

「さあ、みんな、拝むのよ。」

私がしゃがんで合掌すると、子供たちもおとなしく私のうしろにしゃがんで合掌したようであった。そうして子供たちとわかれて、私ひとり石段をゆっくりのぼって来ると、石段の上の、藤棚《ふじだな》の蔭《かげ》にお母さまが立っていらして、

「可哀《かわい》そうなことをするひとね。」

とおっしゃった。

「蝮かと思ったら、ただの蛇だったの。だけど、ちゃんと埋葬してやったから、大丈夫。」

とは言ったものの、こりゃお母さまに見られて、まずかったなと思った。

お母さまは決して迷信家ではないけれども、十年前、お父上が西片町のお家で亡《な》くなられてから、蛇をとても恐れていらっしゃる。お父上の御臨終の直前に、お母さまが、お父上の枕元《まくらもと》に細い黒い紐《ひも》が落ちているのを見て、何気なく拾おうとなさったら、それが蛇だった。するすると逃げて、廊下に出てそれからどこへ行ったかわからなくなったが、それを見たのは、お母さまと、和田の叔父《おじ》さまとお二人きりで、お二人は顔を見合わせ、けれども御臨終のお座敷の騒ぎにならぬよう、こらえて黙っていらしたという。私たちも、その場に居合わせていたのだが、その蛇のことはだから、ちっとも知らなかった。けれども、そのお父上の亡くなられた日の夕方、お庭の池のはたの、木という木に蛇がのぼっていたことは、私も実際に見て知っている。私は二十九のばあちゃんだから、十年前のお父上の御逝去《ごせいきょ》の時は、もう十九にもなっていたのだ。もう子供ではなかったのだから、十年経《た》ってもその時の記憶はいまでもはっきりしていて、間違いはないはずだが、私がお供《そな》えの花を剪《き》りに、お庭のお池のほうに歩いて行って、池の岸のつつじのところに立ちどまって、ふと見ると、そのつつじの枝先に、小さい蛇がまきついていた。すこしおどろいて、つぎの山吹の花枝を折ろうとすると、その枝にも、まきついていた。隣りの木犀《もくせい》にも、若楓《わかかえで》にも、えにしだにも、藤《ふじ》にも、桜にも、どこの木にも、どの木にも、蛇がまきついていたのである。けれども私には、そんなにこわく思われなかった。蛇も、私と同様にお父上の逝去を悲しんで、穴から這《は》い出てお父上の霊を拝んでいるのであろうというような気がしただけであった。そうして私は、そのお庭の蛇のことを、お母さまにそっとお知らせしたら、お母さまは落ちついて、ちょっと首を傾けて何か考えるような御様子をなさったが、べつに何もおっしゃりはしなかった。

けれども、この二つの蛇《へび》の事件が、それ以来お母さまを、ひどい蛇ぎらいにさせたのは事実であった。蛇ぎらいというよりは、蛇をあがめ、おそれる、つまり畏怖《いふ》の情をお持ちになってしまったようだ。

蛇の卵を焼いたのを、お母さまに見つけられ、お母さまはきっと何かひどく不吉なものをお感じになったに違いないと思ったら、私も急に蛇の卵を焼いたのがたいへんなおそろしいことだったような気がして来て、このことがお母さまにあるいは悪い祟《たた》りをするのではあるまいかと、心配で心配で、あくる日も、またそのあくる日も忘れることができずにいたのに、けさは食堂で、美しい人は早く死ぬ、などめっそうもないことをつい口走って、あとで、どうにも言いつくろいができず、泣いてしまったのだが、朝食のあと片づけをしながら、何だか自分の胸の奥に、お母さまのお命をちぢめる気味わるい小蛇が一匹はいり込んでいるようで、いやでいやで仕様がなかった。

そうして、その日、私はお庭で蛇を見た。その日は、とてもなごやかないいお天気だったので、私はお台所のお仕事をすませて、それからお庭の芝生《しばふ》の上に籐椅子《とういす》をはこび、そこで編物をしようと思って、籐椅子を持ってお庭に降りたら、庭石の笹《ささ》のところに蛇がいた。おお、いやだ。私はただそう思っただけで、それ以上深く考えることもせず、籐椅子を持って引き返して縁側にあがり、縁側に椅子を置いてそれに腰かけて編物にとりかかった。午後になって、私はお庭の隅《すみ》のお堂の奥にしまってある蔵書の中から、*ローランサンの画集を取り出して来ようと思って、お庭へ降りたら、芝生の上を、蛇が、ゆっくりゆっくり這《は》っている。朝の蛇と同じだった。ほっそりした、上品な蛇だった。私は、女蛇《めへび》だ、と思った。彼女は、芝生を静かに横切って、野ばらの蔭《かげ》まで行くと、立ちどまって首を上げ細い焔《ほのお》のような舌をふるわせた。そうして、あたりを眺めるような恰好《かっこう》をしたが、しばらくすると、首を垂《た》れ、いかにも物憂《ものう》げにうずくまった。私はその時にも、ただ美しい蛇だ、という思いばかりが強く、やがてお堂に行って画集を持ち出し、かえりにさっきの蛇のいたところをそっと見たが、もういなかった。

夕方ちかく、お母さまと*支那間《シナま》でお茶をいただきながら、お庭のほうを見ていたら、石段の三段目の石のところに、けさの蛇がまたゆっくりとあらわれた。

お母さまもそれを見つけ、

「あの蛇は？」

とおっしゃるなり私のほうに走り寄り、私の手をとったまま立ちすくんでおしまいになった。そう言われて、私も、はっと思い当たり、

ローランサン　Marie Laurencin（1885—1956）。フランスの女流画家。立体派から出て装飾的な描法に向かい、淡い紅色、青、緑の色彩を使って、多く抒情的な少女を描いた。詩作もある。

支那間　中国風に造作された室。

「卵の母親？」と口に出して言ってしまった。

「そう、そうよ。」

お母さまのお声は、かすれていた。

私たちは手をとり合って、息をつめ、黙ってその蛇を見護《みまも》った。石の上に、物憂げにうずくまっていた蛇は、よろめくようにまた動きはじめ、そうして力弱そうに石段を横切り、かきつばたのほうに這入《はい》って行った。

「けさから、お庭を歩きまわっていたのよ。」

と私が小声で申し上げたら、お母さまは、溜息《ためいき》をついてくたりと椅子に坐《すわ》り込んでおしまいになって、

「そうでしょう？　卵を捜しているのですよ。可哀《かわい》そうに。」

と沈んだ声でおっしゃった。

私は仕方なく、ふふと笑った。

夕日がお母さまのお顔に当たって、お母さまのお眼が青いくらいに光って見えて、その幽《かす》かに怒りを帯びたようなお顔は、飛びつきたいほどに美しかった。そうして、私は、ああ、お母さまのお顔は、さっきのあの悲しい蛇に、どこか似ていらっしゃる、と思った。そうして私の胸の中に住む蝮《まむし》みたいにごろごろして醜い蛇が、この悲しみが深くて美しい美しい母蛇を、いつか、食い殺してしまうのではなかろうかと、なぜだか、なぜだか、そんな気がした。

私はお母さまの軟《やわ》らかなきゃしゃなお肩に手を置いて、理由のわからない身悶《みもだ》えをした。

私たちが、東京の西片町のお家を捨て、伊豆《いず》のこの、ちょっと支那ふうの山荘に引っ越して来たのは、日本が無条件降伏をしたとしの、十二月のはじめであった。お父上がお亡《な》くなりになってから、私たちの家の経済は、お母さまの弟で、そうしていまではお母さまのたった一人の肉親でいらっしゃる和田の叔父さまが、全部お世話して下さっていたのだが、戦争が終わって世の中が変わり、和田の叔父さまが、もう駄目《だめ》だ、家を売るよりほかはない、女中にも皆ひまを出して、親子二人で、どこか田舎《いなか》の小綺麗《こぎれい》な家を買い、気ままに暮らしたほうがいい、とお母さまにお言い渡しになった様子で、お母さまは、お金のことは子供よりも、もっと何もわからないお方だし、和田の叔父さまからそう言われて、それではどうかよろしく、とお願いしてしまったようである。

十一月の末に叔父さまから速達が来て、駿豆鉄道《すんずてつどう》の沿線に河田子爵の別荘が売り物に出ている、家は高台で見晴らしがよく、畑も百坪ばかりある、あのあたりは梅の名所で、冬温かく夏涼しく、住めばきっと、お気に召すところと思う、先方と直接お逢《あ》いになってお話をする必要もあると思われるから、明日、とにかく銀座の私の事務所までおいでを乞《こ》う、という文面で、

「お母さま、おいでなさる？」

と私がたずねると、

「だって、お願いしていたのだもの。」

と、とてもたまらなく淋《さび》しそうに笑っておっしゃった。

翌《あく》る日、もとの運転手の松山さんにお伴《とも》をたのんで、お母さまは、お昼すこし過ぎにおでかけになり、夜の八時ごろ、松山さんに送られてお帰りになった。

「きめましたよ。」

かず子のお部屋《へや》へはいって来て、かず子の机に手をついてそのまま崩《くず》れるようにお坐りになり、そう一言《ひとこと》おっしゃった。

「きめたって、何を？」

「全部。」

「だって、」

と私はおどろき、

「どんなお家だか、見もしないうちに、……」

お母さまは机の上に片肘《かたひじ》を立て、額に軽くお手を当て、小さい溜息《ためいき》をおつきになり、

「和田の叔父さまが、いい所だとおっしゃるのだもの。私は、このまま、眼をつぶって そのお家へ移って行っても、いいような気がする。」

とおっしゃってお顔を挙《あ》げて、かすかにお笑いになった。そのお顔は、少しやつれて、美しかった。

「そうね。」

と私も、お母さまの和田の叔父さまに対する信頼心の美しさに負けて、合槌《あいづち》を打ち、

「それでは、かず子も眼をつぶるわ。」

二人で声を立てて笑ったけれども、笑ったあとが、すごく淋しくなった。

それから毎日、お家へ人夫が来て、引越しの荷ごしらえがはじまった。和田の叔父さまも、やって来られて、売り払うものは売り払うようにそれぞれ手配をして下さった。私は女中のお君と二人で、衣類の整理をしたり、がらくたを庭先で燃やしたりしていそがしい思いをしていたが、お母さまは、少しも整理のお手伝いも、お指図《さしず》もなさらず、毎日お部屋で、なんとなく、ぐずぐずしていらっしゃるのである。

「どうなさったの？　伊豆へ行きたくなくなったの？」

と思い切って、少しきつくお訊《たず》ねしても、

「いいえ。」

とぼんやりしたお顔でお答えになるだけであった。

十日ばかりして、整理が出来上がった。私は、夕方お君と二人で、紙くずや藁《わら》を庭先で燃やしていると、お母さまも、お部屋から出ていらして、縁側にお立ちになって黙って私たちの焚火《たきび》を見ていらした。灰色みたいな寒い西風が吹いて、煙が低く地を這《は》っていて、私は、ふとお母さまの顔を見上げ、お母さまのお顔色が、いままで見たこともなかったくらいに悪いのにびっくりして、

「お母さま！　お顔色がお悪いわ。」

と叫ぶと、お母さまは薄くお笑いになり、

「なんでもないの。」

とおっしゃって、そっとまたお部屋におはいりになった。

その夜、お蒲団《ふとん》はもう荷造りをすましてしまったので、お君は二階の洋間のソファに、お母さまと私は、お母さまのお部屋に、お隣りからお借りした一組のお蒲団をしいて、二人一緒にやすんだ。

お母さまは、おや？　と思ったくらいに老《ふ》けた弱々しいお声で、

「かず子がいるから、かず子がいてくれるから、私は伊豆へ行くのですよ。かず子がいてくれるから。」

と意外なことをおっしゃった。

私は、どきんとして、

「かず子がいなかったら？」

と思わずたずねた。

お母さまは、急にお泣きになって、

「死んだほうがよいのです。お父さまの亡《な》くなったこの家で、お母さまも、死んでしまいたいのよ。」

と、とぎれとぎれにおっしゃって、いよいよはげしくお泣きになった。

お母さまは、今まで私に向かって一度だってこんな弱音《よわね》をおっしゃったことがなかったし、また、こんなに烈《はげ》しくお泣きになっているところを私に見せたこともなかった。お父上がお亡くなりになった時も、また私がお嫁に行く時も、そして赤ちゃんをおなかにいれてお母さまのもとへ帰って来た時も、そして、赤ちゃんが病院で死んで生まれた

時も、それから私が病気になって寝込んでしまった時も、また、直治が悪いことをした時も、お母さまは、決してこんなお弱い態度をお見せになりはしなかった。お父上がお亡くなりになって十年間、お母さまは、お父上の在世中と少しも変わらない、のんきな、優しいお母さまだった。そうして、私たちも、いい気になって甘えて育って来たのだ。けれども、お母さまには、もうお金がなくなってしまった。みんな私たちのために、私と直治のために、みじんも惜しまずにお使いになってしまったのだ。そうしてもう、この永年住みなれたお家から出て行って、伊豆の小さい山荘で私とたった二人きりで、わびしい生活をはじめなければならなくなった。もしお母さまが意地悪でケチケチして、私たちを叱《しか》って、そうして、こっそりご自分だけのお金をふやすことを工夫なさるようなお方であったら、どんなに世の中が変わっても、こんな、死にたくなるようなお気持におなりになることはなかったろうに、ああ、お金がなくなるということは、なんというおそろしい、みじめな、救いのない地獄だろう、と生まれてはじめて気がついた思いで、胸が一ぱいになり、あまり苦しくて泣きたくても泣けず、人生の厳粛とは、こんな時の感じを言うのであろうか、身動き一つできない気持で、仰向《あおむ》けに寝たまま、私は石のように凝《じ》っとしていた。

翌《あく》る日、お母さまは、やはりお顔色が悪く、なお何やらぐずぐずして、少しでも永くこのお家にいらっしゃりたい様子であったが、和田の叔父さまが見えられて、もう荷物はほとんど発送してしまったし、きょう伊豆に出発、とお言いつけになったので、お母さまは、しぶしぶコートを着て、おわかれの挨拶《あいさつ》を申し上げるお君や、出入りのひとたちに無言でお会釈《えしやく》なさって、叔父さまと私と三人、西片町のお家を出た。

汽車は割に空《す》いていて、三人とも腰かけられた。汽車の中では、叔父さまは非常な上機嫌《じようきげん》で、うたいなど唸《うな》っていらっしゃったが、お母さまはお顔色が悪く、うつむいて、とても寒そうにしていらした。三島で駿豆鉄道に乗りかえ、伊豆長岡で下車して、それからバスで十五分くらいで降りてから山のほうに向かって、ゆるやかな坂道をのぼって行くと、小さい部落があって、その部落のはずれに、支那《シナ》ふうの、ちょっとこった山荘があった。

「お母さま、思ったよりもいい所ね。」

と私は息をはずませて言った。

「そうね。」

とお母さまも、山荘の玄関の前に立って、一瞬うれしそうな眼つきをなさった。

「だいいち、空気がいい。清浄な空気です。」

と叔父さまは、ご自慢なさった。

「本当に、」

とお母さまは微笑《ほほえ》まれて、

「おいしい。ここの空気は、おいしい。」

とおっしゃった。

そうして、三人で笑った。

玄関にはいってみると、もう東京からのお荷物が着いていて、玄関からお部屋からお荷物で一ぱいになっていた。

「次には、お座敷からの眺《なが》めがよい。」

叔父さまは浮かれて、私たちをお座敷に引っぱって行って坐らせた。

午後の三時ごろで、冬の日が、お庭の芝生《しばふ》にやわらかく当たっていて、芝生から石段を降りつくしたあたりに小さいお池があり、梅の木がたくさんあって、お庭の下には蜜《み》柑畑《かんばたけ》がひろがり、それから村道があって、その向うは水田で、それからずっと向うに松林があって、その松林の向うに海が見える。海は、こうしてお座敷に坐っていると、ちょうど私のお乳のさきに水平線がさわるくらいの高さに見えた。

「やわらかな景色ねえ。」

とお母さまは、もの憂《う》そうにおっしゃった。

「空気のせいかしら。陽《ひ》の光が、まるで東京と違うじゃないの。光線が絹ごしされているみたい。」

と私は、はしゃいで言った。

十畳間と六畳間と、それから支那式の応接間と、それからお玄関が三畳、お風呂場《ふろば》のところにも三畳がついていて、それから食堂とお勝手と、それからお二階に大きなベッドの附《つ》いた来客用の洋間が一間、それだけの間数だけれども、私たち二人、いや、直治が帰って三人になっても、別に窮屈でないと思った。

叔父さまは、この部落でたった一軒だという宿屋へ、お食事を交渉に出かけ、やがてとどけられたお弁当を、お座敷にひろげて御持参のウイスキイをお飲みになり、この山荘の以前の持主でいらした河田子爵と支那で遊んだころの失敗談などを語って、大陽気であったが、お母さまは、お弁当にもほんのちょっとお箸《はし》をおつけになっただけで、やがて、あたりが薄暗くなって来たころ、

「すこし、このまま寝かして。」

と小さい声でおっしゃった。

私がお荷物の中からお蒲団《ふとん》を出して、寝かせてあげ、何だかひどく気がかりになって来たので、お荷物から体温計を捜し出して、お熱を計ってみたら、三十九度あった。

叔父さまもおどろいたご様子で、とにかく下の村まで、お医者を捜しに出かけられた。

「お母さま！」

とお呼びしても、ただ、うとうとしていらっしゃる。

私はお母さまの小さいお手を握りしめて、すすり泣いた。お母さまが、お可哀想《かわいそう》でお可哀想で、いいえ、私たち二人が可哀想で可哀想で、いくら泣いても、とまらなかった。泣きながら、ほんとにこのままお母さまと一緒に死にたいと思った。もう私たちは、何も要《い》らない。私たちの人生は、西片町のお家を出た時に、もう終わったのだと思った。

二時間ほどして叔父さまが、村の先生を連れて来られた。村の先生は、もうだいぶおとし寄りのようで、そうして*仙台平《せんだいひら》の袴《はかま》を着け、白足袋《しろたび》をはいておられた。

ご診察が終わって、

「肺炎になるかも知れませんでございます。けれども、肺炎になりましても、御心配は

ございません。」

と、何だかたよりないことをおっしゃって、注射をして下さって帰られた。

翌《あく》る日になっても、お母さまのお熱は、さがらなかった。和田の叔父さまは、私に二千円お手渡しになって、万一、入院などしなければならぬようになったら、東京へ電報を打つように、と言い残して、ひとまずその日に帰京なされた。

私はお荷物の中から最少限の必要な炊事道具《すいじどうぐ》を取り出し、おかゆを作ってお母さまにすすめた。お母さまは、おやすみのまま、三さじおあがりになって、それから、首を振った。

お昼すこし前に、下の村の先生がまた見えられた。こんどはお袴は着けていなかったが、白足袋は、やはりはいておられた。

「入院したほうが、……」

と私が申し上げたら、

「いや、その必要は、ございませんでしょう。きょうは一つ、強いお注射をしてさし上げますから、お熱もさがることでしょう。」

と、相変らずたよりないようなお返事で、そうして、いわゆるその強い注射をしてお帰りになられた。

けれども、その強い注射が奇効を奏したのか、その日のお昼すぎに、お母さまのお顔

仙台平の袴 精巧な絹織物で作られた袴。京都西陣の織工八右衛門が伊達政宗の命によって仙台で製出したのに始まる。

が真赤になって、そうしてお汗がひどく出て、お寝巻を着かえる時、お母さまは笑って、

「名医かも知れないわ。」

とおっしゃった。

熱は七度にさがっていた。私はうれしく、この村にたった一軒の宿屋に走って行き、そこのおかみさんに頼んで、鶏卵を十ばかりわけてもらい、さっそく半熟にしてお母さまに差し上げた。お母さまは半熟を三つと、それからおかゆをお茶碗《ちゃわん》に半分ほどいただいた。

あくる日、村の名医が、また白足袋をはいてお見えになり、私が昨日の強い注射のお礼を申し上げたら、効《き》くのは当然、というようなお顔で深くうなずき、ていねいにご診察なさって、そうして私のほうに向き直り、

「大奥さまは、もはや御病気ではございません。でございますから、これからは、何をおあがりになっても、何をなさってもよろしゅうございます。」

と、やはり、へんな言いかたをなさるので、私は噴《ふ》き出したいのを怺《こら》えるのに骨が折れた。

先生を玄関までお送りして、お座敷に引き返して来て見ると、お母さまは、お床の上にお坐りになっていらして、

「本当に名医だわ。私は、もう、病気じゃない。」

と、とても楽しそうなお顔をして、うっとりとひとりごとのようにおっしゃった。

「お母さま、障子をあけましょうか。雪が降っているのよ。」

花びらのような大きい牡丹雪《ぼたんゆき》が、ふわりふわり降りはじめていたのだ。私は、障子をあけ、お母さまと並んで坐り、硝子戸《ガラスど》越しに伊豆の雪を眺めた。

「もう病気じゃない。」

と、お母さまは、またひとりごとのようにおっしゃって、

「こうして坐っていると、以前のことが、皆ゆめだったような気がする。私は本当は、引っ越し間際《まぎわ》になって、伊豆へ来るのが、どうしても、なんとしても、いやになってしまったの。西片町のあのお家に、一日でも半日でも永くいたかったの。汽車に乗った時には、半分死んでいるような気持で、ここに着いた時も、はじめちょっと楽しいような気分がしたけど、薄暗くなったら、もう東京がこいしくて、胸がこげるようで、気が遠くなってしまったの。普通の病気じゃないんです。神さまが私をいちどお殺しになって、それから昨日までの私と違う私にして、よみがえらせて下さったのだわ。」

それから、きょうまで、私たち二人きりの山荘生活がまあ、どうやらこともなく、安穏《あんのん》につづいて来たのだ。部落の人たちも私たちに親切にしてくれた。ここへ引っ越して来たのは、去年の十二月、それから、一月、二月、三月、四月のきょうまで、私たちはお食事のお仕度《したく》のほかは、たいていお縁側で編物をしたり、支那間で本を読んだり、お茶をいただいたり、ほとんど世の中と離れてしまったような生活をしていたのである。二月には梅が咲き、この部落全体が梅の花で埋《うず》まった。そうして三月になっても、風のないおだやかな日が多かったので、満開の梅は少しも衰えず、三月の末まで美しく咲きつづけた。朝も昼も、夕方も、夜も、梅の花は、溜息《ためいき》の出るほど美しかった。そうして

お縁側の硝子戸をあけると、いつでも花の匂《にお》いがお部屋にすっと流れて来た。三月の終りには、夕方になると、きっと風が出て、私が夕暮の食堂でお茶碗を並べていると、窓から梅の花びらが吹き込んで来て、お茶碗の中にはいって濡《ぬ》れた。四月になって、私とお母さまがお縁側で編物をしながら、二人の話題は、たいてい畑作りの計画であった。お母さまもお手伝いしたいとおっしゃる。ああ、こうして書いてみると、いかにも私たちは、いつかお母さまのおっしゃったように、いちど死んで、違う私たちになってよみがえったようでもあるが、しかし、イエスさまのような復活は、所詮《しょせん》、人間にはできないのではなかろうか。お母さまは、あんなふうにおっしゃったけれども、それでもやはり、スウプを一さじ吸っては、直治を思い、あ、とお叫びになる。そうして私の過去の傷痕《きずあと》も、実は、ちっともなおっていはしないのである。

ああ、何も一つも包みかくさず、はっきり書きたい。この山荘の安穏は、全部いつわりの、見せかけにすぎないと、私はひそかに思う時さえあるのだ。これが私たち親子が神さまからいただいた短い休息の期間であったとしても、もうすでにこの平和には、何か不吉な、暗い影が忍び寄って来ているような気がしてならない。お母さまは、幸福をお装《よそお》いになりながらも、日に日に衰え、そうして私の胸には蝮《まむし》が宿り、お母さまを犠牲にしてまで太り、自分でおさえてもおさえても太り、ああ、これがただ季節のせいだけのものであってくれたらよい、私にはこのごろ、こんな生活が、とてもたまらなくなることがあるのだ。蛇の卵を焼くなどというはしたないことをしたのも、そのような私のいらいらした思いのあらわれの一つだったのに違いないのだ。そうして、ただ、お母さまの悲しみを深くさせ、衰弱させるばかりなのだ。

恋、と書いたら、あと、書けなくなった。

二

蛇の卵のことがあってから、十日ほど経《た》ち、不吉なことがつづいて起こり、いよいよお母さまの悲しみを深くさせ、そのお命を薄くさせた。

私が、火事を起こしかけたのだ。

私が火事を起こす。私の生涯《しょうがい》にそんなおそろしいことがあろうとは、幼い時から今まで、一度も夢にさえ考えたことがなかったのに。

お火を粗末にすれば火事が起こる、というきわめて当然のことにも、気づかないほどの私はあのいわゆる「おひめさま」だったのだろうか。

夜中にお手洗いに起きて、お玄関の衝立《ついたて》の傍《そば》まで行くと、お風呂場のほうが明るい。何気なく覗《のぞ》いてみると、お風呂場の硝子戸《ガラスど》が真赤で、パチパチという音が聞こえる。小走りに走って行ってお風呂場のくぐり戸をあけ、はだしで外に出てみたら、お風呂のかまどの傍に積み上げてあった薪《まき》の山が、すごい火勢で燃えている。

庭つづきの下の農家に飛んで行き、力一ぱいに戸を叩《たた》いて、

「中井さん！　起きて下さい、火事です！」

と叫んだ。

中井さんは、もう、寝ていらっしゃったらしかったが、

「はい、すぐ行きます。」

と返事して、私が、おねがいします、早くおねがいします、と言っているうちに、浴衣《ゆかた》の寝巻のままでお家から飛び出て来られた。

二人で火の傍に駈け戻り、バケツでお池の水を汲んでかけていると、お座敷の廊下のほうから、お母さまの、ああっ、という叫びが聞こえた。私はバケツを投げ捨て、お庭から廊下に上がって、

「お母さま、心配しないで、大丈夫、休んでいらして。」

と、倒れかかるお母さまを抱きとめ、お寝床に連れて行って寝かせ、また火のところに飛んでかえって、こんどはお風呂の水を汲んでは中井さんに手渡し、中井さんはそれを薪の山にかけたが火勢は強く、とてもそんなことでは消えそうもなかった。

「火事だ。火事だ。お別荘が火事だ。」

という声が下のほうから聞こえて、たちまち四五人の村の人たちが、垣根《かきね》をこわして、飛び込んでいらした。そうして、垣根の下の、用水の水を、リレー式にバケツで運んで、二、三分のあいだに消しとめて下さった。もう少しで、お風呂場の屋根に燃え移ろうとするところであった。

よかった、と思ったとたんに、私はこの火事の原因に気づいてぎょっとした。本当に、私はその時はじめて、この火事騒ぎは、私が夕方、お風呂のかまどの燃え残りの薪を、かまどから引き出して消したつもりで、薪の山の傍に置いたことから起こったのだ、ということに気づいたのだ。そう気づいて、泣き出したくなって立ちつくしていたら、前

のお家の西山さんのお嫁さんが垣根の外で、お風呂場が丸焼けだよ、かまどの火の不始末だよ、と声高に話すのが聞こえた。

村長の藤田さん、二宮巡査、警防団長の大内さんなどが、やって来られて、藤田さんは、いつものお優しい笑顔《えがお》で、

「おどろいたでしょう。どうしたのですか？」

とおたずねになる。

「私が、いけなかったのです。消したつもりの薪を、……」

と言いかけて、自分があんまりみじめで、涙がわいて出て、それっきりうつむいて黙った。警察に連れて行かれて、罪人になるのかも知れない、とそのとき思った。はだしで、お寝巻のままの、取り乱した自分の姿が急にはずかしくなり、つくづく、落ちぶれたと思った。

「わかりました。お母さんは？」

と藤田さんは、いたわるような口調で、しずかにおっしゃる。

「お座敷にやすませております。ひどくおどろいていらして、……」

「しかし、まあ、」

とお若い二宮巡査も、

「家に火がつかなくて、よかった。」

となぐさめるようにおっしゃる。

すると、そこへ下の農家の中井さんが、服装を改めて出直して来られて、

「なにね、薪がちょっと燃えただけなんです。ボヤ、とまでも行きません。」

と息をはずませて言い、私のおろかな過失をかばって下さる。

「そうですか。よくわかりました。」

と村長の藤田さんは二度も三度もうなずいて、それから二宮巡査と何か小声で相談をなさっていらしたが、

「では、帰りますから、どうぞ、お母さんによろしく。」

とおっしゃって、そのまま、警防団長の大内さんやその他の方たちと一緒にお帰りになる。

二宮巡査だけ、お残りになって、そうして私のすぐ前まで歩み寄って来られて、呼吸だけのような低い声で、

「それではね、今夜のことは、べつに、とどけないことにしますから。」

とおっしゃった。

二宮巡査がお帰りになったら、下の農家の中井さんが、

「二宮さんは、どう言われました？」

と、実に心配そうな、緊張のお声でたずねる。

「とどけないって、おっしゃいました。」

と私が答えると、垣根のほうにまだ近所のお方がいらして、その私の返事を聞きとった様子で、そうか、よかった、よかった、と言いながら、そろそろ引き上げて行かれた。

中井さんも、おやすみなさい、を言ってお帰りになり、あとには私ひとり、ぼんやり焼けた薪の山の傍《そば》に立ち、涙ぐんで空を見上げたら、もうそれは夜明けちかい空の気配であった。

風呂場で、手と足と顔を洗い、お母さまに逢《あ》うのが何だかおっかなくって、お風呂場の三畳間で髪を直したりしてぐずぐずして、それからお勝手に行き、夜のまったく明けはなれるまで、お勝手の食器の用もない整理などしていた。

夜が明けて、お座敷のほうに、そっと足音をしのばせて行って見ると、お母さまは、もうちゃんとお着換えをすましておられて、そうして支那間のお椅子《いす》に、疲れ切ったようにして腰かけていらした。私を見て、にっこりお笑いになったが、そのお顔は、びっくりするほど蒼《あお》かった。

私は笑わず、黙って、お母さまのお椅子のうしろに立った。

しばらくしてお母さまが、

「なんでもないことだったのね。燃やすための薪《まき》だもの。」

とおっしゃった。

私は急に楽しくなって、ふふんと笑った。＊機《おり》にかないて語《かた》る言《ことば》は銀《ぎん》の彫刻物《ほりもの》に金《きん》の林檎《りんご》を嵌《は》めたるが如《ごと》し、という聖書の箴言《しんげん》を思い出し、こんな優しいお母さまを持っている自分の幸福を、つくづく神さまに感謝した。ゆうべのことは、ゆうべのこと。もうくよくよすまい、と思って、私は支那間の硝子戸《ガラスど》越しに、朝の伊豆の海を眺め、いつまで

機にかないて語る言は……　旧約聖書箴言《しんげん》第二十五章十一節にある言葉。

もお母さまのうしろに立っていて、おしまいにはお母さまのしずかな呼吸と私の呼吸がぴったり合ってしまった。

朝のお食事を軽くすましてから、私は、焼けた薪の山の整理にとりかかっていると、この村でたった一軒の宿屋のおかみさんであるお咲《さき》さんが、

「どうしたのよ？　どうしたのよ？　いま、私、はじめて聞いて、まあ、ゆうべは、いったい、どうしたのよ？」

と言いながら庭の枝折戸《しおりど》から小走りに走ってやって来られて、そうしてその眼には、涙が光っていた。

「すみません。」

と私は小声でわびた。

「すみませんも何も。それよりも、お嬢さん、警察のほうは？」

「いいんですって。」

「まあよかった。」

と、しんから嬉《うれ》しそうな顔をして下さった。

私はお咲さんに、村の皆さんへどんな形で、お礼とお詫《わ》びをしたらいいか、相談した。お咲さんは、やはりお金がいいでしょう、と言い、それを持ってお詫びまわりをすべき家々を教えて下さった。

「でも、お嬢さんがおひとりで廻《まわ》るのがおいやだったら、私も一緒について行ってあげますよ。」

「ひとりで行ったほうが、いいのでしょう？」

「ひとりで行ける？　そりゃ、ひとりで行ったほうがいいの。」

「ひとりで行くわ。」

それからお咲さんは、焼跡の整理を少し手伝って下さった。

整理がすんでから、私はお母さまからお金をいただき、百円紙幣を一枚ずつ*美濃紙《みのがみ》に包んで、それぞれの包みに、おわび、と書いた。

まず一ばんに役場へ行った。村長の藤田さんはお留守だったので、受附の娘さんに紙包を差し出し、

「昨夜は、申しわけないことをいたしました。これから、気をつけますから、どうぞおゆるし下さいまし。村長さんに、よろしく。」

とお詫びを申し上げた。

それから、警防団長の大内さんのお家へ行き、大内さんがお玄関に出て来られて、私を見て黙って悲しそうに微笑《ほほえ》んでいらして、私は、どうしてだか、急に泣きたくなり、

「ゆうべは、ごめんなさい。」

と言うのが、やっとで、いそいでおいとまして、道々、涙があふれて来て、顔がだめになったので、いったんお家へ帰って、洗面所で顔を洗い、お化粧をし直して、また出かけようとして玄関で靴《くつ》をはいていると、お母さまが、出ていらして、

美濃紙　和紙の一種。美濃国（岐阜県）武儀《むぎ》郡から優良なものを産出したところからこの名がある。紙質は強くて厚く、文書の写し、書状の包み、障子紙などに使う。

「まだ、どこかへ行くの？」

とおっしゃる。

「ええ、これからよ。」

私は顔を挙《あ》げないで答えた。

「ご苦労さまね。」

しんみりおっしゃった。

お母さまの愛情に力を得て、こんどは一度も泣かずに、全部をまわることができた。

区長さんのお家に行ったら、区長さんはお留守で、息子《むすこ》さんのお嫁さんが出ていらしたが、私を見るなりかえって向うで涙ぐんでおしまいになり、また、巡査のところでは、二宮巡査が、よかった、よかった、とおっしゃってくれるし、みんなお優しいお方たちばかりで、それからご近所のお家を廻って、やはり皆さまから、同情され、なぐさめられた。ただ、前のお家の西山さんのお嫁さん、といっても、もう四十くらいのおばさんだが、そのひとにだけは、びしびし叱《しか》られた。

「これからも気をつけて下さいよ。宮様だか何さまだか知らないけれども、私は前から、あんたたちのままごと遊びみたいな暮し方を、はらはらしながら見ていたんです。子供が二人で暮らしているみたいなんだから、いままで火事を起こさなかったのが不思議なくらいのものだ。本当にこれからは、気をつけて下さいよ。ゆうべだって、あんた、あれで風が強かったら、この村全部が燃えたのですよ。」

この西山さんのお嫁さんは、下の農家の中井さんなどは村長さんや二宮巡査の前に飛んで出て、ボヤとまでも行きません、と言ってかばって下さったのに、垣根の外で、風呂場が丸焼けだよ、かまどの火の不始末だよ、と大きい声で言っていらしたひとである。けれども、私は西山さんのお嫁さんのおこごとにも、真実を感じた。本当にそのとおりだと思った。少しも、西山さんのお嫁さんを恨むことはない。お母さまは、燃やすための薪だもの、と冗談をおっしゃって私をなぐさめて下さったが、しかし、あの時に風が強かったら、西山さんのお嫁さんのおっしゃるとおり、この村全体が焼けたのかも知れない。そうなったら私は、死んでおわびしたっておっつかない。私が死んだら、お母さまも生きては、いらっしゃらないだろうし、また亡《な》くなったお父上のお名前をけがしてしまうことにもなる。いまはもう、宮様も華族もあったものではないけれども、しかし、どうせほろびるものなら、思い切って華麗にほろびたい。火事を出してそのお詫びに死ぬなんて、そんなみじめな死に方では、死んでも死に切れまい。とにかく、もっと、しっかりしなければならぬ。

私は翌日から、畑仕事に精を出した。下の農家の中井さんの娘さんが、時々お手伝いして下さった。火事を出すなどという醜態を演じてからは、私のからだの血が何だか少し赤黒くなったような気がして、その前には、私の胸に意地悪の蝮《まむし》が住み、こんどは血の色まで少し変わったのだから、いよいよ野生の田舎娘《いなかむすめ》になって行くような気分で、お母さまとお縁側で編物などをしていても、へんに窮屈で息苦しく、かえって畑へ出て、土を掘り起こしたりしているほうが気楽なくらいであった。

筋肉労働、というのかしら。このような力仕事は、私にとっていまがはじめてではない。私は戦争の時に徴用されて、ヨイトマケまでさせられた。いま畑にはいて出ている地下足袋《じかたび》も、その時、軍のほうから配給になったものである。地下足袋というものを、その時、それこそ生まれてはじめてはいてみたのであるが、びっくりするほど、はき心地がよく、それをはいてお庭を歩いてみたら、鳥やけものが、はだしで地べたを歩いている気軽さが、自分にもよくわかったような気がして、とても、胸がうずくほど、うれしかった。戦争中の、たのしい記憶は、たったそれ一つきり。思えば、戦争なんて、つまらないものだった。

昨年は、何もなかった。

一昨年は、何もなかった。

その前のとしも、何もなかった。

そんな面白い詩が、終戦直後のある新聞に載っていたが、本当に、いま思い出してみても、さまざまのことがあったような気がしながら、やはり、何もなかったと同じような気もする。私は、戦争の追憶は語るのも、聞くのも、いやだ。人がたくさん死んだのに、それでも陳腐で退屈だ。けれども、私は、やはり自分勝手なのであろうか。私が徴用されて地下足袋をはき、ヨイトマケをやらされた時のことだけは、そんなに陳腐だとも思えない。ずいぶんいやな思いもしたが、しかし、私はあのヨイトマケのおかげで、すっかりからだが丈夫になり、いまでも私は、いよいよ生活に困ったら、ヨイトマケをやって生きて行こうと思うことがあるくらいなのだ。

戦局がそろそろ絶望になって来たころ、軍服みたいなものを着た男が、西片町のお家へやって来て、私に徴用の紙と、それから労働の日割を書いた紙を渡した。日割の紙を見ると、私はその翌日から一日置きに立川の奥の山へかよわなければならなくなっていたので、思わず私の眼から涙があふれた。

「代人《だいにん》では、いけないのでしょうか。」

涙がとまらず、すすり泣きになってしまった。

「軍から、あなたに徴用が来たのだから、必ず、本人でなければいけない。」

とその男は、強く答えた。

私は行く決心をした。

その翌日は雨で、私たちは立川の山の麓《ふもと》に整列させられ、まず将校のお説経があった。

「戦争には、必ず勝つ。」

と冒頭して、

「戦争には必ず勝つが、しかし、皆さんが軍の命令通りに仕事しなければ、作戦に支障を来たし、沖縄のような結果になる。必ず、言われただけの仕事は、やってほしい。それから、この山にも、スパイがはいっているかも知れないから、お互いに注意すること。皆さんもこれからは、兵隊と同じに、陣地の中へはいって仕事をするのであるから、陣地の様子は、絶対に、他言しないように、充分に注意してほしい。」

ヨイトマケ　土木工事のこと。地ならし作業の時など、数人でヨーイトマケと掛け声を合わせたことからこの語が出た。大正から昭和にかけていわれた。

と言った。

山には雨が煙《けむ》り、男女とりまぜて五百ちかい隊員が、雨に濡れながら立ってその話を拝聴しているのだ。隊員の中には、＊国民学校の男生徒女生徒もまじっていて、みな寒そうな泣きべその顔をしていた。雨は私のレンコートをとおして、上衣《うわぎ》にしみて来て、やがて肌着《はだぎ》までぬらしたほどであった。

その日は一日、モッコかつぎをして、帰りの電車の中で、涙が出て来て仕様がなかったが、その次の時には、ヨイトマケの綱引だった。そうして、私にはその仕事が一ばん面白かった。

二度、三度、山へ行くうちに、国民学校の男生徒たちが私の姿を、いやにじろじろ見るようになった。ある日、私がモッコかつぎをしていると、男生徒が二三人、私とすれちがって、それから、そのうちの一人が、

「あいつが、スパイか。」

と小声で言ったのを聞き、私はびっくりしてしまった。

「なぜ、あんなことを言うのかしら。」

と私は、私と並んでモッコをかついで歩いている若い娘さんにたずねた。

「外人みたいだから。」

若い娘さんは、まじめに答えた。

「あなたも、あたしをスパイだと思っていらっしゃる？」

「いいえ。」

こんどは少し笑って答えた。

「私、日本人ですわ。」

と言って、その自分の言葉が、われながら馬鹿《ばか》らしいナンセンスのように思われて、ひとりでくすくす笑った。

あるお天気のいい日に、私は朝から男の人たちと一緒に丸太はこびをしていると、監視当番の若い将校が顔をしかめて、私を指差し、

「おい、君。君は、こっちへ来たまえ。」

と言って、さっさと松林のほうへ歩いて行き、私が不安と恐怖で胸をどきどきさせながら、その後について行くと、林の奥に製材所から来たばかりの板が積んであって、将校はその前まで行って立ちどまり、くるりと私のほうに向き直って、

「毎日、つらいでしょう。きょうは一つ、この材木の見張り番をしていて下さい。」

と白い歯を出して笑った。

「ここに、立っているのですか？」

「ここは、涼しくて静かだから、この板の上でお昼寝でもしていて下さい。もし、退屈だったら、これは、お読みかも知れないけど、」

と言って、上衣《うわぎ》のポケットから小さい文庫本を取り出し、てれたように、板の上にほうり、

「こんなものでも、読んでいて下さい。」

国民学校　小学校。昭和十六年から戦後の二十二年に改称されるまでの呼称。

文庫本には、「トロイカ」*と記《しる》されていた。

私はその文庫本を取り上げ、

「ありがとうございます。うちにも、本のすきなのがいまして、いま、南方に行っていますけど。」

と申し上げたら、聞き違いしたらしく、

「ああ、そう。あなたの御主人なのですね。南方じゃあ、たいへんだ。」

と首を振ってしんみり言い、

「とにかく、きょうはここで見張り番ということにして、あなたのお弁当は、あとで自分が持って来てあげますから、ゆっくり、休んでいらっしゃい。」

と言い捨て、急ぎ足で帰って行かれた。

私は、材木に腰かけて、文庫本を読み、半分ほど読んだころ、あの将校が、こつこつと靴《くつ》の音をさせてやって来て、

「お弁当を持って来ました。おひとりで、つまらないでしょう。」

と言って、お弁当を草原の上に置いて、また大急ぎで引き返して行かれた。

私は、お弁当をすましてから、こんどは、材木の上に這《は》い上がって、横になって本を読み、全部読み終えてから、うとうとお昼寝をはじめた。

眼がさめたのは、午後の三時すぎだった。私は、ふとあの若い将校を、前にどこかで見かけたことがあるような気がして来て、考えてみたが、思い出せなかった。材木から降りて、髪を撫《な》でつけていたら、また、こつこつと靴の音が聞こえて来て、

「やあ、きょうは御苦労さまでした。もう、お帰りになってよろしい。」

私は将校のほうに走り寄って、そうして文庫本を差し出し、お礼を言おうと思ったが、言葉が出ず、黙って将校の顔を見上げ、二人の眼が合った時、私の眼からぽろぽろ涙が出た。すると、その将校の眼にもきらりと涙が光った。

そのまま黙っておわかれしたが、その若い将校は、それっきりいちども、私たちの働いているところに顔を見せず、私は、あの日に、たった一日遊ぶことができただけで、それからは、やはり一日置きに立川の山で、苦しい作業をした。お母さまは、私のからだを、しきりに心配して下さったが、私はかえって丈夫になり、いまではヨイトマケ商売にもひそかに自信を持っているし、また、畑仕事にも、べつに苦痛を感じない女になった。

戦争のことは、語るのも聞くのもいや、などと言いながら、つい自分の「貴重なる体験談」など語ってしまったが、しかし、私の戦争の追憶の中で、少しでも語りたいと思うのは、ざっとこれくらいのことで、あとはもう、いつかのあの詩のように、
昨年は、何もなかった。

一昨年は、何もなかった。

その前のとしも、何もなかった。

とでも言いたいくらいで、ただ、ばかばかしく、わが身に残っているものは、この地

トロイカ　ロシアの作家ニコライ・テレショフ（1867―1957）の小説「トロイカで」のことと思われる。テレショフはシベリア移住民や炭坑夫などの悲惨な生活をよく描いた。

下足袋いっそく、というはかなさである。

地下足袋のことから、ついむだ話をはじめて脱線しちゃったけれど、私は、この、戦争の唯一の記念品とでもいうべき地下足袋をはいて、毎日のように畑に出て、胸の奥のひそかな不安や焦躁《しょうそう》をまぎらしているのだけれども、お母さまは、このごろ、目立って日に日にお弱りになっていらっしゃるように見える。

蛇《へび》の卵。

火事。

あのころから、どうもお母さまは、めっきり御病人くさくおなりになった。そうして私のほうでは、その反対に、だんだん粗野な下品な女になって行くような気もする。なんだかどうも私が、お母さまからどんどん生気を吸いとって太って行くような心地《ここち》がしてならない。

火事の時だって、お母さまは、燃やすための薪《まき》だもの、と御冗談を言って、それっきり火事のことについては一言《ひとこと》もおっしゃらず、かえって私をいたわるようにしていらしたが、しかし、内心お母さまの受けられたショックは、私の十倍も強かったのに違いない。あの火事があってから、お母さまは、夜中に時たま呻《うめ》かれることがあるし、また、風の強い夜などは、お手洗いにおいでになるふりをして、深夜いくどもお床から脱《ぬ》けて家中をお見廻りになるのである。そうしてお顔色はいつも冴《さ》えず、お歩きになるのさえやっとのように見える日もある。畑も手伝いたいと、前にはおっしゃっていたが、いちど私が、およしなさいと申し上げたのに、井戸から大きい手桶《ておけ》で畑に水を五、六ぱいお運びになり、翌日、いきのできないくらいに肩がこる、とおっしゃって一日、寝たきりで、そんなことがあってからはさすがに畑仕事はあきらめた御様子で、時たま畑へ出て来られても、私の働きぶりを、ただ、じっと見ていらっしゃるだけである。

「夏の花が好きなひとは、夏に死ぬっていうけれども、本当かしら。」

きょうもお母さまは、私の畑仕事をじっと見ていらして、ふいとそんなことをおっしゃった。私は黙っておナスに水をやっていた。ああ、そういえば、もう初夏だ。

「私は、ねむの花が好きなんだけれども、ここのお庭には、一本もないのね。」

とお母さまは、また、しずかにおっしゃる。

「夾竹桃《きょうちくとう》がたくさんあるじゃないの。」

私は、わざと、つっけんどんな口調で言った。

「あれは、きらいなの。夏の花は、たいていすきだけど、あれは、おきゃんすぎて。」

「私なら薔薇《ばら》がいいな。だけど、あれは四季咲きだから、薔薇の好きなひとは、春に死んで、夏に死んで、秋に死んで、冬に死んで、四度も死に直さなければいけないの？」

二人、笑った。

「すこし、休まない？」

とお母さまは、なおお笑いになりながら、

「きょうは、ちょっとかず子さんと相談したいことがあるの。」

「なあに？　死ぬお話なんかは、まっぴらよ。」

私はお母さまの後について行って、藤棚《ふじだな》の下のベンチに並んで腰をおろした。藤の花はもう終わって、やわらかな午後の日ざしが、その葉をとおして私たちの膝《ひざ》の上に落ち、私たちの膝をみどりいろに染めた。

「前から聞いていただきたいと思っていたことですけどね、お互いに気分のいい時に話そうと思って、きょうまで機会を待っていたの。どうせ、いい話じゃあないのよ。でも、きょうは何だか私もすらすら話せるような気がするものだから、まあ、あなたも、我慢しておしまいまで聞いて下さいね。実はね、直治は、生きているのです。」

私は、からだを固《かた》くした。

「五、六日前に、和田の叔父《おじ》さまからおたよりがあってね、叔父さまの会社に以前つとめていらしたお方で、さいきん南方から帰還して、叔父さまのところに挨拶《あいさつ》にいらして、その時、よもやまの話の末に、そのお方が偶然にも直治と同じ部隊で、そうして直治は無事で、もうすぐ帰還するだろうということがわかったの。でも、ね、一ついやなことがあるの。そのお方の話では、直治はかなりひどい阿片中毒《*あへんちゅうどく》になっているらしい、と……」

「また!」

私はにがいものを食べたみたいに、口をゆがめた。直治は、高等学校のころに、ある小説家の真似《まね》をして、麻薬中毒にかかり、そのために、薬屋からおそろしい金額の借りを作って、お母さまは、その借りを薬屋に全部支払うのに二年もかかったのである。

「そう。また、はじめたらしいの。けれども、それのなおらないうちは、帰還もゆるされないだろうから、きっとなおして来るだろうと、そのお方も言っていらしたそうです。

叔父さまのお手紙では、なおして帰って来たとしても、そんな心掛けの者では、すぐどこかへ勤めさせるというわけにはいかぬ、いまのこの混乱の東京で働いては、まともの人間でさえ少し狂ったような気分になる、中毒のなおったばかりの半病人なら、すぐ発狂気味になって、何を仕出かすか、わかったものでない、それで、直治が帰って来たら、すぐこの伊豆の山荘に引き取って、どこへも出さずに、当分ここで静養させたほうがよい、それが一つ。それから、ねえ、かず子、叔父さまがねえ、もう一つお言いつけになっているのだよ。叔父さまのお話では、もう私たちのお金が、なんにもなくなってしまったんだって。貯金の封鎖だの、財産税だので、もう叔父さまも、これまでのように私たちにお金を送ってよこすことがめんどうになったのだそうです。それでね、直治が帰って来て、お母さまと、直治と、かず子と三人あそんで暮らしていては、叔父さまもその生活費を都合なさるのにたいへんな苦労をしなければならぬから、いまのうちに、かず子のお嫁入りさきを捜すか、または、御奉公のお家を捜すか、どちらかになさい、という、まあ、お言いつけなの。」

「御奉公って、女中のこと？」

「いいえ、叔父さまがね、ほら、あの、駒場《こまば》の、」

とある宮様のお名前を挙げ《あ》て、

「あの宮様なら、私たちとも血縁つづきだし、姫宮の家庭教師をかねて、御奉公にあが

阿片中毒　モルヒネ、コデインなどの原料となる阿片の吸飲によって起こる中毒症状。頭痛、めまい、呼吸不整、皮膚蒼白などを生じ、精神に異常を来たし、昏睡状態になる。

っても、かず子が、そんなに淋《さび》しく窮屈な思いをせずにすむだろう、とおっしゃっているのです。」

「ほかに、つとめ口がないものかしら。」

「ほかの職業は、かず子には、とても無理だろう、とおっしゃっていました。」

「なぜ無理なの？　ね、なぜ無理なの？」

お母さまは、淋しそうに微笑《ほほえ》んでいらっしゃるだけで、何ともお答えにならなかった。

「いやだわ！　私、そんな話。」

自分でも、あらぬことを口走った、と思った。が、とまらなかった。

「私が、こんな地下足袋《じかたび》を、こんな地下足袋を、」

と言ったら、涙が出て来て、思わずわっと泣き出した。顔を挙げて、涙を手の甲で払いのけながら、お母さまに向かって、いけない、いけない、と思いながら、言葉が無意識みたいに、肉体とまるで無関係に、つぎつぎと続いて出た。

「いつだか、おっしゃったじゃないの。かず子がいるから、かず子がいてくれるから、お母さまは伊豆へ行くのですよ、とおっしゃったじゃないの。かず子がいないと、死んでしまうとおっしゃったじゃないの。だから、それだから、かず子は、どこへも行かずに、お母さまのお傍《そば》にいて、こうして地下足袋をはいて、お母さまにおいしいお野菜をあげたいと、それはかり考えているのに、直治が帰って来るとお聞きになったら、急に私を邪魔にして、宮様の女中に行けなんて、あんまりだわ、あんまりだわ。」

自分でも、ひどいことを口走ると思いながら、言葉が別の生き物のように、どうしてもとまらないのだ。

「貧乏になって、お金がなくなったら、私たちの着物を売ったらいいじゃないの。このお家も、売ってしまったら、いいじゃないの。私には、何だってできるわよ。この村の役場の女事務員にだってなれるわよ。役場で使って下さらなかったら、ヨイトマケにだってなれるわよ。貧乏なんて、なんでもない。お母さまさえ、私を可愛《かわい》がって下さったら、私は一生お母さまのお傍にいようとばかり考えていたのに、お母さまは、私よりも直治のほうが可愛いのね。出て行くわ。私は出て行く。どうせ私は、直治とは昔から性格が合わないのだから、三人一緒に暮らしていたら、お互いに不幸よ。私はこれまで永いことお母さまと二人きりで暮らしたのだから、もう思い残すことはない。これから直治がお母さまとお二人で水いらずで暮らして、そうして直治がたんとたんと親孝行をするといい。私はもう、いやになった。これまでの生活が、いやになった。出て行きます。きょうこれから、すぐに出て行きます。私には、行くところがあるの。」

私は立った。

「かず子！」

お母さまはきびしく言い、そうしてかつて私に見せたことのなかったほど、威厳に満ちたお顔つきで、すっとお立ちになり、私と向かい合って、そうして私よりも少しお背が高いくらいに見えた。

私は、ごめんなさい、とすぐに言いたいと思ったが、それが口にどうしても出ないで、かえって別の言葉が出てしまった。

「だましたのよ。お母さまは、私をおだましになったのよ。直治が来るまで、私を利用していらっしゃったのよ。私は、お母さまの女中さん。用がすんだから、こんどは宮様のところに行けって。」

わっと声が出て、私は立ったまま、思いきり泣いた。

「お前は、馬鹿だねえ。」

と低くおっしゃったお母さまのお声は、怒りに震えていた。

私は顔を挙げ、

「そうよ、馬鹿よ。馬鹿だから、だまされるのよ。馬鹿だから、邪魔にされるのよ。いないほうがいいのでしょう？　貧乏って、どんなこと？　お金って、なんのこと？　私には、わからないわ。愛情を、お母さまの愛情を、それだけを私は信じて生きて来たのです。」

とまた、ばかな、あらぬことを口走った。

お母さまは、ふっとお顔をそむけた。泣いておられるのだ。私は、ごめんなさい、と言い、お母さまに抱きつきたいと思ったが、畑仕事で手がよごれているのが、かすかに気になり、へんに白々しくなって、

「私さえ、いなかったらいいのでしょう？　出て行きます。私には、行くところがあるの。」

と言い捨て、そのまま小走りに走って、お風呂場に行き、泣きじゃくりながら、顔と手足を洗い、それからお部屋へ行って、洋服に着換えているうちに、またわっと大きい

声が出て泣き崩《くず》れ、思いのたけもっともっと泣いてみたくなって二階の洋間に駈《か》け上がり、ベッドにからだを投げて、毛布を頭からかぶり、痩《や》せるほどひどく泣いて、そのうちに気が遠くなるみたいになって、だんだん、あるひとが恋いしくて、恋いしくて、お顔を見て、お声を聞きたくてたまらなくなり、両足の裏に熱いお灸《きゅう》を据《す》え、じっとこらえているような、特殊な気持になって行った。

夕方ちかく、お母さまは、しずかに二階の洋間にはいっていらして、パチと電灯に灯《ひ》をいれて、それから、ベッドのほうに近寄って来られ、

「かず子。」

と、とてもお優しくお呼びになった。

「はい。」

私は起きて、ベッドの上に坐り、両手で髪を掻《か》きあげ、お母さまのお顔を見て、ふふと笑った。

お母さまも、幽《かす》かにお笑いになり、それから、お窓の下のソファに、深くからだを沈め、

「私は、生まれてはじめて、和田の叔父さまのお言いつけに、そむいた。……お母さまはね、いま、叔父さまに御返事のお手紙を書いたの。私の子供たちのことは、私におまかせ下さい、と書いたの。かず子、着物を売りましょうよ。二人の着物をどんどん売って、思い切りむだ使いして、ぜいたくな暮しをしましょうよ。私はもう、あなたに、畑仕事などさせたくない。高いお野菜を買ったって、いいじゃないの。あんなに毎日の畑

仕事は、あなたには無理です。」

実は私も、毎日の畑仕事が、少しつらくなりかけていたのだ。さっきあんなに、狂ったみたいに泣き騒いだのも、畑仕事の疲れと、悲しみがごっちゃになって、何もかも、うらめしく、いやになったからなのだ。

私はベッドの上で、うつむいて、黙っていた。

「かず子。」

「はい。」

「行くところがある、というのは、どこ？」

私は自分が、首すじまで赤くなったのを意識した。

「細田さま？」

私は黙っていた。

お母さまは、深い溜息《ためいき》をおつきになり、

「昔のことを言ってもいい？」

「どうぞ。」

と私は小声で言った。

「あなたが、山木さまのお家から出て、西片町のお家へ帰って来た時、お母さまは何もあなたをとがめるようなことは言わなかったつもりだけど、でも、たった一ことだけ、(お母さまはあなたに裏切られました)って言ったわね。おぼえている？　そしたら、あなたは泣き出しちゃって、……私も裏切ったなんてひどい言葉を使ってわるかったと思ったけど、……」

けれども、私はあの時、お母さまにそう言われて、何だか有難くて、うれし泣きに泣いたのだ。

「お母さまがね、あの時、裏切られたって言ったのは、あなたが山木さまのお家を出て来たことじゃなかったの。山木さまから、かず子は実は、細田と恋仲だったのです、と言われた時なの。そう言われた時には、本当に、私は顔色が変わる思いでした。だって、細田さまには、あのずっと前から、奥さまもお子さまもあって、どんなにこちらがお慕いしたって、どうにもならぬことだし、……」

「恋仲だなんて、ひどいことを。山木さまのほうで、ただそう邪推なさっていただけなのよ。」

「そうかしら。あなたは、まさか、あの細田さまを、まだ思いつづけているのじゃないでしょうね。行くところって、どこ？」

「細田さまのところなんかじゃないわ。」

「そう？　そんなら、どこ？」

「お母さま、私ね、こないだ考えたことだけれども、人間が他の動物と、まるっきり違っている点は、何だろう、言葉も智慧《ちえ》も、思考も、社会の秩序も、それぞれ程度の差はあっても、他の動物だって皆持っているでしょう？　信仰も持っているかも知れないわ。人間は、万物の霊長だなんて威張っているけど、ちっとも他の動物と本質的なちがいがないみたいでしょう？　ところがね、お母さま、たった一つあったの。おわかりになららないでしょう。他の生き物には絶対になくて、人間にだけあるもの。それはね、ひめごと、というものよ。いかが？」

お母さまは、ほんのりお顔を赤くなさって、美しくお笑いになり、

「ああ、そのかず子のひめごとが、よい実《み》を結んでくれたらいいけどねえ。お母さまは、毎朝、お父さまにかず子を幸福にして下さるようにお祈りしているのですよ。」

私の胸にふうっと、お父上と那須野《なすの》をドライヴして、そうして途中で降りて、その時の秋の野のけしきが浮かんで来た。萩《はぎ》、なでしこ、りんどう、女郎花《おみなえし》などの秋の草花が咲いていた。野葡萄《のぶどう》の実は、まだ青かった。

それから、お父上と琵琶湖《びわこ》でモーターボートに乗り、私が水に飛び込み、藻《も》に棲《す》む小魚が私の脚《あし》にあたり、湖の底に、私の脚の影がくっきりと写っていて、そうしてうごいている。そのさまが前後と何の聯関《れんかん》もなく、ふっと胸に浮かんで、消えた。

私はベッドから滑《すべ》り降りて、お母さまのお膝《ひざ》に抱きつき、はじめて、

「お母さま、さっきはごめんなさい。」

と言うことができた。

思うと、その日あたりが、私たちの幸福の最後の残り火の光が輝いたころで、それから、直治が南方から帰って来て、私たちの本当の地獄がはじまった。

三

どうしても、もう、とても、生きておられないような心細さ。これが、あの、不安、

とかいう感情なのであろうか、胸に苦しい浪《なみ》が打ち寄せ、それはちょうど、夕立がすんだのちの空を、あわただしく白雲がつぎつぎと走って走り過ぎて行くように、私の心臓をしめつけたり、ゆるめたり、私の脈は結滞《けったい》して、呼吸が稀薄《きはく》になり、眼のさきがもやもやと暗くなって、全身の力が、手の指の先からふっと抜けてしまう心地《ここち》がして、編物をつづけてゆくことができなくなった。

このごろは雨が陰気に降りつづいて、何をするにも、もの憂《う》くて、きょうはお座敷の縁側に籐椅子《とういす》を持ち出し、ことしの春にいちど編みかけてそのままにしていたセエタを、また編みつづけてみる気になったのである。淡い牡丹色《ぼたんいろ》のぼやけたような毛糸で、私はそれに、コバルトブルウの色を足して、セエタにするつもりなのだ。そうして、この淡い牡丹色の毛糸は、いまからもう二十年も前、私がまだ初等科*にかよっていたころ、お母さまがこれで私の頸巻《くびまき》を編んで下さった毛糸だった。その頸巻の端が頭巾《ずきん》になっていて、私はそれをかぶって鏡を覗《のぞ》いてみたら、小鬼のようであった。それに、色が、他の学友の頸巻の色と、まるで違っているので、私は、いやでいやで仕様がなかった。関西の多額納税*の学友が、「いい頸巻してなはるな」と、おとなびた口調でほめて下さったが、私は、いよいよ恥ずかしくなって、もうそれからは、いちどもこの頸巻をしたことがなく、永いことうち棄ててあったのだ。それを、ことしの春、死蔵品の復活とやらいう意味で、ときほぐして私のセエタにしようと思ってとりかかってみたのだが、どうも、

初等科　学習院初等科。小学校に相当し、六年制。現在の学習院も、この呼び方を残している。

多額納税　戦前の学習院では、華族以外にも多額納税者の子弟が入学していた。

このぼやけたような色合いが気に入らず、また打ちすて、きょうはあまりに所在ないまま、ふと取り出して、のろのろと編みつづけてみたのだ。けれども、編んでいるうちに、私は、この淡い牡丹色の毛糸と、灰色の雨空と、一つに溶け合って、なんとも言えないくらい柔らかくてマイルド*な色調を作り出していることに気がついた。私は知らなかったのだ。コスチウム*は、空の色との調和を考えなければならぬものだという大事なことを知らなかったのだ。調和って、なんて美しくて素晴らしいことなんだろうと、いささか驚き、呆然《ぼうぜん》とした形だった。灰色の雨空と、淡い牡丹色の毛糸と、その二つを組み合わせると両方が同時にいきいきして来るから不思議である。手に持っている毛糸が急にほっかり暖かく、つめたい雨空もビロウドみたいに柔らかく感ぜられる。そうして、モネー*の霧の中の寺院の絵を思い出させる。私はこの毛糸の色によって、はじめて「グウ*」というものを知らされたような気がした。よいこのみ。そうしてお母さまは、冬の雪空に、この淡い牡丹色が、どんなに美しく調和するかちゃんと識《し》っていらしてわざわざ選んで下さったのに、私は馬鹿でいやがって、けれども、それを子供の私に強制しようともなさらず、私のすきなようにさせておかれたお母さま。私がこの色の美しさを、本当にわかるまで、二十年間も、この色について一言も説明なさらず、黙って、そしらぬふりして待っていらしたお母さま。しみじみ、いいお母さまだと思うと同時に、こんないいお母さまを、私と直治と二人でいじめて、困らせ弱らせ、いまに死なせてしまうのではなかろうかと、ふうっとたまらない恐怖と心配の雲が胸に湧《わ》いて、あれこれ思いをめぐらせばめぐらすほど、前途にとてもおそろしい、悪いことばかり予想せられ、もう、とても、生きておられないくらいに不安になり、指先の力も抜けて、編棒を膝《ひざ》に置き、大きい溜息《ためいき》をついて、顔を仰向《あおむ》け眼をつぶって、

「お母さま。」

と思わず言った。

お母さまは、お座敷の隅《すみ》の机によりかかって、ご本を読んでいらしたのだが、

「はい？」

と、不審そうに返事をなさった。

私は、まごつき、それから、ことさらに大声で、

「とうとう薔薇《ばら》が咲きました。お母さま、ご存じだった？　私は、いま気がついた。とうとう咲いたわ。」

お座敷のお縁側のすぐ前の薔薇。それは、和田の叔父さまが、むかし、フランスだかイギリスだか、ちょっと忘れたけれど、とにかく遠いところからお持ち帰りになった薔薇で、二、三カ月前に、叔父さまが、この山荘の庭に移し植えて下さった薔薇である。けさそれが、やっと一つ咲いたのを、私はちゃんと知っていたのだ。けれども、てれ隠しに、たったいま気づいたみたいに大げさに騒いで見せたのである。花は、濃い紫色で、

マイルド　mild（英）やわらかな。おだやかな。　**コスチウム**　costume（英）服装。衣裳。
モネー　Claude Monet（1840―1926）。フランスの印象派画家。ターナー、ラファエル前派などの影響を受け、外光と色彩の効果を重視して、光の微妙な変化を表現し、水辺の風景を好んで描いた。　**グウ**　goût（仏）趣味嗜好。よい好み。

りんとした傲《おご》りと強さがあった。

「知っていました。」

とお母さまはしずかにおっしゃって、

「あなたには、そんなことが、とても重大らしいのね。」

「そうかも知れないわ。可哀《かわい》そう？」

「いいえ、あなたには、そういうところがあるって言っただけなの。お勝手のマッチ箱に*ルナアルの絵を貼《は》ったり、お人形のハンカチイフを作ってみたり、そういうことが好きなのね。それに、お庭の薔薇のことだって、あなたの言うことを聞いていると、生きている人のことを言っているみたい。」

「子供がないからよ。」

自分でも全く思いがけなかった言葉が、口から出た。言ってしまって、はっとして、まの悪い思いで膝《ひざ》の編物をいじっていたら、

——二十九だからなあ。

そうおっしゃる男の人の声が、電話で聞くようなくすぐったいバスで、はっきり聞こえたような気がして、私は恥ずかしさで、頬《ほお》が焼けるみたいに熱くなった。

お母さまは、何もおっしゃらず、また、ご本をお読みになる。お母さまは、こないだからガーゼのマスクをおかけになっていらして、そのせいか、このごろめっきり無口になった。そのマスクは、直治の言いつけに従って、おかけになっているのである。直治は、十日ほど前に、南方の島から蒼黒《あおぐろ》い顔になって還《かえ》って来たのだ。

何の前触れもなく、夏の夕暮、裏の木戸から庭へはいって来て、

「わあ、ひでえ。趣味のわるい家だ。来々軒《らいらいけん》。シュウマイあります、と、貼りふだしろよ。」

それが私とはじめて顔を合わせた時の、直治の挨拶《あいさつ》であった。

その二、三日前からお母さまは、舌を病んで寝ていらした。舌の先が、外見はなんの変りもないのに、うごかすと痛くてならぬとおっしゃって、お食事も、うすいおかゆだけで、お医者さまに見ていただいたら？　と言っても、首を振って、

「笑われます。」

と苦笑いしながら、おっしゃる。ルゴール*を塗ってあげたけれども、少しもききめがないようで、私は妙にいらいらしていた。

そこへ、直治が帰還して来たのだ。

直治はお母さまの枕元《まくらもと》に坐って、ただいま、と言ってお辞儀をし、すぐに立ち上がって、小さい家の中をあちこちと見て廻り、私がその後をついて歩いて、

「どう？　お母さまは、変わった？」

「変わった、変わった。やつれてしまった。早く死にゃいいんだ。こんな世の中に、マ

ルナアル　Auguste Renoir（1841―1919）。ふつうルノアールと発音する。フランス印象派の代表的画家。豊満な女の裸体を好んで描き、明るく甘美な色調を持つ。**ルゴール**　ルゴール（Lugol）氏液のことで、ヨード、ヨードカリ、グリセリンの混合液。咽頭カタル、バセドウ病などに塗布して用いる。

マなんて、とても生きて行けやしねえんだ。あまりみじめで、見ちゃおれねえ。」

「私は？」

「げびて来た。男が二、三人もあるような顔をしていやがる。酒は？ 今夜は飲むぜ。」

私はこの部落でたった一軒の宿屋へ行って、おかみさんのお咲さんに、弟が帰還したから、お酒を少しわけて下さい、とたのんでみたけれども、お咲さんは、お酒はあいにく、いま切らしています、というので、帰って直治にそう伝えたら、直治は、見たこともない他人のような表情の顔になって、ちぇっ、交渉が下手《へた》だからそうなんだ、と言い、私から宿屋の在《あ》る場所を聞いて、庭下駄《にわげた》をつっかけて外に飛び出し、それっきり、いくら待っても家へ帰って来なかった。私は直治の好きだった焼き林檎《りんご》と、それから、卵のお料理などこしらえて、食堂の電球も明るいのと取りかえ、ずいぶん待って、そのうちに、お咲さんが、お勝手口からひょいと顔を出し、

「もし、もし。大丈夫でしょうか。焼酎《しょうちゅう》を召し上がっているのですけど。」

と、れいの鯉《こい》の眼のようなまんまるい眼を、さらに強く見はって、一大事のように、低い声で言うのである。

「焼酎って。あの、メチル？」

「いいえ、メチルじゃありませんけど。」

「飲んでも、病気にならないのでしょう？」

「ええ、でも、……」

「飲ませてやって下さい。」

お咲さんは、つばきを飲み込むようにしてうなずいて帰って行った。

私はお母さまのところに行って、

「お咲さんのところで、飲んでいるんですって。」

と申し上げたら、お母さまは、少しお口を曲げてお笑いになって、

「そう。阿片《あへん》のほうは、よしたのかしら。あなたは、ごはんをすませなさい。それから今夜は、三人でこの部屋におやすみ。直治のお蒲団《ふとん》を、まんなかにして。」

私は、泣きたいような気持になった。

夜ふけて、直治は、荒い足音をさせて帰って来た。私たちは、お座敷に三人、一つの蚊帳《かや》にはいって寝た。

「南方のお話を、お母さまに聞かせてあげたら？」

と私が寝ながら言うと、

「何もない。何もない。忘れてしまった。日本に着いて汽車に乗って、汽車の窓から、水田が、すばらしく綺麗《きれい》に見えた。それだけだ。電気を消せよ。眠られやしねえ。」

私は電灯を消した。夏の月光が洪水《こうずい》のように蚊帳の中に満ちあふれた。

あくる朝、直治は寝床に腹這《はらば》いになって、煙草《たばこ》を吸いながら、遠く海のほうを眺めて、

「舌が痛いんですって？」

と、はじめてお母さまのお加減の悪いのに気がついたみたいなふうの口のきき方をした。

お母さまは、ただ幽《かす》かにお笑いになった。

「そいつあ、きっと、心理的なものなんだ。夜、口をあいておやすみになるんでしょう。だらしがない。マスクをなさい。ガーゼにリバノール液でもひたして、それをマスクの中にいれておくといい。」

私はそれを聞いて噴《ふ》き出し、

「それは、何療法っていうの？」

「美学療法っていうんだ。」

「でも、お母さまは、マスクなんか、きっとおきらいよ。」

お母さまは、マスクに限らず、眼帯でも、眼鏡でも、お顔にそんなものを附けることは大きらいだったはずである。

「ねえ、お母さま、マスクをなさる？」

と私がおたずねしたら、

「いたします。」

とまじめに低くお答えになったので、私は、はっとした。直治の言うことなら、なんでも信じて従おうと思っていらっしゃるらしい。

私が朝食の後に、さっき直治が言ったとおりに、ガーゼにリバノール液をひたしなどして、マスクを作り、お母さまのところに持って行ったら、お母さまは、黙って受け取り、おやすみになったままで、マスクの紐《ひも》を両方のお耳に素直におかけになり、そのさまが、本当にもう幼い童女のようで、私には悲しく思われた。

お昼すぎに、直治は、東京のお友達や、文学のほうの師匠さんなどに逢《あ》わなければならぬと言って背広に着換え、お母さまから、二千円もらって東京へ出かけて行ってしまった。それっきり、もう十日ちかくなるのだけれども、直治は、帰って来ないのだ。そうして、お母さまは、毎日マスクをなさって、直治を待っていらっしゃる。

「リバノールって、いい薬なのね。このマスクをかけていると、舌の痛みが消えてしまうのですよ。」

と、笑いながらおっしゃったけれども、私には、お母さまが嘘《うそ》をついていらっしゃるように思われてならないのだ。もう大丈夫、とおっしゃって、いまは起きていらっしゃるけれども、食慾はやっぱりあまりない御様子だし、口数《くちかず》もめっきり少なく、とても私は気がかりで、直治はまあ、東京で何をしているのだろう、あの小説家の上原さんなんかと一緒に東京中を遊びまわって、東京の狂気の渦《うず》に巻き込まれているのにちがいない、と思えば思うほど、苦しくつらくなり、お母さまに、だしぬけに薔薇《ばら》のことなど報告して、そうして、子供がないからよ、なんて自分にも思いがけなかったへんなことを口走って、いよいよ、いけなくなるばかりで、

「あ。」

と言って立ち上がり、さて、どこへも行くところがなく、身一つをもてあまして、ふらふら階段をのぼって行って、二階の洋間にはいってみた。

ここは、こんど直治の部屋になるはずで、四、五日前に私が、お母さまと相談して、下の農家の中井さんにお手伝いをたのみ、直治の洋服簞笥《ようふくだんす》や机や本箱、また、蔵書やノートブックなど一ぱいつまった木の箱五つ六つ、とにかく昔、西片町のお家の直治のお

部屋にあったもの全部を、ここに持ち運び、いまに直治が東京から帰って来たら、直治の好きな位置に、箪笥本箱などそれぞれ据《す》えることにして、それまではただ雑然とここに置き放しにしていたほうがよさそうに思われたので、もう、足の踏み場もないくらいに、部屋一ぱい散らかしたままで、私は、何気なく足もとの木の箱から、直治のノートブックを一冊取りあげて見たら、そのノートブックの表紙には、

夕顔日誌

と書きしるされ、その中には、次のようなことが一ぱい書き散らされていたのである。直治が、あの、麻薬中毒で苦しんでいたころの手記のようであった。


焼け死ぬる思い。苦しくとも、苦しと一言、半句、叫び得ぬ、古来、未曾有《みぞう》、人の世はじまって以来、前例もなき、底知れぬ地獄の気配を、ごまかしなさんな。

思想？ ウソだ。主義？ ウソだ。理想？ ウソだ。秩序？ ウソだ。誠実？ 真理？ 純粋？ みなウソだ。牛島の藤は、樹齢千年、熊野の藤は、数百年と称《とな》えられ、その花穂《かすい》のごときも、前者で最長九尺、後者で五尺余と聞いて、ただその花穂にのみ、心がおどる。

アレモ人ノ子。生キテイル。

理論は、所詮《しょせん》、論理への愛である。生きている人間への愛ではない。

金と女。論理は、はにかみ、そそくさと歩み去る。

歴史、哲学、教育、宗教、法律、政治、経済、社会、そんな学問なんかより、ひとり

の処女の微笑が尊《とうと》いというファウスト博士*の勇敢なる実証。

学問とは、虚栄の別名である。人間が人間でなくなろうとする努力である。

ゲエテにだって誓って言える。僕は、どんなにでも巧《うま》く書けます。一篇の構成あやまたず、適度の滑稽《こっけい》、読者の眼のうらを焼く悲哀、もしくは、粛然、いわゆる襟《えり》を正さしめ、完璧《かんぺき》のお小説、朗々音読すれば、これすなわち、スクリンの説明か、はずかしくって、書けるかっていうんだ。どだいそんな、傑作意識が、ケチくさいというんだ。小説を読んで襟を正すなんて、狂人の所作《しょさ》である。そんなら、いっそ、羽織袴《はおりはかま》でせにゃなるまい。よい作品ほど、取り澄ましていないように見えるのだがなあ。僕は友人の心からたのしそうな笑顔を見たいばかりに、一篇の小説、わざとしくじって、下手くそに書いて、尻餅《しりもち》ついて頭かきかき逃げて行く。ああ、その時の、友人のうれしそうな顔ったら！

文いたらず、人いたらぬ風情《ふぜい》、おもちゃのラッパを吹いてお聞かせ申し、ここに日本一の馬鹿がいます、あなたはまだいいほうですよ、健在なれ！　と願う愛情は、これは

牛島の藤　埼玉県春日部市牛島の藤。古木で花房の見事さで知られる。**熊野の藤**　和歌山県熊野三山の藤。**ファウスト博士**　ヨーロッパに古くからある伝説を基にしたゲーテの詩劇「ファウスト」の主人公。あらゆる学問に通じたが救われず、悪魔の誘惑により若返って恋愛に耽溺する。ひとりの処女の微笑とは、若返ったファウストの恋人、永遠の女性ヘレナを指す。

いったい何でしょう。

友人、したり顔にて、あれがあいつの悪い癖、惜しいものだ、と御述懐。愛されていることを、ご存じない。

不良でない人間があるだろうか。

味気ない思い。

金が欲しい。

さもなくば、
眠りながらの自然死！

薬屋に千円ちかき借金あり。きょう、質屋の番頭をこっそり家へ連れて来て、僕の部屋へとおして、何かこの部屋に目ぼしい質草ありや、あるなら持って行け、火急に金が要《い》る、と申せしに、番頭ろくに部屋の中を見もせず、およしなさい、あなたのお道具でもないのに、とぬかした。よろしい、それならば、僕がいままで、僕のお小遣《こづか》い銭で買った品物だけ持って行け、と威勢よく言って、かき集めたガラクタ、質草の資格あるしろもの一つもなし。

まず、片手の石膏像《せっこうぞう》。これは、ヴィナスの右手。ダリヤの花にも似た片手、まっしろい片手、これがただ台上に載っているのだ。けれども、これをよく見ると、これはヴィナスが、その全裸を、男に見られて、あなやの驚き、含羞《がんしゅう》旋風、裸身むざん、薄くれない、残りくまなき、かッかッのほてり、からだをよじってこの手つき、そのようなヴィナスの息もとまるほどの裸身のはじらいが、指先に指紋もなく、掌《てのひら》に一本の手筋もない純白のこのきゃしゃな右手によって、こちらの胸も苦しくなるくらいに哀れに表情せられているのが、わかるはずだ。けれども、これは、所詮、非実用のガラクタ。番頭、五十銭と値踏みせり。

その他、パリ近郊の大地図、直径一尺にちかきセルロイドの独楽《こま》、糸よりも細く字の書ける特製のペン先、いずれも掘り出し物のつもりで買った品物ばかりなのだが、番頭笑って、もうおいとまいたします、と言う。待て、と制止して、結局また、本を山ほど番頭に背負わせて、金五円也《なり》を受け取る。僕の本棚の本は、ほとんど廉価の文庫本のみにして、しかも古本屋から仕入れしものなるによって、質の値もおのずから、このように安いのである。

千円の借銭を解決せんとして、五円也。世の中における、僕の実力おおよそかくのごとし。笑いごとではない。

デカダン＊？　しかし、こうでもしなけりゃ生きておれないんだよ。そんなことを言って、僕を非難する人よりは、死ね！　と言ってくれる人のほうがありがたい。さっぱりする。けれども人は、めったに、死ね！　とは言わないものだ。ケチくさく、用心深い偽善者どもよ。

デカダン　décadence（仏）の略。頽廃。また十九世紀末ヨーロッパの爛熟した文化の中に生まれ、象徴主義に発展した頽廃的、耽美的な風潮。

正義？　いわゆる階級闘争の本質は、そんなところにありはせぬ。人道？　冗談じゃない。僕は知っているよ。自分たちの幸福のために、相手を倒すことだ。殺すことだ。死ね！　という宣告でなかったら、何だ。ごまかしちゃいけねえ。

しかし、僕たちの階級にも、ろくな奴《やつ》がいない。白痴、幽霊、守銭奴、狂犬、ほら吹き、ゴザイマスル、雲の上から小便。

死ね！　という言葉を与えるのさえ、もったいない。

戦争。日本の戦争は、ヤケクソだ。

ヤケクソに巻き込まれて死ぬのは、いや。いっそ、ひとりで死にたいわい。

人間は、嘘《うそ》をつく時には、必ず、まじめな顔をしているものである。このごろの、指導者たちの、あの、まじめさ。ぷ！

人から尊敬されようと思わぬ人たちと遊びたい。

けれども、そんないい人たちは、僕と遊んでくれやしない。

僕が早熟を装って見せたら、人々は僕を、早熟だと噂《うわさ》した。僕が、なまけもののふりをして見せたら、人々は僕を、なまけものだと噂した。僕が小説を書けないふりをしたら、人々は僕を、書けないのだと噂した。僕が嘘つきのふりをしたら、人々は僕を、嘘つきだと噂した。僕が金持ちのふりをしたら、人々は僕を、金持ちだと噂した。僕が冷淡を装って見せたら、人々は僕を、冷淡なやつだと噂した。けれども、僕が本当に苦しくて、思わず呻《うめ》いた時、人々は僕を、苦しいふりを装っていると噂した。

どうも、くいちがう。

結局、自殺するよりほか仕様がないのじゃないか。

このように苦しんでも、ただ、自殺で終わるだけなのだ、と思ったら、声を放って泣いてしまった。

春の朝、二、三輪の花の咲きほころびた梅の枝に朝日が当たって、その枝に*ハイデルベルヒの若い学生が、ほっそりと縊《くび》れて死んでいたという。

「ママ！　僕を叱《しか》って下さい！」

「どういう具合いに？」

「弱虫！　って。」

「そう？　弱虫。……もう、いいでしょう？」

ママには無類のよさがある。ママを思うと、泣きたくなる。ママへおわびのためにも、

ハイデルベルヒの若い学生　ドイツのハイデルベルヒ大学の学生。マイヤー・フェルステルの戯曲「アルト・ハイデルベルヒ」で有名である。

死ぬんだ。

オユルシ下サイ。イマ、イチドダケ、オユルシ下サイ。

年々や
めしいのままに
鶴のひな
育ちゆくらし
あわれ太るも　（元旦試作）

モルヒネ　アトロモール　ナルコポン　パントポン　パビナアル　パンオピン　アトロピン

プライドとは何だ、プライドとは。

人間は、いや、男は、（おれはすぐれている）（おれにはいいところがあるんだ）などと思わずに、生きて行くことができぬものか。

人をきらい、人にきらわれる。

ちえくらべ。

厳粛＝阿呆感《あほうかん》

とにかくね、生きているのだからね、インチキをやっているに違いないのさ。

ある借銭申込みの手紙。

「御返事を。

御返事を下さい。

そうして、それが必ず快報であるように。

僕はさまざまの屈辱を思い設けて、ひとりで呻いています。

芝居をしているのではありません。絶対にそうではありません。

お願いいたします。

僕は恥ずかしさのために死にそうです。

誇張ではないのです。

毎日毎日、御返事を待って、夜も昼もがたがたふるえているのです。

僕に、砂を嚙《か》ませないで。

壁から忍び笑いの声が聞こえて来て、深夜、床の中で輾転《てんてん》しているのです。

僕を恥ずかしい目に逢《あ》わせないで。

姉さん！」

そこまで読んで私は、その夕顔日誌を閉じ、木の箱にかえして、それから窓のほうに歩いて行き、窓を一ぱいにひらいて、白い雨に煙っているお庭を見下ろしながら、あのころのことを考えた。

もう、あれから、六年になる。直治の、この麻薬中毒が、私の離婚の原因になった、いいえ、そう言ってはいけない、私の離婚は、直治の麻薬中毒がなくっても、べつな何かのきっかけで、いつかは行なわれているように、そのように、私の生まれた時から、さだまっていたことみたいな気もする。直治は、薬屋への支払いに困って、しばしば私にお金をねだった。私は山木へ嫁《とつ》いだばかりで、お金などそんなに自由になるわけはなし、また、嫁ぎ先のお金を、里の弟へこっそり融通してやるなど、たいへん具合いの悪いことのようにも思われたので、里から私に附き添って来たばあやのお関《せき》さんと相談して、私の腕輪や、頸飾《くびかざ》りや、ドレスを売った。弟は私に、お金を下さい、という手紙をよこして、そうして、いまは苦しくて恥ずかしくて、姉上と顔を合わせることも、また電話で話することさえ、とてもできませんから、お金は、お関に言いつけて、京橋の×町×丁目のカヤノアパートに住んでいる、姉上も名前だけはご存じのはずの、小説家上原二郎さんのところに届けさせるよう、上原さんは、悪徳のひとのように世の中から評判されているが、決してそんな人ではないから、安心してお金を上原さんのところへ届けてやって下さい、そうすると、上原さんがすぐに僕に電話で知らせることになっているのですから、必ずそのようにお願いします、僕はこんどの中毒を、ママにだけは気附かれたくないのです、ママの知らぬうちに、なんとかしてこの中毒をなおしてしまうつもりなのです、僕は、こんど姉上からお金をもらったら、それでもって薬屋への借りを全部支払って、それから塩原の別荘へでも行って、健康なからだになって帰って来るつもりなのです、本当です、薬屋の借りを全部すましたら、もう僕は、その日から麻薬を用いることはぴったりよすつもりです、神さまに誓います、信じて下さい、ママには内緒に、お関をつかってカヤノアパートの上原さんに、たのみます、というようなことが、その手紙に書かれていて、私はその指図《さしず》どおりに、お関さんにお金を持たせて、こっそり上原さんのアパートにとどけさせたものだが、弟の手紙の誓いは、いつも嘘《うそ》で、塩原の別荘にも行かず、薬品中毒はいよいよひどくなるばかりの様子で、お金をねだる手紙の文章も、悲鳴に近い苦しげな調子で、こんどこそ薬をやめると、顔をそむけたいくらいの哀切な誓いをするので、また嘘かも知れぬと思いながらも、ついまた、ブローチなどお関さんに売らせて、そのお金を上原さんのアパートにとどけさせるのだった。

「上原さんって、どんな方？」

「小柄で顔色の悪い、ぶあいそな人でございます。」

とお関さんは答える。

「でも、アパートにいらっしゃることは、めったにございませぬです。たいてい、奥さんと、六つ七つの女のお子さんと、お二人がいらっしゃるだけでございます。この奥さんは、そんなにお綺麗《きれい》でもございませぬけれども、お優しくて、よく出来たお方のようでございます。あの奥さんになら、安心してお金をあずけることができます。」

そのころの私は、いまの私に較《くら》べて、いいえ、較べものにも何もならぬくらい、まるで違った人みたいに、ぼんやりの、のんき者ではあったが、それでもさすがに、つぎつぎと続いてしかも次第に多額のお金をねだられて、たまらなく心配になり、一日、お能からの帰り、自動車を銀座でかえして、それからひとりで歩いて京橋のカヤノアパートを訪《たず》ねた。

上原さんは、お部屋でひとり、新聞を読んでいらした。縞《しま》の袷《あわせ》に、紺絣《こんがすり》のお羽織を召していらして、お年寄りのような、お若いような、いままで見たこともない奇獣のような、へんな初印象を私は受け取った。

「女房はいま、子供と、一緒に、配給物を取りに。」

すこし鼻声で、とぎれとぎれにそうおっしゃる。私を、奥さんのお友達とでも思いちがいしたらしかった。私が、直治の姉だということを申し上げたら、上原さんは、ふん、と笑った。私は、なぜだか、ひやりとした。

「出ましょうか。」

そう言って、もう二重廻《*にじゅうまわ》しをひっかけ、下駄箱《げたばこ》から新しい下駄を取り出しておはきになり、さっさとアパートの廊下を先に立って歩かれた。

外は、初冬の夕暮。風が、つめたかった。隅田川《すみだがわ》から吹いて来る川風のような感じであった。上原さんは、その川風にさからうように、すこし右肩をあげて築地《つきじ》のほうに黙って歩いて行かれる。私は小走りに走りながら、その後を追った。

東京劇場の裏手のビルの地下室にはいった。四、五組の客が、二十畳くらいの細長いお部屋で、それぞれ卓をはさんで、ひっそりお酒を飲んでいた。

上原さんは、コップでお酒をお飲みになった。そうして、私にも別なコップを取り寄せて下さって、お酒をすすめた。私は、そのコップで二杯飲んだけれども、なんともなかった。

上原さんは、お酒を飲み、煙草《たばこ》を吸い、そうしていつまでも黙っていた。私は、こんなところへ来たのは、生まれてはじめてのことであったけれども、とても落ちつき、気分がよかった。

「お酒でも飲むといいんだけど。」

「え？」

「いいえ、弟さん。アルコールのほうに転換するといいんですよ。僕も昔、麻薬中毒になったことがあってね、あれは人が薄気味わるがってね、アルコールだって同じようなものなんだが、アルコールのほうは、人は案外ゆるすんだ。弟さんを、酒飲みにしちゃいましょう。いいでしょう？」

「私、いちど、お酒飲みを見たことがありますわ。新年に、私が出掛けようとした時、うちの運転手の知合いの者が、自動車の助手席で、鬼のような真赤な顔をして、ぐうぐう大いびきで眠っていましたの。私がおどろいて叫んだら、運転手が、これはお酒飲みで、仕様がないんです、と言って、自動車からおろして肩にかついでどこかへ連れて行きましたの。骨がないみたいにぐったりして、何だかそれでも、ぶつぶつ言っていて、私あの時、はじめてお酒飲みってものを見たのですけど、面白かったわ。」

二重廻し　洋風の外套の一種インバネス inverness を和風にしたもの。広い幅のマント状の袖がついていて二重にも見えるし、鳶《とび》にも似ていることから、とんびともいう。

「僕だって、酒飲みです。」

「あら、だって、違うんでしょう?」

「あなただって、酒飲みです。」

「そんなことは、ありませんわ。私は、お酒飲みを見たことがあるんですもの。まるで、違いますわ。」

上原さんは、はじめて楽しそうにお笑いになって、

「それでは、弟さんも、酒飲みにはなれないかも知れませんが、とにかく、酒を飲む人になったほうがいい。帰りましょう。おそくなると、困るんでしょう?」

「いいえ、かまわないんですの。」

「いや、実は、こっちが窮屈でいけねえんだ。ねえさん! 会計!」

「うんと高いのでしょうか。少しなら、私、持っているんですけど。」

「そう。そんなら、会計は、あなただ。」

「足りないかも知れませんわ。」

私は、バッグの中を見て、お金がいくらあるかを上原さんに教えた。

「それだけあれば、もう二、三軒飲める。馬鹿にしてやがる。」

上原さんは顔をしかめておっしゃって、それから笑った。

「どこかへ、また、飲みにおいでになりますか?」

と、おたずねしたら、まじめに首を振って、

「いや、もうたくさん。タキシーを拾ってあげますから、お帰りなさい。」

私たちは、地下室の暗い階段をのぼって行った。一歩さきにのぼって行く上原さんが、階段の中ごろで、くるりとこちら向きになり、素早く私にキスをした。私は唇《くちびる》を固く閉じたまま、それを受けた。

べつに何も、上原さんをすきでなかったのに、それでも、その時から私に、あの「ひめごと」が出来てしまったのだ。かたかたかたと、上原さんは走って階段を上がって行って、私は不思議な透明な気分で、ゆっくり上がって、外へ出たら、川風が頬《ほお》にとても気持よかった。

上原さんに、タキシーを拾っていただいて、私たちは黙ってわかれた。

車にゆられながら、私は世間が急に海のようにひろくなったような気持がした。

「私には、恋人があるの。」

ある日、私は、夫からおこごとをいただいて淋《さび》しくなって、ふっとそう言った。

「知っています。細田でしょう？　どうしても、思い切ることができないのですか？」

私は黙っていた。

その問題が、何か気まずいことの起こるたびごとに、私たち夫婦の間に持ち出されるようになった。もうこれは、だめなんだ、と私は思った。ドレスの生地《きじ》を間違って裁断した時みたいに、もうその生地は縫い合わせることもできず、全部捨てて、また別の新しい生地の裁断にとりかからなければならぬ。

「まさか、その、おなかの子は。」

とある夜、夫に言われた時には、私はあまりおそろしくて、がたがた震えた。いま思うと、私も夫も、若かったのだ。私は、恋も知らなかった。愛、さえ、わからなかった。私は、細田さまのおかきになる絵に夢中になって、あんなお方の奥さまになったら、どんなに、まあ、美しい日常生活を営むことができるでしょう、あんなよい趣味のお方と結婚するのでなければ、結婚なんて無意味だわ、と私は誰にでも言いふらしていたので、そのために、みんなに誤解されて、それでも私は、恋も愛もわからず、平気で細田さまを好きだということを公言し、取り消そうともしなかったので、へんにもつれて、そのころ、私のおなかで眠っていた小さい赤ちゃんまで、夫の疑惑の的になったりして、誰ひとり離婚などあらわに言い出したお方もいなかったのに、いつのまにやら周囲が白々しくなっていって、私は附添《つきそ》いのお関さんと一緒に里のお母さまのところに帰って、それから、赤ちゃんが死んで生まれて、私は病気になって寝込んで、もう、山木との間は、それっきりになってしまったのだ。

直治は、私が離婚になったということに、何か責任みたいなものを感じたのか、僕は死ぬよ、と言って、わあわあ声を挙《あ》げて、顔が腐ってしまうくらいに泣いた。私は弟に、薬屋の借りがいくらになっているのかたずねてみたら、それはおそろしいほどの金額であった。しかも、それは弟が実際の金額を言えなくて、嘘をついていたのがあとでわかった。あとで判明した実際の総額は、その時に弟が私に教えた金額の約三倍ちかくあったのである。

「私、上原さんに逢《あ》ったわ。いいお方ね。これから、上原さんと一緒にお酒を飲んで遊んだらどう？　お酒って、とても安いものじゃないの。お酒のお金くらいだったら、私いつでもあなたにあげるわ。薬屋の払いのことも、心配しないで。どうにか、なるわよ。」

私が上原さんと逢って、そうして上原さんをいいお方だと言ったのが、弟を何だかひどく喜ばせたようで、弟は、その夜、私からお金をもらって早速《さっそく》、上原さんのところに遊びに行った。

中毒は、それこそ、精神の病気なのかも知れない。私が上原さんをほめて、そうして弟から上原さんの著書を借りて読んで、偉いお方ねえ、などと言うと、弟は、姉さんなんかにはわかるもんか、と言って、それでも、とてもうれしそうに、じゃあこれを読んでごらん、とまた別の上原さんの著書を私に読ませ、そのうちに私も上原さんの小説を本気に読むようになって、二人であれこれ上原さんの噂《うわさ》などして、弟は毎晩のように上原さんのところに大威張りで遊びに行き、だんだん上原さんの御計画どおりにアルコールのほうへ転換していったようであった。薬屋の支払いについて、私がお母さまにこっそり相談したら、お母さまは、片手でお顔を覆《おお》いなさって、しばらくじっとしていらっしゃったが、やがてお顔を挙げて淋しそうにお笑いになり、考えたって仕様がないわね、何年かかるかわからないけど、毎月すこしずつでもかえして行きましょうよ、とおっしゃった。

あれから、もう、六年になる。

夕顔。ああ、弟も苦しいのだろう。しかも、途《みち》がふさがって、何をどうすればいいのか、いまだに何もわかっていないのだろう。ただ、毎日、死ぬ気でお酒を飲んでいるのだろう。

いっそ思い切って、本職の不良になってしまったらどうだろう。そうすると、弟もかえって楽になるのではあるまいか。

不良でない人間があるだろうか、とあのノートブックに書かれていたけれども、そう言われてみると、私だって不良、叔父さまも不良、お母さまだって、不良みたいに思われて来る。不良とは、優しさのことではないかしら。

四

お手紙、書こうか、どうしようか、ずいぶん迷っていました。けれども、けさ、*鳩《はと》のごとく素直《すなお》に、蛇《へび》のごとく慧《さと》かれ、というイエスの言葉をふと思い出し、奇妙に元気が出て、お手紙を差し上げることにしました。直治の姉でございます。お忘れかしら。お忘れだったら、思い出して下さい。

直治が、こないだまたお邪魔にあがって、ずいぶんごやっかいを、おかけしたようで、相すみません。（でも、本当は、直治のことは、それは直治の勝手で、私が差し出ておわびをするなど、ナンセンスみたいな気もするのです。）きょうは、直治のことでなく、私のことで、お願いがあるのです。京橋のアパートで罹災《りさい》なさって、それから今の御住所にお移りになったことを直治から聞きまして、よっぽど東京の郊外のそのお宅にお伺いしようかと思ったのですが、お母さまがこのあいだからまた少しお加減が悪く、お母さまをほっといて上京することは、どうしてもできませぬので、それで、お手紙で申し上げることにいたしました。

あなたに、御相談してみたいことがあるのです。

私のこの相談は、これまでの「*女大学」の立場から見ると、非常にずるくて、けがらわしくて、悪質の犯罪でさえあるかも知れませんが、けれども私は、いいえ、私たちは、いまのままでは、とても生きて行けそうもありませんので、弟の直治がこの世で一ばん尊敬しているらしいあなたに、私のいつわらぬ気持を聞いていただき、お指図《さしず》をお願いするつもりなのです。

私には、いまの生活が、たまらないのです。すき、きらいどころではなく、とても、このままでは私たち親子三人、生きて行けそうもないのです。

昨日も、くるしくて、からだも熱っぽく、息ぐるしくて、自分をもてあましていましたら、お昼すこしすぎ、雨の中を下の農家の娘さんが、お米を背負って持って来ました。そうして私のほうから、約束どおりの衣類を差し上げました。娘さんは、食堂で私と向かい合って腰かけてお茶を飲みながら、じつに、リアルな口調で、

「あなた、ものを売って、これから先、どのくらい生活して行けるの？」

と言いました。

「半歳《はんとし》か、一年くらい。」

と私は答えました。そうして、右手で半分ばかり顔をかくして、

鳩のごとく素直に……　新約聖書マタイ伝第十章十六節にある言葉。正しくは、この故に蛇のごとく慧《さと》く、鴿《はと》のごとく素直なれ——で、順序が逆になっている。　**女大学**　江戸時代に女子への教訓や生活上の心得を仮名文で書いた本。貝原益軒の著といわれる。

「眠いの。眠くて、仕方がないの。」

と言いました。

「疲れているのよ。眠くなる神経衰弱でしょう。」

「そうでしょうね。」

涙が出そうで、ふと私の胸の中に、リアリズムという言葉と、ロマンチシズムという言葉が浮かんで来ました。私に、リアリズムは、ありません。こんな具合いで、生きて行けるのかしら、と思ったら、全身に寒気《さむけ》を感じました。お母さまは、半分御病人のようで、寝たり起きたりですし、弟は、ご存じのように心の大病人で、こちらにいる時は、焼酎《しょうちゅう》を飲みに、この近所の宿屋と料理屋とをかねた家へ御精勤で、三日にいちどは、私たちの衣類を売ったお金を持って東京方面へ御出張です。でも、くるしいのは、こんなことではありません。私はただ、私自身の生命が、こんな日常生活の中で、芭蕉《ばしょう》の葉が散らないで腐って行くように、立ちつくしたままおのずから腐って行くのをありありと予感せられるのが、おそろしいのです。とても、たまらないのです。だから私は、「女大学」にそむいても、いまの生活からのがれ出たいのです。

それで、私、あなたに、相談いたします。

私は、いま、お母さまや弟に、はっきり宣言したいのです。私が前から、あるお方に恋をしていて、私は将来、そのお方の愛人として暮らすつもりだということを、はっきり言ってしまいたいのです。そのお方は、あなたもたしかご存じのはずです。そのお方のお名前のイニシャルは、M・Cでございます。私は前から、何か苦しいことが起こると、そのM・Cのところに飛んで行きたくて、こがれ死にをするような思いをして来たM・Cには、あなたと同じように、奥さまもお子さまもございます。また、私より、もっと綺麗《きれい》で若い、女のお友達もあるようです。けれども私は、M・Cのところへ行くよりほかに、私の生きる途《みち》がない気持なのです。M・Cの奥さまとは、私はまだ逢《あ》ったことがありませんけれども、とても優しくてよいお方のようでございます。私は、その奥さまのことを考えると、自分をおそろしい女だと思います。けれども、私のいまの生活は、それ以上におそろしいもののような気がして、M・Cにたよることを止《よ》せないのです。鳩のごとく素直に、蛇のごとく慧《さと》く、私は、私の恋をしとげたいと思います。でも、きっと、お母さまも、弟も、また世間の人たちも、誰ひとり私に賛成して下さらないでしょう。あなたは、いかがです。私は結局、ひとりで考えて、ひとりで行動するよりほかはないのだ、と思うと、涙が出て来ます。生まれて初めての、ことなのですから。この、むずかしいことを、周囲のみんなから祝福されてしとげる法はないものかしら、とひどくややこしい代数の因数分解か何かの答案を考えるように、思いをこらして、どこかに一箇所、ぱらぱらと綺麗に解きほぐれる糸口があるような気持がして来て、急に陽気になったりなんかしているのです。

けれども、かんじんのM・Cのほうで、私をどう思っていらっしゃるか。それを考えると、しょげてしまいます。いわば、私は、押しかけ……なんというのかしら、押しかけ女房といってもいけないし、押しかけ愛人、とでもいおうかしら、そんなものなのですから、M・Cのほうでどうしても、いやだといったら、それっきり。だから、あなたにお願いします。どうか、あのお方に、あなたからきいてみて下さい。六年前のある日、私の胸に幽《かす》かな淡《あわ》い虹《にじ》がかかって、それは恋でも愛でもなかったけれども、年月の経《た》つほど、その虹はあざやかに色彩の濃さを増して来て、私はいままで一度も、それを見失ったことはございませんでした。夕立の晴れた空にかかる虹は、やがてはかなく消えてしまいますけど、ひとの胸にかかった虹は、消えないようでございます。どうぞ、あのお方に、きいてみて下さい。あのお方は、ほんとに、私を、どう思っていらっしゃったのでしょう。それこそ、雨後の空の虹みたいに、思っていらっしゃったのでしょうか。そうして、とっくに消えてしまったものと?

それなら、私も、私の虹を消してしまわなければなりません。けれども、私の生命をさきに消さなければ、私の胸の虹は消えそうもございません。

御返事を、祈っています。

上原二郎様（私のチェホフ。マイ・チェホフ。M・C）

私はこのごろ、少しずつ、太って行きます。動物的な女になってゆくというよりは、ひとらしくなったのだと思っています。この夏は、ロレンスの小説を、一つだけ読みました。

御返事がないので、もういちどお手紙を差し上げます。こないだ差し上げた手紙は、とても、ずるい、蛇《へび》のような奸策《かんさく》に満ち満ちていたのを、いちいち見破っておしまいになったのでしょう。本当に、私はあの手紙の一行々々に狡智《こうち》の限りを尽してみたのです。結局、私はあなたに、私の生活をたすけていただきたい、お金がほしいという意図だけ、それだけの手紙だとお思いになったことでしょう。そうして、私もそれを否定いたしませぬけれども、しかし、ただ私が自身のパトロンが欲しいのなら、失礼ながら、特にあなたを選んでお願い申しませぬ。他にたくさん、私を可愛《かわい》がって下さる老人のお金持などあるような気がします。げんにこないだも、妙な縁談みたいなものがあったのです。そのお方のお名前は、あなたもご存じかも知れませんが、六十すぎた独身のおじいさんで、芸術院とかの会員だとか何だとか、そういう大師匠のひとが、私をもらいにこの山荘にやって来ました。この師匠さんは、私どもの西片町のお家の近所に住んでいましたので、私たちも隣組のよしみで、時たま逢《あ》うことがありました。いつか、あれは秋の夕暮だったと覚えていますが、私とお母さまと二人で、自動車でその師匠さんのお家の前を通り過ぎた時、そのお方がおひとりでぼんやりお宅の門の傍《そば》に立っていらして、お母さまが自動車の窓からちょっと師匠さんにお会釈《えしゃく》なさったら、その師匠さんの気むずか

チェホフ　Anton Pavlovich Chekhov（1860―1904）。ロシアの小説家・劇作家。世紀末の沈滞した気分を反映、環境にむしばまれた小市民、知識人を主人公とした中、短篇が多い。またすぐれた戯曲も数多くある。小説「六号室」「決闘」、戯曲「伯父ワーニャ」「三人姉妹」「桜の園」など。**ロレンス**　David Herbert Lawrence（1885―1930）。イギリスの小説家。現代文明によって歪められた人間性を批判し、理想的な男女関係によって性の不毛を正そうとした。「息子と恋人」「チャタレー夫人の恋人」など。

しそうな蒼黒《あおぐろ》いお顔が、ぱっと紅葉《もみじ》よりも赤くなりました。

「こいかしら。」

私は、はしゃいで言いました。

「お母さまを、すきなのね。」

けれども、お母さまは落ちついて、

「いいえ。偉いお方。」

とひとりごとのように、おっしゃいました。芸術家を尊敬するのは、私どもの家の家風のようでございます。

その師匠さんが、先年奥さまをなくなされたとかで、和田の叔父さまと謡曲のお天狗《てんぐ》仲間のある宮家のお方を介し、お母さまに申入れをなさって、お母さまは、かず子から思ったとおりの御返事を師匠さんに直接さしあげたら？　とおっしゃるし、私は深く考えるまでもなく、いやなので、私にはいま結婚の意志がございません、ということを何でもなくスラスラと書けました。

「お断りしてもいいのでしょう？」

「そりゃもう。……私も、無理な話だと思っていたわ。」

そのころ、師匠さんは軽井沢の別荘のほうにいらしたので、その別荘へお断りの御返事をさし上げたら、それから、二日目に、その手紙と行きちがいに、師匠さんご自身、伊豆の温泉へ仕事に来た途中でちょっと立ち寄らせていただきましたとおっしゃって、私の返事のことは何もご存じでなく、出し抜けに、この山荘にお見えになったのです。

芸術家というものは、おいくつになっても、こんな子供みたいな気ままなことをなさるものらしいのね。お母さまは、お加減がわるいので、私がお相手に出て、支那間でお茶を差し上げ、

「あの、お断りの手紙、いまごろ軽井沢のほうに着いていることと存じます。私、よく考えましたのですけど。」

と申し上げました。

「そうですか。」

とせかせかした調子でおっしゃって、汗をお拭《ふ》きになり、

「でも、それは、もう一度、よくお考えになってみて下さい。私は、あなたを、何と言ったらいいか、いわば精神的には幸福を与えることができないかも知れないが、その代り、物質的にはどんなにでも幸福にしてあげることができる。これだけは、はっきり言えます。まあ、ざっくばらんの話ですが。」

「お言葉の、その、幸福というのが、私にはよくわかりません。生意気を申し上げるようですけど、ごめんなさい。チェホフの妻への手紙に、子供を生んでおくれ、私たちの子供を生んでおくれ、って書いてございましたわね。ニイチェ*だかのエッセイの中にも、子供を生ませたいと思う女、という言葉がございましたわ。私、子供がほしいのです。幸福なんて、そんなものは、どうだっていいのですの。お金もほしいけど、子供を育て

ニイチェ　Friedrich Wilhelm Nietzsche（1844—1900）。ドイツの哲学者。「ツァラトストラはかく語りき」など。文中にて紹介されている言葉が何によるかは不明。

て行けるだけのお金があったら、それでたくさんですわ。」

師匠さんは、へんな笑い方をなさって、

「あなたは、珍らしい方ですね。誰にでも、思ったとおりを言える方だ。あなたのような方と一緒にいると、私の仕事にも新しい霊感が舞い下りて来るかも知れない。」

と、おとしに似合わず、ちょっと気障《きざ》みたいなことを言いました。こんな偉い芸術家のお仕事を、もし本当に私の力で若返らせることができたら、それも生き甲斐《がい》のあることに違いない、とも思いましたが、けれども、私は、その師匠さんに抱かれる自分の姿を、どうしても考えることができなかったのです。

「私に、恋のこころがなくてもいいのでしょうか？」

と私は少し笑っておたずねしたら、師匠さんはまじめに、

「女のかたは、それでいいんです。女のひとは、ぼんやりしていて、いいんですよ。」

とおっしゃいます。

「でも、私みたいな女は、やっぱり、恋のこころがなくては、結婚を考えられないのです。私、もう、大人《おとな》なんですもの。来年は、もう、三十。」

と言って、思わず口を覆《おお》いたいような気持がしました。

三十。女には、二十九までは乙女《おとめ》の匂《にお》いが残っている。しかし、三十の女のからだには、もう、どこにも、乙女の匂いがない、というむかし読んだフランスの小説の中の言葉がふっと思い出されて、やりきれない淋《さび》しさに襲われ、外を見ると、真昼の光を浴びて海が、ガラスの破片のようにどぎつく光っていました。あの小説を読んだ時には、そ

りゃそうだろうと軽く肯定して澄ましていた。三十歳までで、女の生活は、おしまいになると平気でそう思っていたあのころがなつかしい。腕輪、頸飾《くびかざ》り、ドレス、帯、ひとつひとつ私のからだの周囲から消えてなくなって行くに従って、私のからだの乙女の匂いも次第に淡くうすれて行ったのでしょう。まずしい、中年の女。おお、いやだ。でも、中年の女の生活にも、女の生活が、やっぱり、あるんですのね。このごろ、それがわかって来ました。英人の女教師が、イギリスにお帰りの時、十九の私にこうおっしゃったのを覚えています。

「あなたは、恋をなさっては、いけません。あなたは、恋をしたら、不幸になります。恋を、なさるなら、もっと、大きくなってからになさい。三十になってからになさい。」

けれども、そう言われても私は、きょとんとしていました。三十になってからのことなど、そのころの私には、想像も何もできないことでした。

「このお別荘を、お売りになるとかいう噂《うわさ》を聞きましたが。」

師匠さんは、意地わるそうな表情で、ふいとそうおっしゃいました。

私は笑いました。

「ごめんなさい。桜の園*を思い出したのです。あなたが、お買いになって下さるのでしょう？」

桜の園　チェホフの四幕喜劇（一九〇四年作）。没落した地主が、かつての自分の農奴で成り上り者のロパーヒンに自邸〝桜の園〟を売って故郷を去る。太宰治の「斜陽」はこの「桜の園」に示唆を得たといわれる。

師匠さんは、さすがに敏感にお察しになったようで、怒《おこ》ったように口をゆがめて黙しました。

ある宮様のお住居《すまい》として、新円五十万円でこの家を、どうこうという話があったのも事実ですが、それは立ち消えになり、その噂でも師匠さんは聞き込んだのでしょう。でも、桜の園のロパーヒンみたいに私どもに思われているのではたまらないと、すっかりお機嫌《きげん》を悪くした様子で、あと、世間話を少ししてお帰りになってしまいました。

私がいま、あなたに求めているものは、ロパーヒンではございません。それは、はっきり言えるんです。ただ、中年の女の押しかけを、引き受けて下さい。

私がはじめて、あなたとお逢《あ》いしたのは、もう六年くらい昔のことでした。あの時には、私はあなたという人について何も知りませんでした。ただ、弟の師匠さん、それもいくぶん悪い師匠さん、そう思っていただけでした。そうして、一緒にコップでお酒を飲んで、それから、あなたは、ちょっと軽いイタズラをなさったでしょう。けれども、私は平気でした。ただ、へんに身軽になったくらいの気分でいました。あなたを、すきでもきらいでも、なんでもなかったのです。そのうちに、弟のお機嫌《きげん》をとるために、あなたの著書を弟から借りて読み、面白かったり面白くなかったり、あまり熱心な読者ではなかったのですが、六年間、いつのころからか、あなたのことが霧のように私の胸に滲《し》み込んでいたのです。あの夜、地下室の階段で、私たちのしたことも、急にいきいきとあざやかに思い出されて来て、なんだかあれは、私の運命を決定するほどの重大なことだったような気がして、あなたがしたわしくて、これが、恋かも知れぬと思ったら、とても心細くたよりなく、ひとりでめそめそ泣きました。あなたは、他の男のひとと、まるで全然ちがっています。私は、「かもめ*」のニーナのように、作家に恋しているのではありません。私は、小説家などにあこがれてはいないのです。文学少女、などとお思いになったら、こちらも、まごつきます。私は、あなたの赤ちゃんがほしいのです。もっとずっと前に、あなたがまだおひとりの時、そうして私もまだ山木へ行かない時に、お逢いして、二人が結婚していたら、私もいまみたいに苦しまずにすんだのかも知れませんが、私はもうあなたとの結婚はできないものとあきらめています。あなたの奥さまを押しのけるなど、それはあさましい暴力みたいで、私はいやなんです。私は、おメカケ、(この言葉、言いたくなくて、たまらないのですけど、でも、愛人、と言ってみたところで、俗に言えば、おメカケに違いないのですから、はっきり、言うわ。)それだって、かまわないんです。でも、世間普通のお妾《めかけ》の生活って、むずかしいものらしいのね。人の話では、お妾は普通、用がなくなると、捨てられるものですって。六十ちかくなると、どんな男のかたでも、みんな、本妻の所へお戻《もど》りになるんですって。ですから、お妾にだけはなるものじゃないって、西片町のじいやと乳母《うば》が話し合っているのを、聞いたことがあるんです。でも、それは、世間普通のお妾のことで、私たちの場合は、ちがうような気がします。あなたにとって、一番、大事なのは、やはり、あなたのお仕事だと思います。そうして、あなたが、私をおすきだったら、二人が仲よくするこ

かもめ　チェホフの四幕喜劇(一八九六年作)。ニーナは裕福地主の娘で、有名な文士トリゴーリンを愛したために不幸になる。かもめは幸福で自由であったニーナのあだ名。

とが、お仕事のためにもいいでしょう。すると、あなたの奥さまも、私たちのことを納《なっ》得《とく》して下さいます。へんな、こじつけの理窟《りくつ》みたいだけど、でも、私の考えは、どこも間違っていないと思うわ。

問題は、あなたの御返事だけです。私を、すきなのか、きらいなのか、それとも、なんともないのか、その御返事、とてもおそろしいのだけれども、でも、伺わなければなりません。こないだの手紙にも、私、押しかけ愛人、と書き、また、この手紙にも、中年の女の押しかけ、などと書きましたが、いまよく考えてみましたら、あなたからの御返事がなければ、私、押しかけようにも、何も、手がかりがなく、ひとりでぼんやり痩《や》せて行くだけでしょう。やはりあなたの何かお言葉がなければ、ダメだったんです。

いまふっと思ったことでございますが、あなたは、小説ではずいぶん恋の冒険みたいなことをお書きになり、世間からもひどい悪漢のように噂《うわさ》をされていながら、本当は、常識家なんでしょう。私には、常識ということが、わからないんです。すきなことができさえすれば、それはいい生活だと思います。私は、あなたの赤ちゃんを生みたいのです。他のひとの赤ちゃんは、どんなことがあっても、生みたくないんです。それで、私は、あなたに相談をしているのです。おわかりになりましたら、御返事を下さい。あなたのお気持を、はっきり、お知らせ下さい。

雨があがって、風が吹き出しました。いま午後三時です。これから一級酒（六合）の配給を貰《もら》いに行きます。ラム酒の瓶《びん》を二本、袋にいれて、胸のポケットに、この手紙をいれて、もう十分ばかりしたら、下の村に出かけます。このお酒は、弟に飲ませません。

かず子が飲みます。毎晩、コップで一ぱいずついただきます。お酒は、本当は、コップで飲むものですわね。

こちらに、いらっしゃいません?

M・C様

きょうも雨降りになりました。目に見えないような霧雨《きりさめ》が降っているのです。毎日々々、外出もしないで御返事をお待ちしているのに、とうとうきょうまでおたよりがございませんでした。いったいあなたは、何をお考えになっているのでしょう。こないだの手紙で、あの大師匠さんのことなど書いたのが、いけなかったのかしら。こんな縁談なんかを書いて、競争心をかき立てようとしていやがる、とでもお思いになったのでしょうか。でも、あの縁談は、もうあれっきりだったのです。さっきも、お母さまと、その話をして笑いました。お母さまは、こないだ舌の先が痛いとおっしゃって、直治にすすめられて、美学療法をして、その療法によって、舌の痛みもとれて、このごろはちょっとお元気なのです。

さっき私がお縁側に立って、渦《うず》を巻きつつ吹かれて行く霧雨を眺めながら、あなたのお気持のことを考えていましたら、

「ミルクを沸かしたから、いらっしゃい。」

とお母さまが食堂のほうからお呼びになりました。

「寒いから、うんと熱くしてみたの。」

私たちは、食堂で湯気の立っている熱いミルクをいただきながら、先日の師匠さんのことを話し合いました。

「あの方と、私とは、どだい何も似合いませんでしょう?」

お母さまは平気で、

「似合わない。」

とおっしゃいました。

「私、こんなにわがままだし、それに芸術家というものをきらいじゃないし、おまけに、あの方にはたくさんの収入があるらしいし、あんな方と結婚したら、そりゃいいと思うわ。だけど、ダメなの。」

お母さまは、お笑いになって、

「かず子は、いけない子ね。そんなに、ダメでいながら、こないだあの方と、ゆっくり何かとたのしそうにお話をしていたでしょう。あなたの気持が、わからない。」

「あら、だって、面白かったんですもの。もっと、いろいろ話をしてみたかったわ。私、たしなみがないのね。」

「いいえ、べったりしているのよ。かず子べったり。」

お母さまは、きょうは、とてもお元気。

そうして、きのうはじめてアップにした私の髪をごらんになって、

「アップはね、髪の毛の少ないひとがするといいのよ。あなたのアップは立派すぎて、金《きん》の小さい冠でも載せてみたいくらい。失敗ね。」

「かず子がっかり。だって、お母さまはいつだったか、かず子は頸《くび》すじが白くて綺麗《きれい》だから、なるべく頸すじを隠さないように、っておっしゃったじゃないの。」

「そんなことだけは、覚えているのね。」

「少しでもほめられたことは、一生わすれません。覚えていたほうが、たのしいもの。」

「こないだ、あの方からも、何かとほめられたのでしょう。」

「そうよ。それで、べったりになっちゃったの。私と一緒にいると霊感が、ああ、たまらない。私、芸術家はきらいじゃないんですけど、あんな、人格者みたいに、もったいぶってるひとは、とても、ダメなの。」

「直治の師匠さんは、どんなひとなの？」

私は、ひやりとしました。

「よくわからないけど、どうせ直治の師匠さんですもの、札《ふだ》つきの不良らしいわ。」

「札つき？」

と、お母さまは、楽しそうな眼つきをなさって呟《つぶや》き、

「面白い言葉ね。札つきなら、かえって安全でいいじゃないの。鈴を首にさげている子《こ》猫《ねこ》みたいで可愛《かわい》らしいくらい。札のついていない不良が、こわいんです。」

「そうかしら。」

うれしくて、うれしくて、すうとからだが煙になって空《そら》に吸われて行くような気持でした。おわかりになります？　なぜ、私が、うれしかったか。おわかりにならなかったら、……殴《なぐ》るわよ。

いちど、本当に、こちらへ遊びにいらっしゃいません？　私から直治に、あなたをお連れして来るように、って言いつけるのも、何だか不自然で、へんですから、あなたご自身の酔興から、ふっとここへ立ち寄ったという形にして、直治の案内でおいでになってもいいけれども、でも、なるべくならおひとりで、そうして直治が東京に出張した留守においでになって下さい。直治がいると、あなたを直治にとられてしまって、きっとあなたたちは、お咲さんのところへ焼酎《しょうちゅう》なんかを飲みに出かけて行って、それっきりになるにきまっていますから。私の家では、先祖代々、芸術家を好きだったようです。光琳《こうりん》という画家も、むかし私どもの京都のお家に永く滞在して、襖《ふすま》に綺麗《きれい》な絵をかいて下さったのです。だから、お母さまも、あなたの御来訪を、きっと喜んで下さると思います。あなたは、たぶん、二階の洋間におやすみということになるでしょう。お忘れなく電灯を消しておいて下さい。私は小さい蠟燭《ろうそく》を片手に持って、暗い階段をのぼって行って、それは、だめ？　早すぎるわね。

私、不良が好きなの。それも、札つきの不良が、すきなの。そうして私も、札つきの不良になりたいの。そうするよりほかに、私の生きかたが、ないような気がするの。あなたは、日本で一ばんの、札つきの不良でしょう。そうして、このごろはまた、たくさんのひとが、あなたを、きたならしい、けがらわしい、と言って、ひどく憎んで攻撃しているとか、弟から聞いて、いよいよあなたを好きになりました。あなたのことですから、きっといろいろのアミ*をお持ちでしょうけれども、いまにだんだん私ひとりをすきにおなりでしょう。なぜだか、私には、そう思われて仕方がないんです。そうして、あなたは私と一緒に暮らして、毎日、たのしくお仕事ができるでしょう。小さい時から私は、よく人から、「あなたと一緒にいると苦労を忘れる」と言われて来ました。私はいままで、人からきらわれた経験がないんです。みんなが私を、いい子だと言って下さいました。だから、あなたも、私をおきらいのはずは、けっしてないと思うのです。

逢《あ》えばいいのです。もう、いまは御返事も何も要《い》りません。お逢いしとうございます。私のほうから、東京のあなたのお宅へお伺いすれば一ばん簡単におめにかかれるのでしょうけれど、お母さまが、何せ半病人のようで、私は附《つ》きっきりの看護婦兼お女中さんなのですから、どうしてもそれができません。おねがいでございます。どうか、こちらへいらして下さい。ひとめお逢いしたいのです。そうして、すべては、お逢いすれば、わかること。私の口の両側に出来た幽《かす》かな皺《しわ》を見て下さい。世紀の悲しみの皺を見て下さい。私のどんな言葉より、私の顔が、私の胸の思いをはっきりあなたにお知らせするはずでございます。

さいしょに差し上げた手紙に、私の胸にかかっている虹《にじ》のことを書きましたが、その虹は蛍《ほたる》の光みたいな、またはお星さまの光みたいな、そんなお上品な美しいものではないのです。そんな淡い遠い思いだったら、私はこんなに苦しまず、次第にあなたを忘れ

光琳　尾形光琳　万治元年―享保元年（1658―1716）。京都の人。元禄時代の画家。本阿弥光悦、俵屋宗達の図案的な装飾画風を学び、色彩、金銀の使用には特殊の技巧がある。また蒔《まき》絵師《えし》としてもすぐれた意匠で名高く、光琳派の祖となる。　**アミ**　amie（仏）女友達。単なる友人から愛人に近いものまで含めて、当時よく使われた。

て行くことができたでしょう。私の胸の虹は、炎《ほのお》の橋です。胸が焼けこげるほどの思いなのです。麻薬中毒者が、麻薬が切れて薬を求める時の気持だって、これほどつらくはないでしょう。間違ってはいない、よこしまではないと思いながらも、ふっと、私、たいへんな、大馬鹿のことをしようとしているのではないかしら、と思って、ぞっとすることもあるんです。発狂しているのではないかしらと反省する、そんな気持も、たくさんあるんです。でも、私だって、冷静に計画していることもあるんです。本当に、こちらへいちどいらして下さい。いつ、いらして下さっても大丈夫。私はどこへも行かずに、いつもお待ちしています。私を信じて下さい。

もう一度お逢いして、その時、いやならハッキリ言って下さい。私のこの胸の炎は、あなたが点火したのですから、あなたが消して行って下さい。私ひとりの力では、とても消すことができないのです。とにかく逢ったら、逢ったら、私が助かります。万葉や源氏物語のころだったら、私の申し上げているようなこと、何でもないことでしたのに。私の望み。あなたの愛妾《あいしょう》になって、あなたの子供の母になること。

このような手紙を、もし嘲笑《ちょうしょう》するひとがあったら、そのひとは女の生きて行く努力を嘲笑するひとです。女のいのちを嘲笑するひとです。私は港の息づまるような澱《よど》んだ空気に堪《た》え切れなくて、港の外は嵐《あらし》であっても、帆をあげたいのです。憩《いこ》える帆は、例外なく汚《きた》ない。私を嘲笑する人たちは、きっとみな、憩える帆です。何もできやしないんです。

困った女。しかし、この問題で一ばん苦しんでいるのは私なのです。この問題について、何も、ちっとも苦しんでいない傍観者が、帆を醜《みにく》くだらりと休ませながら、この問題を批判するのは、ナンセンスです。私を、いい加減に何々思想なんて言ってもらいたくないんです。私は無思想です。私は思想や哲学なんてもので行動したことは、いちどだってないんです。

世間でよいと言われ、尊敬されているひとたちは、みな嘘《うそ》つきで、にせものなのを、私は知っているんです。私は、世間を信用していないんです。札つきの不良だけが、私の味方なんです。札つきの不良。私はその十字架にだけは、かかって死んでもいいと思っています。万人に非難せられても、それでも、私は言いかえしてやれるんです。お前たちは、札のついていないもっと危険な不良じゃないか、と。

おわかりになりまして？

こいに理由はございません。すこし理窟《りくつ》みたいなことを言いすぎました。弟の口真似《くちまね》にすぎなかったような気もします。おいでをお待ちしているだけなのです。もう一度おめにかかりたいのです。それだけなのです。

待つ。ああ、人間の生活には、喜んだり怒ったり悲しんだり憎んだり、いろいろの感情があるけれども、けれどもそれは人間の生活のほんの一パーセントを占めているだけの感情で、あとの九十九パーセントは、ただ待って暮らしているのではないでしょうか。幸福の足音が、廊下に聞こえるのを今か今かと胸のつぶれる思いで待って、からっぽ。ああ、人間の生活って、あんまりみじめ。生まれて来ないほうがよかったとみんなが考えているこの現実。そうして毎日、朝から晩まで、はかなく何かを待っている。みじめすぎます。生まれて来てよかったと、ああ、いのちを、人間を、世の中を、よろこんでみとうございます。

はばむ道徳を、押しのけられませんか？

M・C（マイ・チェホフのイニシャルではないんです。私は、作家にこいしているのではございません。マイ・チャイルド）

五

私は、ことしの夏、ある男のひとに、三つの手紙を差し上げたが、ご返事はなかった。どう考えても、私には、それよりほかに生き方がないと思われて、三つの手紙に、私のその胸のうちを書きしたため、岬《みさき》の尖端《せんたん》から怒濤《どとう》めがけて飛び下りる気持で、投函《とうかん》したのに、いくら待っても、ご返事がなかった。弟の直治に、それとなくそのひとの御様子を聞いても、そのひとは何の変わるところもなく、毎晩お酒を飲み歩き、いよいよ不道徳の作品ばかり書いて、世間のおとなたちに、ひんしゅくせられ、憎まれているらしく、直治に出版業をはじめよ、などとすすめて、直治は大乗り気で、あのひとのほかにも二、三、小説家のかたに顧問になってもらい、資本を出してくれるひともあるとかどうとか、直治の話を聞いていると、私の恋しているひとの身のまわりの雰囲気に、私の匂《にお》いがみじんも滲《し》み込んでいないらしく、私は恥ずかしいという思いよりも、この世の中というものが、私の考えている世の中とは、まるでちがった別な奇妙な生き物みたいな気がして来て、自分ひとりだけ置き去りにされ、呼んでも叫んでも、何の手応《てごた》えのないたそがれの秋の曠野《こうや》に立たされているような、これまで味わったことのない悽愴《せいそう》の思いに襲われた。これが、失恋というものであろうか。曠野にこうして、ただ立ちつくしているうちに、日がとっぷり暮れて、夜露にこごえて死ぬよりほかはないのだろうかと思えば、涙の出ない慟哭《どうこく》で、両肩と胸が烈《はげ》しく浪打《なみう》ち、息もできない気持になるのだ。

もうこの上は、何としても私が上京して、上原さんにお目にかかろう、私の帆はすでに挙《あ》げられて、港の外に出てしまったのだもの、立ちつくしているわけにゆかない、行くところまで行かなければならない、とひそかに上京の心仕度《じたく》をはじめたとたんに、お母さまの御様子が、おかしくなったのである。

一夜、ひどいお咳《せき》が出て、お熱を計ってみたら、三十九度あった。

「きょう、寒かったからでしょう。あすになれば、なおります。」

とお母さまは、咳《せ》き込みながら小声でおっしゃったが、私には、どうも、ただのお咳ではないように思われて、あすはとにかく下の村のお医者に来てもらおうと心にきめた。

翌《あく》る朝、お熱は三十七度にさがり、お咳もあまり出なくなっていたが、それでも私は、村の先生のところへ行って、お母さまが、このごろにわかにお弱りになったこと、ゆうべからまた熱が出て、お咳も、ただの風邪《かぜ》のお咳と違うような気がすることなどを申し上げて、御診察をお願いした。

先生は、ではのちほど伺いましょう、これは到来物でございますが、とおっしゃって応接間の隅《すみ》の戸棚《とだな》から梨《なし》を三つ取り出して私に下さった。そうして、お昼すこし過ぎ、白絣《しろがすり》に夏羽織をお召しになって診察にいらした。れいのごとく、ていねいに永いこと、

聴診や打診をなさって、それから私のほうに真正面に向き直り、

「御心配はございません。おくすりを、お飲みになれば、なおります。」

とおっしゃる。

私は妙に可笑《おか》しく、笑いをこらえて、

「お注射は、いかがでしょうか。」

とおたずねすると、まじめに、

「その必要は、ございませんでしょう。おかぜでございますから、しずかにしていらっしゃると、間もなくおかぜが抜けますでしょう。」

とおっしゃった。

けれども、お母さまのお熱は、それから一週間経《た》っても下がらなかった。咳はおさまったけれども、お熱のほうは、朝は七度七分くらいで、夕方になると九度になった。お医者は、あの翌日から、おなかをこわしたとかで休んでいらして、私がおくすりをいただきに行って、お母さまのご容態の思わしくないことを看護婦さんに告げて、先生に伝えていただいても、普通のお風邪で心配はありません、という御返事で、水薬と散薬をくださる。

直治は相変らずの東京出張で、もう十日あまり帰らない。私ひとりで、心細さのあまり和田の叔父さまへ、お母さまの御様子の変わったことを葉書にしたためて知らせてやった。

発熱してかれこれ十日目に、村の先生が、やっと腹具合いがよろしくなりましたと言

って、診察にいらした。

先生は、お母さまのお胸を注意深そうな表情で打診なさりながら、

「わかりました、わかりました。」

とお叫びになり、それから、また私のほうに真正面に向き直られて、

「お熱の原因《い》が、わかりましてございます。左肺に浸潤《*しんじゅん》を起こしています。でも、ご心配は要りません。お熱は、当分つづくでしょうけれども、おしずかにしていらっしゃったら、ご心配はございません。」

とおっしゃる。

そうかしら？　と思いながらも、溺《おぼ》れる者の藁《わら》にすがる気持もあって、村の先生のその診断に、私は少しほっとしたところもあった。

お医者がお帰りになってから、

「よかったわね、お母さま。ほんの少しの浸潤なんて、たいていのひとにあるものよ。お気持を丈夫にお持ちになっていさえしたら、わけなくなおってしまいますわ。ことしの夏の気候不順がいけなかったのよ。夏はきらい。かず子は、夏の花も、きらい。」

お母さまはお眼をつぶりながらお笑いになり、

「夏の花の好きなひとは、夏に死ぬっていうから、私もことしの夏あたり死ぬのかと思っていたら、直治が帰って来たので、秋まで生きてしまった。」

あんな直治でも、やはりお母さまの生きるたのみの柱になっているのか、と思ったら、

浸潤　肺浸潤のことで、普通、結核菌によって肺に起こる炎症性の変化。

つらかった。

「それでは、もう夏がすぎてしまったのですから、お母さまの危険期も峠《とうげ》を越したってわけなのね。お母さま、お庭の萩《はぎ》が咲いていますわ。それから、女郎花《おみなえし》、われもこう、桔梗《ききょう》、かるかや、芒《すすき》。お庭がすっかり秋のお庭になりましたわ。十月になったら、きっとお熱も下がるでしょう。」

私は、それを祈っていた。早くこの九月の、蒸し暑い、いわば残暑の季節が過ぎるといい。そうして、菊が咲いて、うららかな小春日和《びより》がつづくようになると、きっとお母さまのお熱も下がってお丈夫になり、私もあのひとと逢《あ》えるようになって、私の計画も大輪の菊の花のように見事に咲き誇ることができるかも知れないのだ。ああ、早く十月になって、そうしてお母さまのお熱が下がるとよい。

和田の叔父さまにお葉書を差し上げてから、一週間ばかりして、和田の叔父さまのお取計いで、以前侍医などしていらした三宅《みやけ》さまの老先生が看護婦さんを連れて東京から御診察にいらして下さった。

老先生は私どもの亡《な》くなったお父上とも御交際のあった方なので、お母さまは、たいへんお喜びの御様子だった。それに、老先生は昔からお行儀が悪く、言葉遣《ことばづか》いもぞんざいで、それがまたお母さまのお気に召しているらしく、その日は御診察など、そっちのけで何かとお二人で打ち解けた世間話に興じていらっしゃった。私がお勝手で、プリンをこしらえて、それをお座敷に持って行ったら、もうその間に御診察もおすみの様子で、老先生は聴診器をだらしなく頸飾《くびかざ》りみたいに肩にひっかけたまま、お座敷の廊下の籐椅《とうい》

子《す》に腰をかけ、

「僕などもね、屋台にはいって、うどんの立食いでさ。うまいも、まずいもありゃしません。」

と、のんきそうに世間話をつづけていらっしゃる。お母さまも、何気ない表情で天井を見ながら、そのお話を聞いていらっしゃる。なんでもなかったんだ、と私は、ほっとした。

「いかがでございました？　この村の先生は、胸の左のほうに浸潤があるとかおっしゃっていましたけど？」

と私も急に元気が出て、三宅さまにおたずねしたら、老先生は、こともなげに、

「なに、大丈夫だ。」

と軽くおっしゃる。

「まあ、よかったわね、お母さま。」

と私は心から微笑して、お母さまに呼びかけ、

「大丈夫なんですって。」

その時、三宅さまは籐椅子から、つと立ち上がって支那間《シナま》のほうへいらっしゃった。何か私に用事がありげに見えたので、私はそっとその後を追った。

老先生は支那間の壁掛けの蔭《かげ》に行って立ちどまって、

「バリバリ音が聞こえているぞ。」

とおっしゃった。

「浸潤では、ございませんの？」

「違う。」

「気管支カタルでは？」

私は、もはや涙ぐんでおたずねした。

「違う。」

結核《テーベ》！ 私はそれだと思いたくなかった。肺炎や浸潤や気管支カタルだったら、必ず私の力でなおしてあげる。けれども、結核だったら、ああ、もうだめかも知れない。私は足もとが、崩《くず》れて行くような思いをした。

「音、とても悪いの？ バリバリ聞こえてるの？」

心細さに、私はすすり泣きになった。

「右も左も全部だ。」

「だって、お母さまは、まだお元気なのよ。ごはんだって、おいしいおいしいとおっしゃって、……」

「仕方がない。」

「うそだわ。ね、そんなことないんでしょう？ バタやお卵や、牛乳をたくさん召し上がったら、なおるんでしょう？ おからだに抵抗力さえついたら、熱だって下がるんでしょう？」

「うん、なんでも、たくさん食べることだ。」

「ね？ そうでしょう？ トマトも毎日、五つくらいは召し上がっているのよ。」

「うん、トマトはいい。」

「じゃあ、大丈夫ね？　なおるわね？」

「しかし、こんどの病気は命取りになるかも知れない。そのつもりでいたほうがいい。」

人の力で、どうしてもできないことが、この世の中にたくさんあるのだという絶望の壁の存在を、生まれてはじめて知ったような気がした。

「二年？　三年？」

私は震えながら小声でたずねた。

「わからない。とにかくもう、手のつけようがない。」

そうして、三宅さまは、その日は伊豆の長岡温泉に宿を予約していらっしゃるとかで、看護婦さんと一緒にお帰りになった。門の外までお見送りして、それから、夢中で引き返してお座敷のお母さまの枕《まくら》もとに坐《すわ》り、何事もなかったように笑いかけると、お母さまは、

「先生は、なんとおっしゃっていたの？」

とおたずねになった。

「熱さえ下がればいいんですって。」

「胸のほうは？」

「たいしたこともないらしいわ。ほら、いつかのご病気の時みたいなのよ、きっと。いまに涼しくなったら、どんどんお丈夫になりますわ。」

私は自分の嘘《うそ》を信じようと思った。命取りなどというおそろしい言葉は、忘れようと

思った。私には、このお母さまが、亡《な》くなるということは、それは私の肉体もともに消失してしまうような感じで、とても事実として考えられないことだった。これからは何も忘れて、このお母さまに、たくさんたくさんご馳走《ちそう》をこしらえて差し上げよう。おさかな。スウプ。缶詰《かんづめ》。レバ。肉汁。トマト。卵。牛乳。おすまし。お豆腐《とうふ》があればいいのに。お豆腐のお味噌汁《みそしる》。白い御飯。お餅《もち》。おいしそうなものは何でも、私の持物を皆売って、そうしてお母さまにご馳走してあげよう。

私は立って、支那間へ行った。そうして、支那間の寝椅子《ねいす》をお座敷の縁側ちかくに移して、お母さまのお顔が見えるように腰かけた。やすんでいらっしゃるお母さまのお顔は、ちっとも病人らしくなかった。眼は美しく澄んでいるし、お顔色も生き生きしていらっしゃる。毎朝、規則正しく起床なさって洗面所へいらして、それからお風呂場の三畳でご自分で髪を結って、身じまいをきちんとなさって、それからお床に帰って、お床にお坐《すわ》りのままお食事をすまし、それからお床に寝たり起きたり、午前中はずっと新聞やご本を読んでいらして、熱の出るのは午後だけである。

「ああ、お母さまは、お元気なのだ。きっと、大丈夫なのだ。」

と私は、心の中で三宅さまの御診断を強く打ち消した。

十月になって、そうして菊の花の咲くころになれば、など考えているうちに私は、うとうとと、うたた寝をはじめた。現実には、私はいちども見たことのない風景なのに、それでも夢では時々その風景を見て、ああ、またここへ来たと思うなじみの森の中の湖のほとりに私は出た。私は、和服の青年と足音もなく一緒に歩いていた。風景全体が、みどり色の霧がかかっているような感じであった。そうして、湖の底に白いきゃしゃな橋が沈んでいた。

「ああ、橋が沈んでいる。きょうは、どこへも行けない。ここのホテルでやすみましょう。たしか、空《あ》いた部屋があったはずだ。」

湖のほとりに、石のホテルがあった。そのホテルの石は、みどり色の霧でしっとり濡《ぬ》れていた。石の門の上に、金文字《きんもじ》でほそく、HOTEL SWITZERLAND と彫り込まれていた。ＳＷＩと読んでいるうちに、不意に、お母さまのことを思い出した。お母さまは、どうなさるのだろう。お母さまも、このホテルへいらっしゃるのかしら？　と不審になった。そうして、青年と一緒に石の門をくぐり、前庭へはいった。霧の庭に、アジサイに似た赤い大きい花が燃えるように咲いていた。子供のころ、お蒲団《ふとん》の模様に、真赤なアジサイの花が散らされてあるのを見て、へんに悲しかったが、やっぱり赤いアジサイの花って本当にあるものなんだと思った。

「寒くない？」

「ええ、少し。霧でお耳が濡《ぬ》れて、お耳の裏が冷たい。」

と言って笑いながら、

「お母さまは、どうなさるのかしら。」

とたずねた。

すると、青年は、とても悲しく慈愛深く微笑《ほほえ》んで、

「あのお方は、お墓の下です。」

と答えた。

「あ。」

と私は小さく叫んだ。そうだったのだ。お母さまは、もう、いらっしゃらなかったのだ。お母さまのお葬《とむら》いも、とっくに済ましていたのじゃないか。ああ、お母さまは、もうお亡《な》くなりになったのだと意識したら、言い知れぬ凄《さび》しさに身震いして、眼がさめた。

ヴェランダは、すでに黄昏《たそがれ》だった。雨が降っていた。みどり色のさびしさは、夢のまま、あたり一面にただよっていた。

「お母さま。」

と私は呼んだ。

静かなお声で、

「何してるの？」

というご返事があった。

私はうれしさに飛び上がって、お座敷へ行き、

「いまね、私、眠っていたのよ。」

「そう、何をしているのかしら、と思っていたの。永いおひる寝ね。」

と面白そうにお笑いになった。

私はお母さまのこうして優雅に息づいて生きていらっしゃることが、あまりうれしくて、ありがたくて、涙ぐんでしまった。

「お夕飯のお献立《こんだて》は？　ご希望がございます？」

私は、少しはしゃいだ口調でそう言った。

「いいの。なんにも要《い》らない。きょうは、九度五分にあがったの。」

にわかに私は、ぺしゃんこにしょげた。そうして、途方にくれて薄暗い部屋の中をぼんやり見廻《みまわ》し、ふと、死にたくなった。

「どうしたんでしょう。九度五分なんて。」

「なんでもないの。ただ、熱の出る前が、いやなのよ。頭がちょっと痛くなって、寒気がして、それから熱が出るの。」

外は、もう、暗くなっていて、雨はやんだようだが、風が吹き出していた。灯《ひ》をつけて、食堂へ行こうとすると、お母さまが、

「まぶしいから、つけないで。」

とおっしゃった。

「暗いところで、じっと寝ていらっしゃるの、おいやでしょう。」

と立ったまま、おたずねすると、

「眼をつぶって寝ているのだから、同じことよ。ちっとも、さびしくない。かえって、まぶしいのが、いやなの。これから、ずっと、お座敷の灯はつけないでね。」

とおっしゃった。

私には、それもまた不吉な感じで、黙ってお座敷の灯を消して、隣りの間へ行き、隣りの間のスタンドに灯をつけ、たまらなく侘《わ》びしくなって、いそいで食堂へ行き、缶詰《かんづめ》の鮭《さけ》を冷たいごはんにのせて食べたら、ぽろぽろと涙が出た。

風は夜になっていよいよ強く吹き、九時ごろから雨もまじり、本当の嵐《あらし》になった。二、三日前に巻き上げた縁先の簾《すだれ》が、ばたんばたんと音をたてて、私はお座敷の隣りの間で、*ローザ・ルクセンブルグの「経済学入門」を、奇妙な興奮を覚えながら読んでいた。これは私が、こないだお二階の直治の部屋から持って来たものだが、その時、これと一緒に、*レニン選集、それから*カウツキイの「社会革命」なども無断で拝借して来て、隣りの間の私の机の上にのせておいたら、お母さまが、朝お顔を洗いにいらした帰りに、私の机の傍《そば》を通り、ふとその三冊の本に目をとどめ、いちいちお手にとって、眺めて、それから小さい溜息《ためいき》をついて、そっとまた机の上に置き、淋《さび》しいお顔で私のほうをちらと見た。けれども、その眼つきは、深い悲しみに満ちていながら、決して拒否や嫌悪《けんお》のそれではなかった。お母さまのお読みになる本は、*ユーゴー、*デュマ父子、*ミュッセ、*ドオデエなどであるが、私はそのような甘美な物語の本にだって、革命のにおいがあるのを知っている。お母さまのように、天性の教養、という言葉もへんだが、そんなものをお持ちのお方は、案外なんでもなく、当然のこととして革命を迎えることができるのかも知れない。私だって、こうして、ローザ・ルクセンブルグの本など読んで、自分がキザったらしく思われることもないではないが、けれどもまた、やはり私は私なりに深い興味を覚えるのだ。ここに書かれてあるのは、経済学ということになっているのだが、経済学として読むと、まことにつまらない。実に単純でわかり切ったことばかりだ。いや、あるいは、私には経済学というものがまったく理解できないのかも知れない。とにかく、私には、すこしも面白くない。人間というものは、ケチなもので、そうして、永

ローザ・ルクセンブルグ　Rosa Luxemburg（1871—1919）。ポーランド生まれのドイツの女性社会主義者、経済学者。社会民主党の左翼急進派として第一次大戦直後ドイツ共産党を結成、革命運動をつづけたが、捕えられて虐殺された。主著に「資本蓄積論」などがある。
レニン　Nikolai Lenin（1870—1924）。労農ロシアの建設者。マルクス主義に深く影響されて、労働者解放闘争同盟を組織し、三年間シベリヤに流刑されたが、スイスに亡命して機関紙「イスクラ」を発刊。一九一七年の二月革命起こるや帰国して労兵会を指揮し、十月革命にはソビエト政府の首班として、新ロシア建設にあたる。主著に「国家と革命」「帝国主義論」「ロシアにおける資本主義の発展」などがある。　**カウツキイ**　Karl Kautsky（1854—1938）。ドイツの社会主義者、経済学者。「エルフルト綱領」の起草者。エンゲルス歿後のドイツ社会民主党、第二インターナショナルの指導者の一人。プロレタリア独裁を排し、晩年、議会主義に転向。「資本論解説」が有名。　**ユーゴー**　Victor Hugo（1802—1885）。フランスの詩人、小説家、劇作家。一八三〇年、戯曲「エルナニ」を発表しロマン派の巨頭となった。詩集「世紀の伝説」、小説「レ・ミゼラブル」などがある。　**デュマ父子**　父デュウマ・ペールAlexandre Duma Père（1802—1870）と、子デュウマ・フィス Alexandre Duma fils（1824—1895）をいう。ともにフランスの小説家、劇作家。父は「三銃士」「モンテクリスト伯」、子は「椿姫」の作者として有名。　**ミュッセ**　Alfred de Musset（1810—1857）。フランスの詩人、小説家、劇作家。フランス・ロマン派の一人。小説「世紀児の告白」、戯曲「戯れに恋はすまじ」など。女流作家ジョルジュ・サンドとの恋愛は有名。　**ドオデエ**　Alphonse Daudet（1840—1897）。フランスの小説家、劇作家。自然主義作家の一人で、ユーモアと人間への温かい共感をただよわせている。小説「風車小屋だより」「サフォ」、戯曲「アルルの女」などがある。

遠にケチなものだという前提がないと全く成り立たない学問で、ケチでない人にとっては、分配の問題でも何でも、まるで興味のないことだ。それでも私はこの本を読み、べつなところで、奇妙な興奮を覚えるのだ。それは、この本の著者が、何の躊躇《ちゅうちょ》もなく、片端から旧来の思想を破壊して行くがむしゃらな勇気である。どのように道徳に反しても、恋するひとのところへ涼しくさっさと走り寄る人妻の姿さえ思い浮かぶ。破壊思想。破壊は、哀れで悲しくて、そうして美しいものだ。破壊して、建て直して、完成しようという夢。そうして、いったん破壊すれば、永遠に完成の日が来ないかも知れぬのに、それでも、したう恋ゆえに、破壊しなければならぬのだ。革命を起こさなければならぬのだ。ローザはマルキシズムに、悲しくひたむきの恋をしている。

　あれは、十二年前の冬だった。

「あなたは、*更級《さらしな》日記の少女なのね。もう、何を言っても仕方がない。」

　そう言って、私から離れて行ったお友達。あのお友達に、あの時、私はレニンの本を読まないで返したのだ。

「読んだ?」

「ごめんね。読まなかったの。」

　*ニコライ堂の見える橋の上だった。

「なぜ? どうして?」

　そのお友達は、私よりさらに*一寸くらい背が高くて、語学がとてもよく出来て、赤いベレ帽がよく似合って、お顔もジョコンダみたいだという評判の、美しいひとだった。

「表紙の色が、いやだったの。」

「へんなひと。そうじゃないんでしょう？　本当は、私をこわくなったのでしょう？」

「こわかないわ。私、表紙の色が、たまらなかったの。」

「そう。」

と淋しそうに言い、それから、私を更級日記だと言い、そうして、何を言っても仕方がない、ときめてしまった。

私たちは、しばらく黙って、冬の川を見下ろしていた。

「ご無事で。もし、これが永遠の別れなら、永遠に、ご無事で。*バイロン。」

と言い、それから、そのバイロンの詩句を原文で口早に誦《しょう》して、私のからだを軽く抱いた。

更級日記の少女　平安時代の女流日記として有名。作者は菅原孝標《たかすえ》の娘。寛仁四年（1020）九月、十三歳の時、父親の任地上総国《かずさのくに》から帰京するときに始まり、康平二年（1059）五十二歳のころまでの思い出が書かれている。少女とは物語が好きで夢見がちな筆者自身をいう。
ニコライ堂　東京都千代田区神田駿河台の旧火消屋敷跡にロシアの修道僧ニコライ（俗名、イオアン・カサトキン）によって明治二十四年に建立された日本ハリスト正教会の中央本部。
ジョコンダ　Gioconda　レオナルド・ダ・ヴィンチがえがいた「モナ・リザ」の肖像の夫人。
バイロン　George Gordon Byron（1788—1824）。イギリスのロマン主義の代表的詩人。物語詩「チャイルド・ハロルドの遍歴」で一躍有名になり、以後劇詩「マンフレッド」、叙事詩「ドン・ジュアン」などを発表。ギリシャ独立戦争に志願して従軍中病死した。

私は恥ずかしく、

「ごめんなさいね。」

と小声でわびて、お茶の水駅のほうに歩いて、振り向いてみると、そのお友達は、やはり橋の上に立ったまま、動かないで、じっと私を見つめていた。

それっきり、そのお友達と逢《あ》わない。同じ外人教師の家へかよっていたのだけれども、学校がちがっていたのである。

あれから十二年たつけれども、私はやっぱり更級日記から一歩も進んでいなかった。いったいまあ、私はそのあいだ、何をしていたのだろう。革命を、あこがれたこともなかったし、恋さえ、知らなかった。いままで世間のおとなたちは、この革命と恋の二つを、最も愚かしく、いまわしいものとして私たちに教え、戦争の前も、戦争中も、私たちはそのとおりに思い込んでいたのだが、敗戦後、私たちは世間のおとなを信頼しなくなって、何でもあのひとたちの言うことの反対のほうに本当の生きる道があるような気がして来て、革命も恋も、実はこの世で最もよくて、おいしいことで、あまりいいことだから、おとなのひとたちは意地わるく私たちに青い葡萄《ぶどう》だと嘘《うそ》ついて教えていたのに違いないと思うようになったのだ。私は確信したい。人間は恋と革命のために生まれて来たのだ。

すっと襖《ふすま》があいて、お母さまが笑いながら顔をお出しになって、

「まだ起きていらっしゃる。眠くないの？」

とおっしゃった。

机の上の時計を見たら、十二時だった。

「ええ、ちっとも眠くないの。社会主義のご本を読んでいたら、興奮しちゃいましたわ。」

「そう。お酒ないの？　そんな時には、お酒を飲んでやすむと、よく眠れるんですけどね。」

とからかうような口調でおっしゃったが、その態度には、どこやらデカダンと紙一重《かみひとえ》のなまめかしさがあった。

やがて十月になったが、からりとした秋晴れの空にはならず、梅雨時《つゆどき》のような、じめじめして蒸し暑い日が続いた。そうして、お母さまのお熱は、やはり毎日夕方になると、三十八度と九度のあいだを上下した。

そうしてある朝、おそろしいものを私は見た。お母さまのお手が、むくんでいるのだ。朝ごはんが一ばんおいしいと言っていらしたお母さまも、このごろは、お床に坐って、ほんの少し、おかゆを軽く一碗《わん》、おかずも匂《にお》いの強いものは駄目で、その日は、松茸《まつたけ》のお清汁《すまし》をさし上げたのに、やっぱり、松茸の香《かお》りさえおいやになっていらっしゃる様子で、お椀《わん》をお口元まで持って行って、それきりまたそっとお膳《ぜん》の上におかえしになって、その時、私は、お母さまの手を見て、びっくりした。右の手がふくらんで、まあるくなっていたのだ。

「お母さま！　手、なんともないの？」

お顔さえ少し蒼《あお》く、むくんでいるように見えた。

「なんでもないの。これくらい、なんでもないの。」

「いつから、腫《は》れたの？」

お母さまは、まぶしそうなお顔をなさって、黙っていらした。私は、声を挙《あ》げて泣きたくなった。こんな手は、お母さまの手じゃない。よそのおばさんの手だ。私のお母さまのお手は、もっとほそくて小さいお手だ。私のよく知っている手。優しい手。可愛《かわい》い手。あの手は、永遠に、消えてしまったのだろうか。左の手は、まだそんなに腫れていなかったけれども、とにかく傷《いた》ましく、見ていることができなくて、私は眼をそらし、床の間の花籠《はなかご》をにらんでいた。

涙が出そうで、たまらなくなって、つと立って食堂へ行ったら、直治がひとりで、半熟卵をたべていた。たまに伊豆のこの家にいることがあっても、夜はきまってお咲さんのところへ行って焼酎《しょうちゅう》を飲み、朝は不機嫌《ふきげん》な顔で、ごはんは食べずに半熟の卵を四つか五つ食べるだけで、それからまた二階へ行って、寝たり起きたりなのである。

「お母さまの手が腫れて、」

と直治に話しかけ、うつむいた。言葉をつづけることができず、私は、うつむいたまま、肩で泣いた。

直治は黙っていた。

私は顔を挙げて、

「もう、だめなの。あなた、気が附かなかった？　あんなに腫れたら、もう、駄目なの。」

と、テーブルの端を摑《つか》んで言った。

直治も、暗い顔になって、

「近いぞ、そりゃ。ちぇっ、つまらねえことになりやがった。」

「私、もう一度、なおしたいの。どうかして、なおしたいの。」

と右手で左手をしぼりながら言ったら、突然、直治が、めそめそと泣き出して、

「なんにも、いいことがねえじゃねえか。僕たちには、なんにもいいことがねえじゃねえか。」

と言いながら、滅茶苦茶《めちゃくちゃ》にこぶしで眼をこすった。

その日、直治は、和田の叔父《おじ》さまにお母さまの容態を報告し、今後のことの指図《さしず》を受けに上京し、私はお母さまのお傍《そば》にいない間、朝から晩まで、ほとんど泣いていた。朝霧の中を牛乳をとりに行く時も、鏡に向かって髪を撫《な》でつけながらも、口紅を塗りながらも、いつも私は泣いていた。お母さまと過ごした仕合せの日の、あのことこのことが、絵のように浮かんで来て、いくらでも泣けて仕様がなかった。夕方、暗くなってから、支那間のヴェランダへ出て、永いことすすり泣いた。秋の空に星が光っていて、足許《あしもと》に、よその猫《ねこ》がうずくまって、動かなかった。

翌日、手の腫れは、昨日よりも、また一そうひどくなっていた。お食事は、何も召し上がらなかった。お蜜柑《みかん》のジュースも、口が荒れて、しみて、飲めないとおっしゃった。

「お母さま、また、直治のあのマスクを、なさったら？」

と笑いながら言うつもりであったが、言っているうちに、つらくなって、わっと声を挙げて泣いてしまった。

「毎日いそがしくて、疲れるでしょう。看護婦さんを、やとってちょうだい。」と静かにおっしゃったが、ご自分のおからだよりも、かず子の身を心配していらっしゃることがよくわかって、なおのことかなしく、立って、走って、お風呂場の三畳に行って、思いのたけ泣いた。

お昼すこし過ぎ、直治が三宅さまの老先生と、それから看護婦さん二人を、お連れして来た。

いつも冗談ばかりおっしゃる老先生も、その時は、お怒りになっていらっしゃるような素振りで、どしどし病室へはいって来られて、すぐに御診察を、おはじめになった。そうして、誰に言うともなく、

「お弱りになりましたね。」

と一こと低くおっしゃって、カンフル*を注射して下さった。

「先生のお宿は？」

とお母さまは、うわ言のようにおっしゃる。

「また長岡です。予約してありますから、ご心配無用。このご病人は、ひとのことなど心配なさらず、もっとわがままに、召し上がりたいものは何でも、たくさん召し上がるようにしなければいけませんね。栄養をとったら、よくなります。明日また、まいります。看護婦をひとり置いて行きますから、使ってみて下さい。」

と老先生は、病床のお母さまに向かって大きな声で言い、それから直治に眼くばせして立ち上がった。

直治ひとり、先生とお供の看護婦さんを送って行って、やがて帰って来た直治の顔を見ると、それは泣きたいのを怺《こら》えている顔だった。

私たちは、そっと病室から出て、食堂へ行った。

「だめなの？　そうでしょう？」

「つまらねえ。」

と直治は口をゆがめて笑って、

「衰弱が、ばかに急激にやって来たらしいんだ。今明日《こんみょうにち》も、わからねえと言っていやがった。」

と言っているうちに直治の眼から涙があふれて出た。

「ほうぼうへ、電報を打たなくてもいいかしら。」

私はかえって、しんと落ちついて言った。

「それは、叔父さんにも相談したが、叔父さんは、いまはそんな人集めのできる時代ではないと言っていた。来ていただいても、こんな狭い家では、かえって失礼だし、この近くには、ろくな宿もないし、長岡の温泉にだって、二部屋も三部屋も予約はできない、つまり、僕たちはもう貧乏で、そんなお偉らがたを呼び寄せる力がねえってわけなんだ。叔父さんは、すぐあとで来るはずだが、でも、あいつは、昔からケチで、頼みにも何も

カンフル　camphor（英）精製した樟脳液。重症患者に心臓麻痺を防ぐため注射する。

なりゃしねえ。ゆうべだってもう、ママの病気はそっちのけで、僕にさんざんのお説教だ。ケチなやつからお説教されて、眼がさめたなんて者は、古今東西にわたって一人もあった例《ためし》がねえんだ。姉と弟でも、ママとあいつとではまるで、雲泥《うんでい》のちがいなんだからなあ、いやになるよ。」

「でも、私はとにかく、あなたは、これから叔父さまにたよらなければ、……」

「まっぴらだ。いっそ乞食《こじき》になったほうがいい。姉さんこそ、これから、叔父さんによろしくおすがり申し上げるさ。」

「私には、……」

涙が出た。

「私には、行くところがあるの。」

「縁談？　きまってるの？」

「いいえ。」

「自活か？　はたらく婦人。よせ、よせ。」

「自活でもないの。私ね、革命家になるの。」

「へえ？」

直治は、へんな顔をして私を見た。

その時、三宅先生の連れていらした附添《つきそ》いの看護婦さんが、私を呼びに来た。

「奥さまが、何かご用のようでございます。」

いそいで病室に行ってお蒲団《ふとん》の傍《そば》に坐り、

「何？」

と顔を寄せてたずねた。

けれども、お母さまは、何か言いたげにして、黙っていらっしゃる。

「お水？」

とたずねた。

幽《かす》かに首を振る。お水でもないらしかった。

しばらくして、小さいお声で、

「夢を見たの。」

とおっしゃった。

「そう？　どんな夢？」

「蛇《へび》の夢。」

私は、ぎょっとした。

「お縁側の沓脱《くつぬ》ぎ石《いし》の上に、赤い縞《しま》のある女の蛇が、いるでしょう。見てごらん。」

私はからだの寒くなるような気持で、つと立ってお縁側に出て、ガラス戸越しに、見ると、沓脱ぎ石の上に蛇が、秋の陽《ひ》を浴びて長くのびていた。私は、くらくらと目まいした。

私はお前を知っている。お前はあの時から見ると、すこし大きくなって老《ふ》けているけど、でも、私のために卵を焼かれたあの女蛇《めへび》なのね。お前の復讐《ふくしゅう》は、もう私よく思い知ったから、あちらへお行き。さっさと、向うへ行っておくれ。

と心の中で念じて、その蛇を見つめていたが、いっかな蛇は、動こうとしなかった。

私はなぜだか、看護婦さんに、その蛇を見られたくなかった。トンと強く足踏みして、

「いませんわ、お母さま。夢なんて、あてになりませんわよ。」

とわざと必要以上の大声で言って、ちらと沓脱ぎ石のほうを見ると、蛇は、やっと、からだを動かし、だらだらと石から垂《た》れ落ちて行った。

もうだめだ。だめなのだと、その蛇を見て、あきらめが、はじめて私の心の底に湧《わ》いて出た。お父上のお亡《な》くなりになる時にも、枕《まくら》もとに黒い小さい蛇がいたというし、またあの時に、お庭の木という木に蛇がからみついていたのを、私は見た。

お母さまはお床の上に起き直るお元気もなくなったようで、いつもうつらうつらしていらして、もうおからだをすっかり附添いの看護婦さんにまかせて、そうして、お食事は、もうほとんど喉《のど》をとおらない様子であった。蛇を見てから、私は、悲しみの底を突き抜けた心の平安、とでも言ったらいいのかしら、そのような幸福感にも似た心のゆとりが出て来て、もうこの上は、できるだけ、ただお母さまのお傍にいようと思った。

そうしてその翌《あく》る日から、お母さまの枕元にぴったり寄り添って坐って編物などをした。私は、編物でもお針でも、人よりずっと早いけれども、しかし、下手《へた》だった。それで、いつもお母さまは、その下手なところを、いちいち手を取って教えて下さったものである。その日も私は、別に編みたい気持もなかったのだが、お母さまの傍にべったりくっついていても不自然でないように、恰好《かっこう》をつけるために、毛糸の箱を持ち出して余念なげに編物をはじめたのだ。

お母さまは私の手もとをじっと見つめて、

「あなたの靴下《くつした》をあむんでしょう？ それなら、もう、八つふやさなければ、はくとき窮屈よ。」

とおっしゃった。

私は子供のころ、いくら教えていただいても、どうもうまく編めなかったが、その時のようにまごつき、そうして、恥ずかしく、なつかしく、ああもう、こうしてお母さまに教えていただくことも、これでおしまいと思うと、つい涙で編目が見えなくなった。

お母さまは、こうして寝ていらっしゃると、ちっともお苦しそうでなかった。お食事は、もう、けさから全然とおらず、ガーゼにお茶をひたして時々お口をしめしてあげるだけなのだが、しかし意識は、はっきりしていて、時々私におだやかに話しかける。

「新聞に陛下のお写真が出ていたようだけど、もういちど見せて。」

私は新聞のその箇所《かしょ》をお母さまのお顔の上にかざしてあげた。

「お老《ふ》けになった。」

「いいえ、これは写真がわるいのよ。こないだのお写真なんか、とてもお若くて、はしゃいでいらしたわ。かえってこんな時代を、お喜びになっていらっしゃるんでしょう。」

「なぜ？」

「だって、陛下もこんど解放されたんですもの。」

お母さまは、淋《さび》しそうにお笑いになった。それから、しばらくして、

「泣きたくても、もう、涙が出なくなったのよ。」

とおっしゃった。

私は、お母さまはいま幸福なのではないかしら、とふと思った。幸福感というものは、悲哀の川の底に沈んで、幽《かす》かに光っている砂金のようなものではなかろうか。悲しみの限りを通り過ぎて、不思議な薄明りの気持、あれが幸福感というものならば、陛下も、お母さまも、それから私も、たしかに今、幸福なのである。静かな、秋の午前。日ざしの柔らかな、秋の庭。私は、編物をやめて、胸の高さに光っている海を眺め、

「お母さま。私いままで、ずいぶん世間知らずだったのね。」

と言い、それから、もっと言いたいことがあったけれども、お座敷の隅《すみ》で静脈注射の仕度《したく》などしている看護婦さんに聞かれるのが恥ずかしくて、言うのをやめた。

「いままでって、……」

とお母さまは、薄くお笑いになって聞きとがめて、

「それでは、いまは世間を知っているの？」

私は、なぜだか顔が真赤になった。

「世間は、わからない。」

とお母さまはお顔を向うむきにして、ひとりごとのように小さい声でおっしゃる。

「私には、わからない。わかっている人なんか、ないんじゃないの？　いつまで経《た》っても、みんな子供です。なんにも、わかってやしないのです。」

けれども、私は生きて行かなければならないのだ。子供かも知れないけれども、しかし、甘えてばかりもおられなくなった。私はこれから世間と争って行かなければならな

いのだ。ああ、お母さまのように、人と争わず、憎まずうらまず、美しく悲しく生涯《しょうがい》を終わることのできる人は、もうお母さまが最後で、これからの世の中には存在し得ないのではなかろうか。死んで行くひとは美しい。生きるということ。生き残るということ。それは、たいへん醜くて、血の匂《にお》いのする、きたならしいことのような気もする。私は、みごもって、穴を掘る蛇の姿を畳の上に思い描いてみた。けれども、私には、あきらめ切れないものがあるのだ。あさましくてもよい、私は生き残って、思うことをしとげるために世間と争って行こう。お母さまのいよいよ亡くなるということがきまると、私のロマンチシズムや感傷が次第に消えて、何か自分が油断のならぬ悪がしこい生きものに変わって行くような気分になった。

その日のお昼すぎ、私がお母さまの傍《そば》で、お口をうるおしてあげていると、門の前に自動車がとまった。和田の叔父《おじ》さまが、叔母《おば》さまと一緒に東京から自動車で馳《は》せつけて来て下さったのだ。叔父さまが、病室にはいっていらして、お母さまの枕元に黙ってお坐りになったら、お母さまは、ハンケチでご自分のお顔の下半分をかくし、叔父さまのお顔を見つめたまま、お泣きになった。けれども、泣き顔になっただけで、涙は出なかった。お人形のような感じだった。

「直治は、どこ?」

と、しばらくしてお母さまは、私のほうを見ておっしゃった。

私は二階へ行って、洋間のソファに寝そべって新刊の雑誌を読んでいる直治に、

「お母さまが、お呼びですよ。」

というと、

「わあ、また愁歎場《しゅうたんば》か。汝《なんじ》らは、よく我慢してあそこに頑張《がんば》っておれるね。神経が太いんだね。薄情なんだね。我らは、何とも苦しくて、実に心は熱すれども肉体よわく、とてもママの傍にいる気力はない。」

などと言いながら上衣《うわぎ》を着て、私と一緒に二階から降りて来た。

二人ならんでお母さまの枕もとに坐ると、お母さまは、急にお蒲団《ふとん》の下から手をお出しになって、そうして、黙って直治のほうを指差し、それから私を指差し、それから叔父さまのほうへお顔をお向けになって、両手の掌《てのひら》をひたとお合わせになった。

叔父さまは、大きくうなずいて、

「ああ、わかりましたよ。わかりましたよ。」

とおっしゃった。

お母さまは、ご安心なさったように、眼を軽くつぶって、手をお蒲団の中へそっとおいれになった。

私も泣き、直治もうつむいて嗚咽《おえつ》した。

そこへ、三宅さまの老先生が、長岡からいらして、とりあえず注射した。お母さまも、叔父さまに逢《あ》えて、もう、心残りがないとお思いになったか、

「先生、早く、楽にして下さいな。」

とおっしゃった。

老先生と叔父さまは、顔を見合わせて、黙って、そうしてお二人の眼に涙がきらと光

った。

私は立って食堂へ行き、叔父さまのお好きなキツネうどんをこしらえて、先生と直治と叔母さまと四人分、支那間へ持って行き、それから叔父さまのお土産《みやげ》の丸の内ホテルのサンドウィッチを、お母さまにお見せして、お母さまの枕元に置くと、

「忙しいでしょう。」

とお母さまは、小声でおっしゃった。

支那間で皆さんがしばらく雑談をして、叔父さま叔母さまは、どうしても今夜、東京へ帰らなければならぬ用事があるとかで、私に見舞いのお金包を手渡し、三宅さまも看護婦さんと一緒にお帰りになることになり、附添《つきそ》いの看護婦さんに、いろいろ手当の仕方を言いつけ、とにかくまだ意識はしっかりしているし、心臓のほうもそんなにまいっていないから、注射だけでも、もう四、五日は大丈夫だろうということで、その日いったん皆さんが自動車で東京へ引き上げたのである。

皆さんをお送りして、お座敷へ行くと、お母さまが、私にだけ笑う親しげな笑いかたをなさって、

「忙しかったでしょう。」

と、また、囁《ささや》くような小さいお声でおっしゃった。そのお顔は、活《い》き活《い》きとして、むしろ輝いているように見えた。叔父さまにお逢いできてうれしかったのだろう、と私は思った。


実に心は熱すれども……　新約聖書マタイ伝第二十六章四十一節にある言葉。

「いいえ。」

私もすこし浮き浮きした気分になって、にっこり笑った。

そうして、これが、お母さまとの最後のお話であった。

それから、三時間ばかりして、お母さまは亡くなったのだ。秋のしずかな黄昏《たそがれ》、看護婦さんに脈をとられて、直治と私と、たった二人の肉親に見守られて、日本で最後の貴婦人だった美しいお母さまが。

お死顔は、ほとんど、変わらなかった。お父上の時は、さっと、お顔の色が変わったけれども、お母さまのお顔の色は、ちっとも変わらずに、呼吸だけが絶えた。その呼吸の絶えたのも、いつと、はっきりわからぬくらいであった。お顔のむくみも、前日あたりからとれていて、頰《ほお》が蠟《ろう》のようにすべすべして、薄い唇《くちびる》が幽《かす》かにゆがんで微笑《ほほえ》みを含んでいるようにも見えて、生きているお母さまより、なまめかしかった。私は、ピエ*タのマリヤに似ていると思った。

六

戦闘、開始。

いつまでも、悲しみに沈んでもおられなかった。私には、ぜひとも、戦いとらなければならぬものがあった。新しい倫理。いいえ、そう言っても偽善めく。恋。それだけだ。ローザが新しい経済学にたよらなければ生きておられなかったように、私はいま、恋一つにすがらなければ、生きて行けないのだ。イエスが、この世の宗教家、道徳家、学者、権威者の偽善をあばき、神の真の愛情というものを少しも躊躇《ちゆうちよ》するところなくありのままに人々に告げあらわさんがために、その十二弟子をも諸方に派遣なさろうとするに当たって、弟子たちに教え聞かせたお言葉は、私のこの場合にも全然、無関係でないように思われた。

「帯*のなかに金・銀または銭《ぜに》を持つな。旅の嚢《ふくろ》も、二枚の下衣《したぎ》も、鞋《くつ》も、杖《つえ》も持つな。視《み》よ、我《われ》なんじらを遣《つか》わすは、羊《ひつじ》を豺狼《おおかみ》のなかに入《い》るるがごとし。この故《ゆえ》に蛇《へび》のごとく慧《さと》く、鴿《はと》のごとく素直なれ。人々に心せよ、それは汝《なんじ》らを衆議所《しゆうぎしよ》に付《わた》し、会堂にて鞭《むち》うたん。また汝《なんじ》らわが故《ゆえ》によりて、司《つかさ》たち王たちの前に曳《ひ》かれん。かれら汝らを付《わた》さば、如何《いか》になにを言わんと思い煩《わずら》うな、言うべきことは、その時さずけらるべし。これ言うものは汝らにあらず、そのうちにありて言いたもう汝らの父の霊なり。またなんじら我《わ》が名のためにすべての人に憎まれん。されど終りまで耐え忍ぶものは救わるべし。この町にて、責めらるる時は、かの町に逃《のが》れよ。誠に汝らに告ぐ、なんじらイスラエルの町々を巡《めぐ》り尽さぬうちに人の子は来たるべし。

身を殺して霊魂《たましい》をころし得ぬ者どもを懼《おそ》るな、身と霊魂《たましい》とをゲヘナにて滅ぼし得る者をおそれよ。われ地に平和を投ぜんために来たれりと思うな、平和にあらず、反《かえ》って剣《つるぎ》を投ぜんために来たれり、それ我が来たれるは人をその父より、娘をその母より、嫁を

ピエタのマリア　ピエタ pieta（伊）は慈悲の意。十字架からおろされたイエスを膝に抱いて嘆くマリアをいう。**帯のなかに……**　新約聖書マタイ伝第十章九節から三十九節にある言葉。

その姑嬶より分かたんためなり。人の仇は、その家の者なるべし。我よりも父または母を愛する者は、我に相応《ふさわ》しからず。我よりも息子《むすこ》または娘を愛する者は、我に相応しからず。またおのが十字架をとりて我に従わぬ者は、我に相応しからず。生命《いのち》を得る者は、これを失い、我がために生命を失う者は、これを得べし。」

戦闘、開始。

もし、私が恋ゆえに、イエスのこの教えをそっくりそのまま必ず守ることを誓ったら、イエスさまはお叱《しか》りになるかしら。なぜ、「恋」がわるくて、「愛」がいいのか、私にはわからない。同じもののような気がしてならない。何だかわからぬ愛のために、恋のために、その悲しさのために、身と霊魂《たましい》とをゲヘナにて滅ぼし得る者、ああ、私は自分こそ、それだと言い張りたいのだ。

叔父さまたちのお世話で、お母さまの密葬*を伊豆で行ない、本葬は東京ですまして、それからまた直治と私は、伊豆の山荘で、お互い顔を合わせても口をきかぬような、理由のわからぬ気まずい生活をして、直治は出版業の資本金と称して、お母さまの宝石類を全部持ち出し、東京で飲み疲れると、伊豆の山荘へ大病人のような真蒼《まっさお》な顔をしてふらふら帰って来て、寝て、ある時、若いダンサアふうのひとを連れて来て、さすがに直治も少し間が悪そうにしているので、

「きょう、私、東京へ行ってもいい？　お友だちのところへ、久しぶりで遊びに行ってみたいの。二晩か、三晩、泊まって来ますから、あなた留守番してね。お炊事《すいじ》は、あのかたに、たのむといいわ。」

直治の弱味にすかさず附け込み、いわば蛇《へび》のごとく慧《さと》く、私はバッグにお化粧品やパンなど詰め込んで、きわめて自然に、あのひとと逢《あ》いに上京することができた。

東京郊外、省線荻窪駅《おぎくぼえき》の北口に下車すると、そこから二十分くらいで、あのひとの大戦後の新しいお住居《すまい》に行き着けるらしいということは、直治から前にそれとなく聞いていたのである。

こがらしの強く吹いている日だった。荻窪駅に降りたころには、もうあたりが薄暗く、私は往来のひとをつかまえては、あのひとのところ番地を告げて、その方角を教えてもらって、一時間ちかく暗い郊外の路地をうろついて、あまり心細くて、涙が出て、そのうちに砂利道《じゃりみち》の石につまずいて下駄《げた》の鼻緒《はなお》がぷつんと切れて、どうしようかと立ちすくんで、ふと右手の二軒長屋のうちの一軒の家の表札が、夜目にも白くぼんやり浮かんで、それに上原と書かれているような気がして、片足は足袋《たび》はだしのまま、その家の玄関に走り寄って、なおよく表札を見ると、たしかに上原二郎としたためられていたが、家の中は暗かった。

どうしようか、とまた瞬時立ちすくみ、それから、身を投げる気持で、玄関の格子戸《こうしど》に倒れかかるようにひたと寄り添い、

「ごめん下さいまし。」

と言い、両手の指先で格子を撫《な》でながら、

「上原さん。」

密葬　正式に葬儀を営まず、内々で行なうこと。

と小声で囁《ささや》いてみた。

返事は、あった。しかし、それは、女のひとの声であった。

玄関の戸が内からあいて、細おもての古風な匂《にお》いのする、私より三つ四つ年上のような女のひとが、玄関の暗闇《くらやみ》の中でちらと笑い、

「どちらさまでしょうか。」

とたずねるその言葉の調子には、なんの悪意も警戒もなかった。

「いいえ、あのう、」

けれども私は、自分の名を言いそびれてしまった。このひとにだけは、私の恋も、奇妙にうしろめたく思われた。おどおどと、ほとんど卑屈に、

「先生は？　いらっしゃいません？」

「はあ。」

と答えて、気の毒そうに私の顔を見て、

「でも、行く先は、たいてい、……」

「遠くへ？」

「いいえ。」

と、可笑《おか》しそうに片手をお口に当てられて、

「荻窪ですの。駅の前の、白石《しらいし》というおでんやさんへおいでになれば、たいてい、行く先がおわかりかと思います。」

私は飛び立つ思いで、

「あ、そうですか。」

「あら、おはきものが。」

すすめられて私は、玄関の内へはいり、式台に坐らせてもらい、奥さまから、軽便鼻緒とでもいうのかしら、鼻緒の切れた時に手軽に繕《つくろ》うことのできる革《かわ》の仕掛紐《しかけひも》をいただいて、下駄を直して、そのあいだに奥さまは、蠟燭《ろうそく》をともして玄関に持って来て下さったりしながら、

「あいにく、電球が二つとも切れてしまいまして、このごろの電球は馬鹿《ばか》高い上に切れやすくていけませんわね、主人がいると買ってもらえるんですけど、ゆうべも、おとといの晩も帰ってまいりませんので、私どもは、これで三晩、無一文の早寝ですのよ。」

などと、しんからのんきそうに笑っておっしゃる。奥さまのうしろには、十二、三歳の眼の大きな、めったに人になつかないような感じのほっそりした女のお子さんが立っている。

敵。私はそう思わないけれども、しかし、この奥さまとお子さんは、いつかは私を敵と思って憎むことがあるに違いないのだ。それを考えたら、私の恋も、一時にさめ果てたような気持になって、下駄の鼻緒をすげかえ、立ってはたはたと手を打ち合わせて両手のよごれを払い落としながら、わびしさが猛然と身のまわりに押し寄せて来る気配に堪えかね、お座敷に駈《か》け上がって、まっくら闇《やみ》の中で奥さまのお手を摑《つか》んで泣こうかしらと、ぐらぐら烈《はげ》しく動揺したけれども、ふと、その後の自分のしらじらしい何とも形のつかぬ味気ない姿を考え、いやになり、

「ありがとうございました。」

と、ばか叮嚀《ていねい》なお辞儀をして、外へ出て、こがらしに吹かれ、戦闘、開始、恋する、すき、こがれる、本当に恋する、本当にすき、本当にこがれる、恋いしいのだから仕様がない、すきなのだから仕様がない、こがれているのだから仕様がない、あの奥さまはたしかに珍らしくいいお方、あのお嬢さんもお綺麗《きれい》だ、けれども私は、神の審判の台に立たされたって、少しも自分をやましいとは思わぬ、人間は、恋と革命のために生まれて来たのだ、神も罰したもうはずがない、私はみじんも悪くない、本当にすきなのだから大威張り、あのひとに一目お逢《あ》いするまで、二晩でも三晩でも野宿しても、必ず。

駅前の白石というおでんやは、すぐに見つかった。けれども、あのひとはいらっしゃらない。

「阿佐ケ谷《あさがや》ですよ、きっと。阿佐ケ谷駅の北口をまっすぐにいらして、そうですね、一丁半かな? 金物屋さんがありますからね、そこから右へはいって、半丁かな? 柳やという小料理屋がありますからね、先生、このごろは柳やのおステさんと大あつあつで、いりびたりだ、かなわねえ。」

駅へ行き、切符を買い、東京行きの省線に乗り、阿佐ケ谷で降りて北口、約一丁半、金物屋さんのところから右へ曲がって半丁、柳やは、ひっそりしていた。

「たったいまお帰りになりましたが、大勢さんで、これから西荻《にしおぎ》のチドリのおばさんのところへ行って夜明かしで飲むんだ、とかおっしゃっていましたよ。」

私よりも年が若くて、落ちついて、上品で親切そうな、これがあの、おステさんとかいうあのひとと大あつあつの人なのかしら。

「チドリ？　西荻のどのへん？」

心細くて、涙が出そうになった。自分がいま、気が狂っているのではないかしら、とふと思った。

「よく存じませんのですけどね、何でも西荻の駅を降りて、南口の、左にはいったところだとか、とにかく、交番でお聞きになったら、わかるんじゃないでしょうか。何せ、一軒ではおさまらないひとで、チドリに行く前にまたどこかにひっかかっているかも知れませんですよ。」

「チドリへ行ってみます。さようなら。」

また、逆もどり。阿佐ケ谷から省線で立川行きに乗り、荻窪、西荻窪、駅の南口で降りて、こがらしに吹かれてうろつき、交番を見つけて、チドリの方角をたずねて、それから、教えられたとおりの夜道を走るようにして行って、チドリの青い灯籠《とうろう》を見つけて、ためらわず格子戸《こうしど》をあけた。

土間があって、それからすぐ六畳間くらいの部屋があって、たばこの煙で濛々《もうもう》として、十人ばかりの人間が、部屋の大きな卓をかこんで、わあっわあっとひどく騒がしいお酒盛りをしていた。私より若いくらいのお嬢さんも三人まじって、たばこを吸い、お酒を飲んでいた。

私は土間に立って、見渡し、見つけた。そうして、夢見るような気持になった。ちがうのだ。六年。まるっきり、もう、違ったひとになっているのだ。

これが、あの、私の虹《にじ》、M・C、私の生き甲斐《がい》の、あのひとであろうか。六年、蓬髪《ほうはつ》は昔のままだけれども哀れに赤茶けて薄くなっており、顔は黄色くむくんで、眼のふちが赤くただれて、前歯が抜け落ち、絶えず口をもぐもぐさせて、一匹の老猿が背中を丸くして部屋の片隅《かたすみ》に坐っている感じであった。

お嬢さんのひとりが私を見とがめ、目で上原さんに私の来ていることを知らせた。あのひとは坐ったまま細長い首をのばして私のほうを見て、何の表情もなく、顎《あご》であがれという合図をした。一座は、私に何の関心もなさそうに、わいわいの大騒ぎをつづけ、それでも少しずつ席を詰めて、上原さんのすぐ右隣りに私の席をつくってくれた。

私は黙って坐った。上原さんは、私のコップにお酒をなみなみといっぱい注《つ》いでくれて、それからご自分のコップにもお酒を注ぎ足して、

「乾杯。」

としゃがれた声で低く言った。

二つのコップが、力弱く触れ合って、カチと悲しい音がした。

*ギロチン、ギロチン、シュルシュルシュ、と誰かが言って、それに応じてまたひとりが、ギロチン、ギロチン、シュルシュルシュ、と言い、カチンと音高くコップを打ち合わせてぐいと飲む。ギロチン、ギロチン、シュルシュルシュ、ギロチン、ギロチン、シュルシュルシュ、とあちこちから、その出鱈目《でたらめ》みたいな歌が起こって、さかんにコップを打ち合わせて乾杯している。そんなふざけ切ったリズムでもってはずみをつけて、無理にお酒を喉《のど》に流し込んでいる様子であった。

「じゃ、失敬。」

と言って、よろめきながら帰るひとがあるかと思うと、また、新客がのっそりはいって来て、上原さんにちょっと会釈《えしゃく》しただけで、一座に割り込む。

「上原さん、あそこのね、上原さん、あそこのね、ああ、というところですがね、あれは、どんな具合いに言ったらいいんですか？　あ、あ、ですか？　ああ、あ、ですか？」

と乗り出してたずねているひとは、たしかに私もその舞台顔に見覚えのある新劇俳優の藤田である。

「ああ、あ、だ。ああ、あ、チドリの酒は、安くねえ、といったような按配《あんばい》だね。」

と上原さん。

「お金のことばっかり。」

とお嬢さん。

「*二羽の雀《すずめ》は一銭、とは、ありゃ高いんですか？　安いんですか？」

と若い紳士。

「*一厘《りん》も残りなく償《つぐな》わずば、という言葉もあるし、*ある者には五タラント、ある者には

ギロチン　guillotine（仏）フランス革命時代に使われた死刑執行のための斬首台。　**二羽の雀は……**　新約聖書マタイ伝第十章二十九節にある言葉。　**一厘も残りなく……**　新約聖書マタイ伝第五章二十六節にある言葉。　**ある者には五タラント……**　新約聖書マタイ伝第二十五章十五節にある言葉。

二タラント、ある者には一タラントなんて、ひどくややこしい譬え話《たとえばなし》もあるし、キリストも勘定はなかなかこまかいんだ。」

と別の紳士。

「それに、あいつあ酒飲みだったよ。妙にバイブルには酒の譬え話が多いと思っていたら、果たせるかなだ、視《み》よ、酒を好む人、と非難されたとバイブルに録されてある。酒を飲む人でなくて、酒を好む人というんだから、相当な飲み手だったに違いねえのさ。まず、一升飲みかね。」

ともうひとりの紳士。

「よせ、よせ。ああ、あ、汝らは道徳におびえて、イエスをダシに使わんとす。チエちゃん、飲もう。ギロチン、ギロチン、シュルシュルシュ。」

と上原さん、一ばん若くて美しいお嬢さんと、カチンと強くコップを打ち合わせて、ぐっと飲んで、お酒が口角からしたたり落ちて、顎《あご》が濡《ぬ》れて、それをやけくそみたいに乱暴に掌《てのひら》で拭《ぬぐ》って、それから大きいくしゃみを五つ六つも続けてなさった。

私はそっと立って、お隣りの部屋へ行き、病身らしく蒼白《あおじろ》く痩《や》せたおかみさんに、お手洗いをたずね、また帰りにその部屋をとおると、さっきの一ばんきれいで若いチエちゃんとかいうお嬢さんが、私を待っていたような恰好《かっこう》で立っていて、

「おなかが、おすきになりません？」

と親しそうに笑いながら、尋ねた。

「ええ、でも、私、パンを持ってまいりましたから。」

「何もございませんけど、」

と病身らしいおかみさんは、だるそうに横坐りに坐って長火鉢《ながひばち》に寄りかかったままで言う。

「この部屋で、お食事をなさいまし。あんな吞《の》んべえさんたちの相手をしていたら、一晩中なにも食べられやしません。お坐りなさい、ここへ。チエ子さんも一緒に。」

「おうい、キヌちゃん、お酒がない。」

とお隣りで紳士が叫ぶ。

「はい、はい。」

と返辞して、そのキヌちゃんという三十歳前後の粋《いき》な縞《しま》の着物を着た女中さんが、お銚子《ちょうし》をお盆に十本ばかり載せて、お勝手からあらわれる。

「ちょっと、」

とおかみさんは呼びとめて、

「ここへも二本。」

と笑いながら言い、

「それからね、キヌちゃん、すまないけど、裏のスズヤさんへ行って、うどんを二つ大いそぎでね。」

私とチエちゃんは長火鉢の傍《そば》に並んで坐って、手をあぶっていた。

「お蒲団《ふとん》をおあてなさい。寒くなりましたね。お飲みになりませんか。」

おかみさんは、ご自分のお茶のお茶碗《ちゃわん》にお銚子のお酒をついで、それから別の二つのお茶碗にもお酒を注《つ》いだ。

そうして私たち三人は黙って飲んだ。

「みなさん、お強いのね。」

とおかみさんは、なぜだか、しんみりした口調で言った。

がらがらと表の戸のあく音が聞こえて、

「先生、持ってまいりました。」

という若い男の声がして、

「何せ、うちの社長ったら、がっちりしていますからね、二万円と言ってねばったのですが、やっと一万円。」

「小切手か？」

と上原さんのしゃがれた声。

「いいえ、現なまですが。すみません。」

「まあ、いいや、受取りを書こう。」

ギロチン、ギロチン、シュルシュルシュ、の乾杯の歌が、そのあいだも一座において絶えることなくつづいている。

「直さんは？」

と、おかみさんは真面目《まじめ》な顔をしてチエちゃんに尋ねる。私は、どきりとした。

「知らないわ。直さんの番人じゃあるまいし。」

と、チエちゃんは、うろたえて、顔を可憐《かれん》に赤くなさった。

「このごろ、何か上原さんと、まずいことでもあったんじゃないの？　いつも、必ず、一緒だったのに。」

とおかみさんは、落ちついて言う。

「ダンスのほうが、すきになったんですって。ダンサアの恋人でも出来たんでしょうよ。」

「直さんたら、まあ、お酒の上にまた女だから、始末が悪いね。」

「先生のお仕込みですもの。」

「でも、直さんのほうが、たちが悪いよ。あんな坊っちゃんくずれは、……」

「あの、」

私は微笑《ほほえ》んで口をはさんだ。黙っていては、かえってこのお二人に失礼なことになりそうだと思ったのだ。

「私、直治の姉なんですの。」

おかみさんは驚いたらしく、私の顔を見直したが、チエちゃんは平気で、

「お顔がよく似ていらっしゃいますもの。あの土間の暗いところにお立ちになっていたのを見て、私、はっと思ったわ。直さんかと。」

「左様でございますか。」

とおかみさんは語調を改めて、

「こんなむさくるしいところへ、よくまあ。それで？　あの、上原さんとは、前から？」

「ええ、六年前にお逢《あ》いして、……。」

言い澱《よど》み、うつむき、涙が出そうになった。

「お待ちどおさま。」

女中さんが、おうどんを持って来た。

「召し上がれ。熱いうちに。」

とおかみさんはすすめる。

「いただきます。」

おうどんの湯気に顔をつっ込み、するするとおうどんを啜《すす》って、私は、いまこそ生きていることの侘《わ》びしさの、極限を味わっているような気がした。

ギロチン、ギロチン、シュルシュルシュ、ギロチン、ギロチン、シュルシュルシュ、と低く口ずさみながら、上原さんが私たちの部屋にはいって来て、私の傍にどかりとあぐらをかき、無言でおかみさんに大きい封筒を手渡した。

「これだけで、あとをごまかしちゃだめですよ。」

おかみさんは、封筒の中を見もせずに、それを長火鉢の引出しに仕舞い込んで笑いながら言う。

「持って来るよ。あとの支払いは、来年だ。」

「あんなことを。」

一万円。それだけあれば、電球がいくつ買えるだろう。私だって、それだけあれば、一年らくに暮らせるのだ。

ああ、何かこの人たちは、間違っている。しかし、この人たちも、私の恋の場合と同じように、こうでもしなければ、生きて行かれないのかも知れない。人はこの世の中に生まれて来た以上は、どうしても生き切らなければいけないものならば、この人達のこの生き切るための姿も、憎むべきではないかも知れぬ。生きていること。ああ、それは、何というやりきれない息もたえだえの大事業であろうか。

「とにかくね、」

と隣室の紳士がおっしゃる。

「これから東京で生活して行くにはだね、コンチワア、という軽薄きわまる挨拶《あいさつ》が平気でできるようでなければ、とても駄目《だめ》だね。いまのわれらに、重厚だの、誠実だの、そんな美徳を要求するのは、首くくりの足を引っぱるようなものだ。重厚？　誠実？　ペッ、プッだ。生きて行けやしねえじゃないか。もしもだね、コンチワアを軽く言えなかったら、あとは、道が三つしかないんだ、一つは帰農だ、一つは自殺、もう一つは女のヒモさ。」

「その一つもできやしねえ可哀想《かわいそう》な野郎には、せめて最後の唯一の手段、」

と別な紳士が、

「上原二郎にたかって、痛飲。」

「ギロチン、ギロチン、シュルシュルシュ、ギロチン、ギロチン、シュルシュルシュ。」

「泊まるところが、ねえんだろ。」

と、上原さんは、低い声でひとりごとのようにおっしゃった。

私は自身に鎌首《かまくび》をもたげた蛇《へび》を意識した。敵意。それにちかい感情で、私は自分のからだを固くしたのである。

「ざこ寝ができるか。寒いぜ。」

上原さんは、私の怒りに頓着《とんちゃく》なく呟《つぶや》く。

「無理でしょう。」

とおかみさんは、口をはさみ、

「お可哀そうよ。」

ちえっ、と上原さんは舌打ちして、

「そんなら、こんなところへ来なければいいんだ。」

私は黙っていた。このひとは、たしかに、私のあの手紙を読んだ。そうして、誰よりも私を愛している、と、私はそのひとの言葉の雰囲気《ふんいき》から素早く察した。

「仕様がねえな。福井さんのとこへでも、たのんでみようかな。チエちゃん、連れて行ってくれないか。いや、女だけだと、途中が危険か。やっかいだな。かあさん、このひとのはきものを、こっそりお勝手のほうに廻《まわ》しておいてくれ。僕が送りとどけて来るから。」

外は深夜の気配だった。風はいくぶんおさまり、空にいっぱい星が光っていた。私たちは、ならんで歩きながら、

「私、ざこ寝でも何でも、できますのに。」

「私？」

上原さんは、眠そうな声で、

「うん。」

とだけ言った。

「二人っきりに、なりたかったのでしょう。そうでしょう。」

私がそう言って笑ったら、上原さんは、

「これだから、いやさ。」

と口をまげて、にが笑いなさった。私は自分がとても可愛《かわい》がられていることを、身にしみて意識した。

「ずいぶん、お酒を召し上がりますのね。毎晩ですの？」

「そう、毎日。朝からだ。」

「おいしいの？　お酒が。」

「まずいよ。」

そう言う上原さんの声に、私はなぜだか、ぞっとした。

「お仕事は？」

「駄目《だめ》です。何を書いても、ばかばかしくって、そうして、ただもう、悲しくって仕様がないんだ。いのちの黄昏《たそがれ》。芸術の黄昏。人類の黄昏。それも、キザだね。」

「ユトリロ。」*

ユトリロ　Maurice Utrillo（1883—1955）。フランスの画家。白を多く使った美しい色調で、パリの街並を詩情豊かなタッチで描いた。

私は、ほとんど無意識にそれを言った。

「ああ、ユトリロ。まだ生きていやがるらしいね。アルコールの亡者。死骸《しがい》だね。最近十年間のあいつの絵は、へんに俗っぽくて、みな駄目。」

「ユトリロだけじゃないんでしょう？　他のマイスター*たちも全部、……」

「そう、衰弱。しかし、新しい芽も、芽のままで衰弱しているのです。霜。フロスト。世界中に時ならぬ霜が降りたみたいなのです。」

上原さんは私の肩を軽く抱いて、私のからだは上原さんの二重廻《にじゅうまわ》しの袖《そで》で包まれたような形になったが、私は拒否せず、かえってぴったり寄りそってゆっくり歩いた。

路傍の樹木の枝。葉の一枚も附《つ》いていない枝、ほそく鋭く夜空を突き刺していて、

「木の枝って、美しいものですわねえ。」

と思わずひとりごとのように言ったら、

「うん、花と真黒い枝の調和が。」

と少しうろたえたようにしておっしゃった。

「いいえ、私、花も葉も芽も、何もついていない、こんな枝がすき。これでも、ちゃんと生きているのでしょう。枯枝とちがいますわ。」

「自然だけは、衰弱せずか。」

そう言って、また烈《はげ》しいくしゃみをいくつもいくつも続けてなさった。

「お風邪《かぜ》じゃございませんの？」

「いや、いや、さにあらず。実はね、これは僕の奇癖でね、お酒の酔いが飽和点に達す

ると、たちまちこんな具合いのくしゃみが出るんです。酔いのバロメーターみたいなものだね。」

「恋は？」

「え？」

「どなたかございますの？　飽和点くらいにすすんでいるお方が。」

「なんだ、ひやかしちゃいけない。女は、みな同じさ。ややこしくていけねえ。ギロチン、ギロチン、シュルシュルシュ、実は、ひとり、いや、半人くらいある。」

「私の手紙、ごらんになって？」

「見た。」

「ご返事は？」

「僕は貴族は、きらいなんだ。どうしても、どこかに、鼻持ちならない傲慢《ごうまん》なところがある。あなたの弟の直さんも、貴族としては、大出来の男なんだが、時々、ふっと、とても附き合い切れない小生意気なところを見せる。僕は田舎《いなか》の百姓の息子《むすこ》でね、こんな小川の傍《そば》をとおると必ず、子供のころ、故郷の小川で鮒《ふな》を釣《つ》ったことや、めだかを掬《すく》ったことを思い出してたまらない気持になる。」

暗闇《くらやみ》の底で幽《かす》かに音立てて流れている小川に、沿った路《みち》を私たちは歩いていた。

「けれども、君たち貴族は、そんな僕たちの感傷を絶対理解できないばかりか、軽蔑《けいべつ》している。」

マイスター　Meister（独）巨匠。大家。

「*ツルゲーネフは？」

「あいつは貴族だ。だから、いやなんだ。」

「でも、*猟人日記、……」

「うん、あれだけは、ちょっとうまいね。」

「あれは、農村生活の感傷、……」

「あの野郎は田舎貴族、というところで妥協しようか。」

「私もいまでは田舎者ですわ。畑を作っていますのよ。田舎の貧乏人。」

「今でも、僕をすきなのかい。」

乱暴な口調であった。

「僕の赤ちゃんが欲《ほ》しいのかい。」

私は答えなかった。

岩が落ちて来るような勢いでそのひとの顔が近づき、遮二無二《しゃにむに》私はキスされた。性慾《せいよく》のにおいのするキスだった。私はそれを受けながら、涙を流した。屈辱の、くやし涙に似ているにがい涙であった。涙はいくらでも眼からあふれ出て、流れた。

また、二人ならんで歩きながら、

「しくじった。惚《ほ》れちゃった。」

とそのひとは言って、笑った。

けれども、私は笑うことができなかった。眉《まゆ》をひそめて、口をすぼめた。

仕方がない。

言葉で言いあらわすなら、そんな感じのものだった。私は自分が下駄《げた》を引きずってすさんだ歩き方をしているのに気がついた。

「しくじった。」

とその男は、また言った。

「行くところまで行くか。」

「キザですわ。」

「この野郎。」

上原さんは私の肩をとんとこぶしで叩《たた》いて、また大きいくしゃみをなさった。

福井さんとかいうお方のお宅では、みなさんがもうおやすみになっていらっしゃる様子であった。

「電報、電報。福井さん、電報ですよ。」

と大声で言って、上原さんは玄関の戸をたたいた。

「上原か？」

と家の中で男のひとの声がした。

ツルゲーネフ　Ivan Sergeevich Turgenev（1818―1883）ロシアの小説家。写実的な自然描写と鋭敏な心理観察で、十九世紀の四〇―七〇年代のロシアの社会問題とインテリゲンツィヤの感情、思想を描いた。「猟人日記」「父と子」「処女地」など。**猟人日記**　ツルゲーネフの短篇集（一八五二年作）。抒情味豊かな自然観察がすぐれ、その一篇は二葉亭四迷の名訳「あいびき」となって日本にも親しまれている。

「そのとおり。プリンスとプリンセスと一夜の宿をたのみに来たのだ。どうもこう寒いと、くしゃみばかり出て、せっかくの恋の道行《みちゆき》もコメディになってしまう。」

玄関の戸が内からひらかれた。もうかなりの、五十歳を越したくらいの、頭の禿《は》げた小柄のおじさんが、派手なパジャマを着て、へんな、はにかむような笑顔《えがお》で私たちを迎えた。

「たのむ。」

と上原さんは一こと言って、マントも脱がずにさっさと家の中へはいって、

「アトリエは、寒くていけねえ。二階を借りるぜ。おいで。」

私の手をとって、廊下をとおり突き当りの階段をのぼって、暗い座敷にはいり、部屋の隅《すみ》のスイッチをパチとひねった。

「お料理屋のお部屋みたいね。」

「うん、成金《なりきん》趣味さ。でも、あんなヘボ画《え》かきにはもったいない。悪運が強くて罹災《りさい》も、しやがらねえ。利用せざるべからずさ。さあ、寝よう、寝よう。」

ご自分のお家みたいに、勝手に押入れをあけてお蒲団《ふとん》を出して敷いて、

「ここへ寝たまえ。僕は帰る。あしたの朝、迎えに来ます。便所は、階段を降りて、すぐ右だ。」

だだだだと階段からころげ落ちるように騒々しく下へ降りて行って、それっきり、しんとなった。

私はまたスイッチをひねって、電灯を消し、お父上の外国土産《みやげ》の生地《きじ》で作ったビロー

ドのコートを脱ぎ、帯だけほどいて着物のままでお床へはいった。疲れている上に、お酒を飲んだせいか、からだがだるく、すぐにうとうとまどろんだ。いつのまにか、あのひとが私の傍《そば》に寝ていらして、……私は一時間ちかく、必死の無言の抵抗をした。

ふと可哀《かわい》そうになって、放棄した。

「こうしなければ、ご安心ができないのでしょう？」

「まあ、そんなところだ。」

「あなた、おからだを悪くしていらっしゃるんじゃない？　喀血《かっけつ》なさったでしょう。」

「どうしてわかるの？　実はこないだ、かなりひどいのをやったのだけど、誰にも知らせていないんだ。」

「お母様のお亡《な》くなりになる前と、おんなじ匂《にお》いがするんですもの。」

「死ぬ気で飲んでいるんだ。生きているのが、悲しくって仕様がないんだよ。わびしさだの、淋《さび》しさだの、そんなゆとりのあるものでなくて、悲しいんだ。陰気くさい、嘆きの溜息《ためいき》が四方の壁から聞こえている時、自分たちだけの幸福なんてあるはずはないじゃないか。自分の幸福も光栄も、生きているうちには決してないとわかった時、ひとは、どんな気持になるものかね。努力。そんなものは、ただ、飢餓の野獣の餌食《えじき》になるだけだ。みじめな人が多すぎるよ。キザかね。」

「いいえ。」

「恋だけだね。おめえの手紙のお説のとおりだよ。」

「そう。」

私のその恋は、消えていた。

夜が明けた。

部屋が薄明るくなって、私は、傍で眠っているそのひとの寝顔をつくづく眺めた。ちかく死ぬひとのような顔をしていた。疲れはてているお顔だった。

犠牲者の顔。貴《とうと》い犠牲者。

私のひと。私の虹《にじ》。マイ、チャイルド。にくいひと。ずるいひと。

この世にまたとないくらいに、とても、とても美しい顔のように思われ、恋があらたによみがえって来たようで胸がときめき、そのひとの髪を撫《な》でながら、私のほうからキスをした。

かなしい、かなしい恋の成就《じょうじゅ》。

上原さんは、眼をつぶりながら私をお抱きになって、

「ひがんでいたのさ。僕は百姓の子だから。」

もうこのひとから離れまい。

「私、いま幸福よ。四方の壁から嘆きの声が聞こえて来ても、私のいまの幸福感は、飽和点よ。くしゃみが出るくらい幸福だわ。」

上原さんは、ふふ、とお笑いになって、

「でも、もう、おそいなあ。黄昏《たそがれ》だ。」

「朝ですわ。」

弟の直治は、その朝に自殺していた。

七

直治の遺書。

姉さん。

だめだ。さきに行くよ。

僕は自分がなぜ生きていなければならないのか、それが全然わからないのです。

生きていたい人だけは、生きるがよい。

人間には生きる権利があると同様に、死ぬる権利もあるはずです。

僕のこんな考え方は、少しも新しいものでも何でもなく、こんな当り前の、それこそ*プリミチヴなことを、ひとはへんにこわがって、あからさまに口に出して言わないだけなんです。

生きて行きたいひとは、どんなことをしても、必ず強く生き抜くべきであり、それは見事で、人間の栄冠とでもいうものも、きっとその辺にあるのでしょうが、しかし、死ぬことだって、罪ではないと思うんです。

僕は、僕という草は、この世の空気と陽《ひ》の中に、生きにくいんです。生きて行くのに、どこか一つ欠けているんです。足りないんです。いままで、生きて来たのも、これでも、

プリミチヴ primitive（英）素朴な、幼稚な、根本的な。

精一ぱいだったのです。

僕は高等学校へはいって、僕の育って来た階級と全くちがう階級に育って来た強くたくましい草の友人と、はじめて附き合い、その勢いに押され、負けまいとして、麻薬を用い、半狂乱になって抵抗しました。それから兵隊になって、やはりそこでも、生きる最後の手段として阿片《あへん》を用いました。姉さんには僕のこんな気持、わからねえだろうな。

僕は下品になりたかった。強く、いや強暴になりたかった。そうして、それが、いわゆる民衆の友になり得る唯一の道だと思ったのです。お酒くらいでは、とても駄目《だめ》だったんです。いつも、くらくら目まいをしていなければならなかったんです。そのためには、麻薬以外になかったのです。僕は、家を忘れなければならない。父の血に反抗しなければならない。母の優しさを、拒否しなければならない。姉に冷たくしなければならない。そうでなければ、あの民衆の部屋にはいる入場券が得られないと思っていたんです。

僕は下品になりました。下品な言葉づかいをするようになりました。けれども、それは半分は、いや、六十パーセントは、哀れな附け焼刃でした。へたな小細工でした。民衆にとって、僕はやはり、キザったらしく乙《おつ》にすました気づまりの男でした。彼らは僕と、しんから打ち解けて遊んでくれはしないのです。しかし、また、いまさら捨てたサ*ロンに帰ることもできません。いまでは僕の下品は、たとい六十パーセントは人工の附け焼刃でも、しかし、あとの四十パーセントは、ほんものの下品になっているのです。僕はあの、いわゆる上流サロンの鼻持ちならないお上品さには、ゲロが出そうで、一刻も我慢できなくなっていますし、また、あのおえらがたとか、お歴々とか称せられている人たちも、僕のお行儀の悪さに呆《あき》れてすぐさま放逐《ほうちく》するでしょう。捨てた世界に帰ることもできず、民衆からは悪意に満ちたクソていねいの傍聴席を与えられているだけなんです。

いつの世でも、僕のようないわば生活力が弱くて、欠陥のある草は、思想もクソもないただおのずから消滅するだけの運命のものなのかも知れませんが、しかし、僕にも、少しは言いぶんがあるのです。とても僕には生きにくい、事情を感じているんです。

人間は、みな、同じものだ。

これは、いったい、思想でしょうか。僕はこの不思議な言葉を発明したひとは、宗教家でも哲学者でも芸術家でもないように思います。民衆の酒場からわいて出た言葉です。蛆《うじ》がわくように、いつのまにやら、誰が言い出したともなく、もくもく湧《わ》いて出て、全世界を覆《おお》い、世界を気まずいものにしました。

この不思議な言葉は、民主主義とも、またマルキシズムとも、全然無関係のものなのです。それは、かならず、酒場において醜男《ぶおとこ》が美男子に向かって投げつけた言葉です。ただの、イライラです。嫉妬《しっと》です。思想でも何でも、ありゃしないんです。

けれども、その酒場のやきもちの怒声が、へんに思想めいた顔つきをして民衆のあいだを練り歩き、民主主義ともマルキシズムとも全然、無関係の言葉のはずなのに、いつ

サロン　salon（仏）フランスの教養ある上流婦人の客間で催された社交的集会。フランスの芸術はそういうサロンの雰囲気から生まれ、洗練が加えられ、サロン芸術と称される。

のまにやら、その政治思想や経済思想にからみつき、奇妙に下劣なあんばいにしてしまったのです。*メフィストだって、こんな無茶な放言を、思想とすりかえるなんて芸当は、さすがに良心に恥じて、躊躇《ちゅうちょ》したかも知れません。

人間は、みな、同じものだ。

なんという卑屈な言葉であろう。人をいやしめると同時に、みずからをもいやしめ、何のプライドもなく、あらゆる努力を放棄せしめるような言葉。マルキシズムは、働く者の優位を主張する。同じものだ、などとは言わぬ。民主主義は、個人の尊厳を主張する。同じものだ、などとは言わぬ。ただ、*牛太郎《ぎゅうたろう》だけがそれを言う。「へへ、いくら気取ったって、同じ人間じゃねえか。」

なぜ、同じだというのか。優れている、と言えないのか。奴隷根性の復讐《ふくしゅう》。

けれども、この言葉は、実に猥《わい》せつで、不気味で、ひとは互いにおびえ、あらゆる思想が姦《かん》せられ、努力は嘲笑《ちょうしょう》せられ、幸福は否定せられ、美貌《びぼう》はけがされ、光栄は引きずりおろされ、いわゆる「世紀の不安」は、この不思議な一語からはっしていると僕は思っているんです。

イヤな言葉だと思いながら、僕もやはりこの言葉に脅迫せられ、おびえ震えて、何をしようとしてもてれくさく、絶えず不安で、ドキドキして身の置きどころがなく、いっそ酒や麻薬の目まいによって、つかのまの落ちつきを得たくて、そうして、めちゃくちゃになりました。

弱いのでしょう。どこか一つ重大な欠陥のある草なのでしょう。また、何かとそんな小理窟《こりくつ》を並べたって、なあに、もともと遊びが好きなのさ、なまけ者の、助平の、身勝手な快楽児なのさ、と、れいの牛太郎がせせら笑って言うかも知れません。そうして、僕はそう言われても、いままでは、ただてれて、あいまいに首肯《しゅこう》していましたが、しかし、僕も死ぬに当たって、一言、抗議めいたことを言っておきたい。

姉さん。

信じて下さい。

僕は、遊んでも少しも楽しくなかったのです。快楽のイムポテンツなのかも知れません。僕はただ、貴族という自身の影法師から離れたくて、狂い、遊び、荒《すさ》んでいました。

姉さん。

いったい、僕たちに罪があるのでしょうか。貴族に生まれたのは、僕たちの罪でしょうか。ただ、その家に生まれただけに、僕たちは、永遠に、たとえばユダの身内*の者みたいに、恐縮し、謝罪し、はにかんで生きていなければならない。

僕は、もっと早く死ぬべきだった。しかし、たった一つ、ママの愛情。それを思うと、死ねなかった。人間は、自由に生きる権利を持っていると同様に、いつでも勝手に死ぬ

メフィスト　ファウスト伝説中の悪魔メフィストフェレス Mephistopheles（独）の略。ゲーテの戯曲では否定精神をあらわす。次の「良心に恥じて」に対して悪魔をかつぎ出した語法の遊戯。　**牛太郎**　妓夫太郎から出た言葉で、昔、遊廓で遊女屋の客引をした男のこと。

ユダの身内　ユダ Judas は、キリストの十二使徒の一人だが、金銭に目がくらみ、銀三十枚でイエスを祭司に売った背信の徒。身内はユダと同じ背信の仲間ということ。

る権利を持っているのだけれども、しかし、「母」の生きているあいだは、その死の権利は留保されなければならないと僕は考えているんです。それは同時に、「母」をも殺してしまうことになるのですから。

いまはもう、僕が死んでも、からだを悪くするほど悲しむひともいないし、いいえ、姉さん、僕は知っているんです、僕を失ったあなたたちの悲しみはどの程度のものだか、いいえ、虚飾の感傷はよしましょう、あなたたちは、僕の死を知ったら、きっとお泣きになるでしょうが、しかし、僕の生きている苦しみと、そうしてそのイヤな生《ヴィ》から完全に解放される僕のよろこびを思ってみて下さったら、あなたたちのその悲しみは、次第に打ち消されて行くことと存じます。

僕の自殺を非難し、あくまでも生き伸びるべきであった、と僕になんの助力も与えず口先だけで、したり顔に批判するひとは、陛下に果物屋《くだものや》をおひらきなさるよう平気でおすすめできるほどの大偉人にちがいございませぬ。

姉さん。

僕は、死んだほうがいいんです。僕には、いわゆる、生活能力がないんです。お金のことで、人と争う力がないんです。僕は、人にたかることさえできないんです。上原さんと遊んでも、僕のぶんのお勘定は、いつも僕が払って来ました。上原さんは、それを貴族のケチくさいプライドだと言って、とてもいやがっていましたが、しかし、僕は、プライドで支払うのではなくて、上原さんのお仕事で得たお金で、僕がつまらなく飲み食いして、女を抱くなど、おそろしくて、とてもできないのです。上原さんのお仕事を尊敬しているから、と簡単に言い切ってしまっても、ウソで、僕にも本当は、はっきりわかっていないんです。ただ、ひとのごちそうになるのが、そらおそろしいんです。ことにも、そのひとご自身の腕一本で得たお金で、ごちそうになるのは、つらくて、心苦しくて、たまらないんです。

そうしてただもう、自分の家からお金や品物を持ち出して、ママやあなたを悲しませ、僕自身も、少しも楽しくなく、出版業など計画したのも、ただ、てれかくしのお体裁で、実はちっとも本気でなかったのです。本気でやってみたところで、ひとのごちそうにさえなれないような男が、金もうけなんて、とてもとてもできやしないのは、いくら僕が愚かでも、それくらいのことには気附《きづ》いています。

姉さん。

僕たちは、貧乏になってしまいました。生きて在《あ》るうちは、ひとにごちそうしたいと思っていたのに、もう、ひとのごちそうにならなければ生きて行けなくなりました。

姉さん。

この上、僕は、なぜ生きていなければならねえのかね？　もう、だめなんだ。僕は、死にます。らくに死ねる薬があるんです。兵隊の時に、手にいれておいたのです。

姉さんは美しく、(僕は美しい母と姉を誇りにしていました) そうして、賢明だから、僕は姉さんのことについては、なんにも心配していませぬ。心配などする資格さえ僕にはありません。どろぼうが被害者の身の上を思いやるみたいなもので、赤面するばかりです。きっと姉さんは、結婚なさって、子供が出来て、夫にたよって生き抜いて行くのではないかと僕は、思っているんです。

姉さん。

僕に、一つ、秘密があるんです。

永いこと、秘めに秘めて、戦地にいても、そのひとのことを思いつめて、そのひとの夢を見て、目がさめて、泣きべそをかいたことも幾度あったか知れません。

その人の名は、とても誰にも、口がくさっても言われないんです。僕は、いま死ぬのだから、せめて、姉さんにだけでも、はっきり言っておこうか、と思いましたが、やっぱり、どうにもおそろしくて、その名を言うことができません。

でも、僕は、その秘密を、絶対秘密のまま、とうとうこの世で誰にも打ち明けず、胸の奥に蔵して死んだならば、僕のからだが火葬にされても、胸の裏だけが生臭《なまぐさ》く焼け残*るような気がして、不安でたまらないので、姉さんにだけ、遠まわしに、ぼんやり、フィクションみたいにして教えておきます。フィクション、といっても、しかし、姉さんは、きっとすぐその相手のひとは誰だか、お気附きになるはずです。フィクションというよりは、ただ、仮名を用いる程度のごまかしなのですから。

姉さんは、ご存じかな？

姉さんはそのひとをご存じのはずですが、しかし、おそらく、逢《あ》ったことはないでしょう。そのひとは、姉さんよりも、少し年上です。一重瞼《ひとえまぶた》で、目尻《めじり》が吊《つ》り上がって、髪にパーマネントなどかけたことがなく、いつも強く、ひっつめ髪、とでもいうのかしら、そんな地味な髪形で、そうして、とても貧しい服装で、けれどもだらしない恰好《かっこう》ではなくて、いつもきちんと着附けて、清潔です。そのひとは、戦後あたらしいタッチの画《え》をつぎつぎと発表して急に有名になったある中年の洋画家の奥さんで、その洋画家の行いは、たいへん乱暴ですさんだものなのに、その奥さんは平気を装って、いつも優しく微《ほほ》笑《え》んで暮らしているのです。

僕は立ち上がって、

「それでは、おいとまいたします。」

そのひとも立ち上がって、何の警戒もなく、僕の傍《そば》に歩み寄って、僕の顔を見上げ、

「なぜ？」

と普通の音声で言い、本当に不審のように少し小首をかしげて、しばらく僕の眼を見つづけていました。そうして、そのひとの眼に、何の邪心も虚飾もなく、僕は女のひとと視線が合えば、うろたえて視線をはずしてしまうたちなのですが、その時だけは、みじんも含羞《はにかみ》を感じないで、二人の顔が一尺くらいの間隔で、六十秒もそれ以上もとてもいい気持で、そのひとの瞳《ひとみ》を見つめて、それからつい微笑んでしまって、

「でも、……」

「すぐ帰りますわよ。」

と、やはり、まじめな顔をして言います。

正直、とは、こんな感じの表情を言うのではないかしら、とふと思いました。それは修身教科書くさい、いかめしい徳ではなくて、正直という言葉で表現せられた本来の徳

フィクション　fiction（英）つくり話。虚構。

は、こんな可愛《かわい》らしいものではなかったのかしら、と考えました。

「またまいります。」

「そう。」

はじめから終りまで、すべてみな何でもない会話です。僕が、ある夏の日の午後、その洋画家のアパートをたずねて行って、洋画家は不在で、けれどもすぐ帰るはずですから、おあがりになってお待ちになったら？　という奥さんの言葉に従って、部屋にあがって、三十分ばかり雑誌など読んで、帰って来そうもなかったから、立ち上がって、おいとました、それだけのことだったのですが、僕は、その日のその時の、そのひとの瞳に、くるしい恋をしちゃったのです。

高貴、とでも言ったらいいのかしら。僕の周囲の貴族の中には、ママはとにかく、あんな無警戒な「正直」な眼の表情のできる人は、ひとりもいなかったことだけは断言できます。

それから僕は、ある冬の夕方、そのひとのプロフィルに打たれたことがあります。やはり、その洋画家のアパートで、洋画家の相手をさせられて、炬燵《こたつ》にはいって朝から酒を飲み、洋画家とともに、日本のいわゆる文化人たちをクソミソに言い合って笑いころげ、やがて洋画家は倒れて大鼾《おおいびき》をかいて眠り、僕も横になってうとうとしていたら、ふわと毛布がかかり、僕は薄目をあけて見たら、東京の冬の夕空は水色に澄んで、奥さんはお嬢さんを抱いてアパートの窓縁に、何事もなさそうにして腰をかけ、奥さんの端正なプロフィルが、水色の遠い夕空をバックにして、あのルネッサンスのころのプロフィルの画《え》のようにあざやかに輪郭が区切られ浮かんで、僕にそっと毛布をかけて下さった親切は、それは何の色気でもなく、慾《よく》でもなく、ああ、ヒュウマニティという言葉はこんな時にこそ使用されて蘇生する言葉なのではなかろうか、ひとの当然の侘《わ》びしい思いやりとして、ほとんど無意識みたいになされたもののように、絵とそっくりの静かな気配で、遠くを眺めていらっしゃった。

僕は眼をつぶって、こいしく、こがれて狂うような気持になり、瞼《まぶた》の裏から涙があふれ出て、毛布を頭から引っかぶってしまいました。

姉さん。

僕がその洋画家のところに遊びに行ったのは、それは、さいしょはその洋画家の作品の特異なタッチと、その底に秘められた熱狂的な*パッションに、酔わされたせいでありましたが、しかし、附合《つきあ》いの深くなるにつれて、そのひとの無教養、出鱈目《でたらめ》、きたならしさに興覚《きょうざ》めて、そうして、それと反比例して、そのひとの奥さんの心情の美しさにひかれ、いいえ、正しい愛情のひとがこいしくて、したわしくて、奥さんの姿を一目見たくて、あの洋画家の家へ遊びに行くようになりました。

あの洋画家の作品に、多少でも、芸術の高貴なにおい、とでもいったようなものが現われているとすれば、それは、奥さんの優しい心の反映ではなかろうかとさえ、僕はいまでは考えているんです。

その洋画家は、僕はいまこそ、感じたままをはっきり言いますが、ただ大酒飲みで遊

プロフィル　profile（英）横顔。**パッション**　passion（英）情熱。

び好きの、巧妙な商人なのです。遊ぶ金がほしさに、ただ出鱈目にカンヴァスに絵具をぬたくって、流行の勢いに乗り、もったいぶって高く売っているのです。あのひとの持っているのは、田舎者《いなかもの》の図々《ずうずう》しさ、馬鹿《ばか》な自信、ずるい商才、それだけなんです。

おそらくあのひとは、他のひとの絵は、外国人の絵でも日本人の絵でも、なんにもわかっていないでしょう。おまけに、自分の画《か》いている絵も、何のことやらご自身わかっていないでしょう。ただ遊興のための金がほしさに、無我夢中で絵具をカンヴァスにぬたくっているだけなんです。

そうして、さらに驚くべきことは、あのひとはご自身のそんな出鱈目に、何の疑いも、羞恥《しゅうち》も、恐怖も、お持ちになっていないらしいということです。

ただもう、お得意なんです。何せ、自分で画いた絵が自分でわからぬというひとなのですから、他人の仕事のよさなどわかるはずがなく、いやもう、けなすこと、けなすこと。

つまり、あのひとのデカダン生活は、口では何のかのと苦しそうなことを言っていますけれども、その実は、馬鹿な田舎者が、かねてあこがれの都に出て、かれ自身にも意外なくらいの成功をしたので有頂天《うちょうてん》になって遊びまわっているだけなんです。

いつか僕が、

「友人がみな怠けて遊んでいる時、自分ひとりだけ勉強するのは、てれくさくて、おそろしくて、とてもだめだから、ちっとも遊びたくなくても、自分も仲間入りして遊ぶ。」

と言ったら、その中年の洋画家は、

「へえ？ それが貴族気質《かたぎ》というものかね、いやらしい。僕は、ひとが遊んでいるのを見ると、自分も遊ばなければ、損だ、と思って大いに遊ぶね。」
と答えて平然たるものでしたが、僕はその時、その洋画家を、しんから軽蔑《けいべつ》しました。このひとの放埒《ほうらつ》には苦悩がない。むしろ、馬鹿遊びを自慢にしている。ほんものの阿呆《あほう》の快楽児。

けれども、この洋画家の悪口を、この上さまざまに述べ立てても、姉さんには関係のないことですし、また僕もいま死ぬるに当たって、やはりあのひととの永いつき合いを思い、なつかしく、もう一度逢《あ》って遊びたい衝動をこそ感じますが、憎い気はちっともないのですし、あのひとだって淋《さび》しがりの、とてもいいところをたくさん持っているひとなのですから、もう何も言いません。

ただ、僕は姉さんに、僕がそのひとの奥さんにこがれて、うろうろして、つらかったということだけを知っていただいたらいいのです。だから、姉さんはそれを知っても、別段、誰かにそのことを訴え、弟の生前の思いをとげさせてやるとか何とか、そんなキザなおせっかいなどなさる必要は絶対にないのですし、姉さんおひとりだけが知って、そうして、こっそり、ああ、そうか、と思って下さったらそれでいいんです。なおまた慾《よく》を言えば、こんな僕の恥ずかしい告白によって、せめて姉さんだけでも、僕のこれまでの生命《いのち》の苦しさを、さらに深くわかって下さったら、とても僕は、うれしく思います。

僕はいつか、奥さんと、手を握り合った夢を見ました。そうして奥さんも、やはりずっと以前から僕を好きだったのだということを知り、夢から醒《さ》めても、僕の手のひらに奥さんの指のあたたかさが残っていて、僕はもう、これだけで満足して、あきらめなければなるまいと思いました。道徳がおそろしかったのではなく、僕にはあの半気違いの、いや、ほとんど狂人と言ってもいいあの洋画家が、おそろしくてならないのでした。あきらめようと思い、胸の火をほかへ向けようとして、手当り次第、さすがのあの洋画家もある夜しかめつらをしたくらいひどく、滅茶苦茶《めちゃくちゃ》にいろんな女と遊び狂いました。何とかして、奥さんの幻《まぼろし》から離れ、忘れ、なんでもなくなりたかったんです。けれども、だめ。僕は、結局、ひとりの女にしか、恋のできないたちの男なんです。僕は、はっきり言えます。僕は、奥さんの他の女友達を、いちどでも、美しいとか、いじらしいとか感じたことがないんです。

姉さん。

死ぬ前に、たった一度だけ書かせて下さい。

……スガちゃん。

その奥さんの名前です。

僕がきのう、ちっとも好きでもないダンサア（この女には、本質的な馬鹿なところがあります）それを連れて、山荘へ来たのは、けれども、まさかけさ死のうと思って、やって来たのではなかったのです。いつか、近いうちに必ず死ぬ気でいたのですが、でも、きのう、女を連れて山荘へ来たのは、女に旅行をせがまれ、僕も東京で遊ぶのに疲れて、この馬鹿な女と二、三日、山荘で休むのもわるくないと考え、姉さんには少し具合いが悪かったけど、とにかくここへ一緒にやって来てみたら、姉さんは東京のお友達のところへ出掛け、その時ふと、僕は死ぬなら今だ、と思ったのです。

僕は昔から、西片町のあの家の奥の座敷で死にたいと思っていました。街路や原っぱで死んで、弥次馬《やじうま》たちに死骸《しがい》をいじくり廻《まわ》されるのは、何としても、いやだったんです。けれども、西片町のあの家は人手に渡り、いまではやはりこの山荘で死ぬよりほかはなかろうと思っていたのですが、でも、僕の自殺をさいしょに発見するのは姉さんで、そうして姉さんは、その時どんなに驚愕《きょうがく》し恐怖するだろうと思えば、姉さんと二人きりの夜に自殺するのは気が重くて、とてもできそうもなかったのです。

それが、まあ、何というチャンス。姉さんがいなくて、そのかわり、すこぶる鈍物のダンサアが、僕の自殺の発見者になってくれる。

昨夜、ふたりでお酒を飲み、女のひとを二階の洋間に寝かせ、僕ひとりママの亡《な》くなった下のお座敷に蒲団《ふとん》をしいて、そうして、このみじめな手記にとりかかりました。

姉さん。

僕には、希望の地盤がないんです。さようなら。

結局、僕の死は、自然死です。人は、思想だけでは、死ねるものではないんですから。

それから、一つ、とてもてれくさいお願いがあります。ママのかたみの麻の着物。あれを姉さんが、直治が来年の夏に着るようにと縫い直して下さったでしょう。あの着物を、僕の棺にいれて下さい。僕、着たかったんです。

夜が明けて来ました。永いこと苦労をおかけしました。

さようなら。

ゆうべのお酒の酔いは、すっかり醒《さ》めています。僕は、素面《しらふ》で死ぬんです。

もういちど、さようなら。

姉さん。

僕は、貴族です。

八

ゆめ。

皆が、私から離れて行く。

直治の死のあと始末をして、それから一ヵ月間、私は冬の山荘にひとりで住んでいた。

そうして私は、あのひとに、おそらくはこれが最後の手紙を、水のような気持で、書いて差し上げた。


どうやら、あなたも、私をお捨てになったようでございます。いいえ、だんだんお忘れになるらしゅうございます。

けれども、私は、幸福なんですの。私の望みどおりに、赤ちゃんが出来たようでございますの。私は、いま、いっさいを失ったような気がしていますけど、でも、おなかの小さい生命が、私の孤独の微笑のたねになっています。

けがらわしい失策などとは、どうしても私には思われません。この世の中に、戦争だの平和だの貿易だの組合だの政治だのがあるのは、なんのためだか、このごろ私にもわかって来ました。あなたは、ご存じないでしょう。だから、いつまでも不幸なのですわ。それはね、教えてあげますわ、女がよい子を生むためです。

私には、はじめからあなたの人格とか責任とかをあてにする気持はありませんでした。私のひとすじの恋の冒険の成就《じょうじゅ》だけが問題でした。そうして、私のその思いが完成せられて、もういまでは私の胸のうちは、森の中の沼のように静かでございます。

私は、勝ったと思っています。

マリヤが、たとい夫の子でない子を生んでも、マリヤに輝く誇りがあったら、それは聖母子*になるのでございます。

私には、古い道徳を平気で無視して、よい子を得たという満足があるのでございます。

あなたは、その後もやはり、ギロチンギロチンと言って、紳士やお嬢さんたちとお酒を飲んで、デカダン生活とやらをお続けになっていらっしゃるのでしょう。でも、私は、それをやめよ、とは申しませぬ。それもまた、あなたの最後の闘争の形式なのでしょうから。

お酒をやめて、ご病気をなおして、永生きをなさって立派なお仕事を、などそんな白々しいおざなりみたいなことは、もう私は言いたくないのでございます。「立派なお仕事」などよりも、いのちを捨てる気で、いわゆる悪徳生活をしとおすことのほうが、のちの世の人たちからかえってお礼を言われるようになるかも知れません。

犠牲者。道徳の過渡期の犠牲者。あなたも、私も、きっとそれなのでございましょう。

聖母子　マリアとキリスト。

革命は、いったい、どこで行なわれているのでしょう。すくなくとも、私たちの身のまわりにおいては、古い道徳はやっぱりそのまま、みじんも変わらず、私たちの行く手をさえぎっています。海の表面の波は何やら騒いでいても、その底の海水は、革命どころか、みじろぎもせず、狸寝入《たぬきねい》りで寝そべっているんですもの。

けれども私は、これまでの第一回戦では、古い道徳をわずかながら押しのけ得たと思っています。そうして、こんどは、生まれる子とともに、第二回戦、第三回戦をたたかうつもりでいるのです。

こいしい人の子を生み、育てることが、私の道徳革命の完成なのでございます。

あなたが私をお忘れになっても、また、あなたが、お酒でいのちをおなくしになっても、私は私の革命の完成のために、丈夫で生きて行けそうです。

あなたの人格のくだらなさを、私はこないだもあるひとから、さまざま承りましたが、でも、私にこんな強さを与えて下さったのは、あなたです。私の胸に、革命の虹《にじ》をかけて下さったのはあなたです。生きる目標を与えて下さったのは、あなたです。

私はあなたを誇りにしていますし、また、生まれる子供にも、あなたを誇りにさせようと思っています。

私生児と、その母。

けれども私たちは、古い道徳とどこまでも争い、太陽のように生きるつもりです。

どうか、あなたも、あなたの闘《たたか》いをたたかい続けて下さいまし。

革命は、まだ、ちっとも、何も、行なわれていないんです。もっと、もっと、いくつもの惜しい貴《とうと》い犠牲が必要のようでございます。

いまの世の中で、一ばん美しいのは犠牲者です。

小さい犠牲者が、もうひとりいました。

上原さん。

私はもうあなたに、何もおたのみする気はございませんが、けれども、その小さい犠牲者のために、一つだけ、おゆるしをお願いしたいことがあるのです。

それは、私の生まれた子を、たったいちどでよろしゅうございますから、あなたの奥さまに抱かせていただきたいのです。そうして、その時、私にこう言わせていただきます。

「これは、直治が、ある女のひとに内緒に生ませた子ですの。」

なぜ、そうするのか、それだけはどなたにも申し上げられません。いいえ、私自身にも、なぜそうさせていただきたいのか、よくわかっていないのです。でも、私は、どうしても、そうさせていただかなければならないのです。直治というあの小さい犠牲者のために、どうしても、そうさせていただかなければならないのです。

ご不快でしょうか。ご不快でも、しのんでいただきます。これが捨てられ、忘れかけられた女の唯一の幽《かす》かないやがらせと思《おぼ》し召《め》し、ぜひお聞きいれのほど願います。

M・C　マイ・コメデアン。

昭和二十二年二月七日。

人間失格《にんげんしっかく》

はしがき

私は、その男の写真を三葉、見たことがある。

一葉は、その男の、幼年時代、とでも言うべきであろうか、十歳前後かと推定されるころの写真であって、その子供が大勢の女のひとに取りかこまれ、(それは、その子供の姉たち、妹たち、それから、従姉妹《いとこ》たちかと想像される)庭園の池のほとりに、荒い縞《しま》の袴《はかま》をはいて立ち、首を三十度ほど左に傾け、醜く笑っている写真である。醜く? けれども、鈍い人たち(つまり、美醜などに関心を持たぬ人たち)は、面白くも何ともないような顔をして、

「可愛《かわい》い坊っちゃんですね。」

といい加減なお世辞を言っても、まんざら空《から》お世辞に聞こえないくらいの、いわば通俗の「可愛らしさ」みたいな影もその子供の笑顔《えがお》にないわけではないのだが、しかし、いささかでも、美醜についての訓練を経て来たひとなら、ひとめ見てすぐ、

「なんて、いやな子供だ。」とすこぶる不快そうに呟き、毛虫でも払いのける時のような手つきで、その写真をほうり投げるかも知れない。

まったく、その子供の笑顔は、よく見れば見るほど、何とも知れず、イヤな薄気味悪いものが感ぜられて来る。どだい、それは、笑顔でない。この子は、少しも笑ってはいないのだ。その証拠には、この子は、両方のこぶしを固く握って立っている。人間は、こぶしを固く握りながら笑えるものではないのである。猿《さる》だ。猿の笑顔だ。ただ、顔に醜い皺《しわ》を寄せているだけなのである。「皺くちゃ坊っちゃん」とでも言いたくなるくらいの、まことに奇妙な、そうして、どこかけがらわしく、へんにひとをムカムカさせる表情の写真であった。私はこれまで、こんな不思議な表情の子供を見たことが、いちどもなかった。

第二葉の写真の顔は、これはまた、びっくりするくらいひどく変貌《へんぼう》していた。学生の姿である。高等学校時代の写真か、大学時代の写真か、はっきりしないけれども、とにかく、おそろしく美貌の学生である。しかし、これもまた、不思議にも、生きている人間の感じはしなかった。学生服を着て、胸のポケットから白いハンケチを覗《のぞ》かせ、籐椅《とうい》子《す》に腰かけて足を組み、そうして、やはり、笑っている。こんどの笑顔は、皺くちゃの猿の笑いでなく、かなり巧みな微笑になってはいるが、しかし、人間の笑いと、どこやら違う。血の重さ、とでも言おうか、生命《いのち》の渋さ、とでも言おうか、そのような充実感は少しもなく、それこそ、鳥のようではなく、羽毛のように軽く、ただ白紙一枚、そうして、笑っている。つまり、一から十まで造り物の感じなのである。キザと言っても足りない。軽薄と言っても足りない。ニヤケと言っても足りない。おしゃれと言っても、もちろん足りない。しかも、よく見ていると、やはりこの美貌の学生にも、どこか怪談じみた気味悪いものが感ぜられて来るのである。私はこれまで、こんな不思議な美貌の青年を見たことが、いちどもなかった。

もう一葉の写真は、最も奇怪なものである。まるでもう、としのころがわからない。頭はいくぶん白髪のようである。それが、ひどく汚ない部屋（部屋の壁が三箇所ほど崩《くず》れ落ちているのが、その写真にハッキリ写っている）の片隅《かたすみ》で、小さい火鉢《ひばち》に両手をかざし、こんどは笑っていない。どんな表情もない。いわば、坐《すわ》って火鉢に両手をかざしながら、自然に死んでいるような、まことにいまわしい、不吉なにおいのする写真であった。奇怪なのは、それだけではない。その写真には、わりに顔が大きく写っていたので、私は、つくづくその顔の構造を調べることができたのであるが、額は平凡、額の皺も平凡、眉《まゆ》も平凡、眼も平凡、鼻も口も顎《あご》も、ああ、この顔には表情がないばかりか、印象さえない。特徴がないのだ。たとえば、私がこの写真を見て、眼をつぶる。すでに私はこの顔を忘れている。部屋の壁や、小さい火鉢は思い出すことができるけれども、その部屋の主人公の顔の印象は、すっと霧消して、どうしても、何としても思い出せない。画《え》にならない顔である。漫画にも何もならない顔である。眼をひらく。あ、こんな顔だったのか、思い出した、というようなよろこびさえない。極端な言い方をすれば、眼をひらいてその写真を再び見ても、思い出せない。そうして、ただもう不愉快、イライラして、つい眼をそむけたくなる。

いわゆる「死相」というものにだって、もっと何か表情なり印象なりがあるものだろうに、人間のからだに駄馬《だば》の首でもくっつけたなら、こんな感じのものになるであろうか、とにかく、どこということなく、見る者をして、ぞっとさせ、いやな気持にさせるのだ。私はこれまで、こんな不思議な男の顔を見たことが、やはり、いちどもなかった。

第一の手記

恥の多い生涯《しょうがい》を送って来ました。

自分には、人間の生活というものが、見当つかないのです。自分は東北の田舎《いなか》に生まれましたので、汽車をはじめて見たのは、よほど大きくなってからでした。自分は停車場のブリッジを、上って、降りて、そうしてそれが線路をまたぎ越えるために造られたものだという事には全然気づかず、ただそれは停車場の構内を外国の遊戯場みたいに、複雑に楽しく、ハイカラにするためにのみ、設備せられてあるものだとばかり思っていました。しかも、かなり永い間そう思っていたのです。ブリッジの上ったり降りたりは、自分にはむしろ、ずいぶん垢抜《あかぬ》けのした遊戯で、それは鉄道のサーヴィスの中でも、もっとも気のきいたサーヴィスの一つだと思っていたのですが、のちにそれはただ旅客が線路をまたぎ越えるための頗る実利的な階段にすぎないのを発見して、にわかに興が覚《さ》めました。

また、自分は子供のころ、絵本で地下鉄道というものを見て、これもやはり、実利的な必要から案出せられたものではなく、地上の車に乗るよりは、地下の車に乗ったほうが風《ふう》がわりで面白い遊びだから、とばかり思っていました。

自分は子供のころから病弱で、よく寝込みましたが、寝ながら、敷布、枕《まくら》のカヴァ、掛蒲団《かけぶとん》のカヴァを、つくづく、つまらない装飾だと思い、それが案外に実用品だったことを、二十歳ちかくになってわかって、人間のつましさに暗然とし、悲しい思いをしました。

また、自分は、空腹ということを知りませんでした。いや、それは、自分が衣食住に困らない家に育ったという意味ではなく、そんな馬鹿な意味ではなく、自分には「空腹」という感覚はどんなものだか、さっぱりわからなかったのです。へんな言いかたですが、おなかが空《す》いていても、自分でそれに気がつかないのです。小学校、中学校、自分が学校から帰って来ると、周囲の人たちが、それ、おなかが空《す》いたろう、自分たちにも覚えがある。学校から帰って来た時の空腹はまったくひどいからな、甘納豆《あまなっとう》はどう？カステラも、パンもあるよ、などと言って騒ぎますので、自分は持ち前のおべっか精神を発揮して、おなかが空《す》いた、と呟《つぶや》いて、甘納豆を十粒ばかり口にほうり込むのですが、空腹感とは、どんなものだか、ちっともわかっていやしなかったのです。

自分だって、それはもちろん、大いにものを食べますが、しかし、空腹感から、ものを食べた記憶は、ほとんどありません。めずらしいと思われたものを食べます。豪華と思われたものを食べます。また、よそへ行って出されたものも、無理をしてまで、たいてい食べます。そうして、子供のころの自分にとって、もっとも苦痛な時刻は、実に、自分の家の食事の時間でした。

自分の田舎の家では、十人ぐらいの家族全部、めいめいのお膳《ぜん》を二列に向かい合わせに並べて、末っ子の自分は、もちろん一ばん下の座でしたが、その食事の部屋は薄暗く、昼ごはんの時など、十幾人の家族が、ただ黙々としてめしを食っている有様には、自分はいつも肌寒い思いをしました。それに田舎の昔気質《かたぎ》の家でしたので、おかずも、たいていきまっていて、めずらしいもの、豪華なもの、そんなものは望むべくもなかったので、いよいよ自分は食事の時刻を恐怖しました。自分はその薄暗い部屋の末席に、寒さにがたがた震える思いで口にごはんを少量ずつ運び、押し込み、人間は、どうして一日に三度々々ごはんを食べるのだろう、実にみな厳粛な顔をして食べている、これも一種の儀式のようなもので、家族が日に三度々々、時刻をきめて薄暗い一部屋に集まり、お膳を順序正しく並べ、食べたくなくても無言でごはんを嚙《か》みながら、うつむき、家中にうごめいている霊たちに祈るためのものかも知れない、とさえ考えたことがあるくらいでした。

めしを食べなければ死ぬ、という言葉は、自分の耳には、ただイヤなおどかしとしか聞こえませんでした。その迷信は、（いまでも自分には、何だか迷信のように思われてならないのですが）しかし、いつも自分に不安と恐怖を与えました。人間は、めしを食べなければ死ぬから、そのために働いて、めしを食べなければならぬ、という言葉ほど自分にとって難解で晦渋《かいじゅう》で、そうして脅迫めいた響きを感じさせる言葉は、なかったのです。

つまり自分には、人間の営みというものがいまだに何もわかっていない、ということになりそうです。自分の幸福の観念と、世のすべての人たちの幸福の観念とが、まるで食いちがっているような不安、自分はその不安のために夜々、輾転《てんてん》し、呻吟《しんぎん》し、発狂しかけたことさえあります。自分は、いったい幸福なのでしょうか。自分は小さい時から、実にしばしば、仕合せ者だと人に言われて来ましたが、自分ではいつも地獄の思いで、かえって、自分を仕合せ者だと言ったひとたちのほうが、比較にも何もならぬくらいずっとずっと安楽なように自分には見えるのです。

自分には、禍《わざわ》いのかたまりが十個あって、その中の一個でも、隣人が背負ったら、その一個だけでも充分に隣人の生命《いのち》取りになるのではあるまいかと、思ったことさえありました。

つまり、わからないのです。隣人の苦しみの性質、程度が、まるで見当つかないのです。プラクテカルな苦しみ、ただ、めしを食えたらそれで解決できる苦しみ、しかし、それこそ最も強い痛苦で、自分の例の十個の禍いなど、吹っ飛んでしまうほどの、凄惨《せいさん》な阿鼻地獄《あびじごく》なのかも知れない、それは、わからない、しかし、それにしては、よく自殺もせず、発狂もせず、政党を論じ、絶望せず、屈せず生活のたたかいを続けて行ける、苦しくないんじゃないか？　エゴイストになりきって、しかもそれを当然のことと確信し、いちども自分を疑ったことがないんじゃないか？　それなら、楽だ、しかし、人間というものは、皆そんなもので、またそれで満点なのではないかしら、わからない、……夜はぐっすり眠り、朝は爽快《そうかい》なのかしら、どんな夢を見ているのだろう、道を歩きながら何を考えているのだろう、金？　まさか、それだけでもないだろう、人間は、めしを食うために生きているのだ、という説は聞いたことがあるような気がするけれども、金のために生きている、という言葉は、耳にしたことがない、いや、しかし、ことによると、……いや、それもわからない、……考えれば考えるほど、自分には、わからなくなり、自分ひとり全く変わっているような、不安と恐怖に襲われるばかりなのです。自分は隣人と、ほとんど会話ができません。何を、どう言ったらいいのか、わからないのです。

そこで考え出したのは、道化《どうけ》でした。

それは、自分の、人間に対する最後の求愛でした。自分は、人間を極度に恐れていながら、それでいて、人間を、どうしても思い切れなかったらしいのです。そうして自分は、この道化の一線でわずかに人間につながることができたのでした。おもてでは、絶えず笑顔《えがお》をつくりながらも、内心は必死の、それこそ千番に一番の兼ね合いとでもいうべき危機一髪の、油汗流してのサーヴィスでした。

自分は子供のころから、自分の家族の者たちに対してさえ、彼らがどんなに苦しく、またどんなことを考えて生きているのか、まるでちっとも見当つかず、ただおそろしく、その気まずさに堪《た》えることができず、すでに道化の上手《じょうず》になっていました。つまり、自分は、いつのまにやら、一言も本当のことを言わない子になっていたのです。

そのころの、家族たちと一緒にうつした写真などを見ると、他の者たちは皆まじめな顔をしているのに、自分ひとり、必ず奇妙に顔をゆがめて笑っているのです。これもまた、自分の幼く悲しい道化の一種でした。

また自分は、肉親たちに何か言われて、口応《くちごた》えしたことはいちどもありませんでした。そのわずかなおこごとは、自分には霹靂《へきれき》のごとく強く感ぜられ、狂うみたいになり、口応えどころか、そのおこごとこそ、いわば万世一系の人間の「真理」とかいうものに違いない、自分にはその真理を行なう力がないのだから、もはや人間と一緒に住めないのではないかしら、と思い込んでしまうのでした。だから自分には、言い争いも自己弁解もできないのでした。人から悪く言われると、いかにも、もっとも、自分がひどい思い違いをしているような気がして来て、いつもその攻撃を黙して受け、内心、狂うほどの恐怖を感じました。

それは誰でも、人から非難せられたり、怒《おこ》られたりしていい気持がするものではないかも知れませんが、自分は怒っている人間の顔に、獅子《しし》よりも鰐《わに》よりも竜よりも、もっとおそろしい動物の本性を見るのです。ふだんは、その本性をかくしているようですけれども、何かの機会に、たとえば、牛が草原でおっとりした形で寝ていて、突如、尻尾《しっぽ》でピシッと腹の虻《あぶ》を打ち殺すみたいに、不意に人間のおそろしい正体を、怒りによって暴露《ばくろ》する様子を見て、自分はいつも髪の逆立つほどの戦慄《せんりつ》を覚え、この本性もまた人間の生きてゆく資格の一つなのかも知れないと思えば、ほとんど自分に絶望を感じるのでした。

人間に対して、いつも恐怖に震えおののき、また、人間としての自分の言動に、みじんも自信を持てず、そうして自分ひとりの懊悩《おうのう》は胸の中の小箱に秘め、その憂鬱《ゆううつ》、*ナアヴァスネスを、ひたかくしに隠して、ひたすら無邪気の楽天性を装い、自分はお道化《どけ》たお変人として、次第に完成されて行きました。

何でもいいから、笑わせておればいいのだ、そうすると、人間たちは、自分が彼らのいわゆる「生活」の外にいても、あまりそれを気にしないのではないかしら、とにかく、彼ら人間たちの目障《めざわ》りになってはいけない、自分は無だ、風だ、空《そら》だ、というような思いばかりが募《つの》り、自分はお道化によって家族を笑わせ、また、家族よりも、もっと不可解でおそろしい下男や下女にまで、必死のお道化のサーヴィスをしたのです。

自分は夏に、浴衣《ゆかた》の下に赤い毛糸のセエターを着て廊下を歩き、家中の者を笑わせました。めったに笑わない長兄も、それを見て噴《ふ》き出し、

「それあ、葉ちゃん、似合わない。」

と、可愛《かわい》くてたまらないような口調で言いました。なに、自分だって、真夏に毛糸のセエターを着て歩くほど、いくら何でも、そんな、暑さ寒さを知らぬお変人ではありません。姉の脚絆《レギンス》を両腕にはめて、浴衣の袖口《そでぐち》から覗《のぞ》かせ、もってセエターを着ているように見せかけていたのです。

自分の父は、東京に用事の多いひとでしたので、上野の桜木町《さくらぎちょう》に別荘を持っていて、月の大半は東京のその別荘で暮らしていました。そうして帰る時には家族の者たち、また親戚《しんせき》の者たちにまで、実におびただしくお土産《みやげ》を買って来るのが、まあ、父の趣味みたいなものでした。いつかの父の上京の前夜、父は子供たちを客間に集め、こんど帰る

ナアヴァスネス　nervousness（英）神経質なこと。

時には、どんなお土産がいいか、一人々々に笑いながら尋ね、それに対する子供たちの答をいちいち手帖に書きとめるのでした。父が、こんなに子供たちと親しくするのは、めずらしいことでした。

「葉蔵は？」

と聞かれて、自分は、口ごもってしまいました。

何が欲《ほ》しいと聞かれると、とたんに、何も欲しくなくなるのでした。どうでもいい、どうせ自分を楽しくさせてくれるものなんかないんだという思いが、ちらと動くのです。と、同時に、人から与えられるものを、どんなに自分の好みに合わなくても、それを拒むこともできませんでした。イヤなことを、イヤと言えず、また、好きなことも、おずおずと盗むように、きわめてにがく味わい、そうして言い知れぬ恐怖感にもだえるのでした。つまり、自分には、二者選一の力さえなかったのです。これが、後年に到《いた》り、いよいよ自分のいわゆる「恥の多い生涯《しょうがい》」の、重大な原因ともなる性癖の一つだったように思われます。

自分が黙って、もじもじしているので、父はちょっと不機嫌《ふきげん》な顔になり、

「やはり、本か。*浅草の仲店《なかみせ》にお正月の獅子舞《ししま》いのお獅子、子供がかぶって遊ぶのには手頃な大きさのが売っていたけど、欲しくないか。」

欲しくないか、と言われると、もうダメなんです。お道化《どけ》た返事も何もできやしないんです。お道化役者は、完全に落第でした。

「本が、いいでしょう。」

長兄は、まじめな顔をして言いました。

「そうか。」

父は、興覚《きょうざ》め顔に手帖に書きとめもせず、パチと手帖を閉《と》じました。

何という失敗、自分は父を怒らせた、父の復讐《ふくしゅう》は、きっと、おそるべきものに違いない、いまのうちに何とかして取りかえしのつかぬものか、とその夜、蒲団《ふとん》の中でがたがた震えながら考え、そっと起きて客間に行き、父が先刻、手帖をしまい込んだはずの机の引き出しをあけて、手帖を取り上げ、パラパラめくって、お土産の注文記入の個所《かしょ》を見つけ、手帖の鉛筆をなめて、シシマイ、と書いて寝ました。自分はその獅子舞いのお獅子を、ちっとも欲しくはなかったのです。かえって、本のほうがいいくらいでした。けれども、自分は、父がそのお獅子を自分に買って与えたいのだということに気がつき、父のその意向に迎合《げいごう》して、父の機嫌《きげん》を直したいばかりに、深夜、客間に忍び込むという冒険を、あえておかしたのでした。

そうして、この自分の非常の手段は、果して思いどおりの大成功をもって報いられました。やがて、父は東京から帰って来て、母に大声で言っているのを、自分は子供部屋で聞いていました。

「仲店のおもちゃ屋で、この手帖を開いてみたら、これ、ここに、シシマイ、と書いて

浅草の仲店　仲店は仲見世と書くのが普通。東京都台東区浅草の浅草公園の観音堂に通ずる道の両側にある商店街。雷門跡から仁王門に至る百四十メートルあまりの舗道があって、両側に百数十の店が軒を並べている。

ある。これは、私の字ではない。はてな？　と首をかしげて、思い当たりました。これは、葉蔵のいたずらですよ。あいつは、私が聞いた時には、にやにやして黙っていたが、あとで、どうしてもお獅子が欲しくてたまらなくなったんだね。何せ、どうも、あれは、変わった坊主ですからね。知らん振りして、ちゃんと書いている。そんなに欲しかったのなら、そう言えばよいのに。私は、おもちゃ屋の店先で笑いましたよ。葉蔵を早くここへ呼びなさい。」

また一方、自分は、下男や下女たちを洋室に集めて、下男のひとりに滅茶苦茶にピアノのキイをたたかせ、（田舎《いなか》ではありましたが、その家には、たいていのものが、そろっていました）自分はその出鱈目《でたらめ》の曲に合わせて、インデヤンの踊りを踊って見せて、皆を大笑いさせました。次兄は、フラッシュを焚《た》いて、自分のインデヤン踊りを撮影して、その写真が出来たのを見ると、自分の腰布（それは更紗《さらさ》の風呂敷でした）の合わせ目から、小さいおチンポが見えていたので、これがまた家中の大笑いでした。自分にとって、これまた意外の成功というべきものだったかも知れません。

自分は毎月、新刊の少年雑誌を十冊以上も、とっていて、またその他にも、さまざまの本を東京から取り寄せて黙って読んでいましたので、メチャラクチャラ博士だの、また、ナンジャモンジャ博士などとは、たいへんな馴染《なじみ》で、また、怪談、講談、落語、江戸小咄《こばなし》などの類にも、かなり通じていましたから、剽軽《ひょうきん》なことをまじめな顔をして言って、家の者たちを笑わせるのには事を欠きませんでした。

しかし、ああ、学校！

自分は、そこでは、尊敬されかけていたのです。尊敬されるという観念もまた、はなはだ自分を、おびえさせました。ほとんど完全に近く人をだまして、そうして、あるひとりの全智全能の者に見破られ、木っ葉みじんにやられて、死ぬる以上の赤恥をかかせられる、それが、「尊敬される」という状態の自分の定義でありました。人間をだまして、「尊敬され」ても、誰かひとりが知っている、そうして、人間たちも、やがて、そのひとりから教えられて、だまされたことに気づいた時、その時の人間たちの怒り、復讐は、いったい、まあ、どんなでしょうか。想像してさえ、身の毛がよだつ心地《ここち》がするのです。

自分は、金持ちの家に生まれたということよりも、俗にいう「できる」ことによって、学校中の尊敬を得そうになりました。自分は、子供のころから病弱で、よく一つき二つき、また一学年ちかくも寝込んで学校を休んだことさえあったのですが、それでも、病み上がりのからだで人力車に乗って学校へ行き、学年末の試験を受けてみると、クラスの誰よりもいわゆる「できて」いるようでした。からだ具合《ぐあ》いのよい時でも、自分は、さっぱり勉強せず、学校へ行っても授業時間に漫画などを書き、休憩時間にはそれをクラスの者たちに説明して聞かせて、笑わせてやりました。また、綴《つづ》り方には、滑稽噺《こっけいばなし》ばかり書き、先生から注意されても、しかし、自分は、やめませんでした。先生は、実はこっそり自分のその滑稽噺を楽しみにしていることを自分は、知っていたからでした。ある日、自分は、れいによって、自分が母に連れられて上京の途中の汽車で、おしっこを客車の通路にある痰壺《たんつぼ》にしてしまった失敗談（しかし、その上京の時に、自分は痰壺と知らずにしたのではありませんでした。子供の無邪気をてらって、わざと、そうしたのでした）を、ことさらに悲しそうな筆致で書いて提出し、先生は、きっと笑うという自信がありましたので、職員室に引き揚げて行く先生のあとを、そっとつけて行きましたら、先生は、教室を出るとすぐ、自分のその綴り方を、他のクラスの者たちの綴り方の中から選び出し、廊下を歩きながら読みはじめて、クスクス笑い、やがて職員室にはいって読み終えたのか、顔を真赤にして大声を挙《あ》げて笑い、他の先生に、さっそくそれを読ませているのを見とどけ、自分は、たいへん満足でした。

お茶目。

自分は、いわゆるお茶目に見られることに成功しました。尊敬されることから、のがれることに成功しました。通信簿は全学科とも十点でしたが、操行というものだけは、七点だったり、六点だったりして、それもまた家中の大笑いの種でした。けれども自分の本性は、そんなお茶目さんなどとは、およそ対蹠的《たいしょてき》なものでした。そのころ、すでに自分は、女中や下男から、哀《かな》しいことを教えられ、犯されていました。幼少の者に対して、そのようなことを行なうのは、人間の行ない得る犯罪の中で最も醜悪で下等で、残酷な犯罪だと、自分はいまでは思っています。しかし、自分は、忍びました。これでまた一つ、人間の特質を見たというような気持さえして、そうして、力なく笑っていました。もし自分に、本当のことを言う習慣がついていたなら、悪びれず、彼らの犯罪を父や母に訴えることができたのかも知れませんが、しかし、自分は、その父や母をも全部は理解することができなかったのです。人間に訴える、自分は、その手段には少しも期待できませんでした。父に訴えても、母に訴えても、お巡《まわ》りに訴えても、政府に訴えても、結局は世渡りに強い人の、世間に通りのいい言いぶんに言いまくられるだけのことではないかしら。

必ず片手落ちのあるのが、わかり切っている、所詮《しょせん》、人間に訴えるのは無駄《むだ》である、自分はやはり、本当のことは何も言わず、忍んで、そうしてお道化をつづけているよりほか、ない気持なのでした。

なんだ、人間への不信を言っているのか？　へえ？　お前はいつクリスチャンになったんだい、と嘲笑《ちょうしょう》する人もあるいはあるかも知れませんが、しかし、人間への不信は、必ずしもすぐに宗教の道に通じているとは限らないと、自分には思われるのですけど。現にその嘲笑する人をも含めて、人間は、お互いの不信の中で、エホバ*も何も念頭に置かず、平気で生きているではありませんか。やはり、自分の幼少のころのことでありましたが、父の属していたある政党の有名人が、この町に演説に来て、自分は下男たちに連れられて劇場に聞きに行きました。満員で、そうして、この町の特に父と親しくしている人たちの顔は皆、見えて、大いに拍手などしていました。演説がすんで、聴衆は雪の夜道を三々五々かたまって家路につき、クソミソに今夜の演説会の悪口を言っているのでした。中には、父と特に親しい人の声もまじっていました。父の開会の辞も下手《へた》、れいの有名人の演説も何が何やら、わけがわからぬ、とそのいわゆる父の「同志たち」

エホバ　Jehovah　イスラエル人が崇拝した神の名。旧約聖書にいう天地万物の創造主で、宇宙の統治者、唯一神。

が怒声に似た口調で言っているのです。そうしてそのひとたちは、自分の家に立ち寄って客間に上がり込み、今夜の演説会は大成功だったと、しんから嬉《うれ》しそうな顔をして父に言っていました。下男たちまで、今夜の演説会はどうだったと母に聞かれ、とても面白かった、と言ってけろりとしているのです。演説会ほど面白くないものはない、と帰る途々《みちみち》、下男たちが嘆き合っていたのです。

しかし、こんなのは、ほんのささやかな一例にすぎません。互いにあざむき合って、しかもいずれも不思議に何の傷もつかず、あざむき合っていることにさえ気がついていないみたいな、実にあざやかな、それこそ清く明るくほがらかな不信の例が、人間の生活に充満しているように思われます。けれども、自分には、あざむき合っているということには、さして特別の興味もありません。自分だって、お道化によって、朝から晩まで人間をあざむいているのです。自分は、修身教科書的な正義とか何とかいう道徳には、あまり関心を持てないのです。自分には、あざむき合っていながら、清く明るく朗らかに生きている、あるいは生き得る自信を持っているみたいな人間が難解なのです。人間は、ついに自分にその妙諦《みょうてい》を教えてはくれませんでした。それさえわかったら、自分は、人間をこんなに恐怖し、また、必死のサーヴィスなどしなくて、すんだのでしょう。人間の生活と対立してしまって、夜々の地獄のこれほどの苦しみを嘗《な》めずにすんだのでしょう。つまり、自分が下男下女たちの憎むべきあの犯罪をさえ、誰にも訴えなかったのは、人間への不信からではなく、またもちろんクリスト主義のためでもなく、人間が、葉蔵という自分に対して信用の殻《から》を固《かた》く閉じていたからだったと思います。父母でさえ、自分にとって難解なものを、時折、見せることがあったのですから。

そうして、その、誰にも訴えない、自分の孤独の匂《にお》いが、多くの女性に、本能によって嗅《か》ぎ当てられ、後年さまざま、自分がつけ込まれる誘因の一つになったような気もするのです。

つまり、自分は、女性にとって、恋の秘密を守れる男であったというわけなのでした。

第二の手記

海の、波《なみ》打《う》ち際《ぎわ》、といってもいいくらいに海にちかい岸辺《きしべ》に、真黒い樹肌《きはだ》の山桜の、かなり大きいのが二十本以上も立ちならび、新学年がはじまると、山桜は、褐色《かっしょく》のねばっこいような嫩葉《わかば》とともに、青い海を背景にして、その絢爛《けんらん》たる花をひらき、やがて、花吹雪《ふぶき》の時には、花びらがおびただしく海に散り込み、海面を鏤《ちりば》めて漂《ただよ》い、波に乗せられ再び波打ち際に打ちかえされる。その桜の砂浜が、そのまま校庭として使用せられている東北のある中学校に、自分は受験勉強もろくにしなかったのに、どうやら無事に入学できました。そうして、その中学の制帽の徽章《きしょう》にも、制服のボタンにも、桜の花が図案化せられて咲いていました。

その中学のすぐ近くに、自分の家と遠い親戚《しんせき》に当たる者の家がありましたので、その理由もあって、父がその海と桜の中学校を自分に選んでくれたのでした。自分は、その家にあずけられ、何せ学校のすぐ近くなので、朝礼の鐘の鳴るのを聞いてから、走って登校するというような、かなり怠惰な中学生でしたが、それでも、れいのお道化によって、日一日とクラスの人気を得ていました。

生まれてはじめて、いわば他郷へ出たわけなのですが、自分には、その他郷のほうが、自分の生まれ故郷よりも、ずっと気楽な場所のように思われました。それは、自分のお道化もそのころにはいよいよぴったり身について来て、人をあざむくのに以前ほどの苦労を必要としなくなっていたからである、と解説してもいいでしょうが、しかし、それよりも、肉親と他人、故郷と他郷、そこには抜くべからざる演技の難易の差が、どのような天才にとっても、たとい神の子のイエスにとっても、存在しているものなのではないでしょうか。俳優にとって、もっとも演じにくい場所は、故郷の劇場であって、しかも*六親眷属《ろくしんけんぞく》全部そろって坐《すわ》っている一部屋の中に在《あ》っては、いかなる名優も演技どころではなくなるのではないでしょうか。けれども自分は演じて来ました。しかも、それが、かなりの成功を収めたのです。それほどの曲者《くせもの》が、他郷に出て、万が一にも演じそこねるなどということはないわけでした。

自分の人間恐怖は、それは以前にまさるとも劣らぬくらい烈《はげ》しく胸の底で蠕動《ぜんどう》していましたが、しかし、演技は実にのびのびとして来て、教室にあっては、いつもクラスの者たちを笑わせ、教師も、このクラスは大庭《おおば》さえいないと、とてもいいクラスなんだが、と言葉では嘆じながら、手で口を覆《おお》って笑っていました。自分は、あの雷のごとき蛮声を張り上げる*配属将校をさえ、実に容易に噴《ふ》き出させることができたのです。

もはや、自分の正体を完全に隠蔽《いんぺい》し得たのではあるまいか、とほっとしかけた矢先に、自分は実に意外にも背後から突き刺されました。それは、背後から突き刺す男のごたぶんにもれず、クラスでもっとも貧弱な肉体をして、顔も青ぶくれで、そうしてたしかに父兄のお古と思われる袖《そで》が聖徳太子《しょうとくたいし》の袖みたいに長すぎる上衣《うわぎ》を着て、学課は少しも出来ず、教練や体操はいつも見学という白痴に似た生徒でした。自分もさすがに、その生徒にさえ警戒する必要は認めていなかったのでした。

その日、体操の時間に、その生徒（姓はいま記憶していませんが、名は竹一といったかと覚えています）その竹一は、れいによって見学、自分たちは鉄棒の練習をさせられていました。自分は、わざとできるだけ厳粛な顔をして、鉄棒めがけて、えいっと叫んで飛び、そのまま幅飛びのように前方へ飛んでしまって、砂地にドスンと尻餅《しりもち》をつきました。すべて、計画的な失敗でした。果して皆の大笑いになり、自分も苦笑しながら起き上がってズボンの砂を払っていると、いつそこへ来ていたのか、竹一が自分の背中をつつき、低い声でこう囁《ささや》きました。

「ワザ。ワザ。」

自分は震撼《しんかん》しました。ワザと失敗したということを、人もあろうに、竹一に見破られるとは全く思いも掛けないことでした。自分は、世界が一瞬にして地獄の業火《ごうか》に包まれ

六親眷属　六親とは父母兄弟妻子の六種の親族の総称で、眷属とは親族、血族、姻族のすべてをいう。**配属将校**　戦前、中学校以上の学生生徒に軍事教練を施すため、軍から各学校へ配属された陸軍将校。

て燃え上がるのを眼前に見るような心地《ここち》がして、わあっ！　と叫んで発狂しそうな気配を必死の力で抑《おさ》えました。

それからの日々の、自分の不安と恐怖。

表面は相変らず哀《かな》しいお道化を演じて皆を笑わせていましたが、ふっと思わず重苦しい溜息《ためいき》が出て、何をしたってすべて竹一に木っ葉みじんに見破られていて、そうしてあれは、そのうちにきっと誰かれとなく、それを言いふらして歩くに違いないのだ、と考えると、額にじっとり油汗がわいて来て、狂人みたいに妙な眼つきで、あたりをキョロキョロむなしく見廻《みまわ》したりしました。できることなら、朝、昼、晩、四六時中、竹一の傍から離れず彼が秘密を口走らないように監視していたい気持でした。そうして、自分が、彼にまつわりついている間に、自分のお道化は、いわゆる「ワザ」ではなくて、ほんものであったというよう思い込ませるようにあらゆる努力を払い、あわよくば、彼と無二の親友になってしまいたいものだ、もし、そのことが皆、不可能なら、もはや、彼の死を祈るよりほかはない、とさえ思いつめました。しかし、さすがに、彼を殺そうという気だけは起こりませんでした。自分は、これまでの生涯《しょうがい》において、人に殺されたいと願望したことは幾度となくありましたが、人を殺したいと思ったことは、いちどもありませんでした。それは、おそるべき相手に、かえって幸福を与えるだけのことだと考えていたからです。

自分は、彼を手なずけるため、まず、顔に偽クリスチャンのような「優しい」媚笑《びしょう》を湛《たた》え、首を三十度くらい左に曲げて、彼の小さい肩を軽く抱き、そうして猫撫《ねこな》で声に似た甘ったるい声で、彼を自分の寄宿している家に遊びに来るようしばしば誘いましたが、彼は、いつも、ぼんやりした眼つきをして、黙っていました。しかし、自分は、ある日の放課後、たしか初夏のころのことでした。夕立ちが白く降って、生徒たちは帰宅に困っていたようでしたが、自分は家がすぐ近くなので平気で外へ飛び出そうとして、ふと下駄箱《げたばこ》のかげに、竹一がしょんぼり立っているのを見つけ、行こう、傘《かさ》を貸してあげる、と言い、臆《おく》する竹一の手を引っぱって、一緒に夕立ちの中を走り、家に着いて、二人の上衣《うわぎ》を小母さんに乾《かわ》かしてもらうようにたのみ、竹一を二階の自分の部屋に誘い込むのに成功しました。

その家には、五十すぎの小母さんと、三十くらいの、眼鏡《めがね》をかけて、病身らしい背の高い姉娘（この娘は、いちどよそへお嫁に行って、それからまた、家へ帰っているひとでした。自分は、このひとを、ここの家のひとたちにならって、アネサと呼んでいました）それと、最近女学校を卒業したばかりらしい、セッちゃんという姉に似ず背が低く丸顔の妹娘と、三人だけの家族で、下の店には、文房具やら運動用具を少々並べていましたが、主な収入は、なくなった主人が建てて残して行った五六棟《ごろくむね》の長屋の家賃のようでした。

「耳が痛い。」

竹一は、立ったままでそう言いました。

「雨に濡《ぬ》れたら、痛くなったよ。」

自分が、見てみると、両方の耳が、ひどい耳だれでした。膿《うみ》が、いまにも耳殻《じかく》の外に流れ出ようとしていました。

「これは、いけない。痛いだろう。」

と自分は大袈裟《おおげさ》におどろいて見せて、

「雨の中を、引っぱり出したりして、ごめんね。」

と女の言葉みたいな言葉を遣《つか》って「優しく」謝《あやま》り、それから、下へ行って綿とアルコールをもらって来て、竹一を自分の膝《ひざ》を枕《まくら》にして寝かせ、念入りに耳の掃除《そうじ》をしてやりました。竹一も、さすがに、これが偽善の悪計であることには気附《きづ》かなかったようで、

「お前は、きっと、女に惚《ほ》れられるよ。」

と自分の膝枕で寝ながら、無智なお世辞を言ったくらいでした。

しかしこれは、おそらく、あの竹一も意識しなかったほどの、おそろしい悪魔の予言のようなものだったということを、自分は後年に到《いた》って思い知りました。惚れると言い、惚れられると言い、その言葉はひどく下品で、ふざけて、いかにも、やにさがったものの感じで、どんなにいわゆる「厳粛」の場であっても、そこへこの言葉が一言でもひょいと顔を出すと、みるみる憂鬱《ゆううつ》の伽藍《がらん》が崩壊し、ただのっぺらぼうになってしまうような心地《ここち》がするものですけれども、惚れられるつらさ、などという俗語でなく、愛せられる不安、とでもいう文学語を用いると、あながち憂鬱の伽藍をぶちこわすことにはならないようですから、奇妙なものだと思います。

竹一が、自分に耳だれの膿の始末をしてもらって、お前は惚れられるという馬鹿なお世辞を言い、自分はその時、ただ顔を赤らめて笑って、何も答えませんでしたけれども、

しかし、実は、幽《かす》かに思い当たるところもあったのでした。でも、「惚れられる」というような野卑な言葉によって生じるやにさがった雰囲気《ふんいき》に対して、そう言われると、思い当たるところもある、などと書くのは、ほとんど落語の若旦那《わかだんな》のせりふにさえならぬくらい、おろかしい感懐を示すようなもので、まさか、自分は、そんなふざけた、やにさがった気持で、「思い当たるところもあった」わけではないのです。

自分には、人間の女性のほうが、男性よりもさらに数倍難解でした。自分の家族は、女性のほうが男性よりも数が多く、また親戚《しんせき》にも、女の子がたくさんあり、またれいの「犯罪」の女中などもいまして、自分は幼い時から、女とばかり遊んで育ったといっても過言ではないと思っていますが、それは、また、しかし、実に、薄氷を踏む思いで、その女のひとたちと附《つ》き合って来たのです。ほとんど、まるで見当が、つかないのです。五里霧中で、そうして時たま、虎の尾を踏む失敗をして、ひどい痛手を負い、それがまた、男性から受ける笞《むち》とちがって、内出血みたいに極度に不快に内攻して、なかなか治《ち》癒《ゆ》しがたい傷でした。

女は引き寄せて、つっ放す、あるいはまた、女は、人のいるところでは自分をさげすみ、邪慳《じゃけん》にし、誰もいなくなると、ひしと抱きしめる、女は死んだように深く眠る、女は眠るために生きているのではないかしら、その他、女についてのさまざまの観察を、すでに自分は、幼年時代から得ていたのですが、同じ人類のようでありながら、男とはまた、全く異なった生きもののような感じで、そうしてまた、この不可解で油断のならぬ生きものは、奇妙に自分をかまうのでした。「惚れられる」なんていう言葉も、また

「好かれる」という言葉も、自分の場合にはちっとも、ふさわしくなく、「かまわれる」とでも言ったほうが、まだしも実状の説明に適しているかも知れません。

女は、男よりもさらに、道化には、くつろぐようでした。自分がお道化を演じ、男はさすがにいつまでもゲラゲラ笑ってもいませんし、それに自分も男のひとに対し、調子に乗ってあまりお道化を演じすぎると失敗するということを知っていましたので、必ず適当のところで切り上げるように心掛けていましたが、女は適度ということを知らず、いつまでもいつまでも、自分にお道化を要求し、自分はその限りないアンコールに応じて、へとへとになるのでした。実に、よく笑うのです。いったいに、女は、男よりも快楽をよけいに頰張《ほおば》ることができるようです。

自分が中学時代に世話になったその家の姉娘も、妹娘も、ひまさえあれば、二階の自分の部屋にやって来て、自分はそのたびごとに飛び上がらんばかりにぎょっとして、そうして、ひたすらおびえ、

「御勉強？」

「いいえ。」

と微笑して本を閉《と》じ、

「きょうね、学校でね、コンボウという地理の先生がね、」

とするする口から流れ出るものは、心にもない滑稽噺《こっけいばなし》でした。

「葉ちゃん、眼鏡《めがね》をかけてごらん。」

ある晩、妹娘のセッちゃんが、アネサと一緒に自分の部屋へ遊びに来て、さんざん自

分にお道化を演じさせた揚句の果てに、そんなことを言い出しました。

「なぜ？」

「いいから、かけてごらん。アネサの眼鏡を借りなさい。」

いつでも、こんな乱暴な命令口調で言うのでした。道化師は、素直にアネサの眼鏡をかけました。とたんに、二人の娘は、笑いころげました。

「そっくり。*ロイドに、そっくり。」

当時、ハロルド・ロイドとかいう外国の映画の喜劇役者が、日本で人気がありました。

自分は立って片手を挙《あ》げ、

「諸君、」

と言い、

「このたび、日本のファンの皆様がたに、……」

と一場の挨拶《あいさつ》を試み、さらに大笑いさせて、それから、ロイドの映画がそのまちの劇場に来るたびごとに見に行って、ひそかに彼の表情などを研究しました。

また、ある秋の夜、自分が寝ながら本を読んでいると、アネサが鳥のように素早く部屋へはいって来て、いきなり自分の掛蒲団《かけぶとん》の上に倒れて泣き、

ロイド　Harold Lloyd（1893—1971）。アメリカの喜劇映画俳優。チャップリン、キートンとともに無声映画時代の三大喜劇俳優の一人といわれた。トーキー時代に入ってからも、丸いロイド眼鏡と麦わら帽子のスタイルで独特の喜劇作りに活躍した。

「葉ちゃんが、あたしを助けてくれるのだわね。そうだわね。こんな家、一緒に出てしまったほうがいいのだわ。助けてね。助けて。」

などと、はげしいことを口走っては、また泣くのでした。けれども、自分には、女から、こんな態度を見せつけられるのは、これが最初ではありませんでしたので、アネサの過激な言葉にも、さして驚かず、かえってその陳腐《ちんぷ》、無内容に興が覚めた心地で、そっと蒲団から脱け出し、机の上の柿をむいて、その一きれをアネサに手渡してやりました。すると、アネサは、しゃくり上げながらその柿を食べ、

「何か面白い本がない？　貸してよ。」

と言いました。

自分は漱石《そうせき》の「吾輩《わがはい》は猫《ねこ》である」という本を、本棚から選んであげました。

「ごちそうさま。」

アネサは、恥ずかしそうに笑って部屋から出て行きましたが、このアネサに限らず、いったい女は、どんな気持で生きているのかを考えることは、自分にとって、蚯蚓《みみず》の思いをさぐるよりも、ややこしく、わずらわしく、薄気味の悪いものに感ぜられていました。だが、自分は、女があんなに急に泣き出したりした場合、何か甘いものを手渡してやると、それを食べて機嫌《きげん》を直すということだけは、幼い時から、自分の経験によって知っていました。

また、妹娘のセッちゃんは、その友だちまで自分の部屋に連れて来て、自分がれいによって公平に皆を笑わせ、友だちが帰ると、セッちゃんは、必ずその友だちの悪口を言

うのでした。あのひとは不良少女だから、気をつけるように、ときまって言うのでした。そんなら、わざわざ連れて来なければ、よいのに、おかげで自分の部屋の来客の、ほとんど全部が女、ということになってしまいました。

しかし、それは、竹一のお世辞の「惚《ほ》れられる」ことの実現ではまだ決してなかったのでした。つまり、自分は、日本の東北のハロルド・ロイドにすぎなかったのです。竹一の無智なお世辞が、いまわしい予言として、なまなまと生きて来て、不吉な形貌《けいぼう》を呈するようになったのは、さらにそれから、数年経《た》った後のことでありました。

竹一は、また、自分にもう一つ、重大な贈り物をしていました。

「お化けの絵だよ。」

いつか竹一が、自分の二階へ遊びに来た時、ご持参の、一枚の原色版の口絵を得意そうに自分に見せて、そう説明しました。

おや？　と思いました。その瞬間、自分の落ち行く道が決定せられたように、後年に到《いた》って、そんな気がしてなりません。自分は、知っていました。それは、ゴッホ*の例の自画像に過ぎないのを知っていました。自分たちの少年のころには、日本ではフランスのいわゆる印象派の画《え》が大流行していて、洋画鑑賞の第一歩を、たいていこのあたりから

ゴッホ　Vincent van Gogh（1853—1890）。オランダ生まれ、後期印象派の代表的な画家。強烈な色彩と激情的なタッチで描き、晩年は精神病院で過ごした。文中にある例の自画像云々は、狂って自らの耳を切り落としたときに描いた自画像「耳のない男」のことを指している。

らはじめたもので、ゴッホ、ゴーギャン*、セザンヌ*、ルナアルなどというひとの絵は、田舎《いなか》の中学生でも、たいていその写真版を見て知っていたのでした。自分なども、ゴッホの原色版をかなりたくさん見て、タッチの面白さ、色彩の鮮やかさに興趣を覚えてはいたのですが、しかし、お化けの絵、だとは、いちども考えたことがなかったのでした。

「では、こんなのは、どうかしら。やっぱり、お化けかしら。」

自分は本棚から、モジリアニ*の画集を出し、焼けた赤銅《しゃくどう》のような肌《はだ》の、れいの裸婦の像を竹一に見せました。

「すげえなあ、」

竹一は眼を丸くして感嘆しました。

「地獄の馬みたい。」

「やっぱり、お化けかね。」

「おれも、こんなお化けの絵がかきたいよ。」

あまりに人間を恐怖している人たちは、かえって、もっともっと、おそろしい妖怪《ようかい》を確実にこの眼で見たいと願望するに到る心理、神経質な、ものにおびえやすい人ほど、暴風雨のさらに強からんことを祈る心理、ああ、この一群の画家たちは、人間という化け物に傷《いた》めつけられ、おびやかされた揚句の果て、ついに幻影を信じ、白昼の自然の中に、ありありと妖怪を見たのだ、しかも彼らは、それを道化などでごまかさず、見えたままの表現に努力したのだ、竹一の言うように、敢然と「お化けの絵」をかいてしまったのだ、ここに将来の自分の、仲間がいる、と自分は、涙が出たほどに興奮し、

「僕も画《か》くよ。お化けの絵を画くよ。地獄の馬を、画くよ。」

と、なぜだか、ひどく声をひそめて、竹一に言ったのでした。

自分は、小学校のころから、絵はかくのも、見るのも好きでした。けれども、自分のかいた絵は、自分の綴《つづ》り方ほどには、周囲の評判が、よくありませんでした。自分は、どだい人間の言葉を一向に信用していませんでしたので、綴り方などは、自分にとって、ただお道化の御挨拶《ごあいさつ》みたいなもので、小学校、中学校、と続いて先生たちを狂喜させて来ましたが、しかし、自分では、さっぱり面白くなく、絵だけは、(漫画などは別ですけれども)その対象の表現に、幼い我流ながら、多少の苦心を払っていました。学校の図画のお手本はつまらないし、先生の絵は下手くそだし、自分は、全く出鱈目《でたらめ》にさまざまの表現法を自分で工夫して試みなければならないのでした。中学校へはいって、自分は油絵の道具も一揃《ひとそろ》い持っていましたが、しかし、そのタッチの手本を、印象派の画風

ゴーギャン　Paul Gauguin（1848―1903）。フランスの後期印象派の画家。一時、ゴッホとの共同生活を送ったが、性格に折り合いがつかず別れた。印象派の絵にあきたらず、太平洋のタヒチ島に渡り、原住民と生活を共にしながら、風景や現地人を強い色調で描き、新しい装飾風の画風を拓いた。**セザンヌ**　Paul Cézanne（1839―1906）。フランスの画家。いわゆる後期印象派の先駆的な存在で、厳密な構成によって新しい絵画空間を創造し、二十世紀の芸術に大きな影響力を持つ。**モジリアニ**　Amedeo Modigliani（1884―1920）。イタリア生まれの画家。パリに住み、セザンヌ及びフォーヴィズム、キュービズムの影響を受けた。胸を病んで貧困のうちに若死にした。

に求めても、自分の画いたものは、まるで千代紙細工のようにのっぺりして、ものになりそうもありませんでした。けれども自分は、竹一の言葉によって、自分のそれまでの絵画に対する心構えが、まるで間違っていたことに気が附きました。美しいと感じたものを、そのまま美しく表現しようと努力する甘さ、おろかしさ。マイスターたちは、何でもないものを、主観によって美しく創造し、あるいは醜いものに嘔吐《おうと》をもよおしながらも、それに対する興味を隠さず、表現のよろこびにひたっている、つまり、人の思惑《おもわく》に少しもたよっていないらしいという、画法のプリミチヴな虎の巻を、竹一から、さずけられて、れいの女の来客たちには隠して、少しずつ、自画像の制作に取りかかってみました。

自分でも、ぎょっとしたほど、陰惨な絵が出来上がりました。しかし、これこそ胸底にひた隠しに隠している自分の正体なのだ、おもては陽気に笑い、また人を笑わせているけれども、実は、こんな陰鬱《いんうつ》な心を自分は持っているのだ、仕方がない、とひそかに肯定し、けれどもその絵は、竹一以外の人には、さすがに誰にも見せませんでした。自分のお道化の底の陰惨を見破られ、急にケチくさく警戒せられるのもいやでしたし、また、これを自分の正体とも気づかず、やっぱり新趣向のお道化と見なされ、大笑いの種にせられるかも知れぬという懸念もあり、それは何よりもつらいことでしたので、その絵はすぐに押入れの奥深くしまい込みました。

また、学校の図画の時間にも、自分はあの「お化け式手法」は秘めて、いままでどおりの美しいものを美しく画く式の凡庸なタッチで画いていました。

自分は竹一にだけは、前から自分の傷《いた》みやすい神経を平気で見せていましたし、こんどの自画像も安心して竹一に見せ、たいへんほめられ、さらに二枚三枚と、お化けの絵を画きつづけ、竹一からもう一つの、

「お前は、偉い絵画きになる。」

という予言を得たのでした。

惚《ほ》れられるという予言と、偉い絵画きになるという予言と、この二つの予言を馬鹿の竹一によって額に刻印せられて、やがて、自分は東京へ出て来ました。

自分は、美術学校にはいりたかったのですが、父は、前から自分を高等学校*にいれて、末は官吏にするつもりで、自分にもそれを言い渡してあったので、口応《くちごた》え一つできないたちの自分は、ぼんやりそれに従ったのでした。四年から受けてみよ、と言われたので、自分も桜と海の中学はもういい加減あきていましたし、五年に進級せず、*四年修了のままで、東京の高等学校に受験して合格し、すぐに寮生活にはいりましたが、その不潔と粗暴に辟易《へきえき》して、道化どころではなく、医師に肺浸潤の診断書を書いてもらい、寮から出て、上野桜木町の父の別荘に移りました。自分には、団体生活というものが、どうしてもできません。それにまた、青春の感激だとか、若人《わこうど》の誇りだとかいう言葉は、聞いて寒気がして来て、とても、あのハイスクール・スピリットとかいうものには、ついて

高等学校　戦前の、いわゆる旧制高校。三年制。　**四年修了のままで……**　戦前の旧制中学校（五年制）では、四年修了で高等学校受験の資格があった。四年で高校に入るのは成績優秀の者という意味。

行けなかったのです。教室も寮も、ゆがめられた性慾《せいよく》の、はきだめみたいな気さえして、自分の完璧《かんぺき》に近いお道化も、そこでは何の役にも立ちませんでした。

　父は議会のない時は、月に一週間か二週間しかその家に滞在していませんでしたので、父の留守の時は、かなり広いその家に、別荘番の老夫婦と自分と三人だけで、自分は、ちょいちょい学校を休んで、さりとて東京見物などをする気も起こらず（自分はとうとう、明治神宮も、*楠正成《くすのきまさしげ》の銅像も、*泉岳寺の四十七士の墓も見ずに終わりそうです）家で一日中、本を読んだり、絵をかいたりしていました。父が上京して来ると、自分は、毎朝そそくさと登校するのでしたが、しかし、本郷千駄木町《せんだぎちょう》の洋画家、安田新太郎氏の画塾《がじゅく》に行き、三時間も四時間も、デッサンの練習をしていることもあったのです。高等学校の寮から脱《ぬ》けたら、学校の授業に出ても、自分はまるで聴講生みたいな特別の位置にいるような、それは自分のひがみかも知れなかったのですが、何とも自分自身で白々しい気持がして来て、いっそう学校へ行くのが、おっくうになったのでした。自分には、小学校、中学校、高等学校を通じて、ついに愛校心というものが理解できずに終わりました、校歌などというものも、いちども覚えようとしたことがありません。

　自分は、やがて画塾で、ある画学生から、酒と煙草《たばこ》と淫売婦《いんばいふ》と質屋と左翼思想とを知らされました。妙な取合せでしたが、しかし、それは事実でした。

　その画学生は、堀木《ほりき》正雄といって、東京の下町に生まれ、自分より六つ年長者で、私立の美術学校を卒業して、家にアトリエがないので、この画塾に通い、洋画の勉強をつづけているのだそうです。

「五円、貸してくれないか。」

お互いただ顔を見知っているだけで、それまで一言も話し合ったことがなかったのです。自分は、へどもどして五円差し出しました。

「よし、飲もう。おれが、お前におごるんだ。よかチゴじゃのう。」

自分は拒否し切れず、その画塾の近くの、蓬莱町《ほうらいちょう》のカフエに引っぱって行かれたのが、彼との交友のはじまりでした。

「前から、お前に眼をつけていたんだ。それそれ、そのはにかむような微笑、それが見込みのある芸術家特有の表情なんだ。お近づきのしるしに、乾杯！　キヌさん、こいつは美男子だろう？　惚《ほ》れちゃいけないぜ。こいつが塾へ来たおかげで、残念ながらおれは、第二番の美男子ということになった。」

堀木は、色が浅黒く端正な顔をしていて、画学生には珍らしく、ちゃんとした背広を着て、ネクタイの好みも地味で、そうして頭髪もポマードをつけてまん中からぺったりとわけていました。

自分は馴《な》れぬ場所でもあり、ただもうおそろしく、腕を組んだりほどいたりして、それこそ、はにかむような微笑ばかりしていましたが、ビイルを二、三杯飲んでいるうちに、妙に解放せられたような軽さを感じて来たのです。

楠正成の銅像　皇居前広場にある。南北朝時代の武将楠正成（1294—1336）の騎馬武者姿。高村光雲作。**泉岳寺**　東京都港区高輪にある曹洞宗大中寺の末寺。山号は万松山。赤穂義士の墓所として有名。

「僕は、美術学校にはいろうと思っていたんですけど、……」

「いや、つまらん。あんなところは、つまらん。学校は、つまらん。われらの教師は、自然の中にあり！　自然に対する*パアトス！」

　しかし、自分は、彼の言うことに一向に敬意を感じませんでした。馬鹿なひとだ、絵も下手にちがいない、しかし、遊ぶのには、いい相手かも知れないと考えました。つまり、自分はその時、生まれてはじめて、ほんものの都会の与太者を見たのでした。それは、自分と形は違っていても、やはり、この世の人間の営みから完全に遊離してしまって、戸迷《とまど》いしている点においてだけは、たしかに同類なのでした。そうして、彼はそのお道化を意識せずに行ない、しかも、そのお道化の悲惨に全く気がついていないのが、自分と本質的に異色のところでした。

　ただ遊ぶだけだ、遊びの相手として附き合っているだけだ、とつねに彼を軽蔑《けいべつ》し、時には彼との交友を恥ずかしくさえ思いながら、彼と連れ立って歩いているうちに、結局、自分は、この男にさえ打ち破られました。

　しかし、はじめは、この男を好人物、まれに見る好人物とばかり思い込み、さすが人間恐怖の自分も全く油断をして、東京のよい案内者が出来た、くらいに思っていました。自分は、実は、ひとりでは、電車に乗ると車掌がおそろしく、歌舞伎座《かぶきざ》へはいりたくても、あの正面玄関の緋《ひ》の絨緞《じゅうたん》が敷かれてある階段の両側に並んで立っている案内嬢たちがおそろしく、レストランへはいると、自分の背後にひっそり立って、皿《さら》のあくのを待っている給仕のボーイがおそろしく、ことにも勘定を払う時、ああ、ぎごちない自分の手つき、自分は買い物をしてお金を手渡す時には、吝嗇《りんしょく》ゆえでなく、あまりの緊張、あまりの恥ずかしさ、あまりの不安、恐怖に、くらくら目まいして、世界が真暗になり、ほとんど半狂乱の気持になってしまって、値切るどころか、お釣《つり》を受け取るのを忘れるばかりでなく、買った品物を持ち帰るのを忘れたことさえ、しばしばあったほどなので、とても、ひとりで東京のまちを歩けず、それで仕方なく、一日一ぱい家の中で、ごろごろしていたという内情もあったのでした。

それが、堀木に財布《さいふ》を渡して一緒に歩くと、堀木は大いに値切って、しかも遊び上手というのか、わずかなお金で最大の効果のあるような支払い振りを発揮し、また、高い円タクは敬遠して、電車、バス、ポンポン蒸気など、それぞれ利用し分けて、最短時間で目的地へ着くという手腕をも示し、淫売婦《いんばいふ》のところから朝帰る途中には、何々という料亭に立ち寄って朝風呂へはいり、湯豆腐で軽くお酒を飲むのが、安い割に、ぜいたくな気分になれるものだと実地教育をしてくれたり、その他、屋台の牛めし焼きとりの安価にして滋養に富むものたることを説き、酔いの早く発するのは、電気ブラン*の右に出るものはないと保証し、とにかくその勘定については自分に、一つも不安、恐怖を覚えさせたことがありませんでした。

さらにまた、堀木と附き合って救われるのは、堀木が聞き手の思惑などをてんで無視

パアトス　pathos（ギリシャ語）情感。激情。　**電気ブラン**　明治時代、神谷伝兵衛が東京の浅草に開いた「神谷バー」の名物のブランデーのこと。強烈な洋酒で、電気に感電したように感じることからこのように言われた。

して、そのいわゆる情熱《パトス》の噴出するがままに、（あるいは、情熱とは、相手の立場を無視することかも知れませんが）四六時中、くだらないおしゃべりを続け、あの、二人で歩いて疲れ、気まずい沈黙におちいる危懼《きく》が、全くないということでした。人に接し、あのおそろしい沈黙がその場にあらわれることを警戒して、もともと口の重い自分が、ここを先途《せんど》と必死のお道化を言って来たものですが、いまこの堀木の馬鹿が、意識せずに、そのお道化役をみずからすすんでやってくれているので、自分は、返事もろくにせずに、ただ聞き流し、時折、まさか、などと言って笑っておれば、いいのでした。

酒、煙草、淫売婦、それは皆、人間恐怖を、たとい一時でも、まぎらすことのできるずいぶんよい手段であることが、やがて自分にもわかって来ました。それらの手段を求めるためには、自分の持ち物全部を売却しても悔いない気持さえ、抱《いだ》くようになりました。

自分には、淫売婦というものが、人間でも、女性でもない、白痴か狂人のように見え、そのふところの中で、自分はかえって全く安心して、ぐっすり眠ることができました。みんな、哀《かな》しいくらい、実にみじんも慾というものがないのでした。そうして、自分に、同類の親和感とでもいったようなものを覚えるのか、自分は、いつも、その淫売婦たちから、窮屈でない程度の自然の好意を示されました。何の打算もない好意、押し売りではない好意、二度と来ないかも知れぬひとへの好意、自分には、その白痴か狂人の淫売婦たちに、マリヤの円光を現実に見た夜もあったのです。

しかし、自分は、人間への恐怖からのがれ、幽《かす》かな一夜の休養を求めるために、そこへ行き、それこそ自分と「同類」の淫売婦たちと遊んでいるうちに、いつのまにやら無意識の、あるいまわしい雰囲気《ふんいき》を身辺にいつもただよわせるようになった様子で、これは自分にも全く思い設けなかったいわゆる「おまけの附録」でしたが、次第にその「附録」が、鮮明に表面に浮き上がって来て、堀木にそれを指摘せられ、愕然《がくぜん》として、そうして、いやな気がいたしました。はたから見て、俗な言い方をすれば、自分は、淫売婦によって女の修行をして、しかも、最近めっきり腕をあげ、女の修行は、淫売婦によるのが一ばん厳《きび》しく、またそれだけに効果のあがるものだそうで、すでに自分には、あの「女達者」という匂いがつきまとい、女性は、(淫売婦に限らず)本能によってそれを嗅《か》ぎ当て寄り添って来る、そのような、卑猥《ひわい》で不名誉な雰囲気を、「おまけの附録」としてもらって、そうしてそのほうが、自分の休養などよりも、ひどく目立ってしまっているらしいのでした。

堀木はそれを半分はお世辞で言ったのでしょうが、しかし、自分にも、重苦しく思い当たることがあり、たとえば、喫茶店の女から稚拙な手紙をもらった覚えもあるし、桜木町の家の隣りの将軍のはたちくらいの娘が、毎朝、自分の登校の時刻には、用もなさそうなのに、ご自分の家の門を薄化粧して出たりはいったりしていたし、牛肉を食いに行くと、自分が黙っていても、そこの女中が、……また、いつも買いつけの煙草屋の娘から手渡された煙草の箱の中に、……また、歌舞伎《かぶき》を見に行って隣りの席のひとに、……また、深夜の市電で自分が酔って眠っていて、……また、思いがけなく故郷の親戚《しんせき》の娘から、思いつめたような手紙が来て、……また、誰かわからぬ娘が、自分の留守中にお手製らしい人形を、……自分が極度に消極的なので、いずれも、それっきりの話で、ただ断片、それ以上の進展は一つもありませんでしたが、何か女に夢を見させる雰囲気が、自分のどこかにつきまとっていることは、それは、のろけだの何だのといういい加減な冗談でなく、否定できないのでありました。自分は、それを堀木ごとき者に指摘せられ、屈辱に似た苦《にが》さを感ずるとともに、淫売婦と遊ぶことにも、にわかに興が覚《さ》めました。

堀木は、また、その見栄坊《みえぼう》のモダニティ*から、(堀木の場合、それ以外の理由は、自分には今もって考えられませんのですが)ある日、自分を共産主義の読書会とかいう(R・Sとかいっていたか、記憶がはっきりいたしません)そんな、秘密の研究会に連れて行きました。堀木などという人物にとっては、共産主義の秘密会合も、れいの「東京案内」の一つくらいのものだったのかも知れません。自分はいわゆる「同志」に紹介せられ、パンフレットを一部買わされ、そうして上座のひどい醜い顔の青年から、マルクス経済学の講義を受けました。しかし、自分には、それはわかり切っていることのように思われました。それは、そうに違いないだろうけれども、人間の心には、もっとわけのわからない、おそろしいものがある。慾、と言っても、言いたりない、ヴァニティ*、と言っても、言いたりない、色と慾、とこう二つ並べても、言いたりない、何だか自分にもわからぬが、人間の世の底に、経済だけでない、へんに怪談じみたものがあるような気がして、その怪談におびえ切っている自分には、いわゆる唯物論《ゆいぶつろん》を、水の低きに流れるように自然に肯定しながらも、しかし、それによって、人間に対する恐怖から解放せられ、青葉に向かって眼をひらき、希望のよろこびを感ずるなどということはできないのでした。けれども、自分は、いちども欠席せずに、そのR・S（と言ったかと思いますが、間違っているかも知れません）なるものに出席し、「同志」たちが、いやに一大事のごとく、こわばった顔をして、一プラス一は二、というような、ほとんど初等の算術めいた理論の研究にふけっているのが滑稽《こっけい》に見えてたまらず、れいの自分のお道化で、会合をくつろがせることに努め、そのためか、次第に研究会の窮屈な気配もほぐれ、自分はその会合になくてはかなわぬ人気者という形にさえなって来たようでした。この、単純そうな人たちは、自分のことを、やはりこの人たちと同じように単純で、そうして、楽天的なおどけ者の「同志」くらいに考えていたかも知れませんが、もし、そうだったら、自分は、この人たちを一から十まで、あざむいていたわけです。自分は、同志ではなかったんです。けれども、その会合に、いつも欠かさず出席して、皆にお道化のサーヴィスをして来ました。

好きだったからなのです。自分には、その人たちが、気にいっていたからなのです。しかし、それは必ずしも、マルクスによって結ばれた親愛感ではなかったのです。

非合法。* 自分には、それが幽《かす》かに楽しかったのです。むしろ、居心地《いごこち》がよかったので

モダニティ　modernity（英）今日風、現代風。**マルクス**　Karl Heinrich Marx（1818―1883）。ドイツの社会主義者。共産主義をとなえ、近代社会に絶大な影響を持つ。主著「資本論」。**ヴァニティ**　vanity（英）自惚れ。虚栄。**非合法**　ここでは日本共産党での非合法活動を指す。日本共産党は昭和三年から翌年にかけて大弾圧が加えられ、以後戦後まで合法的な活動ができなかった。

す。世の中の合法というもののほうが、かえっておそろしく、(それには、底知れず強いものが予感せられます)そのからくりが不可解で、とてもその窓のない、底冷えのする部屋には坐っておられず、外は非合法の海であっても、それに飛び込んで泳いで、やがて死に到《いた》るほうが、自分には、いっそ気楽のようでした。

日蔭者《ひかげもの》、という言葉があります。人間の世において、みじめな、敗者、悪徳者を指差していう言葉のようですが、自分は、自分を生まれた時からの日蔭者のような気がしていて、世間から、あれは日蔭者だと指差されているほどのひとと逢《あ》うと、自分は、必ず、優しい心になるのです。そうして、その自分の「優しい心」は、自身でうっとりするくらい優しい心でした。

また、犯人意識、という言葉もあります。自分は、この人間の世の中において、一生その意識に苦しめられながらも、しかし、それは自分の糟糠《そうこう》の妻のごとき好伴侶《こうはんりょ》で、そいつと二人きりで侘《わ》びしく遊びたわむれているというのも、自分の生きている姿勢の一つだったかも知れないし、また、俗に、脛《すね》に傷持つ身、という言葉もあるようですが、その傷は、自分の赤ん坊の時から、自然に片方の脛にあらわれて、長ずるに及んで治癒《ちゆ》するどころか、いよいよ深くなるばかりで、骨にまで達し、夜々の痛苦は千変万化の地獄とは言いながら、しかし、(これは、たいへん奇妙な言い方ですけど)その傷は、次第に自分の血肉よりも親しくなり、その傷の痛みは、すなわち傷の生きている感情、または愛情の囁《ささや》きのようにさえ思われる、そんな男にとって、れいの地下運動のグルウプの雰囲気《ふんいき》が、へんに安心で、居心地がよく、つまり、その運動の本来の目的よりも、そし、ただもう阿呆《あほう》のひやかしの運動の肌《はだ》が、自分に合った感じなのでした。堀木の場合は、ただもう阿呆《あほう》のひやかしで、いちど自分を紹介しにその会合へ行ったきりで、マルキシストは、生産面の研究と同時に、消費面の視察も必要だなどと下手《へた》な洒落《しゃれ》を言って、その会合には寄りつかず、とかく自分を、その消費面の視察のほうにばかり誘いたがるのでした。思えば、当時は、さまざまの型のマルキシストがいたものです。堀木のように、虚栄のモダニティから、それを自称する者もあり、また自分のように、ただ非合法の匂《にお》いが気にいって、そこに坐り込んでいる者もあり、もしもこれらの実体が、マルキシズムの真の信奉者に見破られたら、堀木も自分も、烈火のごとく怒《おこ》られ、卑劣なる裏切者として、たちどころに追い払われたことでしょう。しかし、自分も、また、堀木でさえも、なかなか除名の処分に遭《あ》わず、ことにも自分は、その非合法の世界においては、合法の紳士たちの世界においけるよりも、かえってのびのびと、いわゆる「健康」に振舞うことができましたので、見込みのある「同志」として、噴《ふ》き出したくなるほど過度に秘密めかした、さまざまの用事をたのまれるほどになったのです。また、事実、自分は、そんな用事をいちども断わったことはなく、平気でなんでも引き受け、へんにぎくしゃくして、犬（同志は、ポリスをそう呼んでいました）にあやしまれ不審訊問《じんもん》などを受けてしくじるようなこともなかったし、笑いながら、また、ひとを笑わせながら、そのあぶない（その運動の連中は、一大事のごとく緊張し、探偵《たんてい》小説の下手な真似《まね》みたいなことまでして、極度の警戒を用い、そうして自分にたのむ仕事は、まことに、あっけにとられるくらい、つまらないものでしたが、それでも、彼らは、その用事を、さかんに、あぶながって力んでいるのでした）と、彼らの称する仕事を、とにかく正確にやってのけていました。自分のその当時の気持としては、党員になって捕えられ、たとい終身、刑務所で暮らすようになったとしても、平気だったのです。世の中の人間の「実生活」というものを恐怖しながら、毎夜の不眠の地獄で呻《うめ》いているよりは、いっそ牢屋《ろうや》のほうが、楽かも知れないとさえ考えていました。

父は、桜木町の別荘では、来客やら外出やら、同じ家にいても、三日も四日も自分と顔を合わせることがないほどでしたが、しかし、どうにも、父がけむったく、おそろしく、この家を出て、どこか下宿でも、と考えながらもそれを言い出せずにいた矢先に、父がその家を売り払うつもりらしいということを別荘番の老爺《ろうや》から聞きました。

父の議員の任期もそろそろ満期に近づき、いろいろ理由のあったことに違いありませんが、もうこれきり選挙に出る意志もない様子で、それに、故郷に一棟《ひとむね》、隠居所など建てたりして、東京に未練もないらしく、たかが、高等学校の一生徒にすぎない自分のために、邸宅と召使いを提供しておくのも、むだなことだとでも考えたのか、（父の心もまた、世間の人たちの気持と同様に、自分にはよくわかりません）とにかく、その家は、間もなく人手にわたり、自分は、本郷森川町《もりかわちょう》の仙遊館《せんゆうかん》という古い下宿の、薄暗い部屋に引っ越して、そうして、たちまち金に困りました。

それまで、父から月々、きまった額の小遣《こづか》いを手渡され、それはもう、二、三日でなくなっても、しかし、煙草《たばこ》も、酒も、チイズも、くだものも、いつでも家にあったし、本や文房具やその他、服装に関するものなど一切、いつでも、近所の店からいわゆる

「ツケ」で求められたし、堀木におそばか天丼《てんどん》などをごちそうしても、父のひいきの町内の店だったら、自分は黙ってその店を出てもかまわなかったのでした。

それが急に、下宿のひとり住いになり、何もかも、月々の定額の送金で間に合わせなければならなくなって、自分は、まごつきました。送金は、やはり、二、三日で消えてしまい、自分は慄然《りつぜん》とし、心細さのために狂うようになり、父、兄、姉などへ交互にお金を頼む電報と、イサイフミの手紙（その手紙において訴えている事情は、ことごとく、お道化の虚構でした。人にものを頼むのに、まず、その人を笑わせるのが上策と考えていたのです）を連発する一方、また、堀木に教えられ、せっせと質屋がよいをはじめ、それでも、いつもお金に不自由をしていました。

所詮《しょせん》、自分には、何の縁故もない下宿に、ひとりで「生活」して行く能力がなかったのです。自分は、下宿のその部屋に、ひとりでじっとしているのが、おそろしく、いまにも誰かに襲われ、一撃せられるような気がして来て、街《まち》に飛び出しては、れいの運動の手伝いをしたり、あるいは堀木と一緒に安い酒を飲み廻《まわ》ったりして、ほとんど学業も、また画《え》の勉強も放棄し、高等学校へ入学して、二年目の十一月、自分より年上の有夫の婦人と情死事件などを起こし、自分の身の上は、一変しました。

学校は欠席するし、学科の勉強も、すこしもしなかったのに、それでも、妙に試験の答案に要領のいいところがあるようで、どうやらそれまでは、故郷の肉親をあざむき通して来たのですが、しかし、もうそろそろ、出席日数の不足など、学校のほうから内密に故郷の父へ報告が行っているらしく、父の代理として長兄が、いかめしい文章の長い手紙を、自分によこすようになっていたのでした。けれども、それよりも、自分の直接の苦痛は、金のないことと、それから、れいの運動の用事が、とても遊び半分の気持ではできないくらい、はげしく、いそがしくなって来たことでした。中央地区と言ったか、何地区と言ったか、とにかく本郷、小石川、下谷《したや》、神田、あの辺の学校全部の、マルクス学生の行動隊隊長というものに、自分はなっていたのでした。武装蜂起《ぶそうほうき》、と聞き、小さいナイフを買い（いま思えば、それは鉛筆をけずるにも足りない、きゃしゃなナイフでした）それを、レインコオトのポケットにいれ、あちこち飛び廻って、いわゆる「聯絡《れんらく》」をつけるのでした。お酒を飲んで、ぐっすり眠りたい、しかし、お金がありません。しかも、Ｐ（党のことを、そういう隠語で呼んでいたと記憶していますが、あるいは、違っているかも知れません）のほうからは、次々と息をつくひまもないくらい、用事の依頼がまいります。自分の病弱のからだでは、とても勤まりそうもなくなりました。もともと、非合法の興味だけから、そのグルウプの手伝いをしていたのですし、こんなに、それこそ冗談から駒《こま》が出たように、いやにいそがしくなって来ると、自分は、ひそかにＰのひとたちに、それはお門《かど》ちがいでしょう、あなたたちの直系のものたちにやらせたらどうですか、というようないまいましい感を抱《いだ》くのを禁ずることができず、逃げました。逃げて、さすがに、いい気持はせず、死ぬことにしました。

そのころ、自分に特別の好意を寄せている女が、三人いました。ひとりは、自分の下宿している仙遊館の娘でした。この娘は、自分がれいの運動の手伝いでへとへとになって帰り、ごはんも食べずに寝てしまってから、必ず用箋《ようせん》と万年筆を持って自分の部屋に

やって来て、

「ごめんなさい。下では、妹や弟がうるさくて、ゆっくり手紙も書けないのです。」

と言って、何やら自分の机に向かって一時間以上も書いているのです。

自分もまた、知らん振りをして寝ておればいいのに、いかにもその娘が何か自分に言ってもらいたげの様子なので、れいの受け身の奉仕の精神を発揮して、実は一言も口をききたくない気持なのだけれども、くたくたに疲れ切っているからだに、ウムと気合いをかけて腹這《はらば》いになり、煙草を吸い、

「女から来たラヴ・レターで、風呂をわかしてはいった男があるそうですよ。」

「あら、いやだ。あなたでしょう？」

「ミルクをわかして飲んだことはあるんです。」

「光栄だわ、飲んでよ。」

早くこのひと、帰らねえかなあ、手紙だなんて、見えすいているのに。へへののもへじでも書いているのに違いないんです。

「見せてよ。」

と死んでも見たくない思いでそう言えば、あら、いやよ、あら、いやよ、と言って、そのうれしがること、ひどくみっともなく、興が覚《さ》めるばかりなのです。そこで自分は、用事でも言いつけてやれ、と思うんです。

「すまないけどね。電車通りの薬屋に行って、カルモチン*を買って来てくれない？

カルモチン　Calmotin　鎮静催眠剤の商品名。

あんまり疲れすぎて、顔がほてって、かえって眠れないんだ。すまないね。お金は、……」

「いいわよ、お金なんか。」

よろこんで立ちます。用を言いつけるというのは、決して女をしょげさせることではなく、かえって女は、男に用事をたのまれると喜ぶものだということも、自分はちゃんと知っているのでした。

もうひとりは、*女子高等師範の文科生のいわゆる「同志」でした。このひととは、れいの運動の用事で、いやでも毎日、顔を合わせなければならなかったのです。打合せがすんでからも、その女は、いつまでも自分について歩いて、そうして、やたらに自分に、ものを買ってくれるのでした。

「私を本当の姉だと思っていてくれていいわ。」

そのキザに身震いしながら、自分は、

「そのつもりでいるんです。」

と、愁《うれ》いを含んだ微笑の表情を作って答えます。とにかく、怒《おこ》らせては、こわい、何とかして、ごまかさなければならぬ、という思い一つのために、自分はいよいよその醜い、いやな女に奉仕をして、そうして、ものを買ってもらっては、(その買い物は、実に趣味の悪い品ばかりで、自分はたいてい、すぐにそれを、焼きとり屋の親爺《おやじ》などにやってしまいました)うれしそうな顔をして、冗談を言っては笑わせ、ある夏の夜、どうしても離れないので、街の暗いところで、そのひとに帰ってもらいたいばかりに、キスをしてやりましたら、あさましく狂乱のごとく興奮し、自動車を呼んで、そのひとたちの運動のために秘密に借りてあるらしいビルの事務所みたいな狭い洋室に連れて行き、朝まで大騒ぎということになり、とんでもない姉だ、と自分はひそかに苦笑しました。

下宿屋の娘といい、またこの「同志」といい、どうしたって毎日、顔を合わせなければならぬ具合いになっていますので、これまでの、さまざまの女のひとのように、うまく避けられず、つい、ずるずるに、れいの不安の心から、この二人のご機嫌《きげん》をただ懸命に取り結び、もはや自分は、金縛り同様の形になっていました。

同じころまた自分は、銀座のある大カフエの女給から、思いがけぬ恩を受け、たったいちど逢《あ》っただけなのに、それでも、その恩にこだわり、やはり身動きできないほどの、心配やら、空《そら》おそろしさを感じていたのでした。そのころになると、自分も、あえて堀木の案内に頼らずとも、ひとりで電車にも乗れるし、また、歌舞伎座にも行けるし、または、絣《かすり》の着物を着て、カフエにだってはいれるくらいの、多少の図々《ずうずう》しさを装えるようになっていたのです。心では、相変らず、人間の自信と暴力とを怪しみ、恐れ、悩みながら、うわべだけは、少しずつ、他人と真顔《まがお》の挨拶《あいさつ》、いや、ちがう、自分はやはり敗北のお道化の苦しい笑いを伴わずには、挨拶できないたちなのですが、とにかく、無我夢中のへどもどの挨拶でも、どうやらできるくらいの「技倆《ぎりょう》」を、れいの運動で走り廻《まわ》ったおかげ？　または、女の？　または、酒？　けれども、おもに金銭の不自由のおか

女子高等師範　戦前の旧学制で、女子の高等女学校教員養成の官立学校。ここでは東京女子高等師範学校のことを指している。お茶の水女子大学の前身。才媛が多く集まった。

げで修得しかけていたのです。どこにいても、おそろしく、かえって大カフエでたくさんの酔客または女給、ボーイたちにもまれ、まぎれ込むことができたら、自分のこの絶えず追われているような心も落ちつくのではなかろうか、と十円持って、銀座のその大カフエに、ひとりではいって、笑いながら相手の女給に、

「十円しかないんだからね、そのつもりで。」

と言いました。

「心配要《い》りません。」

どこかに関西の訛《なま》りがありました。そうして、その一言が、奇妙に自分の、震えおののいている心をしずめてくれました。いいえ、お金の心配が要らなくなったからではありません。そのひとの傍にいることに心配が要らないような気がしたのです。

自分は、お酒を飲みました。そのひとに安心しているので、かえってお道化など演じる気持も起こらず、自分の地金《じがね》の無口で陰惨なところを隠さず見せて、黙ってお酒を飲みました。

「こんなの、おすきか？」

女は、さまざまの料理を自分の前に並べました。自分は首を振りました。

「お酒だけか？　うちも飲もう。」

秋の、寒い夜でした。自分は、ツネ子（といったと覚えていますが、記憶が薄れ、たしかではありません。情死の相手の名前をさえ忘れているような自分なのです）に言いつけられたとおりに、銀座裏の、ある屋台のお鮨《すし》やで、少しもおいしくない鮨を食べな

がら、(そのひとの名前は忘れても、その時の鮨のまずさだけは、どうしたことか、はっきり記憶に残っています。そうして、青大将の顔に似た顔つきの、丸坊主のおやじが、首を振り、いかにも上手みたいにごまかしながら鮨を握っているさまも、眼前に見るように鮮明に思い出され、後年、電車などで、はて見た顔だ、といろいろ考え、なんだ、あの時の鮨やの親爺《おやじ》に似ているんだ、と気が附き苦笑したことも再三あったほどでした。あのひとの名前も、また、顔かたちさえ記憶から遠ざかっている現在なお、あの鮨やの親爺の顔だけは絵にかけるほど正確に覚えているとは、よっぽどあの時の鮨がまずく、自分に寒さと苦痛を与えたものと思われます。もともと、自分は、うまい鮨を食わせる店というところに、ひとに連れられて行って食っても、うまいと思ったことは、いちどもありませんでした。大きすぎるのです。親指くらいの大きさにキチッと握れないものかしら、といつも考えていました)そのひとを、待っていました。

本所《ほんじょ》の大工さんの二階を、そのひとが借りていました。自分は、その二階で、日頃の自分の陰鬱《いんうつ》な心を少しもかくさず、ひどい歯痛に襲われてでもいるように、片手で頰《ほお》をおさえながら、お茶を飲みました。そうして、自分のそんな姿態が、かえって、そのひとには、気にいったようでした。そのひとも、身のまわりに冷たい木枯《こがら》しが吹いて、落葉だけが舞い狂い、完全に孤立している感じの女でした。

一緒にやすみながらそのひとは、自分より二つ年上であること、故郷は広島、あたしには主人があるのよ、広島で床屋さんをしていたの、昨年の春、一緒に東京へ家出して逃げて来たのだけれども、主人は、東京で、まともな仕事をせずそのうちに詐欺罪《さぎざい》に問われ、刑務所にいるのよ、あたしは毎日、何やらかやら差し入れしに、刑務所へかよっていたのだけれども、あすから、やめます、などと物語るのでしたが、自分は、どういうものか、女の身の上噺《ばなし》というものには、少しも興味を持てないたちで、それは女の語り方の下手《へた》なせいか、つまり、話の重点の置き方を間違っているせいなのか、とにかく、自分には、つねに、馬耳東風*なのでありました。

侘《わ》びしい。

自分には、女の千万言の身の上噺よりも、その一言の呟《つぶや》きのほうに、共感をそそられるに違いないと期待していても、この世の中の女から、ついにいちども自分は、その言葉を聞いたことがないのを、奇怪とも不思議とも感じております。けれども、そのひとは、言葉で「侘びしい」とは言いませんでしたが、無言のひどい侘びしさを、からだの外郭に、一寸《いっすん》くらいの幅の気流みたいに持っていて、そのひとに寄り添うと、こちらのからだもその気流に包まれ、自分の持っている多少トゲトゲした陰鬱の気流とほどよく溶け合い、「水底の岩に落ち附く枯葉」のように、わが身は、恐怖からも不安からも、離れることができるのでした。

あの白痴の淫売婦《いんばいふ》たちのふところの中で、安心してぐっすり眠る思いとは、また、全く異なって、（だいいち、あのプロステチウト*たちは、陽気でした）その詐欺罪の犯人の妻と過ごした一夜は、自分にとって、幸福な（こんな大それた言葉を、なんの躊躇《ちゅうちょ》もなく、肯定して使用することは、自分のこの全手記において、再びないつもりです）解放せられた夜でした。

しかし、ただ一夜でした。朝、眼が覚《さ》めて、はね起き、自分はもとの軽薄な、装えるお道化者になっていました。弱虫は、幸福をさえおそれるものです。綿で怪我《けが》をするんです。幸福に傷つけられることもあるんです。傷つけられないうちに、早く、このまま、わかれたいとあせり、れいのお道化の煙幕を張りめぐらすのでした。

「金の切れめが縁の切れめ、ってのはね、あれはね、解釈が逆なんだ。金がなくなると女にふられるって意味、じゃあないんだ。男に金がなくなると、男は、ただおのずから意気銷沈《いきしょうちん》して、ダメになり、笑う声にも力がなく、そうして、妙にひがんだりなんかしてね、ついには破れかぶれになり、男のほうから女を振る、半狂乱になって振って振って振り抜くという意味なんだね、金沢大辞林*という本によればね、可哀《かわい》そうに。僕にも、その気持わかるがね。」

たしか、そんなふうの馬鹿げたことを言って、ツネ子を噴《ふ》き出させたような記憶があります。長居は無用、おそれありと、顔も洗わずに素早く引き上げたのですが、その時の自分の、「金の切れめが縁の切れめ」という出鱈目《でたらめ》の放言が、のちに到って、意外のひっかかりを生じたのです。

それから、ひとつき、自分は、その夜の恩人とは逢《あ》いませんでした。別れて、日が経《た》つにつれて、よろこびは薄れ、かりそめの恩を受けたことがかえってそらおそろしく、

馬耳東風　馬の耳に東風が吹く意から、人の意見や忠告を心にもとめず聞き流すこと。「馬の耳に念仏」と同じ。**プロステチウト**　prostitute（英）売春婦。**金沢大辞林**　正しくは「広辞林」。三省堂刊の金沢庄三郎編の国語辞典のこと。

自分勝手にひどい束縛を感じて来て、あのカフエのお勘定を、あの時、全部ツネ子の負担にさせてしまったという俗事さえ、次第に気になりはじめて、ツネ子もやはり、下宿の娘や、あの女子高等師範と同じく、自分を脅迫するだけの女のように思われ、遠く離れていながらも、絶えずツネ子におびえていて、その上に自分は、一緒に休んだことのある女に、また逢うと、その時にいきなり何か烈火のごとく怒られそうな気がしてたまらず、逢うのにすこぶるおっくうがる性質でしたので、いよいよ、銀座は敬遠の形でしたが、しかし、そのおっくうがるという性質は、決して自分の狡猾《こうかつ》さではなく、女性というものは、休んでからのことと、朝、起きてからのこととの間に、一つの、塵《ちり》ほどの、つながりをも持たせず、完全の忘却のごとく、見事に二つの世界を切断させて生きているという不思議な現象を、まだよく呑《の》みこんでいなかったからなのでした。

十一月の末、自分は、堀木と神田の屋台で安酒を飲み、この悪友は、その屋台を出てからも、さらにどこかで飲もうと主張し、もう自分たちにはお金がないのに、それでも、飲もう、飲もうよ、とねばるのです。その時、自分は、酔って大胆になっているからでもありましたが、

「よし、そんなら、夢の国に連れて行く。おどろくな、酒池肉林という、……」

「カフエか？」

「そう。」

「行こう！」

というようなことになって二人、市電に乗り、堀木は、はしゃいで、

「おれは、今夜は、女に飢え渇《かわ》いているんだ。女給にキスしてもいいか。」

自分は、堀木がそんな酔態を演じることを、あんまり好んでいないのでした。堀木も、それを知っているので、自分にそんな念を押すのでした。

「いいか。キスするぜ。おれの傍《そば》に坐った女給に、きっとキスして見せる。いいか。」

「かまわんだろう。」

「ありがたい！　おれは女に飢え渇いているんだ。」

銀座四丁目で降りて、そのいわゆる酒池肉林の大カフエに、ツネ子をたのみの綱としてほとんど無一文ではいり、あいているボックスに堀木と向かい合って腰をおろしたとたんに、ツネ子ともう一人の女給が走り寄って来て、そのもう一人の女給が自分の傍に、そうしてツネ子は、堀木の傍に、ドサンと腰かけたので、自分は、ハッとしました。ツネ子は、いまにキスされる。

惜しいという気持ではありませんでした。自分には、もともと所有慾というものは薄く、また、たまに幽《かす》かに惜しむ気持はあっても、その所有権を敢然と主張し、人と争うほどの気力がないのでした。のちに、自分は、自分の内縁の妻が犯されるのを、黙って見ていたことさえあったほどなのです。

自分は、人間のいざこざにできるだけ触《さわ》りたくないのでした。その渦《うず》に巻き込まれるのが、おそろしいのでした。ツネ子と自分とは、一夜だけの間柄です。ツネ子は、自分のものではありません。惜しい、など思い上がった慾は、自分に持てるはずはありません。けれども、自分は、ハッとしました。

自分の眼の前で、堀木の猛烈なキスを受ける、そのツネ子の身の上を、ふびんに思ったからでした。堀木によごされたツネ子は、自分とわかれなければならなくなるだろう、しかも自分にも、ツネ子を引き留めるほどの*ポジティヴな熱はない、ああ、もう、これでおしまいなのだ、とツネ子の不幸に一瞬ハッとしたものの、すぐに自分は水のように素直にあきらめ、堀木とツネ子の顔を見較《みくら》べ、にやにやと笑いました。

しかし、事態は、実に思いがけなく、もっと悪く展開せられました。

「やめた！」

と堀木は、口をゆがめて言い、

「さすがのおれも、こんな貧乏くさい女には、……」

閉口し切ったように、腕組みしてツネ子をじろじろ眺め、苦笑するのでした。

「お酒を。お金はない。」

自分は、小声でツネ子に言いました。それこそ、浴びるほど飲んでみたい気持でした。いわゆる俗物の眼から見ると、ツネ子は酔漢のキスにも価いしない、ただ、みすぼらしい、貧乏くさい女だったのでした。案外とも、意外とも、自分には霹靂《へきれき》に撃ちくだかれた思いでした。自分は、これまで例のなかったほど、いくらでも、いくらでも、お酒を飲み、ぐらぐら酔って、ツネ子と顔を見合わせ、哀《かな》しく微笑《ほほえ》み合い、いかにもそう言われてみると、こいつはへんに疲れて貧乏くさいだけの女だな、と思うと同時に、金のない者どうしの親和（貧富の不和は、陳腐のようでも、やはりドラマの永遠のテーマの一つだと自分は今では思っていますが）そいつが、その親和感が、胸に込み上げて来て、ツネ子がいとしく、生まれてこの時はじめて、われから積極的に、微弱ながら恋の心の動くのを自覚しました。吐きました。前後不覚になりました。お酒を飲んで、こんなに我を失うほど酔ったのも、その時がはじめてでした。

眼が覚《さ》めたら、枕《まくら》もとにツネ子が坐っていました。本所の大工さんの二階の部屋に寝ていたのでした。

「金の切れめが縁の切れめ、なんておっしゃって、冗談かと思うていたら、本気か。来てくれないのだもの。ややこしい切れめやな。うちが、かせいであげても、だめか。」

「だめ。」

それから、女も休んで、夜明けがた、女の口から「死」という言葉がはじめて出て、女も人間としての営みに疲れ切っていたようでしたし、また、自分も、世の中への恐怖、わずらわしさ、金、れいの運動、女、学業、考えると、とてもこの上こらえて生きて行けそうもなく、そのひとの提案に気軽に同意しました。

けれども、その時にはまだ、実感としての「死のう」という覚悟は、出来ていなかったのです。どこかに、「遊び」がひそんでいました。

その日の午前、二人は浅草の六区をさまよっていました。喫茶店にはいり、牛乳を飲みました。

「あなた、払うておいて。」

自分は立って、袂《たもと》からがま口を出し、ひらくと、銅銭が三枚、羞恥《しゅうち》よりも凄惨《せいさん》の思い

ポジティヴ　positive（英）積極的な。

に襲われ、たちまち脳裡《のうり》に浮かぶものは、仙遊館の自分の部屋、制服と蒲団《ふとん》だけが残されてあるきりで、あとはもう、質草になりそうなものの一つもない荒涼たる部屋、他には自分のいま着ている絣《かすり》の着物と、マント、これが自分の現実なのだ、生きて行けない、とはっきり思い知りました。

自分がまごついているので、女も立って、自分のがま口をのぞいて、

「あら、たったそれだけ？」

無心の声でしたが、これがまた、じんと骨身にこたえるほどに痛かったのです。はじめて自分が、恋したひとの声だけに、痛かったのです。それだけも、これだけもない、銅銭三枚は、どだいお金でありません。それは、自分がいまだかつて味わったことのない奇妙な屈辱でした。とても生きておられない屈辱でした。所詮《しょせん》そのころの自分は、まだお金持ちの坊っちゃんという種属から脱し切っていなかったのでしょう。その時、自分は、みずからすすんでも死のうと、実感として決意したのです。

その夜、自分たちは、鎌倉《かまくら》の海に飛び込みました。女は、この帯はお店のお友達から借りている帯やから、と言って、帯をほどき、畳んで岩の上に置き、自分もマントを脱ぎ、同じ所に置いて、一緒に入水《じゅすい》しました。

女のひとは、死にました。そうして、自分だけ助かりました。

自分が高等学校の生徒ではあり、また父の名にもいくらか、いわゆるニュウス・ヴァリュがあったのか、新聞にもかなり大きな問題として取り上げられたようでした。

自分は海辺の病院に収容せられ、故郷から親戚《しんせき》の者がひとり駈《か》けつけ、さまざまの始

末をしてくれて、そうして、くにの父をはじめ一家中が激怒しているから、これっきり生家とは義絶になるかも知れぬ、と自分に申し渡して帰りました。けれども自分は、そんなことより、死んだツネ子が恋しく、めそめそ泣いてばかりいました。本当に、いままでのひとの中で、あの貧乏くさいツネ子だけを、すきだったのですから。

下宿の娘から、短歌を五十も書きつらねた長い手紙が来ました。「生きくれよ」というへんな言葉ではじまる短歌ばかり、五十でした。また、自分の病室に、看護婦たちが陽気に笑いながら遊びに来て、自分の手をきゅっと握って帰る看護婦もいました。

自分の左肺に故障のあるのを、その病院で発見せられ、これがたいへん自分に好都合なことになり、やがて自分が自殺幇助罪《ほうじょざい》という罪名で病院から警察に連れて行かれましたが、警察では、自分を病人あつかいにしてくれて、特に保護室に収容しました。

深夜、保護室の隣りの宿直室で、寝ずの番をしていた年寄りのお巡《まわ》りが、間のドアをそっとあけ、

「おい！」

と自分に声をかけ、

「寒いだろう。こっちへ来て、あたれ。」

と言いました。

自分は、わざとしおしおと宿直室にはいって行き、椅子《いす》に腰かけて火鉢《ひばち》にあたりました。

「やはり、死んだ女が恋しいだろう。」

「はい。」

ことさらに、消え入るような細い声で返事しました。

「そこが、やはり人情というものだ。」

彼は次第に、大きく構えて来ました。

「はじめ、女と関係を結んだのは、どこだ。」

ほとんど裁判官のごとく、もったいぶって尋ねるのでした。彼は、自分を子供とあなどり、秋の夜のつれづれに、あたかも彼自身が取調べの主任でもあるかのように装い、自分から猥談《わいだん》めいた述懐を引き出そうという魂胆のようでした。自分は素早くそれを察し、噴《ふ》き出したいのを怺《こら》えるのに骨を折りました。そんなお巡りの「非公式な訊問《じんもん》」には、いっさい答を拒否してもかまわないのだということは、自分も知っていましたが、しかし、秋の夜ながに興を添えるため、自分は、あくまでも神妙に、そのお巡りこそ取調べの主任であって、刑罰の軽重の決定もそのお巡りの思召《おぼしめ》し一つにあるのだ、ということを固く信じて疑わないようないわゆる誠意をおもてにあらわし、彼の助平の好奇心を、やや満足させる程度のいい加減な「陳述」をするのでした。

「うん、それでだいたいわかった。何でも正直に答えると、わしらのほうでも、そこは手心を加える。」

「ありがとうございます。よろしくお願いいたします。」

ほとんど入神《にゅうしん》の演技でした。そうして、自分のためには、何も、一つも、とくにならない力演なのです。

夜が明けて、自分は署長に呼び出されました。こんどは、本式の取調べなのです。

ドアをあけて、署長室にはいったとたんに、

「おう、いい男だ。これあ、お前が悪いんじゃない。こんな、いい男に産《う》んだお前のおふくろが悪いんだ。」

色の浅黒い、大学出みたいな感じのまだ若い署長でした。いきなりそう言われて自分は、自分の顔の半面にべったり赤痣《あかあざ》でもあるような、みにくい不具者のような、みじめな気がしました。

この柔道か剣道の選手のような署長の取調べは、実にあっさりしていて、あの深夜の老巡査のひそかな、執拗《しつよう》きわまる好色の「取調べ」とは、雲泥《うんでい》の差がありました。訊問がすんで、署長は、検事局に送る書類をしたためながら、

「からだを丈夫にしなけれゃ、いかんね。血痰《けったん》が出ているようじゃないか。」

と言いました。

その朝、へんに咳《せき》が出て、自分は咳の出るたびに、ハンケチで口を覆《おお》っていたのですが、そのハンケチに赤い霰《あられ》が降ったみたいに血がついていたのです。けれども、それは、喉《のど》から出た血ではなく、昨夜、耳の下に出来た小さいおできをいじって、そのおできから出た血なのでした。しかし、自分は、それを言い明かさないほうが、便宜なこともあるような気がふっとしたものですから、ただ、

「はい。」

と、伏眼《ふしめ》になり、殊勝げに答えておきました。

署長は書類を書き終えて、

「起訴になるかどうか、それは検事殿がきめることだが、お前の身元引受人に、電報か電話で、きょう横浜の検事局に来てもらうように、たのんだほうがいいな。誰か、あるだろう、お前の保護者とか保証人とかいうものが。」

父の東京の別荘に出入りしていた書画骨董商《こっとうしょう》の渋田という、自分たちと同郷人で、父のたいこ持ちみたいな役も勤めていたずんぐりした独身の四十男が、自分の学校の保証人になっているのを、自分は思い出しました。その男の顔が、ことに眼つきが、ヒラメに似ているというので、父はいつもその男をヒラメと呼び、自分も、そう呼びなれていました。

自分は警察の電話帳を借りて、ヒラメの家の電話番号を捜し、見つかったので、ヒラメに電話して、横浜の検事局に来てくれるように頼みましたら、ヒラメは人が変わったみたいな威張った口調で、それでも、とにかく引き受けてくれました。

「おい、その電話機、すぐ消毒したほうがいいぜ。何せ、血痰が出ているんだから。」

自分が、また保護室に引き上げてから、お巡りたちにそう言いつけている署長の大きな声が、保護室に坐っている自分の耳にまで、とどきました。

お昼すぎ、自分は、細い麻縄《あさなわ》で胴を縛られ、それはマントで隠すことを許されましたが、その麻縄の端を若いお巡りが、しっかり握っていて、二人一緒に電車で横浜に向かいました。

けれども、自分には少しの不安もなく、あの警察の保護室も、老巡査もなつかしく、ああ、自分はどうしてこうなのでしょう。罪人として縛られると、かえってほっとして、そうしてゆったり落ちついて、その時の追憶を、いま書くに当たっても、本当にのびのびした楽しい気持になるのです。

しかし、その時期のなつかしい思い出の中にも、たった一つ、冷汗三斗《れいかんさんと》の、生涯《しょうがい》わすれられぬ悲惨なしくじりがあったのです。自分は、検事局の薄暗い一室で、検事の簡単な取調べをうけました。検事は四十歳前後の物静かな、(もし自分が美貌《びぼう》だったとしても、それはいわば邪淫《じゃいん》の美貌だったに違いありませんが、その検事の顔は、正しい美貌、とでも言いたいような、聡明《そうめい》な静謐《せいひつ》の気配を持っていました）コセコセしない人柄のようでしたので、自分も全く警戒せず、ぼんやり陳述していたのですが、突然、れいの咳《せき》が出て来て、自分は袂《たもと》からハンケチを出し、ふとその血を見て、この咳もまた何かの役に立つかも知れぬとあさましい駈引《かけひ》きの心を起こし、ゴホン、ゴホンと二つばかり、おまけに贋《にせ》の咳を大袈裟《おおげさ》に付け加えて、ハンケチで口を覆《おお》ったまま検事の顔をちらと見た、間一髪、

「ほんとうかい？」

ものしずかな微笑でした。冷汗三斗、いいえ、いま思い出しても、きりきり舞いをしたくなります。中学時代に、あの馬鹿《ばか》の竹一から、ワザ、ワザ、と言われて背中を突かれ、地獄に蹴落とされた、その時の思い以上と言っても、決して過言ではない気持です。あれと、これと、二つ、自分の生涯《しょうがい》における演技の大失敗の記録です。検事のあんな物静かな侮蔑《ぶべつ》に遭《あ》うよりは、いっそ自分は十年の刑を言い渡されたほうが、ましだった

と思うことさえ、時たまあるほどなのです。

自分は起訴猶予になりました。けれども一向にうれしくなく、世にもみじめな気持で、検事局の控室のベンチに腰かけ、引取り人のヒラメが来るのを待っていました。

背後の高い窓から夕焼けの空が見え、鷗《かもめ》が、「女」という字みたいな形で飛んでいました。

第三の手記

一

竹一の予言の、一つは当り、一つは、はずれました。惚《ほ》れられるという、名誉でない予言のほうは、あたりましたが、きっと偉い絵画《えか》きになるという、祝福の予言は、はずれました。

自分は、わずかに、粗悪な雑誌の、無名の下手《へた》な漫画家になることができただけでした。

鎌倉《かまくら》の事件のために、高等学校からは追放せられ、自分は、ヒラメの家の二階の、三畳の部屋で寝起きして、故郷から月々、きわめて少額の金が、それも直接に自分宛《あて》ではなく、ヒラメのところにひそかに送られて来ている様子でしたが、(しかも、それは故郷の兄たちが、父にかくして送ってくれていたという形式になっていたようでした)それっきり、あとは故郷とのつながりを全然、断ち切られてしまい、そうして、ヒラメはいつも不機嫌《ふきげん》、自分があいそ笑いをしても、笑わず、人間というものはこんなにも簡単に、それこそ手のひらをかえすがごとくに変化できるものかと、あさましく、いや、むしろ滑稽《こっけい》に思われるくらいの、ひどい変わりようで、

「出ちゃいけませんよ。とにかく、出ないで下さいよ。」

それほかり自分に言っているのでした。

ヒラメは、自分に自殺のおそれありと、にらんでいるらしく、つまり、女の後を追ってまた海へ飛び込んだりする危険があると見てとっているらしく、自分の外出を固く禁じているのでした。けれども、酒も飲めないし、煙草《たばこ》も吸えないし、ただ、朝から晩まで二階の三畳のこたつにもぐって、古雑誌なんか読んで阿呆《あほう》同然のくらしをしている自分には、自殺の気力さえ失われていました。

ヒラメの家は、大久保の医専*の近くにあり、書画骨董《こっとう》商《しょう》、青龍園、だなどと看板の文字だけは相当に気張っていても、一棟《ひとむね》二戸の、その一戸で、店の間口も狭く、店内はホコリだらけで、いい加減なガラクタばかり並べ、（もっとも、ヒラメはその店のガラクタにたよって商売しているわけではなく、こっちのいわゆる旦那《だんな》の秘蔵のものを、あっちのいわゆる旦那にその所有権をゆずる場合などに活躍して、お金をもうけているらしいのです）店に坐っていることはほとんどなく、たいてい朝から、むずかしそうな顔をしてそそくさと出かけ、留守は十七、八の小僧ひとり、これが自分の見張り番というう

大久保の医専　旧学制の東京医学専門学校。現在の東京医科大学のこと。東京都新宿区新宿にある。

わけで、ひまさえあれば近所の子供たちと外でキャッチボールなどしていても、二階の居候《いそうろう》をまるで馬鹿か気違いくらいに思っているらしく、大人《おとな》の説教くさいことまで自分に言い聞かせ、自分は、ひとと言い争いのできない質《たち》なので、疲れたような、また、感心したような顔をしてそれに耳を傾け、服従しているのでした。この小僧は渋田のかくし子で、それでもへんな事情があって、渋田はいわゆる親子の名乗りをせず、また渋田がずっと独身なのも、何やらその辺に理由があってのことらしく、自分も以前、自分の家の者たちからそれについての噂《うわさ》を、ちょっと聞いたような気もするのですが、自分は、どうも他人の身の上には、あまり興味を持てないほうなので、深いことは何も知りません。しかし、その小僧の眼つきにも、妙に魚の眼を聯想《れんそう》させるところがありましたから、あるいは、本当にヒラメのかくし子、……でも、それならば、二人は実に淋《さび》しい親子でした。夜おそく、二階の自分には内緒で、二人でおそばなどを取り寄せて無言で食べていることがありました。

ヒラメの家では食事はいつもその小僧がつくり、二階のやっかい者の食事だけは別にお膳《ぜん》に載せて小僧が三度々々二階に持ち運んで来てくれて、ヒラメと小僧は、階段の下のじめじめした四畳半で何やら、カチャカチャ皿小鉢《さらこばち》の触れ合う音をさせながら、いそがしげに食事しているのでした。

三月末のある夕方、ヒラメは思わぬもうけ口にでもありついたのか、または何か他に策略でもあったのか、(その二つの推察が、ともに当たっていたとしても、おそらくは、さらにまたいくつかの、自分などにはとても推察のとどかないこまかい原因もあったのでしょうが）自分を階下の珍らしくお銚子《ちようし》など附《つ》いている食卓に招いて、ヒラメならぬマグロの刺身に、ごちそうの主人《あるじ》みずから感服し、賞讃《しようさん》し、ぼんやりしている居候にも少しくお酒をすすめ、

「どうするつもりなんです、いったい、これから。」

自分はそれに答えず、卓上の皿から畳鰯《たたみいわし》をつまみ上げ、その小魚たちの銀の眼玉を眺《なが》めていたら、酔いがほのぼの発して来て、遊び廻《まわ》っていたころがなつかしく、堀木でさえなつかしく、つくづく「自由」が欲《ほ》しくなり、ふっと、かぼそく泣きそうになりました。

自分がこの家へ来てからは、道化を演ずる張合いさえなく、ただもうヒラメと小僧の蔑視《べつし》の中に身を横たえ、ヒラメのほうでもまた、自分と打ち解けた長噺《ながばなし》をするのを避けている様子でしたし、自分もそのヒラメを追いかけて何かを訴える気などは起らず、ほとんど自分は、間抜けづらの居候になり切っていたのです。

「起訴猶予というのは、前科何犯とか、そんなものには、ならない模様です。だから、まあ、あなたの心掛け一つで、更生ができるわけです。あなたが、もし、改心して、あなたのほうから、真面目《まじめ》に私に相談を持ちかけてくれたら、私も考えてみます。」

ヒラメの話し方には、いや、世の中の全部の人の話し方には、このようにややこしく、どこか朦朧《もうろう》として、逃げ腰とでもいったみたいな微妙な複雑さがあり、そのほとんど無益と思われるくらいの厳重な警戒と、無数といっていいくらいの小うるさい駈引《かけひ》きとには、いつも自分は当惑し、どうでもいいやという気分になって、お道化で茶化したり、

または無言の首肯《しゅこう》で一さいおまかせという、いわば敗北の態度をとってしまうのでした。

この時もヒラメが、自分に向かって、だいたい次のように簡単に報告すれば、それですむことだったのを自分は後年に到《いた》って知り、ヒラメの不必要な用心、いや、世の中の人たちの不可解な見栄《みえ》、おていさいに、何とも陰鬱《いんうつ》な思いをしました。

ヒラメは、その時、ただこう言えばよかったのでした。

「官立でも私立でも、とにかく四月から、どこかの学校へはいりなさい。あなたの生活費は、学校へはいると、くにから、もっと充分に送って来ることになっているのです。」

ずっと後になってわかったのですが、事実は、そのようになっていたのでした。そうして、自分もその言いつけに従ったでしょう。それなのに、ヒラメのいやに用心深く持って廻った言い方のために、妙にこじれ、自分の生きて行く方向もまるで変わってしまったのです。

「真面目に私に相談を持ちかけてくれる気持がなければ、仕様がないですが。」

「どんな相談？」

自分には、本当に何も見当がつかなかったのです。

「それは、あなたの胸にあることでしょう？」

「たとえば？」

「たとえばって、あなた自身、これからどうする気なんです。」

「働いたほうが、いいんですか？」

「いや、あなたの気持は、いったいどうなんです。」

「だって、学校へはいるといったって、……」

「そりゃ、お金が要《い》ります。しかし、問題は、お金でない。あなたの気持です。」

お金は、くにから来ることになっているんだから、となぜ一こと、言わなかったのでしょう。その一言によって、自分の気持も、きまったはずなのに、自分には、ただ五里霧中でした。

「どうですか？　何か、将来の希望、とでもいったものが、あるんですか？　いったい、どうも、ひとをひとり世話しているというのは、どれだけむずかしいものだか、世話されているひとには、わかりますまい。」

「すみません。」

「そりゃ実に、心配なものです。私も、いったんあなたの世話を引き受けた以上、あなたにも、生半可《なまはんか》な気持でいてもらいたくないのです。立派に更生の道をたどる、という覚悟のほどを見せてもらいたいのです。たとえば、あなたの将来の方針、それについてあなたのほうから私に、まじめに相談を持ちかけて来たなら、私もその相談には応ずるつもりでいます。それは、どうせこんな、貧乏なヒラメの援助なのですから、以前のようなぜいたくを望んだら、あてがはずれます。しかし、あなたの気持がしっかりしていて、将来の方針をはっきり打ち樹《た》て、そうして私に相談をしてくれたら、私は、たといわずかずつでも、あなたの更生のために、お手伝いしようとさえ思っているんです。わかりますか？　私の気持が。いったい、あなたは、これから、どうするつもりでいるのです。」

「ここの二階に、置いてもらえなかったら、働いて、……」

「本気で、そんなことを言っているのですか？　いまのこの世の中に、たとえ帝国大学校を出たって、……」

「いいえ、サラリイマンになるんではないんです。」

「それじゃ、何です。」

「画家です。」

思い切って、それを言いました。

「へええ？」

自分は、その時の、頸《くび》をちぢめて笑ったヒラメの顔の、いかにもずるそうな影を忘れることができません。軽蔑《けいべつ》の影にも似て、それとも違い、世の中を海にたとえると、その海の千尋《ちひろ》の深さの箇所《かしょ》に、そんな奇妙な影がたゆとうていそうで、何か、おとなの生活の奥底をチラと覗《のぞ》かせたような笑いでした。

そんなことでは話にも何もならぬ、ちっとも気持がしっかりしていない、考えなさい、今夜一晩まじめに考えてみなさい、と言われ、自分は追われるように二階に上がって、寝ても、別に何の考えも浮かびませんでした。そうして、あけがたになり、ヒラメの家から逃げました。

夕方、間違いなく帰ります。左記の友人のもとへ、将来の方針について相談に行って来るのですから、御心配なく。ほんとうに。

と、用箋《ようせん》に鉛筆で大きく書き、それから、浅草の堀木正雄の住所姓名を記《しる》して、こっそり、ヒラメの家を出ました。

　ヒラメに説教せられたのが、くやしくて逃げたわけではありませんでした。まさしく自分は、ヒラメの言うとおり、気持のしっかりしていない男で、将来の方針も何も自分にはまるで見当がつかず、この上、ヒラメの家のやっかいになっているのは、ヒラメにも気の毒ですし、そのうちに、もし万一、自分にも発奮の気持が起こり、志を立てたところで、その更生資金をあの貧乏なヒラメから月々援助せられるのかと思うと、とても心苦しくて、いたたまらない気持になったからでした。

　しかし、自分は、いわゆる「将来の方針」を、堀木ごときに、相談に行こうなどと本気に思って、ヒラメの家を出たのではなかったのでした。それは、ただ、わずかでも、つかのまでも、ヒラメに安心させておきたくて、（その間に自分が、少しでも遠くへ逃げのびていたいという探偵小説的《たんていしょうせつてき》な策略から、そんな置手紙を書いた、というよりは、いや、そんな気持も幽《かす》かにあったに違いないのですが、それよりも、やはり自分は、いきなりヒラメにショックを与え、彼を混乱当惑させてしまうのが、おそろしかったばかりに、とでも言ったほうが、いくらか正確かも知れません。どうせ、ばれるにきまっているのに、そのとおりに言うのが、おそろしくて、必ず何かしら飾りをつけるのが、自分の哀《かな》しい性癖の一つで、それは世間の人が「嘘《うそ》つき」と呼んで卑《いや》しめている性格に似ていながら、しかし、自分は自分に利益をもたらそうとしてその飾りつけを行なったことはほとんどなく、ただ雰囲気《ふんいき》の興覚《きょうざ》めた一変が、窒息《ちっそく》するくらいにおそろしくて、後で自分に不利益になるということがわかっていても、れいの自分の「必死の奉仕」、それはたといゆがめられ微弱で、馬鹿らしいものであろうと、その奉仕の気持から、つい一言の飾りつけをしてしまうという場合が多かったような気もするのですが、しかし、この習性もまた、世間のいわゆる「正直者」たちから、大いに乗ぜられるところとなりました）その時、ふっと、記憶の底から浮かんで来たままに堀木の住所と姓名を、用箋の端にしたためたまでのことだったのです。

自分はヒラメの家を出て、新宿まで歩き、懐中の本を売り、そうして、やっぱり途方にくれてしまいました。自分は、皆にあいそがいいかわりに、「友情」というものを、いちども実感したことがなく、堀木のような遊び友達は別として、いっさいの附き合いは、ただ苦痛を覚えるばかりで、その苦痛をもみほぐそうとして懸命にお道化を演じて、かえって、へとへとになり、わずかに知り合っているひとの顔を、それに似た顔をさえ、往来などで見掛けても、ぎょっとして、一瞬、めまいするほどの不快な戦慄《せんりつ》に襲われる有様で、人に好かれることは知っていても、人を愛する能力においては欠けているところがあるようでした。（もっとも、自分は、世の中の人間にだって、果して、「愛」の能力があるのかどうか、たいへん疑問に思っています）そのような自分に、いわゆる「親友」など出来るはずはなく、そのうえ自分には、「訪問《ヴィジット》」の能力さえなかったのです。他人の家の門は、自分にとって、あの神曲*の地獄の門以上に薄気味わるく、その門の奥には、おそろしい竜みたいな生臭《なまぐさ》い奇獣がうごめいている気配を、誇張でなしに、実感せられていたのです。

誰とも、附き合いがない。どこへも、訪《たず》ねて行けない。

堀木。

それこそ、冗談から駒《こま》が出た形でした。あの置手紙に、書いたとおりに、自分は浅草の堀木をたずねて行くことにしたのです。自分はこれまで、自分のほうから堀木の家をたずねて行ったことは、いちどもなく、たいてい電報で堀木を自分のほうに呼び寄せていたのですが、いまはその電報料さえ心細く、それに落ちぶれた身のひがみから、電報を打っただけでは、堀木は、来てくれぬかも知れぬと考えて、何よりも自分に苦手の「訪問」を決意し、溜息《ためいき》をついて市電に乗り、自分にとって、この世の中でたった一つの頼みの綱は、あの堀木なのか、と思い知ったら、何か背筋の寒くなるような凄《すさ》まじい気配に襲われました。

堀木は、在宅でした。汚《きた》ない露地《ろじ》の奥の、二階家で、堀木は二階のたった一部屋の六畳を使い、下では、堀木の老父母と、それから若い職人と三人、下駄《げた》の鼻緒を縫ったり叩《たた》いたりして製造しているのでした。

堀木は、その日、彼の都会人としての新しい一面を自分に見せてくれました。それは、俗にいうチャッカリ性でした。田舎者《いなかもの》の自分が、愕然《がくぜん》と眼をみはったくらいの、冷たく、ずるいエゴイズムでした。自分のように、ただ、とめどなく流れるたちの男ではなかったのです。

「お前には、全く呆《あき》れた。親爺《おやじ》さんから、お許しが出たかね。まだかい。」

神曲の地獄の門　イタリアの文豪ダンテ Dante Alighieri（1265―1321）の代表作「神曲」（1307―1321）は、「地獄篇」「煉獄篇」「天国篇」の三部から成る。地獄の門は、地獄への入口。

逃げて来た、とは、言えませんでした。

自分は、れいによって、ごまかしました。いまに、すぐ、堀木に気附かれるに違いないのに、ごまかしました。

「それは、どうにかなるさ。」

「おい、笑いごとじゃないぜ。忠告するけど、馬鹿もこのへんでやめるんだな。おれは、きょうは、用事があるんだがね。このごろ、ばかにいそがしいんだ。」

「用事って、どんな？」

「おい、おい、座蒲団《ざぶとん》の糸を切らないでくれよ。」

自分は話をしながら、自分の敷いている座蒲団の綴糸《とじいと》というのか、くくり紐《ひも》というのか、あの総《ふさ》のような四隅《よすみ》の糸の一つを無意識に指先でもてあそび、ぐいと引っぱったりなどしていたのでした。堀木は、堀木の家の品物なら、座蒲団の糸一本でも惜しいらしく、恥じる色もなく、それこそ、眼に角《かど》を立てて、自分をとがめるのでした。考えてみると、堀木は、これまで自分との附き合いにおいて何一つ失ってはいなかったのです。

堀木の老母が、おしるこを二つお盆に載せて持って来ました。

「あ、これは、」

と堀木は、しんからの孝行息子のように、老母に向かって恐縮し、言葉づかいも不自然なくらい丁寧に、

「すみません、おしるこですか。豪気だなあ。こんな心配は、要《い》らなかったんですよ。用事で、すぐ外出しなけれゃいけないんですから。いいえ、でも、せっかくの御自慢の

おしるこを、もったいない。いただきます。お前も一つ、どうだい。おふくろが、わざわざ作ってくれたんだ。ああ、こいつあ、うめえや。豪気だなあ。」

と、まんざら芝居でもないみたいに、ひどく喜び、おいしそうに食べるのです。自分もそれを啜《すす》りましたが、お湯のにおいがして、そうして、お餅《もち》をたべたら、それはお餅でなく、自分にはわからないものでした。決して、その貧しさを軽蔑《けいべつ》したのではありません。（自分は、その時それを、不味《まず》いとは思いませんでしたし、また、老母の心づくしも身にしみました。自分には、貧しさへの恐怖感はあっても、軽蔑感は、ないつもりでいます）あのおしること、それから、そのおしるこを喜ぶ堀木によって、自分は、都会人のつましい本性、また、内と外をちゃんと区別していとなんでいる東京の人の家庭の実体を見せつけられ、内も外も変りなく、ただのべつ幕なしに人間の生活から逃げ廻《まわ》ってばかりいる薄馬鹿の自分ひとりだけ完全に取り残され、堀木にさえ見捨てられたような気配に、狼狽《ろうばい》し、おしるこのはげた塗箸《ぬりばし》をあつかいながら、たまらなく侘《わ》びしい思いをしたということを、記《しる》しておきたいだけなのです。

「わるいけれど、おれは、きょうは用事があるんでね。」

堀木は立って、上衣《うわぎ》を着ながらそう言い、

「失敬するぜ、わるいけど。」

その時、堀木に女の訪問者があり、自分の身の上も急転しました。

堀木は、にわかに活気づいて、

「や、すみません。いまね、あなたのほうへお伺いしようと思っていたのですがね、こよほど、あわてているらしく、自分が自分の敷いている座蒲団をはずして裏がえしにして差し出したのを引ったくって、また裏がえしにして、その女のひとにすすめました。部屋には、堀木の座蒲団のほかには、客座蒲団がたった一枚しかなかったのです。

女のひとは痩《や》せて、背の高いひとでした。その座蒲団は傍にのけて、入口ちかくの片隅《かたすみ》に坐りました。

自分は、ぼんやり二人の会話を聞いていました。女は雑誌社のひとのようで、堀木にカットだか、何だかをかねて頼んでいたらしく、それを受け取りに来たみたいな具合いでした。

「いそぎますので。」

「出来ています。もうとっくに出来ています。これです、どうぞ。」

電報が来ました。

堀木が、それを読み、上機嫌《じょうきげん》のその顔がみるみる険悪になり、

「ちえっ！　お前、こりゃ、どうしたんだい。」

ヒラメからの電報でした。

「とにかく、すぐに帰ってくれ。おれが、お前を送りとどけるといいんだろうが、おれにはいま、そんなひまは、ねえや。家出していながら、その、のんきそうな面《つら》ったら。」

「お宅は、どちらなのですか？」

「大久保です。」

ふいと答えてしまいました。

「そんなら、社の近くですから。」

女は、甲州の生まれで二十八歳でした。五つになる女児と、高円寺のアパートに住んでいました。夫と死別して、三年になると言っていました。

「あなたは、ずいぶん苦労して育って来たみたいなひとね。よく気がきくわ。可哀《かわい》そうに。」

はじめて、男めかけみたいな生活をしました。シヅ子（というのが、その女記者の名前でした）が新宿の雑誌社に勤めに出たあとは、自分とそれからシゲ子という五つの女児と二人、おとなしくお留守番という事になりました。それまでは、母の留守には、シゲ子はアパートの管理人の部屋で遊んでいたようでしたが、「気のきく」おじさんが遊び相手として現われたので、大いに御機嫌《ごきげん》がいい様子でした。

一週間ほど、ぼんやり、自分はそこにいました。アパートの窓のすぐ近くの電線に、奴凧《やっこだこ》が一つひっからまっていて、春のほこり風に吹かれ、破られ、それでもなかなか、しつっこく電線にからみついて離れず、何やら首肯《うなず》いたりなんかしているので、自分はそれを見るたびごとに苦笑し、赤面し、夢にさえ見て、うなされました。

「お金が、ほしいな。」

「……いくらぐらい？」

「たくさん。……金の切れ目が、縁の切れ目、って、本当のことだよ。」

「ばからしい。そんな、古くさい、……」

るかも知れない。」

「そう？　しかし、君には、わからないんだ。このままでは、僕は、逃げることにもな

「いったい、どっちが貧乏なのよ。そうして、どっちが逃げるのよ。へんねえ。」

「自分でかせいで、そのお金で、お酒、いや、煙草《たばこ》を買いたい。絵だって僕は、堀木なんかより、ずっと上手なつもりなんだ。」

このような時、自分の脳裡《のうり》におのずから浮かびあがって来るものは、あの中学時代に画《か》いた竹一のいわゆる「お化け」の、数枚の自画像でした。失われた傑作。それは、たびたびの引っ越しの間に、失われてしまっていたのですが、あれだけは、たしかに優《すぐ》れている絵だったような気がするのです。その後、さまざま画いてみても、その思い出の中の逸品には、遠く遠く及ばず、自分はいつも、胸がからっぽになるような、だるい喪失感になやまされ続けて来たのでした。

飲み残した一杯のアブサン。*

自分は、その永遠に償いがたいような喪失感を、こっそりそう形容していました。絵の話が出ると、自分の眼前に、その飲み残した一杯のアブサンがちらついて来て、ああ、あの絵をこのひとに見せてやりたい、そうして、自分の画才を信じさせたい、という焦燥《しょうそう》にもだえるのでした。

「ふふ、どうだか。あなたは、まじめな顔をして冗談を言うから可愛《かわい》い。」

冗談ではないのだ、本気なんだ、ああ、あの絵を見せてやりたい、と空転の煩悶《はんもん》をして、ふいと気をかえ、あきらめて、

「漫画さ。すくなくとも、漫画なら、堀木よりは、うまいつもりだ。」

その、ごまかしの道化の言葉のほうが、かえってまじめに信ぜられました。

「そうね。私も、実は感心していたの。シゲ子にいつもかいてやっている漫画、つい私まで噴《ふ》き出してしまう。やってみたら、どう？　私の社の編輯長《へんしゅうちょう》に、たのんでみてあげてもいいわ。」

その社では、子供相手のあまり名前を知られていない月刊の雑誌を発行していたのでした。

……あなたを見ると、たいていの女のひとは、何かしてあげたくて、たまらなくなる。……いつも、おどおどしていて、それでいて、滑稽家《こっけいか》なんだもの。……時たま、ひとりで、ひどく沈んでいるけれども、そのさまが、いっそう女のひとの心を、かゆがらせる。

シヅ子に、そのほかさまざまのことを言われて、おだてられても、それがすなわち男めかけのけがらわしい特質なのだ、と思えば、それこそいよいよ「沈む」ばかりで、一向に元気が出ず、女よりは金、とにかくシヅ子からのがれて自活したいとひそかに念じ、工夫しているものの、かえってだんだんシヅ子にたよらなければならぬ羽目になって、家出の後始末《あとしまつ》やら何やら、ほとんど全部、この男まさりの甲州女の世話を受け、いっそう自分は、シヅ子に対し、いわゆる「おどおど」しなければならぬ結果になったのでした。

アブサン　absinthe（仏）アブサントのこと。アブサンは日本での呼称。リキュールの一種。アルコール分七〇パーセント前後緑色の酒。フランス、スイスなどで産する。

シヅ子の取計らいで、ヒラメ、堀木、それにシヅ子、三人の会談が成立して、自分は、故郷から全く絶縁せられ、そうしてシヅ子と「天下晴れて」同棲《どうせい》ということになり、これまた、シヅ子の奔走のおかげで自分の漫画も案外お金になって、自分はそのお金で、お酒も、煙草も買いましたが、自分の心細さ、うっとうしさは、いよいよつのるばかりなのでした。それこそ「沈み」に「沈み」切って、シヅ子の雑誌の毎月の連載漫画「キンタさんとオタさんの冒険」を画《か》いていると、ふいと故郷の家が思い出され、あまりの侘《わ》びしさに、ペンが動かなくなり、うつむいて涙をこぼしたこともありました。

そういう時の自分にとって、幽《かす》かな救いは、シゲ子でした。シゲ子は、そのころになって自分のことを、何もこだわらずに「お父《とう》ちゃん」と呼んでいました。

「お父ちゃん。お祈りをすると、神様が、何でも下さるって、ほんとう？」

自分こそ、そのお祈りをしたいと思いました。

ああ、われに冷たき意志を与えたまえ。われに、「人間」の本質を知らしめたまえ。人が人を押しのけても、罪ならずや。われに、怒りのマスクを与えたまえ。

「うん、そう。シゲちゃんには何でも下さるだろうけれども、お父ちゃんには、駄目《だめ》かも知れない。」

自分は神にさえ、おびえていました。神の愛は信ぜられず、神の罰だけを信じているのでした。信仰。それは、ただ神の笞《むち》を受けるために、うなだれて審判の台に向かうことのような気がしているのでした。地獄は信ぜられても、天国の存在は、どうしても信ぜられなかったのです。

「どうして、ダメなの？」

「親の言いつけに、そむいたから。」

「そう？　お父ちゃんはとてもいいひとだって、みんな言うけどな。」

それは、だましているからだ、このアパートの人たち皆に、自分が好意を示されているのは、自分も知っている、しかし、自分は、どれほど皆を恐怖しているか、恐怖すればするほど好かれ、そうして、こちらは好かれると好かれるほど恐怖し、皆から離れて行かねばならぬ、この不幸な病癖を、シゲ子に説明して聞かせるのは、至難のことでした。

「シゲちゃんは、いったい、神様に何をおねだりしたいの？」

自分は、何気なさそうに話頭を転じました。

「シゲ子はね、シゲ子の本当のお父ちゃんがほしいの。」

ぎょっとして、くらくら目まいしました。敵。自分がシゲ子の敵なのか、シゲ子が自分の敵なのか、とにかく、ここにも自分をおびやかすおそろしい大人《おとな》がいたのだ、他人、不可解な他人、秘密だらけの他人、シゲ子の顔が、にわかにそのように見えて来ました。

シゲ子だけは、と思っていたのに、やはり、この者も、あの「不意に虻《あぶ》を叩《たた》き殺す牛のしっぽ」を持っていたのでした。自分は、それ以来、シゲ子にさえおどおどしなければならなくなりました。

「色魔《しきま》！　いるかい？」

堀木が、また自分のところへたずねて来るようになっていたのです。あの家出の日に、あれほど自分を淋《さび》しくさせた男なのに、それでも自分は拒否できず、幽かに笑って迎えるのでした。

「お前の漫画は、なかなか人気が出ているそうじゃないか。アマチュアには、こわいもの知らずの糞度胸《くそどきよう》があるからかなわねえ。しかし、油断するなよ。デッサンが、ちっともなってやしないんだから。」

お師匠みたいな態度をさえ示すのです。自分のあの「お化け」の絵を、こいつに見せたら、どんな顔をするだろう、とれいの空転の身悶《みもだ》えをしながら、

「それを言ってくれるな。ぎゃっという悲鳴が出る」

堀木は、いよいよ得意そうに、

「世渡りの才能だけでは、いつかは、ボロが出るからな。」

世渡りの才能。……自分には、ほんとうに苦笑のほかはありませんでした。自分に、世渡りの才能！　しかし、自分のように人間をおそれ、避け、ごまかしているのは、れいの俗諺《ぞくげん》の「さわらぬ神にたたりなし」とかいう怜悧狡猾《れいりこうかつ》の処世訓を遵奉《じゅんぽう》しているのと、同じ形だ、ということになるのでしょうか。ああ、人間は、お互い何も相手をわからない、まるっきり間違って見ていながら、無二の親友のつもりでいて、一生、それに気附かず、相手が死ねば、泣いて弔詞《ちょうじ》なんかを読んでいるのではないでしょうか。

堀木は、何せ、(それはシヅ子に押してたのまれてしぶしぶ引き受けたに違いないのですが)自分の家出の後始末に立ち会ったひとなので、まるでもう、自分の更生の大恩

人か、月下氷人のように振舞い、もっともらしい顔をして自分にお説教めいたことを言ったり、また、深夜、酔っぱらって訪問して泊まったり、また、五円（きまって五円でした）借りて行ったりするのでした。

「しかし、お前の、女道楽もこのへんでよすんだね。これ以上は、世間が、ゆるさないからな。」

世間とは、いったい、何のことでしょう。人間の複数でしょうか。どこに、その世間というものの実体があるのでしょう。けれども、何しろ、強く、きびしく、こわいもの、とばかり思ってこれまで生きて来たのですが、しかし、堀木にそう言われて、ふと、

「世間というのは、君じゃないか。」

という言葉が、舌の先まで出かかって、堀木を怒《おこ》らせるのがイヤで、ひっこめました。

（それは世間が、ゆるさない。）

（世間じゃない。あなたが、ゆるさないのでしょう？）

（そんなことをすると、世間からひどいめに逢《あ》うぞ。）

（世間じゃない。あなたでしょう？）

（いまに世間から葬られる。）

（世間じゃない。葬るのは、あなたでしょう？）

汝《なんじ》は、汝個人のおそろしさ、怪奇、悪辣《あくらつ》、古狸性《こりせい》、妖婆性《ようばせい》を知れ！　などと、さまざまの言葉が胸中に去来したのですが、自分は、ただ顔の汗をハンケチで拭《ふ》いて、

「冷汗《ひやあせ》、冷汗。」

と言って笑っただけでした。

けれども、その時以来、自分は、（世間とは個人じゃないか）という、思想めいたものを持つようになったのです。

そうして、世間というものは、個人ではなかろうかと思いはじめてから、自分は、いままでよりは多少、自分の意志で動くことができるようになりました。シヅ子の言葉を借りて言えば、自分は少しわがままになり、おどおどしなくなりました。また、堀木の言葉を借りて言えば、へんにケチになりました。また、シゲ子の言葉を借りて言えば、あまりシゲ子を可愛《かわい》がらなくなりました。

無口で、笑わず、毎日毎日、シゲ子のおもりをしながら、「キンタさんとオタさんの冒険」やら、また、ノンキなトウサンの歴然たる亜流の「ノンキ和尚《おしょう》」やら、また、「セッカチピンチャン」という自分ながらわけのわからぬヤケクソの題の連載漫画やらを、各社の御注文（ぽつりぽつり、シヅ子の社のほかからも注文が来るようになっていましたが、すべてそれは、シヅ子の社よりも、もっと下品ないわば三流出版社からの注文ばかりでした）に応じ、実に実に陰鬱《いんうつ》な気持で、のろのろと、（自分の画《え》の運筆は、非常におそいほうでした）いまはただ、酒代がほしいばかりに画いて、そうして、シヅ子が社から帰るとそれと交代にぷいと外へ出て、高円寺の駅近くの屋台やスタンド・バアで安くて強い酒を飲み、少し陽気になってアパートへ帰り、

「見れば見るほど、へんな顔をしているねえ、お前は。ノンキ和尚の顔は、実は、お前

の寝顔からヒントを得たのだ。」

「あなたの寝顔だって、ずいぶんお老《ふ》けになりましてよ。四十男みたい。」

「お前のせいだ。吸い取られたんだ。*水の流れと、人の身はあサ。何をくよくよ川端やなあぎいサ。」

「騒がないで、早くおやすみなさいよ。それとも、ごはんをあがりますか？」

落ちついていて、まるで相手にしません。

「酒なら飲むがね。水の流れと、人の身はあサ。人の流れと、いや、水の流れえと、水の身はあサ。」

唄《うた》いながら、シヅ子に衣服をぬがせられ、シヅ子の胸に自分の額を押しつけて眠ってしまう、それが自分の日常でした。

してその翌日《あくるひ》も同じ事を繰返して、
昨日《きのう》に異《かわ》らぬ慣例《しきたり》に従へばよい。
即《すなわ》ち荒つぽい大きな歓楽《よろこび》を避《さ》けてさへゐれば、
自然また大きな悲哀《かなしみ》もやつて来《こ》ないのだ。
ゆくてを塞《ふさ》ぐ邪魔な石を
蟾蜍《ひきがえる》は廻《まわ》つて通る。

水の流れと……　明治三十二年の名古屋旭新地の東雲楼《しののめ》の娼妓がストライキを起こして廃業したときに出来たという東雲節に由来する。

上田敏訳のギイ・シャルル・クロオとかいうひとの、こんな詩句を見つけた時、自分はひとりで顔を燃えるくらいに赤くしました。

蟾蜍《ひきがえる》。

（それが、自分だ。世間がゆるすも、ゆるさぬもない。葬るも、葬らぬもない。自分は、犬よりも猫よりも劣等な動物なのだ。蟾蜍。のそのそ動いているだけだ。）

自分の飲酒は、次第に量がふえて来ました。高円寺駅附近だけでなく、新宿、銀座のほうにまで出かけて飲み、外泊することさえあり、ただもう「慣例《しきたり》」に従わぬよう、バアで無頼漢の振りをしたり、片端からキスしたり、つまり、また、あの情死以前の、いや、あのころよりさらに荒《すさ》んで野卑な酒飲みになり、金に窮して、シヅ子の衣類を持ち出すほどになりました。

ここへ来て、あの破れた奴凧《やっこだこ》に苦笑してから一年以上経《た》って、葉桜のころ、自分は、またもシヅ子の帯やら襦袢《じゅばん》やらをこっそり持ち出して質屋に行き、お金を作って銀座で飲み、二晩つづけて外泊して、三日目の晩さすがに具合い悪い思いで、無意識に足音をしのばせて、アパートのシヅ子の部屋の前まで来ると、中から、シヅ子とシゲ子の会話が聞こえます。

「なぜ、お酒を飲むの？」

「お父ちゃんはね、お酒を好きで飲んでいるのでは、ないんですよ。あんまりいいひとだから、だから、……」

「いいひとは、お酒を飲むの？」

「そうでもないけど、……」

「お父ちゃんは、きっと、びっくりするわね。」

「おきらいかも知れない。ほら、ほら、箱から飛び出した。」

「セッカチピンチャンみたいね。」

「そうねえ。」

シヅ子の、しんから幸福そうな低い笑い声が聞こえました。

自分が、ドアを細くあけて中をのぞいて見ますと、白兎《しろうさぎ》の子でした。ぴょんぴょん部屋中を、はね廻り、親子はそれを追っていました。

（幸福なんだ、この人たちは。自分という馬鹿者が、この二人のあいだにはいって、いまに二人を滅茶苦茶にするのだ。つつましい幸福。いい親子。幸福を、ああ、もし神様が、自分のような者の祈りでも聞いてくれるなら、いちどだけ、生涯《しょうがい》にいちどだけでいい、祈る。）

自分は、そこにうずくまって合掌したい気持でした。そっと、ドアを閉《し》め、自分は、

上田敏　明治七年—大正五年（1874—1916）。東京の人。号は柳村。英文学者、京大教授。明治末期の耽美派の推進者の一人で、ヨーロッパ文学の移植につとめた。訳詩集「海潮音」「牧羊神」は日本の象徴詩の規範とされる。　**ギイ・シャルル・クロオ**　Guy Charles Cros（1842—1888）。正しくはクロス。フランスの詩人、科学者。いわゆる世紀末のデカダン派に属するが、作風はマラルメなどの象徴詩に近い。詩集に、「白檀《びゃくだん》の箱」「河」など。

また銀座に行き、それっきり、そのアパートには帰りませんでした。

そうして、京橋のすぐ近くのスタンド・バアの二階に自分は、またも男めかけの形で、寝そべることになりました。

世間。どうやら自分にも、それがぼんやりわかりかけて来たような気がしていました。個人と個人の争いで、しかも、その場の争いで、しかも、その場で勝てばいいのだ、人間は決して人間に服従しない、奴隷でさえ奴隷らしい卑屈なシッペがえしをするものだ、だから、人間にはその場の一本勝負にたよるほか、生き伸びる工夫がつかぬのだ、大義名分らしいものを称《とな》えていながら、努力の目標は必ず個人、個人を乗り越えてまた個人、世間の難解は、個人の難解、大洋《オーシャン》は世間でなくて、個人なのだ、と世の中という大海の幻影におびえることから、多少解放せられて、以前ほど、あれこれと際限のない心遣《こころづか》いすることなく、いわば差し当たっての必要に応じて、いくぶん図々《ずうずう》しく振舞うことを覚えて来たのです。

高円寺のアパートを捨て、京橋のスタンド・バアのマダムに、

「わかれて来た。」

それだけ言って、それで充分、つまり一本勝負はきまって、その夜から、自分は乱暴にもそこの二階に泊まり込むことになったのですが、しかし、おそろしいはずの「世間」は、自分に何の危害も加えませんでしたし、また自分も「世間」に対して何の弁明もしませんでした。マダムが、その気だったら、それですべてがいいのでした。

自分は、その店のお客のようでもあり、亭主《ていしゅ》のようでもあり、走り使いのようでもあ

り、親戚《しんせき》の者のようでもあり、はたから見てはなはだ得態《えたい》の知れない存在だったはずなのに、「世間」は少しもあやしまず、そうしてその店の常連たちも、自分を、葉ちゃん、葉ちゃんと呼んで、ひどく優しく扱い、そうしてお酒を飲ませてくれるのでした。

自分は世の中に対して、次第に用心しなくなりました。世の中というところは、そんなに、おそろしいところではない、と思うようになりました。つまり、これまでの自分の恐怖感は、春の風には百日咳《ひやくにちぜき》の黴菌《ばいきん》が何十万、銭湯には、目のつぶれる黴菌が何十万、床屋には禿頭病《とくとうびよう》の黴菌が何十万、省線の吊皮《つりかわ》には疥癬《かいせん》の虫がうようよ、または、おさしみ、牛豚肉の生焼けには、さなだ虫の幼虫やら、ジストマやら、何やらの卵などが必ずひそんでいて、また、はだしで歩くと足の裏からガラスの小さい破片がはいって、その破片が体内を駈《か》けめぐり眼玉を突いて失明させることもあるとかいういわば「科学の迷信」におびやかされていたようなものなのでした。それは、たしかに何十万もの黴菌の浮かび泳ぎうごめいているのは、「科学的」にも、正確なことでしょう。と同時に、その存在を完全に黙殺さえすれば、それは自分とみじんのつながりもなくなってたちまち消え失《う》せる「科学の幽霊《ゆうれい》」にすぎないのだということをも、自分は知るようになったのです。お弁当箱に食べ残しのごはん三粒、千万人が一日に三粒ずつ食べ残してもすでにそれは、米何俵をむだに捨てたことになる、とか、あるいは、一日に鼻紙一枚の節約を千万人が行なうならば、どれだけのパルプが浮くか、などという「科学的統計」に、自分は、どれだけおびやかされ、ごはんを一粒でも食べ残すたびごとに、また鼻をかむたびごとに、山ほどの米、山ほどのパルプを空費するような錯覚に悩み、自分がいま重大な罪を犯しているみたいな暗い気持になったものですが、しかし、それこそ「科学の嘘《うそ》」「統計の嘘」「数学の嘘」で、三粒のごはんは集められるものでなく、掛算割算の応用問題としても、まことに原始的で低能なテーマで、電気のついてない暗いお便所の、あの穴に人は何度にいちど片脚《かたあし》を踏みはずして落下させるか、または、省線電車の出入口と、プラットホームの縁《へり》とのあの隙間《すきま》に、乗客の何人中の何人が足を落とし込むか、そんな*プロバビリティを計算するのと同じ程度にばからしく、それはいかにも有り得ることのようでもありながら、お便所の穴をまたぎそこねて怪我《けが》をしたという例は、少しも聞かないし、そんな仮説を「科学的事実」として教え込まれ、それを全く現実として受け取り、恐怖していた昨日までの自分をいとおしく思い、笑いたく思ったくらいに、自分は、世の中というものの実体を少しずつ知って来たというわけなのでした。

　そうは言っても、やはり人間というものが、まだまだ、自分にはおそろしく、店のお客と逢《あ》うのにも、お酒をコップで一杯ぐいと飲んでからでなければいけませんでした。こわいもの見たさ。自分は、毎晩、それでもお店に出て、子供が、実は少しこわがっている小動物などを、かえって強くぎゅっと握ってしまうみたいに、店のお客に向かって酔ってつたない芸術論を吹きかけるようにさえなりました。

　漫画家。ああ、しかし、自分は、大きな歓楽《よろこび》も、また、大きな悲哀《かなしみ》もない無名の漫画家。いかに大きな悲哀《かなしみ》があとでやって来てもいい、荒っぽい大きな歓楽《よろこび》が欲《ほ》しいと内心あせってはいても、自分の現在のよろこびたるや、お客とむだごとを言い合い、お客の酒を飲むことだけでした。

京橋へ来て、こういうくだらない生活をすでに一年ちかく続け、自分の漫画も、子供相手の雑誌だけでなく、駅売りの粗悪で卑猥《ひわい》な雑誌などにも載るようになり、自分は、上司幾太（情死、生きた）という、ふざけ切った匿名《とくめい》で、汚《きた》ないはだかの絵など画き、それにたいていルバイヤット*の詩句を挿入しました。

無駄《むだ》な御祈りなんか止《よ》せつたら
涙を誘ふものなんか　かなぐりすてろ
まア一杯いかう　好いことばかり思出して
よけいな心づかひなんか忘れっちまひな

不安や恐怖もて人を脅やかす奴輩《やから》は
自《みずから》の作りし大それた罪に怯《おび》え
死にしものの復讐《ふくしゅう》に備へんと
自《みずから》の頭にたえず計《はか》ひを為《な》す

プロバビリティ　probability（英）確率。　**ルバイヤット**　Rubâiya't　十一世紀のペルシャの詩人ウマル・ハイヤム　Umar Khaiyām（1050頃―1123頃）作の四行詩集。ルバイヤットは四行詩という意味。ハイヤムは、唯物論的無神論者で、ただ「この一瞬を楽しめ」と強調し、酒、バラ、竪琴、美女をたたえ、人生の無常を嘆いた。

よべ　酒充《み》ちて我《わが》ハートは喜びに充ち
けさ　さめて只《ただ》に荒涼
いぶかし　一夜《ひとよ》さの中
様変りたる此《この》気分よ

祟《たた》りなんて思ふこと止めてくれ
遠くから響く太鼓のやうに
何がなしそいつは不安だ
屁《へ》ひつたこと迄《まで》一々罪に勘定されたら助からんわい

正義は人生の指針たりとや？
さらば血に塗られたる戦場に
暗殺者の切尖《きっさき》に
何の正義か宿れるや？

いづこに指導原理ありや？
いかなる叡智《えいち》の光ありや？
美しくも怖《おそろ》しきは浮世なれ
かよわき人の子は背負切れぬ荷をば負はされて

どうにもできない情慾の種子を植ゑつけられた許《ばか》りに
善だ悪だ罪だ罰だと呪《のろ》はるるばかり
どうにもできない只まごつくばかり
抑へ摧《くだ》く力も意志も授けられぬ許りに

どこをどう彷徨《うろつき》まはつてたんだい
ナニ批判　検討　再認識？
ヘッ　空《むな》しき夢を　ありもしない幻《まぼろし》を
エヘッ　酒を忘れたんで　みんな虚仮《こけ》の思案さ

どうだ　此涯《はて》もない大空を御覧よ
此中にポッチリ浮んだ点ぢやい
此地球が何んで自転するのか分るもんか
自転　公転　反転も勝手ですわい

到《いた》る処《ところ》に　至高の力を感じ
あらゆる国にあらゆる民族に
同一の人間性を発見する

我は異端者なりとかや
みんな聖経をよみ違へてんのよ
でなきや常識も智慧《ちえ》もないのよ
生身《いきみ》の喜びを禁じたり 酒を止めたり
いいわ ムスタツファ わたしそんなの 大嫌ひ

けれども、そのころ、自分に酒を止めよ、とすすめる処女がいました。

「いけないわ、毎日、お昼から、酔っていらっしゃる。」

バアの向いの、小さい煙草屋の十七、八の娘でした。ヨシちゃんと言い、色の白い、八重歯のある子でした。自分が、煙草を買いに行くたびに、笑って忠告するのでした。

「なぜ、いけないんだ。どうして悪いんだ。あるだけの酒をのんで、人の子よ、憎悪《ぞうお》を消せ消せ消せ、ってね、むかしペルシャのね、まあよそう、悲しみ疲れたるハートに希望を持ち来たすは、ただ微醺《びくん》をもたらす玉杯なれ、ってね。わかるかい。」

「わからない。」

「この野郎。キスしてやるぞ。」

「してよ。」

ちっとも悪びれず下唇《したくちびる》を突き出すのです。

「馬鹿《ばか》野郎。貞操観念、……」

しかし、ヨシちゃんの表情には、あきらかに誰にも汚されていない処女のにおいがしていました。

としが明けての厳寒の夜、自分は酔って煙草を買いに出て、その煙草屋の前のマンホールに落ちて、ヨシちゃん、たすけてくれえ、と叫び、ヨシちゃんに引き上げられ、右腕の傷の手当を、ヨシちゃんにしてもらい、その時ヨシちゃんは、しみじみ、

「飲みすぎますわよ。」

と笑わずに言いました。

自分は死ぬのは平気なんだけど、怪我《けが》をして出血してそうして不具者などになるのは、まっぴらごめんのほうですので、ヨシちゃんに腕の傷の手当をしてもらいながら、酒も、もういい加減によそうかしら、と思ったのです。

「やめる。あしたから、一滴も飲まない。」

「ほんとう？」

「きっと、やめる。やめたら、ヨシちゃん、僕のお嫁になってくれるかい？」

しかし、お嫁の件は冗談でした。

「モチよ。」

モチとは、「もちろん」の略語でした。モボだの、モガだの、そのころいろんな略語*

モボだの、モガ　大正末期から昭和初期にかけて流行したアメリカニズムの風潮により、断髪洋装とか、ラッパズボンとか、当時の流行の尖端を行った若い新しがり屋の男女を揶揄《やゆ》した名称。モダン・ボーイ、モダン・ガールの日本式略語。

がはやっていました。

「ようし。ゲンマンしよう。きっとやめる。」

そうして翌《あく》る日、自分は、やはり昼から飲みました。

夕方、ふらふら外へ出て、ヨシちゃんの店の前に立ち、

「ヨシちゃん、ごめんね。飲んじゃった。」

「あら、いやだ。酔った振りなんかして。」

ハッとしました。酔いもさめた気持でした。

「いや、本当なんだ。本当に飲んだのだよ。酔った振りなんかしてるんじゃない。」

「からかわないでよ。ひとがわるい。」

てんで疑おうとしないのです。

「見ればわかりそうなものだ。きょうも、お昼から飲んだのだ。ゆるしてね。」

「お芝居が、うまいのねえ。」

「芝居じゃあないよ、馬鹿野郎。キスしてやるぞ。」

「してよ。」

「いや、僕には資格がない。お嫁にもらうのもあきらめなくちゃならん。顔を見なさい、赤いだろう？　飲んだのだよ。」

「それあ、夕陽《ゆうひ》が当たっているからよ。かつごうたって、だめよ。きのう約束したんですもの。飲むはずがないじゃないの。ゲンマンしたんですもの。飲んだなんて、ウソ、ウソ、ウソ。」

薄暗い店の中に坐って微笑しているヨシちゃんの白い顔、ああ、よごれを知らぬヴァジニティは尊いものだ、自分は今まで、自分よりも若い処女と寝たことがない、結婚しよう、どんな大きな悲哀《かなしみ》がそのために後からやって来てもよい、荒っぽいほどの大きな歓楽《よろこび》を、生涯《しょうがい》にいちどでいい、処女性の美しさとは、それは馬鹿な詩人の甘い感傷の幻にすぎぬと思っていたけれども、やはりこの世の中に生きて在《あ》るものだ、結婚して春になったら二人で自転車で青葉の滝を見に行こう、と、その場で決意し、いわゆる「一本勝負」で、その花を盗むのにためらうことをしませんでした。

そうして自分たちは、やがて結婚して、それによって得た歓楽《よろこび》は、必ずしも大きくはありませんでしたが、その後に来た悲哀《かなしみ》は、凄惨《せいさん》と言っても足りないくらい、実に想像を絶して、大きくやって来ました。自分にとって、「世の中」は、やはり底知れず、おそろしいところでした。決して、そんな一本勝負などで、何から何まできまってしまうような、なまやさしいところでもなかったのでした。

二

堀木と自分。

互いに軽蔑《けいべつ》しながら附き合い、そうして互いに自《みずか》らをくだらなくして行く、それがこの世のいわゆる「交友」というものの姿だとするなら、自分と堀木との間柄も、まさしく「交友」に違いありませんでした。

自分があの京橋のスタンド・バアのマダムの義俠心《ぎきょうしん》にすがり、（女のひとの義俠心なんて、言葉の奇妙な遣《つか》い方ですが、しかし、自分の経験によると、少なくとも都会の男女の場合、男よりも女のほうが、その、義俠心とでもいうべきものをたっぷりと持っていました。男はたいてい、おっかなびっくりで、おていさいばかり飾り、そうして、ケチでした）あの煙草屋のヨシ子を内縁の妻にすることができて、そうして築地、隅田川《すみだがわ》の近く、木造の二階建ての小さいアパートの階下の一室を借り、ふたりで住み、酒は止《や》めて、そろそろ自分の定まった職業になりかけて来た漫画の仕事に精を出し、夕食後は二人で映画を見に出かけ、帰りには、喫茶店《きっさてん》などにはいり、また、花の鉢《はち》を買ったりして、いや、それよりも自分をしんから信頼してくれているこの小さい花嫁の言葉を聞き、動作を見ているのが楽しく、これは自分もひょっとしたら、いまにだんだん人間らしいものになることができて、悲惨な死に方などせずにすむのではなかろうかという甘い思いを幽《かす》かに胸にあたためはじめていた矢先に、堀木がまた自分の眼前に現われました。

「よう！　色魔。おや？　これでも、いくらか分別くさい顔になりやがった。きょうは、高円寺女史からのお使者なんだがね、」

と言いかけて、急に声をひそめ、お勝手でお茶の支度《したく》をしているヨシ子のほうを顎《あご》でしゃくって、大丈夫かい？　とたずねますので、

「かまわない。何を言ってもいい。」

と自分は落ちついて答えました。

じっさい、ヨシ子は、信頼の天才と言いたいくらい、京橋のバアのマダムとの間はもとより、自分が鎌倉で起こした事件を知らせてやっても、ツネ子との間を疑わず、それ

は自分が嘘《うそ》がうまいからというわけではなく、時には、あからさまな言い方をすることさえあったのに、ヨシ子には、それがみな冗談としか聞きとれぬ様子でした。

「相変らず、しょっていやがる。なに、たいしたことじゃないがね、たまには、高円寺のほうへも遊びに来てくれっていう御伝言さ。」

忘れかけると、怪鳥が羽ばたいてやって来て、記憶の傷口をその嘴《くちばし》で突き破ります。たちまち過去の恥と罪の記憶が、ありありと眼前に展開せられ、わあっと叫びたいほどの恐怖で、坐《すわ》っておられなくなるのです。

「飲もうか。」

と自分。

「よし。」

と堀木。

自分と堀木。形は、ふたり似ていました。そっくりの人間のような気がすることもありました。もちろんそれは、安い酒をあちこち飲み歩いている時だけのことでしたが、とにかく、ふたり顔を合わせると、みるみる同じ形の同じ毛並みの犬に変わり降雪のちまたを駈《か》けめぐるという具合いになるのでした。

その日以来、自分たちはふたたび旧交をあたためたという形になり、京橋のあの小さいバアにも一緒に行き、そうして、とうとう、高円寺のシヅ子のアパートにもその泥酔の二匹の犬が訪問し、宿泊して帰るなどということにさえなってしまったのです。

忘れも、しません、むし暑い夏の夜でした。堀木は日暮れごろ、よれよれの浴衣《ゆかた》を着て築地の自分のアパートにやって来て、きょうある必要があって夏服を質入れしたが、その質入れが老母に知れるとまことに具合いが悪い、すぐ受け出したいから、とにかく金を貸してくれ、ということでした。あいにく自分のところにも、お金がなかったので、例によって、ヨシ子に言いつけ、ヨシ子の衣類を質屋に持って行かせて、お金を作り、堀木に貸しても、まだ少し余るのでその残金でヨシ子に焼酎《しょうちゅう》を買わせ、アパートの屋上に行き、隅田川から時たま幽《かす》かに吹いて来るどぶ臭い風を受けて、まことに薄汚《うすぎた》ない納涼の宴を張りました。

自分たちはその時、喜劇名詞、悲劇名詞の当てっこをはじめました。これは、自分の発明した遊戯で、名詞には、すべて男性名詞、女性名詞などの別があるけれども、それと同時に、喜劇名詞、悲劇名詞の区別があってしかるべきだ、たとえば、汽船と汽車はいずれも悲劇名詞で、市電とバスは、いずれも喜劇名詞、なぜそうなのか、それのわからぬ者は芸術を談ずるに足らん、喜劇に一個《いっこ》でも悲劇名詞をさしはさんでいる劇作家は、すでにそれだけで落第、悲劇の場合もまたしかり、といったようなわけなのでした。

「いいかい？　煙草は？」

と自分が問います。

「トラ。（悲劇《トラジディ》の略）」

と堀木が言下に答えます。

「薬は？」

「粉薬かい？　丸薬かい？」

「注射。」

「トラ。」

「そうかな？　ホルモン注射もあるしねえ。」

「いや、断然トラだ。針が第一、お前、立派なトラじゃないか。」

「よし、負けておこう。しかし、君、薬や医者はね、あれで案外、コメ（喜劇《コメディ》の略）なんだぜ。死は？」

「コメ。牧師も和尚《おしょう》もしかりじゃね。」

「大出来。そうして、生はトラだなあ。」

「ちがう。それも、コメ。」

「いや、それでは、何でもかでも皆コメになってしまう。ではね、もう一つおたずねするが、漫画家は？　よもや、コメとは言えませんでしょう？」

「トラ、トラ。大悲劇名詞！」

「なんだ、大トラは君のほうだぜ。」

こんな、下手な駄洒落《だじゃれ》みたいなことになってしまっては、つまらないのですけど、しかし自分たちはその遊戯を、世界のサロンにもかつて存しなかったすこぶる気のきいたものだと得意がっていたのでした。

またもう一つ、これに似た遊戯を当時、自分は発明していました。それは、対義語《アントニム》の当てっこでした。黒のアント（対義語《アントニム》の略）は、白。けれども、白のアントは赤。赤のアントは、黒。

「花のアントは？」

と自分が問うと、堀木は口を曲げて考え、

「ええっと、花月という料理屋があったから、月だ。」

「いや、それはアントになっていない。むしろ、同義語《シノニム》だ。＊星と菫《すみれ》だって、シノニムじゃないか。アントでない。」

「わかった、それはね、蜂《はち》だ。」

「ハチ？」

「牡丹《ぼたん》に、……蟻《あり》か？」

「なあんだ、それは画題《モチイフ》だ。ごまかしちゃいけない。」

「わかった！　花にむら雲、……」

「＊月にむら雲だろう。」

「そう、そう、花に風。風だ。花のアントは、風。」

「まずいなあ、それは浪花節《なにわぶし》の文句じゃないか。おさとが知れるぞ。」

「いや、琵琶《びわ》だ。」

「なおいけない。花のアントはね、……およそこの世で最も花らしくないもの、それをこそ挙《あ》げるべきだ。」

「だから、その、……待てよ、なあんだ、女か。」

「ついでに、女のシノニムは？」

「臓物《ぞうもつ》。」

「君は、どうも、詩《ポエジイ》を知らんね。それじゃあ、臓物のアントは？」

「牛乳。」

「これは、ちょっとうまいな。その調子でもう一つ。恥。オント*のアント。」

「恥知らずさ。流行漫画家上司幾太。」

「堀木正雄は？」

この辺から二人だんだん笑えなくなって、焼酎の酔い特有の、あのガラスの破片が頭に充満しているような、陰鬱《いんうつ》な気分になって来たのでした。

「生意気言うな。おれはまだお前のように、縄目《なわめ》の恥辱《ちじょく》など受けたことがねえんだ。」

ぎょっとしました。堀木は内心、自分を、真人間あつかいにしていなかったのだ、自分をただ、死にぞこないの、恥知らずの、阿呆《あほう》のばけものの、いわば「生ける屍《しかばね》*」としか解してくれず、そうして、彼の快楽のために、自分を利用できるところだけは利用する、それっきりの「交友」だったのだ、と思ったら、さすがにいい気持はしませんでしたが、しかしまた、堀木が自分をそのように見ているのも、もっともな話で、自分は昔から、人間の資格のないみたいな子供だったのだ、やっぱり堀木にさえ軽蔑《けいべつ》せられて

星と菫　明治のロマン派の詩歌雑誌「明星」に拠《よ》った人たちの合言葉。天上の星（愛）と、地上の菫《すみれ》（情熱）を理想とし、星菫派《せいきんは》とも呼ばれた。　**月にむら雲**　すぐ下の「花に風」は対句。世の中で好事はとかく障害がおこるという意味。　**オント**　honte（仏）恥辱。　**生ける屍**　トルストイの小説に「生ける屍」という題名があるが、それをふまえつつ、廃人の意味で用いている。

至当なのかも知れない、と考え直し、

「罪。罪のアントニムは、何だろう。これは、むずかしいぞ。」

と何気なさそうな表情を装って、言うのでした。

「法律さ。」

堀木が平然とそう答えましたので、自分は堀木の顔を見直しました。近くのビルの明滅するネオンサインの赤い光を受けて、堀木の顔は、鬼刑事のごとく威厳ありげに見えました。自分は、つくづく呆《あき》れかえり、

「罪ってのは、君、そんなものじゃないだろう。」

罪の対義語が、法律とは！　しかし、世間の人たちは、みんなそれくらいに簡単に考えて、澄まして暮らしているのかも知れません。刑事のいないところにこそ罪がうごめいている、と。

「それじゃあ、なんだい、神か？　お前には、どこかヤソ坊主くさいところがあるからな。いや味だぜ。」

「まあそんなに、軽く片づけるなよ。も少し、二人で考えてみよう。これはでも、面白いテーマじゃないか。このテーマに対する答一つで、そのひとの全部がわかるような気がするのだ。」

「まさか。……罪のアントは、善さ。善良なる市民。つまり、おれみたいなものさ。」

「冗談は、よそうよ。しかし、善は悪のアントだ。罪のアントではない。」

「悪と罪とは違うのかい？」

「違う、と思う。善悪の概念は人間が作ったものだ。人間が勝手に作った道徳の言葉だ。」

「うるせえなあ。それじゃ、やっぱり、神だろう。神、神。なんでも、神にしておけば間違いない。腹がへったなあ。」

「いま、したでヨシ子がそら豆を煮ている。」

「ありがてえ。好物だ。」

両手を頭のうしろに組んで、仰向けにごろりと寝ました。

「君には、罪というものが、まるで興味ないらしいね。」

「そりゃそうさ。お前のように、罪人ではないんだから。おれは道楽はしても、女を死なせたり、女から金を巻き上げたりなんかはしねえよ。」

死なせたのではない、巻き上げたのではない、と心のどこかで幽《かす》かな、けれども必死の抗議の声が起こっても、しかし、また、いや自分が悪いのだとすぐに思いかえしてしまうこの習癖。

自分には、どうしても、正面切っての議論ができません。焼酎の陰鬱な酔いのために刻一刻、気持が険《けわ》しくなって来るのを懸命に抑《おさ》えて、ほとんど独《ひと》りごとのようにして言いました。

「しかし、牢屋《ろうや》にいれられることだけが罪じゃないんだ。罪のアントがわかれば、罪の実体もつかめるような気がするんだけど、……神、……救い、……愛、……光、……しかし、神にはサタンというアントがあるし、救いのアントは苦悩だろうし、愛には憎しみ、光には闇《やみ》というアントがあり、善には悪、罪と祈り、罪と悔い、罪と告白、罪と、……ああ、みんなシノニムだ、罪の対語は何だ。」

「ツミの対語は、ミツさ。蜜《みつ》のごとく甘しだ。腹がへったなあ。何か食うものを持って来いよ。」

「君が持って来たらいいじゃないか！」

ほとんど生まれてはじめてと言っていいくらいの、烈《はげ》しい怒りの声が出ました。

「ようし、それじゃ、したへ行って、ヨシちゃんと二人で罪を犯して来よう。議論より実地検分。罪のアントは、蜜豆、いや、そら豆か。」

ほとんど、ろれつの廻《まわ》らぬくらいに酔っているのでした。

「勝手にしろ。どこかへ行っちまえ！」

「罪と空腹、空腹とそら豆、いや、これはシノニムか。」

出鱈目《でたらめ》を言いながら起き上がります。

罪と罰。ドストイエフスキイ。ちらとそれが、頭脳の片隅《かたすみ》をかすめて通り、はっと思いました。もしも、あのドスト氏が、罪と罰をシノニムと考えず、アントニムとして置き並べたものとしたら？　罪と罰、絶対に相通ぜざるもの、氷炭相容《あいい》れざるもの。罪と罰をアントとして考えたドストの青みどろ、腐った池、乱麻の奥底の、……ああ、わかりかけた、いや、まだ、……などと頭脳に走馬灯がくるくる廻っていた時に、

「おい！　とんだ、そら豆だ。来い！」

堀木の声も顔色も変わっています。堀木は、たったいまふらふら起きてしたへ行った、

かと思うとまた引き返して来たのです。

「なんだ。」

異様に殺気立ち、ふたり、屋上から二階へ降り、二階から、さらに階下の自分の部屋へ降りる階段の中途で堀木は立ち止まり、

「見ろ！」

と小声で言って指差します。

自分の部屋の上の小窓があいていて、そこから部屋の中が見えます。電気がついたままで、二匹の動物がいました。

自分は、ぐらぐら目まいしながら、これもまた人間の姿だ、これもまた人間の姿だ、おどろくことはない、など劇《はげ》しい呼吸とともに胸の中で呟《つぶや》き、ヨシ子を助けることも忘れ、階段に立ちつくしていました。

堀木は、大きい咳《せき》ばらいをしました。自分は、ひとり逃げるようにまた屋上に駈《か》け上がり、寝ころび、雨を含んだ夏の夜空を仰ぎ、そのとき自分を襲った感情は、怒りでもなく、嫌悪《けんお》でもなく、また、悲しみでもなく、もの凄《すさ》まじい恐怖でした。それも、墓地

罪と罰　ロシアの小説家ドストエフスキーの代表的な作品（一八六六年刊）。青年ラスコーリニコフが、思想的動機から金貸しの老婆を惨殺する物語。**ドストイエフスキイ**　Fyodor Mikhailovich Dostoevskii（1821—1881）。ロシアの世界的文豪。近代社会と近代人の病巣と不安定を鋭くえぐり、近代小説に新しい可能性をひらいた。その現代文学への影響は大きい。代表作に「罪と罰」「白痴」「カラマーゾフの兄弟」。ドストエフスキーとも表記する。

の幽霊《ゆうれい》などに対する恐怖ではなく、神社の杉木立《すぎこだち》で白衣の御神体に逢《あ》った時に感ずるかも知れないような、四の五の言わさぬ古代の荒々しい恐怖感でした。自分の若白髪《わかしらが》は、その夜からはじまり、いよいよ、すべてに自信を失い、いよいよ、ひとを底知れず疑い、この世の営みに対する一さいの期待、よろこび、共鳴などから永遠にはなれるようになりました。実に、それは自分の生涯《しょうがい》において、決定的な事件でした。自分は、まっこうから眉間《みけん》を割られ、そうしてそれ以来その傷は、どんな人間にでも接近するごとに痛むのでした。

「同情はするが、しかし、お前もこれで、少しは思い知ったろう。もう、おれは、二度とここへは来ないよ。まるで、地獄だ。……でも、ヨシちゃんは、ゆるしてやれ。お前だって、どうせ、ろくな奴《やつ》じゃないんだから。失敬するぜ。」

気まずい場所に、永くとどまっているほど間《ま》の抜けた堀木ではありませんでした。

自分は起き上がって、ひとりで焼酎《しょうちゅう》を飲み、それから、おいおい声を放って泣きました。いくらでも、いくらでも泣けるのでした。

いつのまにか、背後に、ヨシ子が、そら豆を山盛りにしたお皿《さら》を持ってぼんやり立っていました。

「なんにも、しないからって言って、……」

「いい。何も言うな。お前は、ひとを疑うことを知らなかったんだ。お坐り。豆を食べよう。」

並んで坐って豆を食べました。ああ、信頼は罪なりや？　相手の男は、自分に漫画をかかせては、わずかなお金をもったいぶって置いて行く三十歳前後の無学な小男の商人なのでした。

さすがにその商人は、その後やっては来ませんでしたが、自分には、どうしてだか、その商人に対する憎悪《ぞうお》よりも、さいしょに見つけたすぐその時に大きい咳ばらいも何もせず、そのまま自分に知らせにまた屋上に引き返して来た堀木に対する憎しみと怒りが、眠られぬ夜などにむらむら起こって呻《うめ》きました。

ゆるすも、ゆるさぬもありません。ヨシ子は信頼の天才なのです。ひとを疑うことを知らなかったのです。しかし、それゆえの悲惨。

神に問う。信頼は罪なりや。

ヨシ子が汚されたということよりも、ヨシ子の信頼が汚されたということが、自分にとってそののち永く、生きておられないほどの苦悩の種になりました。自分のような、いやらしくおどおどして、ひとの顔いろばかり伺い、人を信じる能力が、ひび割れてしまっているものにとって、ヨシ子の無垢《むく》な信頼心は、それこそ青葉の滝のようにすがすがしく思われていたのです。それが一夜で、黄色い汚水に変わってしまいました。見よ、ヨシ子は、その夜から自分の一顰一笑《いっぴんいっしょう》にさえ気を遣《つか》うようになりました。

「おい。」

と呼ぶと、ぴくっとして、もう眼のやり場に困っている様子です。どんなに自分が笑わせようとして、お道化を言っても、おろおろし、びくびくし、やたらに自分に敬語を遣うようになりました。

果して、無垢《むく》の信頼心は、罪の原泉なりや。

自分は、人妻の犯された物語の本を、いろいろ捜して読んでみました。けれども、これは、ヨシ子ほど悲惨な犯され方をしている女は、ひとりもないと思いました。どだい、これは、てんで物語にも何もなりません。あの小男の商人と、ヨシ子とのあいだに、少しでも恋に似た感情でもあったなら、自分の気持もかえってたすかるかも知れませんが、ただ、夏の一夜、ヨシ子が信頼して、そうして、それっきり、しかもそのために自分の眉間は、まっこうから割られ声が嗄《しやが》れて若白髪がはじまり、ヨシ子は一生おろおろしなければならなくなったのです。たいていの物語は、その妻の「行為」を夫が許すかどうか、そこに重点を置いていたようでしたが、それは自分にとっては、そんなに苦しい大問題ではないように思われました。許す、許さぬ、そのような権利を留保している夫こそ幸いなるかな、とても許すことができぬと思ったなら、何もそんなに大騒ぎせずとも、さっさと妻を離縁して、新しい妻を迎えたらどうだろう、それができなかったら、いわゆる「許して」我慢するさ、いずれにしても夫の気持一つで四方八方がまるく収まるだろうに、という気さえするのでした。つまり、そのような事件は、たしかに夫にとって大いなるショックであっても、しかし、それは「ショック」であって、いつまでも尽きることなく打ち返し打ち寄せる波と違い、権利のある夫の怒りでもってどうにでも処理できるトラブルのように自分には思われたのでした。けれども、自分たちの場合、夫に何の権利もなく、考えると何もかも自分がわるいような気がして来て、怒るどころか、おこごと一つも言えず、また、その妻は、その所有している稀《まれ》な美質によって犯されたのです。しかも、その美質は、夫のかねてあこがれの、無垢の信頼心というたまらなく可憐《かれん》なものなのでした。

無垢の信頼心は、罪なりや。

唯一のたのみの美質にさえ、疑惑を抱《いだ》き、自分は、もはや何もかも、わけがわからなくなり、おもむくところは、ただアルコールだけになりました。自分の顔の表情は極度にいやしくなり、朝から焼酎《しょうちゅう》を飲み、歯がぼろぼろに欠けて、漫画もほとんど猥画《わいが》に近いものを画《か》くようになりました。いいえ、はっきり言います。自分はそのころから、春画のコピイをして密売しました。焼酎を買うお金がほしかったのです。いつも自分から視線をはずしておろおろしているヨシ子を見ると、こいつは全く警戒を知らぬ女だったから、あの商人といちどだけではなかったのではなかろうか、また、堀木は？　いや、あるいは自分の知らない人とも？　と疑惑は疑惑を生み、さりとて思い切ってそれを問い正す勇気もなく、れいの不安と恐怖にのたうち廻る思いで、ただ焼酎を飲んで酔っては、わずかに卑屈な誘導訊問《じんもん》みたいなものをおっかなびっくり試み、内心おろかしく一喜一憂し、うわべは、やたらにお道化《どけ》て、そうして、それから、ヨシ子にいまわしい地獄の愛撫《あいぶ》を加え、泥のように眠りこけるのでした。

その年の暮、自分は夜おそく泥酔《でいすい》して帰宅し、砂糖水を飲みたく、ヨシ子は眠っているようでしたから、自分でお勝手に行き砂糖壺《さとうつぼ》を捜し出し、ふたを開けてみたら砂糖は何もはいってなくて、黒く細長い紙の小箱がはいっていました。何気なく手に取り、その箱にはられてあるレッテルを見て愕然《がくぜん》としました。そのレッテルは、爪で半分以上も掻きはがされていましたが、洋字の部分が残っていて、それにははっきり書かれていました。ＤＩＡＬ。

ジアール。自分はそのころもっぱら焼酎で、催眠剤を用いてはいませんでしたが、しかし、不眠は自分の持病のようなものでしたから、たいていの催眠剤にはお馴染《なじ》みでした。ジアールのこの箱一つは、たしかに致死量以上のはずでした。まだ箱の封を切ってはいませんでしたが、しかし、いつかは、やる気でこんなところに、しかもレッテルを掻《か》きはがしたりなどして隠していたのに違いありません。可哀想《かわいそう》に、あの子にはレッテルの洋字が読めないので、爪で半分掻きはがして、これで大丈夫と思っていたのでしょう。（お前に罪はない。）

自分は、音を立てないようにそっとコップに水を満たし、それから、ゆっくり箱の封を切って、全部、一気に口の中にほうり、コップの水を落ちついて飲みほし、電灯を消してそのまま寝ました。

三昼夜、自分は死んだようになっていたそうです。医者は過失と見なして、警察にとどけるのを猶予してくれたそうです。覚醒《かくせい》しかけて、一ばんさきに呟《つぶや》いたうわごとは、うちへ帰る、という言葉だったそうです。うちとは、どこのことを指《さ》して言ったのか、当の自分にも、よくわかりませんが、とにかく、そう言って、ひどく泣いたそうです。

次第に霧がはれて、見ると、枕元《まくらもと》にヒラメが、ひどく不機嫌《ふきげん》な顔をして坐っていました。

「このまえも、年の暮のことでしてね、お互いもう、目が廻るくらいいそがしいのに、いつも、年の暮をねらって、こんなことをやられたひには、こっちの命がたまらない。」

ヒラメの話の聞き手になっているのは、京橋のバアのマダムでした。

「マダム。」

と自分は呼びました。

「うん、何？　気がついた？」

マダムは笑い顔を自分の顔の上にかぶせるようにして言いました。

自分は、ぽろぽろ涙を流し、

「ヨシ子とわかれさせて。」

自分でも思いがけなかった言葉が出ました。

マダムは身を起こし、幽《かす》かな溜息《ためいき》をもらしました。

それから自分は、これもまた実に思いがけない滑稽《こっけい》とも阿呆《あほ》らしいとも、形容に苦しむほどの失言をしました。

「僕は、女のいないところに行くんだ。」

うわっはっは、とまず、ヒラメが大声を挙《あ》げて笑い、マダムもクスクス笑い出し、自分も涙を流しながら赤面の態《てい》になり、苦笑しました。

「うん、そのほうがいい。」

とヒラメは、いつまでもだらしなく笑いながら、

「女のいないところに行ったほうがよい。女がいると、どうもいけない。女のいないところとは、いい思いつきです。」

女のいないところ。しかし、この自分の阿呆くさいうわごとは、のちに到《いた》って、非常に陰惨に実現せられました。

ヨシ子は、何か、自分がヨシ子の身代りになって毒を飲んだとでも思い込んでいるらしく、以前よりもなおいっそう、自分に対して、おろおろして、自分が何を言っても笑わず、そうしてろくに口もきけないような有様なので、自分もアパートの部屋の中にいるのが、うっとうしく、つい外へ出て、相変らず安い酒をあおることになるのでした。しかし、あのジアールの一件以来、自分のからだがめっきり痩《や》せ細って、手足がだるく、漫画の仕事も怠《なま》けがちになり、ヒラメがあの時、見舞いとして置いて行ったお金（ヒラメはそれを、渋田の志です、と言っていかにもご自身から出たお金のようにして差し出しましたが、これも故郷の兄たちからのお金のようでした。自分もそのころには、ヒラメの家から逃げ出したあの時とちがって、ヒラメのそんなもったいぶった芝居を、おぼろげながら見抜くことができるようになっていましたので、こちらもずるく、全く気づかぬ振りをして、神妙にそのお金のお礼をヒラメに向かって申し上げたのでしたが、しかし、ヒラメたちが、なぜ、そんなややこしいカラクリをやらかすのか、わかるような、わからないような、どうしても自分には、へんな気がしてなりませんでした）そのお金で、思い切ってひとりで南伊豆の温泉に行ってみたりなどしましたが、とてもそんな悠《ゆう》長《ちょう》な温泉めぐりなどできる柄《がら》ではなく、ヨシ子を思えば侘《わ》びしさ限りなく、宿の部屋から山を眺めるなどの落ちついた心境にははなはだ遠く、ドテラにも着換えず、お湯にもはいらず、外へ飛び出しては薄汚《うすぎた》ない茶店みたいなところに飛び込んで、焼酎《しょうちゅう》を、それこそ浴びるほど飲んで、からだ具合いを一そう悪くして帰京しただけのことでした。
東京に大雪の降った夜でした。自分は酔って銀座裏を、*ここはお国を何百里、ここはお国を何百里、と小声で繰り返し繰り返し呟《つぶや》くように歌いながら、なおも降りつもる雪を靴先《くつさき》で蹴散《けち》らして歩いて、突然、吐きました。それは自分の最初の喀血《かっけつ》でした。雪の上に、大きい日の丸の旗が出来ました。自分は、しばらくしゃがんで、それから、よごれていない個所《かしょ》の雪を両手で掬《すく》い取って、顔を洗いながら泣きました。

　こうこは、どうこの細道じゃ？

　こうこは、どうこの細道じゃ？

哀《あわ》れな童女の歌声が、幻聴のように、かすかに遠くから聞こえます。不幸。この世には、さまざまの不幸な人が、いや、不幸な人ばかり、と言っても過言ではないでしょうが、しかし、その人たちの不幸は、いわゆる世間に対して堂々と抗議ができ、また「世間」もその人たちの抗議を容易に理解し同情します。しかし、自分の不幸は、すべて自分の罪悪からなので、誰にも抗議の仕様がないし、また口ごもりながら一言でも抗議めいたことを言いかけると、ヒラメならずとも世間の人たち全部、よくもまあそんな口がきけたものだと呆《あき》れかえるに違いないし、自分はいったい俗にいう「わがままもの」なのか、またはその反対に、気が弱すぎるのか、自分でもわけがわからないけれども、とにかく罪悪のかたまりらしいので、どこまでもおのずからどんどん不幸になるばかりで、

ここはお国を何百里　軍歌「戦友」の初句。日露戦争にあたり、真下飛泉作詩、三善和気作曲により成り、今に至るまで愛唱される。

防ぎ止める具体策などないのです。

　自分は立って、取りあえず何か適当な薬をと思い、近くの薬屋にはいって、そこの奥さんと顔を見合わせ、瞬間、奥さんは、フラッシュを浴びたみたいに首をあげ眼を見はり、棒立ちになりました。しかし、その見はった眼には、驚愕《きょうがく》の色も嫌悪《けんお》の色もなく、ほとんど救いを求めるような、慕うような色があらわれているのでした。ああ、このひとも、きっと不幸な人なのだ、不幸な人は、ひとの不幸にも敏感なものなのだから、と思った時、ふと、その奥さんが松葉杖《まつばづえ》をついて危《あぶ》なかしく立っているのに気がつきました。駈《か》け寄りたい思いを抑《おさ》えて、なおもその奥さんと顔を見合わせているうちに涙が出て来ました。すると、奥さんの大きい眼からも、涙がぽろぽろとあふれて出ました。

　それっきり、一言も口をきかずに、自分はその薬屋から出て、よろめいてアパートに帰り、ヨシ子に塩水を作らせて飲み、黙って寝て、翌《あく》る日も、風邪気味《かぜぎみ》だと嘘《うそ》をついて一日一ぱい寝て、夜、自分の秘密の喀血がどうにも不安でたまらず、起きて、あの薬屋に行き、こんどは笑いながら、奥さんに、実に素直に今までのからだ具合いを告白し、相談しました。

「お酒をおよしにならなければ。」

　自分たちは、肉親のようでした。

「アル中になっているかも知れないんです。いまでも飲みたい。」

「いけません。私の主人も、*テーベのくせに、菌を酒で殺すんだなんて言って、酒びたりになって、自分から寿命をちぢめました。」

「不安でいけないんです。こわくて、とても、だめなんです。」

「お薬を差し上げます。お酒だけは、およしなさい。」

奥さん（未亡人で、男の子がひとり、それは千葉だかどこだかの医大にはいって、間もなく父と同じ病いにかかり、休学入院中で、家には中風の舅《しゅうと》が寝ていて、奥さん自身は五歳の折、小児麻痺《しょうにまひ》で片方の脚《あし》が全然だめなのでした）は、松葉杖をコトコトと突きながら、自分のためにあっちの棚《たな》、こっちの引出し、いろいろと薬品を取りそろえてくれるのでした。

これは、造血剤。

これは、ヴィタミンの注射液。注射器は、これ。

これは、カルシウムの錠剤。胃腸をこわさないように、ジアスターゼ。

これは、何。これは、何、と五、六種の薬品の説明を愛情をこめてしてくれたのですが、しかし、この不幸な奥さんの愛情もまた、自分にとって深すぎました。最後に奥さんが、これは、どうしても、なんとしてもお酒を飲みたくて、たまらなくなった時のお薬、と言って素早く紙に包んだ小箱。

モルヒネの注射液でした。

酒よりは、害にならぬと奥さんも言い、自分もそれを信じて、また一つには、酒の酔いもさすがに不潔に感ぜられて来た矢先でもあったし、久しぶりにアルコールというサタンからのがれることのできる喜びもあり、何の躊躇《ちゅうちょ》もなく、自分は自分の腕に、そ

テーベ　T・Bで、Tuberkulose（独）の略語。結核症で、肺結核に主として用いる。

のモルヒネを注射しました。不安も、焦躁《しょうそう》も、はにかみも、綺麗《きれい》に除去せられ、自分ははなはだ陽気な能弁家になるのでした。そうして、その注射をすると自分は、からだの衰弱も忘れて、漫画の仕事に精が出て、自分で画《か》きながら噴《ふ》き出してしまうほど珍妙な趣向が生まれるのでした。

一日一本のつもりが、二本になり、四本になったころには、自分はもうそれがなければ、仕事ができないようになっていました。

「いけませんよ、中毒になったら、そりゃもう、たいへんです。」

薬屋の奥さんにそう言われると、自分はもうかなりの中毒患者になってしまったような気がして来て、（自分は、ひとの暗示に実にもろくひっかかるたちなのです。このお金は遣《つか》っちゃいけないよ、と言っても、お前のことだものなあ、なんて言われると、何だか遣わないと悪いような、期待にそむくような、へんな錯覚が起こって、必ずすぐにそのお金を遣ってしまうのでした）その中毒の不安のため、かえって薬品をたくさん求めるようになったのでした。

「たのむ！　もう一箱。勘定は月末にきっと払いますから。」

「勘定なんて、いつでもかまいませんけど、警察のほうが、うるさいのでねえ。」

ああ、いつでも自分の周囲には、何やら、濁って暗く、うさんくさい日蔭者《ひかげもの》の気配がつきまとうのです。

「そこを何とか、ごまかして、たのむよ、奥さん。キスしてあげよう。」

奥さんは、顔を赤らめます。

自分は、いよいよつけ込み、

「薬がないと仕事がちっとも、はかどらないんだよ。僕には、あれは強精剤みたいなものなんだ。」

「それじゃ、いっそ、ホルモン注射がいいでしょう。」

「ばかにしちゃいけません。お酒か、そうでなければ、あの薬か、どっちかでなければ仕事ができないんだ。」

「お酒は、いけません。」

「そうでしょう？　僕はね、あの薬を使うようになってから、お酒は一滴も飲まなかった。おかげで、からだの調子が、とてもいいんだ。僕だって、いつまでも、下手くそな漫画などをかいているつもりはない、これから、酒をやめて、からだを直して、勉強して、きっと偉い絵画《えか》きになって見せる。いまが大事なところなんだ。だからさ、ね、おねがい。キスしてあげようか。」

奥さんは笑い出し、

「困るわねえ。中毒になっても知りませんよ。」

コトコトと松葉杖の音をさせて、その薬品を棚から取り出し、

「一箱は、あげられませんよ。すぐ使ってしまうのだもの。半分ね。」

「ケチだなあ、まあ、仕方がないや。」

家へ帰って、すぐに一本、注射をします。

「痛くないんですか？」

ヨシ子は、おどおど自分にたずねます。

「それあ痛いさ。でも、仕事の能率をあげるためには、いやでもこれをやらなければいけないんだ。僕はこのごろ、とても元気だろう？　さあ、仕事だ。仕事、仕事。」

とはしゃぐのです。

深夜、薬屋の戸をたたいたこともありました。寝巻姿で、コトコト松葉杖をついて出て来た奥さんに、いきなり抱きついてキスして、泣く真似《まね》をしました。

奥さんは、黙って自分に一箱、手渡しました。

薬品もまた、焼酎《しょうちゅう》同様、いや、それ以上に、いまわしく不潔なものだと、つくづく思い知った時には、すでに自分は完全な中毒患者になっていました。真に、恥知らずの極でした。自分はその薬品を得たいばかりに、またも春画のコピイをはじめ、そうして、あの薬屋の不具の奥さんと文字どおりの醜関係をさえ結びました。

死にたい、いっそ、死にたい、もう取返しがつかないんだ、どんなことをしても、何をしても、駄目《だめ》になるだけなんだ、恥の上塗りをするだけなんだ、自転車で青葉の滝など、自分には望むべくもないんだ、ただけがらわしい罪にあさましい罪が重なり、苦悩が増大し強烈になるだけなんだ、死にたい、死なねばならぬ、生きているのが罪の種なのだ、などと思いつめても、やっぱり、アパートと薬屋の間を半狂乱の姿で往復しているばかりなのでした。

いくら仕事をしても、薬の使用量もしたがってふえているので、薬代の借りがおそろしいほどの額にのぼり、奥さんは、自分の顔を見ると涙を浮かべ、自分も涙を流しました。

　地獄。

　この地獄からのがれるための最後の手段、これが失敗したら、あとはもう首をくくるばかりだ、という神の存在を賭《か》けるほどの決意をもって、自分は、故郷の父あてに長い手紙を書いて、自分の実情一さいを（女のことは、さすがに書けませんでしたが）告白することにしました。

　しかし、結果は一そう悪く、待てど暮らせど何の返事もなく、自分はその焦躁《しょうそう》と不安のために、かえって薬の量をふやしてしまいました。

　今夜、十本、一気に注射し、そうして大川に飛び込もうと、ひそかに覚悟を極《き》めたその日の午後、ヒラメが、悪魔の勘で嗅《か》ぎつけたみたいに、堀木を連れてあらわれました。

「お前は、喀血《かっけつ》したんだってな。」

　堀木は、自分の前にあぐらをかいてそう言い、いままで見たこともないくらいに優しく微笑《ほほえ》みました。その優しい微笑が、ありがたくて、うれしくて、自分はつい顔をそむけて涙を流しました。そうして彼のその優しい微笑一つで、自分は完全に打ち破られ、葬り去られてしまったのです。

　自分は自動車に乗せられました。とにかく入院しなければならぬ、あとは自分たちにまかせなさい、とヒラメも、しんみりした口調で、（それは慈悲深いとでも形容したいほど、もの静かな口調でした）自分にすすめ、自分は意志も判断も何もない者のごとく、ただメソメソ泣きながら唯々諾々《いいだくだく》と二人の言いつけに従うのでした。ヨシ子もいれて四人、自分たちは、ずいぶん永いこと自動車にゆられ、あたりが薄暗くなったころ、森の中の大きい病院の、玄関に到着しました。

サナトリアムとばかり思っていました。

自分は若い医師のいやに物やわらかな、鄭重《ていちょう》な診察を受け、それから医師は、

「まあ、しばらくここで静養するんですね。」

と、まるで、はにかむように微笑して言い、ヒラメと堀木とヨシ子は、自分ひとりを置いて帰ることになりましたが、ヨシ子は着換えの衣類をいれてある風呂敷包《ふろしきづつみ》を自分に手渡し、それから黙って帯の間から注射器と使い残りのあの薬品を差し出しました。やはり、強精剤だとばかり思っていたのでしょうか。

「いや、もう要《い》らない。」

実に、珍らしいことでした。すすめられて、それを拒否したのは、自分のそれまでの生涯《しょうがい》において、その時ただ一度、といっても過言でないくらいなのです。自分の不幸は、拒否の能力のない者の不幸でした。すすめられて拒否すると、相手の心にも自分の心にも、永遠に修繕し得ない白々しいひび割れが出来るような恐怖におびやかされているのでした。けれども、自分はその時、あれほど半狂乱になって求めていたモルヒネを、実に自然に拒否しました。ヨシ子のいわば「神のごとき無智《むち》」に撃たれたのでしょうか。自分は、あの瞬間、すでに中毒でなくなっていたのではないでしょうか。

けれども、自分はそれからすぐに、あのはにかむような微笑をする若い医師に案内せられ、ある病棟《びょうとう》にいれられて、ガチャンと鍵《かぎ》をおろされました。脳病院でした。

女のいないところへ行くという、あのジアールを飲んだ時の自分の愚かなうわごとが、まことに奇妙に実現せられたわけでした。その病棟には、男の狂人ばかりで、看護人も男でしたし、女はひとりもいませんでした。

いまはもう自分は、罪人どころではなく、狂人でした。いいえ、断じて自分は狂ってなどいなかったのです。一瞬間といえども、狂ったことはないんです。けれども、ああ、狂人は、たいてい自分のことをそう言うものだそうです。つまり、この病院にいれられた者は気違い、いれられなかった者は、ノーマルということになるようです。

神に問う。無抵抗は罪なりや？

堀木のあの不思議な美しい微笑に自分は泣き、判断も抵抗も忘れて自動車に乗り、そうしてここに連れて来られて、狂人ということになりました。いまに、ここから出ても、自分はやっぱり狂人、いや、廃人《はいじん》という刻印を額に打たれることでしょう。

人間、失格。

もはや、自分は、完全に、人間でなくなりました。

ここへ来たのは初夏のころで、鉄の格子《こうし》の窓から病院の庭の小さい池に紅《あか》い睡蓮《すいれん》の花が咲いているのが見えましたが、それから三つき経《た》ち、庭にコスモスが咲きはじめ、思いがけなく故郷の長兄が、ヒラメを連れて自分を引き取りにやって来て、父が先月末に胃潰瘍《いかいよう》でなくなったこと、自分たちはもうお前の過去は問わぬ、生活の心配もかけないつもり、何もしなくていい、その代り、いろいろ未練もあるだろうがすぐに東京から離れて、田舎《いなか》で療養生活をはじめてくれ、お前が東京でしでかしたことの後始末《あとしまつ》は、だいたい渋田がやってくれたはずだから、それは気にしないでいい、とれいの生真面目《きまじめ》な緊張したような口調で言うのでした。

故郷の山河が眼前に見えるような気がして来て、自分は幽《かす》かにうなずきました。

まさに廃人。

父が死んだことを知ってから、自分はいよいよ腑《ふ》抜《ぬ》けたようになりました。父が、もういない、自分の胸中から一刻も離れなかったあの懐《なつ》かしくおそろしい存在が、もういない、自分の苦悩の壺《つぼ》がからっぽになったような気がしました。自分の苦悩の壺がやけに重かったのも、あの父のせいだったのではなかろうかとさえ思われました。まるで、張合いが抜けました。苦悩する能力をさえ失いました。

長兄は自分に対する約束を正確に実行してくれました。自分の生まれて育った町から汽車で四、五時間、南下したところに、東北には珍らしいほど暖かい海辺《うみべ》の温泉地があって、その村はずれの、間数は五つもあるのですが、かなり古い家らしく壁は剝《は》げ落ち、柱は虫に食われ、ほとんど修理の仕様もないほどの茅屋《ぼうおく》を買いとって自分に与え、六十に近いひどい赤毛の醜い女中をひとり附《つ》けてくれました。

それから三年と少し経《た》ち、自分はその間にそのテツという老女中に数度へんな犯され方をして、時たま夫婦《ふうふ》喧嘩《げんか》みたいなことをはじめ、胸の病気のほうは一進一退、痩《や》せたりふとったり、血痰《けったん》が出たり、きのう、テツにカルモチンを買っておいで、と言って、村の薬屋にお使いにやったら、いつもの箱と違う形の箱のカルモチンを買って来て、べつに自分も気にとめず、寝る前に十錠のんでも一向に眠くならないので、おかしいなと思っているうちに、おなかの具合いがへんになり急いで便所へ行ったら猛烈な下痢で、しかも、それから引き続き三度も便所にかよったのでした。不審に堪えず、薬の箱をよく見ると、それはヘノモチンという下剤でした。

自分は仰向《あおむ》けに寝て、おなかに湯たんぽを載《の》せながら、テツにこごとを言ってやろうと思いました。

「これは、お前、カルモチンじゃない。ヘノモチン、という、」

と言いかけて、うふふふと笑ってしまいました。「廃人」は、どうやらこれは、喜劇名詞のようです。眠ろうとして下剤を飲み、しかも、その下剤の名前は、ヘノモチン。

いまは自分には、幸福も不幸もありません。

ただ、一さいは過ぎて行きます。

自分がいままで阿鼻叫喚《あびきょうかん》で生きて来たいわゆる「人間」の世界において、たった一つ、真理らしく思われたのは、それだけでした。

ただ、一さいは過ぎて行きます。

自分はことし、二十七になります。白髪《しらが》がめっきりふえたので、たいていの人から、四十以上に見られます。

あとがき

この手記を綴《つづ》った狂人を、私は、直接には知らない。けれども、この手記に出て来る京橋のスタンド・バアのマダムともおぼしき人物を、私はちょっと知っているのである。

小柄で、顔色のよくない、眼が細く吊り上がっていて、鼻の高い、美人というよりは、美青年といったほうがいいくらいの固《かた》い感じのひとであった。この手記には、どうやら、昭和五、六、七年、あのころの東京の風景がおもに写されているように思われるが、私が、その京橋のスタンド・バアに、友人に連れられて二、三度、立ち寄り、ハイボールなど飲んだのは、れいの日本の「軍部」がそろそろ露骨にあばれはじめた昭和十年前後のことであったから、この手記を書いた男には、おめにかかることができなかったわけである。

しかるに、ことしの二月、私は千葉県船橋市に疎開しているある友人をたずねた。その友人は、私の大学時代のいわば学友で、いまは某女子大の講師をしているのであるが、実は私はこの友人に私の身内の者の縁談を依頼していたので、その用事もあり、かたがた何か新鮮な海産物でも仕入れて私の家の者たちに食わせてやろうと思い、リュックサックを背負って船橋市へ出かけて行ったのである。

船橋市は、泥海《どろうみ》に臨《のぞ》んだかなり大きいまちであった。新住民たるその友人の家は、その土地の人に所番地を告げてたずねても、なかなかわからないのである。寒い上に、リュックサックを背負った肩が痛くなり、私はレコードの提琴の音にひかれて、ある喫茶店のドアを押した。

そこのマダムに見覚えがあり、たずねてみたら、まさに、十年前のあの京橋の小さいバアのマダムであった。マダムも、私をすぐ思い出してくれた様子で、互いに大袈裟《おおげさ》に驚き、笑い、それからこんな時のおきまりの、れいの、空襲で焼け出されたお互いの経

験を問われもせぬのに、いかにも自慢らしく語り合い、

「あなたは、しかし、かわらない。」

「いいえ、もうお婆《ばあ》さん。からだが、がたぴしです。あなたこそ、お若いわ。」

「とんでもない。子供がもう三人もあるんだよ。きょうはそいつらのために買出し。」

などと、これもまた久しぶりで逢《あ》った者同士のおきまりの挨拶《あいさつ》を交《かわ》し、それから、二人に共通の知人のその後の消息をたずね合ったりして、そのうちに、ふとマダムは口調を改め、あなたは葉ちゃんを知っていたかしら、と言う。それは知らない、と答えると、マダムは、奥へ行って、三冊のノートブックと、三葉の写真を持って来て私に手渡し、

「何か、小説の材料になるかも知れませんわ。」

と言った。

私は、ひとから押しつけられた材料でものを書けないたちなので、すぐにその場でかえそうかと思ったが、(三葉の写真、その奇怪さについては、はしがきにも書いておいた)その写真に心をひかれ、とにかくノートをあずかることにして、帰りにはまたここへ立ち寄りますが、何町何番地の何さん、女子大の先生をしているひとの家をご存じないか、と尋ねると、やはり新住民同士、知っていた。時たま、この喫茶店にもお見えになるという。すぐ近所であった。

その夜、友人とわずかなお酒を汲み交し、泊めてもらうことにして、私は朝まで一睡もせずに、れいのノートに読みふけった。

その手記に書かれてあるのは、昔の話ではあったが、しかし、現代の人たちが読んで

も、かなりの興味を持つに違いない。下手に私の筆を加えるよりは、これはこのまま、どこかの雑誌社にたのんで発表してもらったほうが、なお、有意義なことのように思われた。

子供たちへの土産《みやげ》の海産物は、干物《ひもの》だけ。私は、リュックサックを背負って友人のもとを辞し、れいの喫茶店に立ち寄り、

「きのうは、どうも。ところで、……」

とすぐに切り出し、

「このノートは、しばらく貸していただけませんか。」

「ええ、どうぞ。」

「このひとは、まだ生きているのですか？」

「さあ、それが、さっぱりわからないんです。十年ほど前に、京橋のお店あてに、そのノートと写真の小包が送られて来て、差出し人は葉ちゃんにきまっているのですが、その小包には、葉ちゃんの住所も、名前さえも書いていなかったんです。空襲の時、ほかのものにまぎれて、これも不思議にたすかって、私はこないだはじめて、全部読んでみて、……」

「泣きましたか？」

「いいえ、泣くというより、……だめね、人間も、ああなっては、もう駄目《だめ》ね。」

「それから十年、とすると、もう亡《な》くなっているかも知れないね。これは、あなたへのお礼のつもりで送ってよこしたのでしょう。多少、誇張して書いているようなところも

あるけど、しかし、あなたも、相当ひどい被害をこうむったようですね。もし、これが全部事実だったら、そうして僕がこのひとの友人だったら、やっぱり脳病院に連れて行きたくなったかも知れない。」

「あのひとのお父さんが悪いのですよ。」

何気なさそうに、そう言った。

「私たちの知っている葉ちゃんは、とても素直で、よく気がきいて、あれでお酒さえ飲まなければ、いいえ、飲んでも、……神様みたいないい子でした。」

（本分中、引用の「ルバイヤット」の詩句は、故堀井梁歩氏の訳による。）

ダス・ゲマイネ*

一　幻灯

当時、私には一日一日が晩年であった。

恋をしたのだ。そんなことは、全くはじめてであった。それより以前には、私の左の横顔だけを見せつけ、私のおとこを売ろうとあせり、相手が一分間でもためらったが最後、たちまち私はきりきり舞いをはじめて、疾風のごとく逃げ失《う》せる。けれども私は、そのころすべてにだらしなくなっていて、ほとんど私の身にくっついてしまったかのようにも思われていたその賢明な、怪我《けが》の少ない身構えの法をさえ持ち堪《こた》えることができず、いわば手放しで、節度のない恋をした。好きなのだから仕様がないという嗄《しやが》れた呟《つぶや》きが、私の思想の全部であった。二十五歳。私はいま生まれた。生きている。生き切る。私はほんとうだ。好きなのだから仕様がない。しかしながら私は、はじめから歓迎されなかったようである。無理心中という古くさい概念を、そろそろとからだで了解しかけて来た矢先、私は手ひどくはねつけられ、そうしてそれっきりであった。相手はどこかへ消えうせたのである。

友人たちは私を呼ぶのに＊佐野次郎左衛門《さのじろざえもん》、もしくは佐野次郎《さのじろ》という昔のひとの名でもってした。

「さのじろ。――でも、よかった。そんな工合《ぐあ》いの名前のおかげで、おめえの恰好《かっこう》もどうやらついて来たじゃないか。ふられても恰好がつくなんてのは、てんからひとに甘ったれている証拠らしいが、――ま、落ちつく。」

馬場がそう言ったのを私は忘れない。そのくせ、私を佐野次郎などと呼びはじめたのは、たしかに馬場なのである。私は馬場と上野公園内の甘酒屋で知り合った。＊清水寺《きよみずでら》のすぐちかくに赤い毛氈《もうせん》を敷《し》いた縁台《えんだい》を二つならべて置いてある小さな甘酒屋で知り合った。

私が講義のあいまあいまに大学の裏門から公園へぶらぶら歩いて出ていって、その甘酒屋にちょいちょい立ち寄ったわけは、その店に十七歳の、菊《きく》という小柄で利発そうな、

ダス・ゲマイネ　das Gemeine（独）ドイツ語で、das Gemeine は、一般的なもの、通俗的なもの、の意。それに、太宰の郷里津軽地方の方言で、ダスケ＝だから、マイネ＝だめだ、となり、それが掛け言葉になっている。　**佐野次郎左衛門**　歌舞伎「杜若艶色紫《かきつばたいろもえどぞめ》」の主人公。元禄年間、下野国《しもつけのくに》（栃木県）佐野の百姓次郎左衛門が江戸吉原に遊び、嫉妬から遊女八橋《やつはし》を始め多くの人を殺傷したと伝えられる事件を、鶴屋南北が脚色したもの。　**清水寺**　東京都上野公園にある天海僧正の建立した清水堂のことであろう。

眼のすずしい女の子がいて、それのさまが私の恋の相手によくよく似ていたからであった。私の恋の相手というのは逢《あ》うのに少しばかり金のかかるたちの女であったから、私は金のないときには、その甘酒屋の縁台に腰をおろし、一杯の甘酒をゆるゆると啜《すす》りながらその菊という女の子を私の恋の相手の代理として眺《なが》めて我慢していたものであった。ことしの早春に、私はこの甘酒屋で異様な男を見た。その日は土曜日で、朝からよく晴れていた。私はフランス抒情詩《じよじようし》の講義を聞きおえて、真昼ごろ、梅は咲いたか桜はまだかいな。たったいま教わったばかりのフランスの抒情詩とは打って変わったかかる無学な文句に、勝手なふしをつけて繰りかえし繰りかえし口ずさみながら、れいの甘酒屋を訪れたのである。そのときすでに、ひとりの先客があった。私は、おどろいた。先客の恰好が、どうもなんだか奇態に見えたからである。ずいぶん痩《や》せ細っているようであったけれども身の丈《たけ》は尋常であったし、着ている背広服も黒サアジのふつうのものであったが、そのうえに羽織っている外套《がいとう》がだいいちに怪しかった。なんという型のものであるか私には判《わか》らぬけれども、ひとめ見た印象で言えば、*シルレルの外套である。天鵞絨《ビロウド》と紐釦《ボタン》がむやみに多く、色は美事な銀鼠《ぎんねず》であって、話にならんほどにだぶだぶしていた。そのつぎには顔である。これをもひとめ見た印象で言わせてもらえば、*シューベルトに化けそこねた狐《きつね》である。不思議なくらいに顕著なおでこと、鉄縁《てつぶち》の小さな眼鏡《めがね》とたいへんなちぢれ毛と、尖《とが》った顎《あご》と、無精鬚《ぶしようひげ》。皮膚は、大仰《おおぎよう》な言いかたをすれば、鶯《うぐいす》の羽のような汚《きた》ない青さで、まったく光沢がなかった。その男が赤毛氈の縁台のまんなかにあぐらをかいて坐《すわ》ったまま大きい*碾茶《ひきちや》の茶碗《ちやわん》でたいぎそうに甘酒をすすりながら、ああ、片手あげて私へおいでおいでをしたではないか。ながく躊躇《ちゅうちょ》をすればするほどこれはいよいよ薄気味わるいことになりそうだな、とそう直覚したので、私は自分にもなんのことやら意味の分からぬ微笑を無理して浮かべながら、その男の坐っている縁台の端に腰をおろした。

「けさ、とても固いするめを食ったものだから、」わざと押し潰《つぶ》しているような低いかすれた声であった。「右の奥歯がいたくてなりません。歯痛ほど閉口なものはないね。*アスピリンをどっさり呑《の》めば、けろっとなおるのだが。おや、あなたを呼んだのは僕だったのですか？　しつれい。僕にはねえ、」私の顔をちらと見てから、口角に少し笑いを含めて「ひとの見さかいができねえんだ。めくら。――そうじゃない。僕は平凡なのだ。見せかけだけさ。僕のわるい癖でしてね。はじめて逢《あ》ったひとには、ちょっとこう、いっぷう変わっているように見せたくてたまらないのだ。自縄自縛《じじょうじばく》という言葉がある。

シルレル　Friedrich von Schiller（1759—1805）。ドイツ古典派の詩人、劇作家。ゲーテと並び称されるが、理想の追求者で倫理性、思想性に富む。処女作「群盗」をはじめ、「たくみと恋」「ウィルヘルム・テル」など。　**シューベルト**　Franz Peter Schubert（1797—1828）。オーストリアの作曲家。豊かなメロディーによる抒情性と簡素な優美さとで知られる。交響曲ロ短調「未完成」などをはじめ歌曲集「冬の旅」その他六百余の歌曲がある。　**碾茶**　緑茶の一種。茶を挽いて粉末にしたもので、熱湯を注いで掻きまぜて飲む。茶道に用いて、濃茶、薄茶の別がある。　**アスピリン**　Aspirin（独）ドイツのバイエル社の商品だが、一般の薬品名に用いられている。アセチル・サリチル酸で、解熱鎮痛剤。

ひどく古くさい。いかん。病気ですね。君は、文科ですか？　ことし卒業ですね？」

私は答えた。「いいえ。もう一年です。あの、いちど落第したものですから。」

「はあ、芸術家ですな。」にこりともせず、おちついて甘酒をひと口すすった。「僕はそ*この音楽学校にかれこれ八年います。なかなか卒業できない。まだいちども試験というものに出席しないからだ。ひとがひとの能力を試みるなんてことは、君、容易ならぬ無礼だからね。」

「そうです。」

「と言ってみただけのことさ。つまりは頭がわるいのだよ。僕はよくここにこうして坐りこみながら眼のまえをぞろぞろと歩いて通る人の流れを眺めているのだが、はじめのうちは堪忍《かんにん》できなかった。こんなにたくさんのひとがいるのに、誰も僕を知っていない、僕に留意しない、そう思うと、――いや、そうさかんに合槌《あいづち》うたなくたってよい。はじめから君の気持で言っているのだ。けれどもいまの僕なら、そんなことぐらい平気だ。かえって快感だ。枕《まくら》のしたを清水《しみず》がさらさら流れているようで。あきらめじゃない。王侯のよろこびだよ。」ぐっと甘酒を呑みほしてから、だしぬけに碾茶の茶碗を私の方へのべてよこした。「この茶碗に書いてある文字、――白馬驕不行《はくばおごりてゆかず》。よせばいいのに。てれくさくてかなわん。君にゆずろう。僕が浅草の骨董屋《こっとうや》から高い金を出して買って来て、この店にあずけてあるのだ。とくべつに僕用の茶碗としてね。僕は君の顔が好きなんだ。瞳《ひとみ》のいろが深い。あこがれている眼だ。僕が死んだなら、君がこの茶碗を使うのだ。僕はあしたあたり死ぬかも知れないからね。」

それからというもの、私たちはその甘酒屋で実にしばしば落ち合った。馬場はなかなかに死なないばかりか、少し太った。蒼黒《あおぐろ》い両頬《りょうほお》が桃の実のようにむっつりふくれた。彼はそれを酒ぶとりであると言って、こうからだが太って来ると、いよいよ危《あぶ》ないのだ、と小声で附け加えた。私は日ましに彼と仲よくなった。なぜ私は、こんな男から逃げ出さずに、かえって親密になっていったのか。馬場の天才を信じたからであろうか。昨年の晩秋、*ヨオゼフ・シゲティというブダペスト生まれのヴアイオリンの名手が日本へやって来て、日比谷の公会堂で三度ほど演奏会をひらいたが、三度が三度ともたいへんな不人気であった。孤高狷介《ここうけんかい》のこの四十歳の天才は、憤《おこ》ってしまって、東京朝日新聞へ一文を寄せ、日本人の耳は驢馬《ろば》の耳だ、なんて悪罵《あくば》したものであるが、日本の聴衆へのそんな罵言の後には、かならず、「ただしひとりの青年を除いて。」という一句が詩の*ルフランのように括弧《かっこ》でくくられて書かれていた。いったい、ひとりの青年とは誰のことなんだろうとそのじぶん楽壇でひそひそ論議されたものだそうであるが、それは、馬場であった。馬場はヨオゼフ・シゲティと逢って話を交《かわ》した。日比谷公会堂での三度目の辱《はず》かしめられた演奏会がおわった夜、馬場は銀座のある名高

そこの音楽学校　東京都上野公園内にある東京音楽学校。戦後、東京美術学校と統合して東京芸術大学となる。　**ヨオゼフ・シゲティ**　József Szigeti（1892—1973）。ハンガリー生まれのバイオリン奏者。新即物主義の演奏家として若い世代から歓迎され、一九三一、三二、五三年に来日した。　**ルフラン**　refrain（仏）英語のリフレイン。詩歌、楽曲の各節の終りの部分を二度以上繰り返すこと。

いビヤホオルの奥隅《おくすみ》の鉢《はち》の木の蔭《かげ》に、シゲティの赤い大きな禿頭《とくとう》を見つけた。馬場は躊躇《ちゆうちよ》せず、その報いられなかった世界的な名手がことさらに平気を装うて薄笑いしながらビイルを舐《な》めているテエブルのすぐ隣りのテエブルに、つかつか歩み寄っていって坐った。その夜、馬場とシゲティとは共鳴をはじめて、銀座一丁目から八丁目までのめぼしいカフエを一軒一軒、たんねんに呑《の》んでまわった。勘定はヨオゼフ・シゲティが払った。シゲティは、酒を呑んでも行儀がよかった。黒の蝶《ちよう》ネクタイを固くきちんと結んだままで、女給たちにはついに一指も触れなかった。理智《りち》で切りきざんだ工合《ぐあ》いの芸でなければ面白くないのです。文学のほうではアンドレ・ジッド*とトオマス・マン*が好きです、と言ってから淋《さび》しそうに右手の親指の爪《つめ》を噛《か》んだ。ジッドをチットと発音していた。夜のまったく明けはなれたころ、二人は、帝国ホテルの前庭の睡蓮《すいれん》の池のほとりでお互いに顔をそむけ合いながら力の抜けた握手を交してそそくさと別れ、その日のうちにシゲティは横浜からエムプレス・オブ・カナダ号に乗船してアメリカへ向けて旅立ち、その翌《あく》る日、東京朝日新聞にれいのルフラン附きの文章が掲載《けいさい》されたというわけであった。けれども私は、彼もさすがにてれくさそうにして眼を激しくしばたたかせながら、そうして、おしまいにはほとんど不機嫌《ふきげん》になってしまって語って聞かせたこんなふうの手柄話を、あんまり信じる気になれないのである。彼が異国人と夜のまったく明けはなれるまで談じ合うほど語学ができるかどうか、そういうことからして怪しいもんだと私は思っている。疑いだすと果てしがないけれども、いったい、彼にはどのような音楽理論があるのか、ヴァイオリニストとしてどれくらいの腕前があるのか、作曲家としてはどんなものか、そんなことさえ私には一切わかっておらぬのだ。馬場はときたま、てかてか黒く光るヴァイオリンケエスを左腕にかかえて持って歩いていることがあるけれども、ケエスの中にはつねに一物もはいっていないのである。彼の言葉によれば、彼のケエスそれ自体が現代のサンボルだ、中はうそ寒くからっぽであるというんだが、そんなときには私は、この男はいったいヴァイオリンを一度でも手にしたことがあるのだろうかという変な疑いをさえ抱《いだ》くのである。そんな案配であるから、彼の天才を信じるも信じないも、彼の技倆《ぎりょう》を計るよすがさえない有様で、私が彼にひきつけられたわけは、他にあるのにちがいない。私もまたヴァイオリンよりヴァイオリンケエスを気にする組ゆえ、馬場の精神や技倆より、彼の風姿や冗談に魅せられたのだというような気もする。彼は実にしばしば服装をかえて、私のまえに現われる。さまざまの背広服のほかに、学生服を着たり、菜っ葉服《なっぱふく》を着たり、あるときには角帯に白足袋《しろたび》という恰好《かっこう》で私を狼狽《ろうばい》させ赤面させた。彼の平然と呟《つぶや》くところによれば、彼がこのようにしばしば服装をかえる

アンドレ・ジッド　André Gide（1869—1951）。普通、ジィドと発音する。フランスの作家。小説の方法を意識的に追求してさまざまな実験を試み、また思想的には個人主義的な立場から既成道徳や宗教、社会制度を批判した。「窄《せま》き門」「贋金《にせがね》づくり」などは有名。一九四七年ノーベル文学賞を受けた。**トオマス・マン**　Thomas Mann（1875—1955）。ドイツの小説家。自然主義の影響を受けて、没落する人間や、性格破綻者を冷静な眼と深い共感をもって描いた。作風は知的で、現代のゲーテといわれる。ナチスを嫌ってアメリカに亡命した。「トニオ・クレーゲル」「魔の山」などがある。

わけは、自分についてどんな印象をもひとに与えたくない心からなんだそうである。言い忘れていたが、馬場の生家は、東京市外の三鷹村下連雀《みたかむらしもれんじやく》にあり、彼はそこから市内へ毎日かかさず出て来て遊んでいるのであって、親爺《おやじ》は地主か何かで、かなりの金持ちらしく、そんな金持ちであるからこそ、さまざまに服装をかえたりなんかしてみることもできるわけで、これもいわば地主の倅《せがれ》の贅沢《ぜいたく》の一種類にすぎないのだし、——そう考えてみれば、べつだん私は彼の風采《ふうさい》のゆえにひきつけられているのでもないようだぞ。金銭のせいであろうか。すこぶる言いにくい話であるが、彼とふたりで遊び歩いていると勘定はすべて彼が払う。私を押しのけてまで支払うのである。友情と金銭とのあいだには、このうえなく微妙な相互作用がたえずはたらいているものらしく、彼の豊潤《ほうじゆん》の状態が私にとっていくぶん魅力になっていたことも争われない。これは、ひょっとしたら、馬場と私との交際は、はじめっから旦那《だんな》と家来の関係にすぎず、徹頭徹尾、私がへえへえ牛耳《ぎゆうじ》られていたという話に終わるだけのことのような気もする。

ああ、どうやらこれは語るに落ちたようだ。つまりそのころの私は、さきにもちょっと言っておいたように金魚の糞《ふん》のような無意志の生活をしていたのであって、金魚が泳げば私もふらふらついて行くというような、そんなはかない状態で馬場とのつき合いをつづけていたにちがいないのである。ところが、八十八夜。——妙なことには、馬場はなかなか暦に敏感らしく、きょうは、かのえさる、仏滅《ぶつめつ》だと言ってしょげかえっているかと思うと、きょうは端午《たんご》だ、やみまつり、などと私にはよく意味のわからぬようなことまでぶつぶつ呟《つぶや》いていたりする有様で、その日も、私が上野公園のれいの甘酒屋で、はらみ猫《ねこ》、葉桜《はざくら》、花吹雪《はなふぶき》、毛虫、そんな風物のかもし出す晩春のぬくぬくした爛熟《らんじゆく》の雰囲気《ふんいき》をからだじゅうに感じながら、ひとりしてビイルを呑んでいたのであるが、ふと気がついてみたら、馬場がみどりいろの派手な背広服を着ていつの間にか私のうしろのほうに坐っていたのである。れいの低い声で、「きょうは八十八夜。」そうひとこと呟いたかと思うともう、てれくさくてかなわんとでもいうようにむっくり立ちあがって両肩をぶるっと大きくゆすった。八十八夜を記念しようという、なんの意味もない決心を笑いながら固めて、二人、浅草へ呑みに出かけることになったのであるが、その夜、私はいっそく飛びに馬場へ離れがたない親狎《しんこう》の念を抱くにいたった。浅草の酒の店を五六軒。馬場はドクタア・プラアゲ*と日本の楽壇との喧嘩《けんか》を嚙《か》んで吐きだすようにしながらながと語り、プラアゲは偉い男さ、なぜって、とまた独《ひと》りごとのようにしてその理由を呟いているうちに、私は私の女と逢いたくて、居ても立ってもいられなくなった。私は馬場を誘った。幻灯《げんとう》を見に行こうと囁《ささや》いたのだ。馬場は幻灯を知らなかった。よし、よし。きょうだけは僕が先輩です。八十八夜だから連れていってあげましょう。私はそんなてれかくしの冗談を言いながら、プラアゲ、プラアゲ、となおも低く呟きつづけている馬場を無理、矢理、自動車に押しこんだ。急げ！　ああ、いつもながらこの大川を越

ドクタア・プラアゲ　昭和十二年、欧米諸国の著作権の代理人として来日し、当時の音楽や出版物にあった外国著作権侵害の摘発を行ない、いわゆる「プラーゲ旋風」を捲き起こした人物。この対策として昭和十四年に「著作権ニ対スル仲介業者ニ関スル法律」ができ、著作権の仲介業を許可制とし、許可を受けていない同氏の摘発を封じた。

す瞬間のときめき。幻灯のまち。そのまちには、よく似た路地が蜘蛛《くも》の巣のように四通八達していて、路地の両側の家々の、一尺に二尺くらいの小窓小窓でわかい女の顔が花やかに笑っているのであって、このまちへ一歩踏みこむと肩の重みがすっと抜け、ひとはおのれの一切の姿勢を忘却し、逃げおおせた罪人のように美しく落ちつきはらって一夜をすごす。馬場にはこのまちが初めてのようであったが、べつだん驚きもせずゆったりした歩調で私と少しはなれて歩きながら、両側の小窓小窓の女の顔をひとつひとつ熟察《じゅくさつ》していた。路地へはいり路地を抜け路地を曲り路地へ行きついてから私は立ちどまり馬場の横腹をそっと小突いて、僕はこの女のひとを好きなのです、ええ、よっぽどまえから、と囁いた。私の恋の相手はまばたきもせず小さい下唇《したくちびる》だけをきゅっと左へうごかして見せた。馬場も立ちどまり、両腕をだらりとさげたまま首を前へ突きだして、私の女をつくづくと凝視《ぎょうし》しはじめたのである。やがて、振りかえりざま、叫ぶようにして言った。

「やあ、似ている。似ている。」

はっとはじめて気づいた。

「いいえ、菊ちゃんにはかないません。」私は固くなって、へんな応《こた》えかたをした。ひどくりきんでいたのである。馬場はかるく狼狽《ろうばい》の様子で、

「くらべたりするもんじゃないよ。」と言って笑ったが、すぐにけわしく眉《まゆ》をひそめ、「いや、ものごとはなんでも比較してはいけないんだ。比較根性の愚劣。」と自分へ説き聞かせるようにゆっくり呟きながら、ぶらぶら歩きだした。あくる朝、私たちはかえり

の自動車のなかで、黙っていた。一口でも、ものを言えば殴《なぐ》り合いになりそうな気まずさ。自動車が浅草の雑沓《ざっとう》のなかにまぎれこみ、私たちもただの人の気楽さをようやく感じて来たころ、馬場はまじめに呟いた。

「ゆうべ女のひとがねえ、僕にこういって教えたものだ。あたしたちだって、はたから見るほど楽じゃないんだよ。」

私は、つとめて大袈裟《おおげさ》に噴《ふ》きだして見せた。馬場はいつになくはればれと微笑《ほほえ》み、私の肩をぽんと叩《たた》いて、

「日本で一番よいまちだ。みんな胸を張って生きているよ。恥じていない。おどろいたなあ。一日一日をいっぱいに生きている。」

それ以後、私は馬場へ肉親のように馴《な》れて甘えて、生まれてはじめて友だちを得たような気さえしていた。友を得たと思ったとたんに私は恋の相手をうしなった。それが、口に出して言われないような、われながらみっともない形で女のひとに逃げられたものであるから、私は少し評判になり、とうとう、佐野次郎というくだらない名前までつけられた。いまだからこそ、こんなふうになんでもない口調で語れるのであるが、当時は、笑い話どころではなく、私は死のうと思っていた。幻灯のまちの病気もなおらず、いつ不具者になるかわからぬ状態であったし、ひとはなぜ生きていなければいけないのか、そのわけが私には呑みこめなかった。ほどなく暑中休暇にはいり、東京から二百里はなれた本州の北端の山の中にある私の生家にかえって、一日一日、庭の栗《くり》の木のしたで籐《とう》椅子《いす》にねそべり、煙草《たばこ》を七十本ずつ吸ってぼんやりくらしていた。馬場が手紙をよこし

た。

拝啓。死ぬことだけは、待ってくれないか。僕のために。君が自殺をしたなら、僕は、ああ僕へのいやがらせだな、とひそかに自惚《うぬぼ》れる。それでよかったら、死にたまえ。僕もまた、かつては、いや、いまもなお、生きることに不熱心である。けれども僕は自殺をしない。誰かに自惚《うぬぼ》れられるのが、いやなんだ。病気と災難とを待っている。けれどもいまのところ、僕の病気は歯痛と痔《じ》である。死にそうもない。災難もなかなか来ない。僕の部屋の窓を夜どおし明けはなして盗賊の来襲を待ち、ひとつ彼に殺させてやろうと思っているのであるが、窓からこっそり忍びこむ者は、蛾《が》と羽蟻《はあり》とかぶとむし、それから百万の蚊軍。(君曰《いわ》く、ああ僕とそっくりだ!)君、一緒に本を出さないか。僕は、本でも出して借金を全部かえしてしまって、それから三日三晩くらいぶっつづけにこんこんと眠りたいのだ。借金とは宙ぶらりんな僕の肉体だ。僕の胸には借金の穴が黒くぽかんとあいている。本を出したおかげでこの満たされぬ空洞がいよいよ深くなるかも知れないが、そのときにはまたそれでよし。とにかく僕は、僕自身にうまくひっこみをつけたいのだ。本の名は、海賊。具体的なことがらについては、君と相談のうえできめるつもりであるが、僕のプランとしては、輸出むきの雑誌にしたい。相手はフランスがよかろう。君はたしかにずば抜けて語学ができる様子だから、僕たちの書いた原稿をフランス語に直しておくれ。アンドレ・ジッドに一冊送って批評をもらおう。ああ、ヴァレリイと直接に論争できるぞ。あの眠たそうなプルウストをひとつうろたえさせてやろうじゃないか。（君曰く、残念、プルウストはもう死にました。）コクトオはまだ生きているよ。君ラディゲが生きていたらねえ。デコブラ先生にも送ってやってよろこばせてやるか、可哀《かわい》そうに。

こんな空想はたのしくないか。しかも実現はさほど困難でない。（書きしだい、文字が乾《かわ》く。手紙文という特異な文体。叙述でもなし、会話でもなし、描写でもなし、どうも不思議な、それでいてちゃんと独立している無気味な文体。いや、ばかなことを言った。）ゆうべ徹夜で計算したところによると、三百円で、素晴らしい本が出来る。それくらいなら、僕ひとりでも、どうにかできそうである。君は詩を書いてポオル・フォオルに読ませたらよい。僕はいま海賊の歌という四楽章からなる交響曲を考えている。で

コクトオ　Jean Cocteau（1889—1963）。フランスの詩人、小説家、劇作家。時代に鋭敏な感覚をもち、古典美学に裏打ちされたモダニズムをもつ独特な作品を書いた。第二次大戦にはレジスタンスに加わっていた。小説「恐るべき子供たち」、戯曲「オルフェ」、詩集「喜望峰」などがある。　**ラディゲ**　Raymond Radiguet（1903—1923）。フランスの詩人、作家。コクトオに詩才を認められた早熟な天才で、十六〜十八歳で小説「肉体の悪魔」を書き、ついで古典的文体と幾何学的心理分析を駆使した「ドルジェル伯の舞踏会」を完成したのち、二十歳で死んだ。　**デコブラ**　Maurice Dekobrá（1885—1973）。フランスの小説家。初期にはコスモポリタンの生活をユーモラスに描く作品を、後期には軽妙な娯楽小説を書いた。

ポオル・フォオル　Paul Fort（1872—1960）。フランスの詩人、劇作家。二十世紀初頭の詩壇に君臨し、「フランスのバラード」の総タイトルをつけた五十四巻の詩集を上梓した。

きあがったら、この雑誌に発表し、どうにかしてラヴェル*を狼狽《ろうばい》させてやろうと思っている。くりかえして言うが、実現は困難でない。金さえあれば、できる。実現不可能の理由としては、何があるか。君もはなやかな空想でせいぜい胸をふくらませておいたほうがよい。どうだ。(手紙というものは、なぜおしまいに健康を祈らなければいけないのか。頭はわるし、文章はまずく、話術が下手くそでも、手紙だけはうまい男という怪談がこの世の中にある。)ところで僕は、手紙上手であるか。それとも手紙下手であるか。さよなら。

これは別なことだが、いまちょっと胸に浮かんだから書いておく。古い質問、「知ることは幸福であるか。」

佐野次郎左衛門様、　馬場数馬。

二　海賊

ナポリを見てから死ね!*

Pirate* という言葉は、著作物の剽窃者《ひようせつしや》を指《さ》していうときにも使用されるようだが、それでもかまわないか、と私が言ったら、馬場は即座に、いよいよ面白いと答えた。Le Pirate,──雑誌の名はまずきまった。マラルメ*やヴェルレエヌの関係していた La Basoche, ヴェルハアレン*一派の La Jeune Belgique, そのほか La Semaine, La Type. いずれも異国の芸苑《げいえん》に咲いた真紅《しんく》の薔薇《ばら》。むかしの若き芸術家たちが世界に呼びかけた機関雑誌。ああ、われらもまた。暑中休暇がすんであたふたと上京したら、馬場の海賊熱はいよいよあがっていて、やがて私にもそのまま感染し、ふたり寄ると触《さわ》ると Le Pirate についての、はなやかな空想を、いやいや、具体的なプランについて語り合ったのである。春と夏と秋と冬と一年に四回ずつ発行のこと。菊倍判六十頁《ペエジ》。全部アート紙。クラブ員は海賊のユニフォオムを一着すること。胸には必ず季節の花を。クラブ員相互の合言葉。――一切誓うな。幸福とは？　審判するなかれ。ナポリを見てから死ね！　等々。仲間はかならず二十代の美青年たるべきこと。一芸において秀抜《しゅうばつ》の技倆《ぎりょう》を有す

ラヴェル　Maurice Ravel（1875―1937）。フランスの作曲家。印象主義の手法を駆使して、知的な音楽を創造した。舞踊曲「ダフニスとクロエ」、ピアノ曲「死せる王女のためのパヴァーヌ」などが有名。**ナポリを見てから死ね**　ナポリは南イタリアの著名な観光地。ヴェスヴィオ火山、ナポリ湾などの風光の美しさを賞讃するところからこのことわざが生まれた。**Pirate**（仏）ピラット。海賊、剽窃者。**マラルメ**　Stéphane Mallarmé（1842―1898）。フランスの詩人。高踏派から次第に象徴詩の方向にむかい、ついに象徴詩の大御所として伝説的人物となった。その詩はきわめて音楽的であると同時に、陰影深い思考をひそめている。「詩集」、散文詩「骰子一擲《とうしいってき》」などがある。**ヴェルハアレン一派**　エミール・ヴェルハアレン Emile Verhaeren（1855―1916）は、ベルギーの詩人。メーテルリンクらと“La Jeune Belgique”（若いベルギー）を創刊。ロマン派・高踏派の影響を受けて出発、やがて現実社会に目を向けて近代文明の哀歓をうたった。詩集に「伸びゆく都会」「たち騒ぐ力」など。一派とは「若いベルギー」に拠《よ》った人々を指す。

ること。*The Yellow Book の故智《こち》にならい、*ビアズレイに匹敵する天才画家を見つけ、これにどんどん挿絵《さしえ》をかかせる。国際文化振興会などをたよらずに異国へわれらの芸術をわれらの手で知らせてやろう。資金として馬場が二百円、私が百円、そのうえほかの仲間たちから二百円ほど出させる予定である。仲間、——馬場が彼の親類筋にあたる佐竹六郎という東京美術学校の生徒をまず私に紹介してくれる段取りとなった。その日、私は馬場との約束どおり、午後の四時ごろ、上野公園の菊ちゃんの甘酒屋を訪れたのであるが、馬場は紺飛白《こんがすり》の単衣《ひとえ》に小倉の袴《はかま》という維新風俗で赤毛氈《あかもうせん》の縁台に腰かけて私を待っていた。馬場の足もとに、真赤な麻の葉模様の帯をしめ白い花の簪《かんざし》をつけた菊ちゃんが、お給仕の塗盆《ぬりぼん》を持って丸く蹲《うずくま》って馬場の顔をふり仰いだまま、みじろぎもせずじっとしていた。馬場の蒼黒《あおぐろ》い顔には弱い西日がぽっと明るくさしていて、夕靄《ゆうもや》がもやもや烟《けむ》ってふたりのからだのまわりを包み、なんだかおかしな、狐狸《こり》のにおいのする風景であった。私が近づいていって、やあ、と馬場に声をかけたら、菊ちゃんが、あ、と小さく叫んで飛びあがり、ふりむいて私に白い歯を見せて挨拶《あいさつ》したが、みるみる豊かな頬《ほお》をあかくした。私も少しどぎまぎして、わるかったかな？　と思わず口を滑《すべ》らせたら、菊ちゃんは一瞬はっと表情をかえて妙にまじめな眼つきで私の顔を見つめたかと思うと、くるっと私に背をむけお盆で顔をかくすようにして店の奥へ駈《か》けこんでいったものだ。なんのことはない、あやつり人形の所作《しょさ》でも見ているような心地《ここち》がした。私はいぶかしく思いながらその後ろ姿をそれとなく見送り縁台に腰をおろすと、馬場はにやにやうす笑いして言いだした。

「信じ切る。そんな姿はやっぱりいいな。あいつがねえ。」白馬驕不行《はくばおごりてゆかず》の碾茶《ひきちゃ》の茶碗《ちゃわん》はさすがにてれくさいせいをもってか、とうのむかしに廃止されて、いまは普通のお客と同じに店の青磁《せいじ》の茶碗。番茶を一口すすって、「僕のこの不精鬚《ぶしょうひげ》を見て、幾日くらいたてばそんなに伸びるの？と聞くから、二日くらいでこんなになってしまうのだよ。ほら、じっとして見ていなさい。鬚がそよそよと伸びるのが肉眼でも判《わか》るほどだから、と真顔《まがお》で教えたら、だまってしゃがんで僕の顎《あご》を皿《さら》のようなおおきい眼でじっと見つめるじゃないか。おどろいたねえ。君、無智ゆえに信じるのか、それとも利発ゆえに信じるのか。ひとつ、信じるという題目で小説でも書こうかなあ。AがBを信じている。そこへCやDやEやFやGやHやそのほかたくさんの人物がつぎつぎに出て来て、手を変え品を変え、さまざまにBを中傷する。――それから、――Aはやっぱり Bを信じている。疑わない。てんから疑わない。安心している。Aは女、Bは男。つまらない小説だね。ははん。」へんにはしゃいでいた。私は、彼の言葉をそのままに聞いているだけで彼の胸のうちをべつだん何も忖度《そんたく》してはいないのだというところをすぐにも見せなければいけないと思ったから、

「その小説は面白そうですね。書いてみたら？」

The Yellow Book　十九世紀末のイギリスの文芸雑誌。ビアズレイが多くの挿絵を描いた。

ビアズレイ　Aubrey Vincent Beardsley（1872―1898）。イギリスの挿絵画家。デュラーの絵や日本画などを研究、幻想的な黒白画の新形式を創始した。ワイルドの「サロメ」の挿絵など、世紀末の頽唐派の代表として有名。

できるだけ余念なさそうな口調で言って、前方の西郷隆盛《さいごうたかもり》の銅像をぼんやり眺めた。馬場は助かったようであった。いつもの不機嫌《ふきげん》そうな表情を、円滑《えんかつ》に、取り戻すことができたのである。

「ところが、――僕には小説が書けないのだ。君は怪談を好むたちだね？」

「ええ、好きですよ。なによりも、怪談がいちばん僕の空想力を刺激するようです。」

「こんな怪談はどうだ。」馬場は下唇をちろと舐《な》めた。「知性の極というものは、たしかにある。身の毛もよだつ無間奈落《むげんならく》だ。こいつをちらとでも覗《のぞ》いたら最後、ひとは一こともものを言えなくなる。筆を執《と》っても原稿用紙の隅《すみ》に自分の似顔絵《にがおえ》を落書したりなどするだけで、一字も書けない。それでいて、そのひとは世にも恐ろしいあるひとつの小説をこっそり企《くわだ》てる。企てた、とたんに、世界じゅうの小説がにわかに退屈でしらじらしくなって来るのだ。それはほんとうに、おそろしい小説だ。たとえば、帽子をあみだにかぶっても気になるし、まぶかにかぶっても落ちつかないし、ひと思いに脱いでみてもいよいよ変だという場合、ひとはどこで位置の定着を得るかというような自意識過剰の統一の問題などに対しても、この小説は碁盤のうえに置かれた碁石のような涼しい解決、涼しい解決？　そうじゃない。無風。カットグラス。白骨。そんな工合《ぐあ》いの冴《さ》え冴《ざ》えした解決だ。いや、そうじゃない。どんな形容詞もない、ただの、『解決』だ。そんな小説はたしかにある。けれども人は、ひとたびこの小説を企てたその日から、みるみる痩《や》せおとろえ、はては発狂するか自殺するか、もしくは唖者《おし》になってしまうのだ。君、ラディゲは自殺したんだってね。コクトオは気がちがいそうになって日がな一日オピアム*

ばかりやってるそうだし、ヴァレリイは十年間、啞者《おし》になった。このたったひとつの小説をめぐって、日本なんかでも一時ずいぶん悲惨な犠牲者が出たものだ。現に、君、――」

「おい、おい。」という嗄《しやが》れた呼び声が馬場の物語の邪魔をした。ぎょっとして振りむくと、馬場の右脇にコバルト色の学生服を着た背のきわめてひくい若い男がひっそり立っていた。

「おそいぞ。」馬場は怒《おこ》っているような口調で言った。「おい、この帝大生が佐野次郎左衛門さ。こいつは佐竹六郎だ。れいの画《え》かきさ。」

佐竹と私とは苦笑しながら軽く目礼を交《かわ》した。佐竹の顔は肌理《きめ》も毛穴も全然ないてかてかに磨《みが》きあげられた乳白色の能面の感じであった。瞳《ひとみ》の焦点がさだかでなく、硝子《ガラス》製《せい》の眼玉のようで、鼻は象牙細工《ぞうげざいく》のように冷たく、鼻筋が剣のようにするどかった。眉《まゆ》は柳の葉のように細長く、うすい唇《くちびる》は苺《いちご》のように赤かった。そんなに絢爛《けんらん》たる面貌《めんぼう》にくらべて、四肢の貧しさは、これまた驚くべきほどであった。身長五尺に満たないくらい、痩《や》せた小さい両の掌《てのひら》は蜥蜴《とかげ》のそれを思い出させた。佐竹は立ったまま、老人のように生気のない声でぼそぼそ私に話しかけたのである。

「あんたのことを馬場から聞きましたよ。ひどいめに遭《あ》ったものですねえ。なかなかやると思っていますよ。」私はむっとして、佐竹のまぶしいほど白い顔を、もいちど見直した。箱のように無表情であった。

オピアム　opium（英）アヘン。

馬場は音たかく舌打ちして、「おい佐竹、からかうのはやめろ。ひとを平気でからかうのは、卑劣な心情の証拠だ。罵《ののし》るなら、ちゃんと罵るがいい。」

「からかってやしないよ。」しずかにそう応《こた》えて、胸のポケットからむらさき色のハンケチをとり出し、頸《くび》のまわりの汗をのろのろ拭《ふ》きはじめた。

「ああ。」馬場は溜息《ためいき》ついて縁台にごろんと寝ころがった。「おめえは会話の語尾に、ねえ、とか、よ、とかをつけなければものを言えないのか。その語尾の感嘆詞みたいなものだけは、よせ。皮膚にべとつくようでかなわんのだ。」私もそれは同じ思いであった。

佐竹はハンケチをていねいに畳んで胸のポケットにしまいこみながら、よそごとのようにして呟いた。「朝顔みたいなつらをしやがって、と来るんじゃないかね？」

馬場はそっと起きあがり、すこし声をはげまして言った。「おめえとはここで口論したくねえんだ。どっちもある第三者を計算にいれてものを言っているのだからな。そうだろう？」何か私の知らない仔細《しさい》があるらしかった。

佐竹は陶器のような青白い歯を出して、にやっと笑った。「もう僕への用事はすんだのかね？」

「そうだ。」馬場はことさらに傍見《わきみ》をしながら、さもさもわざとらしい小さなあくびをした。

「じゃあ、僕は失敬するよ。」佐竹は小声でそう呟き、金側の腕時計をよほどながいこと見つめて何か思案しているふうであったが、「日比谷へ新響を聞きに行くんだ。近衛《このえ》もこのごろは商売上手になったよ。僕の座席のとなりにいつも異人の令嬢が坐るのでねえ。このごろはそれがたのしみさ。」言い終えたら、鼠《ねずみ》のような身軽さでちょこちょこ走り去った。

「ちぇっ！　菊ちゃん、ビイルをおくれ。おめえの色男がかえっちゃった。佐野次郎、呑《の》まないか。僕はつまらん奴《やつ》を仲間にいれたなあ。あいつは、いそぎんちゃくだよ。あんな奴と喧嘩《けんか》したら、倒立《さかだ》ちしたってこっちが負けだ。ちっとも手むかいせずに、こっちの殴《なぐ》った手へべっとりくっついて来る。」急に真剣そうに声をひそめて、「あいつ、菊の手を平気で握りしめたんだよ。あんなたちの男が、ひとの女房をやすやすと手にいれたりなどするんだねえ。インポテンスじゃないかと思うんだけれど。なに、名ばかりの親戚《しんせき》で僕とは血のつながりなんか絶対にない。――僕は菊のまえであいつと議論したくねえんだ。はり合うなんて、いやなこった。――君、佐竹の自尊心の高さを考えると、僕はいつでもぞっとするよ。」ビイルのコップを握ったまま、深い溜息をもらした。「けれども、あいつの画だけは正当に認めなければいけない。」

私はぼんやりしていた。だんだん薄暗くなっていろいろの灯《ひ》でいろどられてゆく上野

新響　大正十五年九月、近衛秀麿が山田耕筰の日本交響楽団から別れて組織した新交響楽団の略称。当時、東洋一の交響楽団として音楽界に君臨した。現在のＮＨＫ交響楽団の前身。
近衛　近衛秀麿　明治三十一年―昭和四十八年（1898―1973）。作曲家、指揮者。東京生まれ。山田耕筰に作曲を学び、ヨーロッパ留学では作曲のほか指揮も修めた。『越天楽』の作曲者。また、山田耕筰に関しては三三一頁を参照。

広小路《ひろこうじ》の雑沓《ざっとう》の様子を見おろしていたのである。そうして馬場のひとりごととは千里万里もかけはなれた、つまらぬ感傷にとりつかれていた。東京だなあというたったそれだけの言葉の感傷に。

ところが、それから五六日して、上野動物園で貘《ばく》の夫婦をあらたに購入したという話を新聞で読み、ふとその貘を見たくなって学校の授業がすんでから、動物園に出かけていったのであるが、そのとき、水禽《すいきん》の大鉄傘《だいてっさん》ちかくのベンチに腰かけてスケッチブックへ何やらかいている佐竹を見てしまったのである。しかたなく傍《そば》へ寄っていって、軽く肩をたたいた。

「ああ。」と軽くうめいて、ゆっくり私のほうへ頸をねじむけた。「あなたですか。びっくりしましたよ。ここへお坐りなさい。いま、この仕事を大急ぎで片づけてしまいますから、それまでちょっと、待っていて下さいね。お話ししたいことがあるのです。」へんによそよそしい口調でそう言って鉛筆を取り直し、またスケッチにふけりはじめた。私はそのうしろに立ったままでしばらくもじもじしていたが、やがて決心をつけてベンチへ腰をおろし、佐竹のスケッチブックをそっと覗《のぞ》いてみた。佐竹はすぐに察知したらしく、

「ペリカンをかいているのです。」とひくく私に言って聞かせながら、ペリカンのさまざまの姿態をおそろしく乱暴な線でさっさと写しとっていた。「僕のスケッチをいちまい二十円くらいで、何枚でも買ってくれるというひとがあるのです。」にやにやひとりで笑いだした。「僕は馬場みたいに出鱈目《でたらめ》を言うことはきらいですねえ。荒城の月の話

はまだですか？」

「荒城の月、ですか？」私にはわけがわからなかった。

「じゃあ、まだですね。」うしろむきのペリカンを紙面の隅《すみ》に大きく写しながら、「馬場がむかし、*滝廉太郎《たきれんたろう》という匿名《とくめい》で荒城の月という曲を作って、その一切の権利を*山田耕《こう》筰《さく》に三千円で売りつけた。」

「それが、あの、有名な荒城の月ですか？」私の胸は躍《おど》った。

「嘘《うそ》ですよ。」一陣の風がスケッチブックをぱらぱらめくって、裸婦や花のデッサンをちらちら見せた。「馬場の出鱈目は有名ですよ。また巧妙ですからねえ。誰でもはじめは、やられますよ。ヨオゼフ・シゲティは、まだですか？」

「それは聞きました。」私は悲しい気持ちであった。

「ルフラン附きの文章か。」つまらなそうに言って、スケッチブックをぱちんと閉《と》じた。

「どうもお待たせしました。すこし歩きましょうよ。お話ししたいことがあるのです。」

きょうは貘の夫婦をあきらめよう。そうして、私にとって貘よりもさらに異様に思わ

滝廉太郎　明治十二年—明治三十六年（1879—1903）。作曲家。東京生まれ。日本唱歌の懸賞募集に「荒城の月」「箱根の山」が当選して、その才能を謳《うた》われた。明治三十四年ライプチッヒに留学したが、病を得て帰国、夭折した。**山田耕筰**　明治十九年—昭和四十年（1886—1965）。作曲家。東京生まれ。東京音楽学校卒業後、ベルリン高等音楽学校で作曲を学ぶ。帰国後、日本初の交響楽団を組織する。交響曲、歌劇のほか童謡運動にも尽力。歌曲「この道」「からたちの花」などがある。

れるこの佐竹という男の話に、耳傾けよう。水禽の大鉄傘を過ぎて、おっとせいの水槽《すいそう》のまえを通り、小山のように巨大なひぐまの、檻《おり》のまえにさしかかったころ、佐竹は語りはじめた。まえにも何回となく言って言い馴《な》れているような諳誦口調《あんしようくちよう》であって、文章にすればいくらか熱のある言葉のようにもみえるが実際は、れいの嗄《しやが》れた陰気くさい低音でもってさらさら言い流しているだけのことなのである。

「馬場は全然だめです。音楽を知らない音楽家があるでしょうか。僕はあいつが音楽について論じているのをついぞ聞いたことがない。ヴァイオリンを手にしたのを見たことがない。作曲する？　おたまじゃくしさえ読めるかどうか。馬場の家では、あいつに泣かされているのですよ。いったい音楽学校にはいっているのかどうか、それさえはっきりしていないのです。むかしはねえ、あれで小説家になろうと思って勉強したこともあるんですよ。それがあんまり本を読みすぎた結果、なんにも書けなくなったそうです。ばかばかしい。このごろはまた、自意識過剰とかいう言葉のひとつ覚えで、恥ずかしげもなくほうぼうへそれを言いふらして歩いているようです。僕はむずかしい言葉じゃ言えないけれども、自意識過剰というのは、たとえば、道の両側に何百人かの女学生が長い列をつくってならんでいて、そこへ自分が偶然にさしかかり、そのあいだをひとりで、のこのこ通って行くときの一挙手一投足、ことごとくぎこちなく視線のやりば首の位置すべてに困《こう》じ果てきりきり舞いをはじめるような、そんな工合《ぐあ》いの気持ちのことだと思うのですが、もしそれだったら、自意識過剰というものは、実にもう、七転八倒の苦しみであって、馬場みたいにあんな出鱈目な饒舌《じようぜつ》を弄《ろう》することはもちろんできないはずだし、――だいいち雑誌を出すなんて浮いた気持ちになれるのがおかしいじゃないですか！　海賊。なにが海賊だ。いい気なもんだ。あなた、あんまり馬場を信じすぎると、あとでたいへんなことになりますよ。それは僕がはっきり予言しておいてもいい。僕の予言は当たりますよ。」

「でも。」

「でも？」

「僕は馬場さんを信じています。」

「はあ、そうですか。」私の精一ぱいの言葉を、なんの表情もなく聞き流して、「今度の雑誌のことだって、僕は徹頭徹尾、信じていません。僕に五十円出せと言うのですけれども、ばからしい。ただわやわや騒いでいたいのですよ。一点の誠実もありません。あなたはまだごぞんじないかも知れないが明後日、馬場と僕と、それから馬場が音楽学校のある先輩に紹介されて識《し》った太宰治とかいうわかい作家と、三人であなたの下宿をたずねることになっているのですよ。そこで雑誌の最終的プランをきめてしまうのだとか言っていましたが、――どうでしょう、僕たちはその場合、できるだけつまらなそうな顔をしてやろうじゃありませんか。そうして相談に水をさしてやろうじゃありませんか。どんな素晴らしい雑誌を出してみたところで、世の中は僕たちにうまく恰好《かっこう》をつけてはくれません。どこまでやっていっても中途半端《ちゅうとはんぱ》でほうり出されます。僕はビアズレイでなくても一向かまわんですよ。懸命に画《え》をかいて、高い価で売って、遊ぶ。それで結構なんです。」

言い終えたところは山猫《やまねこ》の檻《おり》のまえであった。山猫は青い眼を光らせ、背を丸くして私たちをじっと見つめていた。佐竹はしずかに腕を伸ばして吸いかけの煙草《たばこ》の火を山猫の鼻にぴたっとおしつけた。そうして佐竹の姿は巌《いわお》のように自然であった。

三　登竜門

ここを過ぎて、一つ二銭の栄螺《さざえ》かな

「なんだか、――とんでもない雑誌だそうですね。」

「いいえ。ふつうのパンフレットです。」

「すぐそんなことを言うからな。君のことは実にしばしば話に聞いて、よく知っています。ジッドとヴァレリイとをやりこめる雑誌なんだそうですね。」

「あなたは、笑いに来たのですか。」

私がちょっと階下へ行っているまに、もう馬場と太宰が言い合いをはじめた様子で、お茶道具をしたから持って来て部屋へはいったら、馬場は部屋の隅《すみ》の机に頬杖《ほおづえ》ついて居《い》汚《ぎた》なく坐り、また太宰という男は馬場と対角線をなして向きあったもう一方の隅の壁に背をもたせ細長い両の毛臑《けずね》を前へ投げだして坐り、ふたりながら、眠たそうに半分閉じた眼と大儀そうなのろのろした口調でもって、けれども腹綿《はらわた》は恚忿《いふん》と殺意のために煮えくりかえっているらしく眼がしらや言葉のはしはしが児蛇《こへび》の舌のようにちろちろ燃えあがっているのが私にさえたやすくそれと察知できるくらいに、なかなか険《けわ》しくわたり合っていたのである。佐竹は太宰のすぐ傍《そば》にながながと寝そべり、いかにも、つまらなそうに、眼玉をきょろきょろうごかしながら煙草をふかしていた。はじめからいけなかった。その朝、私がまだ寝ているうちに馬場が私の下宿の部屋を襲った。きょうは学生服をきちんと着て、そのうえに、ぶくぶくした黄色いレンコオトを羽織っていた。雨にびっしょり濡《ぬ》れたそのレンコオトを脱ぎもせずに部屋をぐるぐるいそがしげに廻《まわ》って歩いた。歩きながら、ひとりごとのようにして呟《つぶや》くのである。

「君、君。起きたまえ。僕はひどい神経衰弱らしいぞ。こんなに雨が降っては、僕はきっと狂ってしまう。海賊の空想だけでも痩《や》せてしまう。君、起きたまえ。ついせんだって僕は太宰治という男に逢《あ》ったよ。僕の学校の先輩から小説の素晴らしく巧《うま》い男だといって紹介されたのだが、——何も宿命だ、仲間にいれてやることにした。君、太宰ってのは、おそろしくいやな奴《やつ》だぞ。そうだ。まさしく、いやな奴だ。嫌悪《けんお》の情だ。僕はあんなふうの男とは肉体的に相容《あいい》れないものがあるようだ。頭は丸坊主。しかも君、意味深げな丸坊主だ。悪い趣味だよ。そうだ、そうだ。あいつはからだのぐるりを趣味でかざっているのだ。小説家ってのは、皆、あんな工合いのものかねえ。思索や学究や情熱なぞをどこに置き忘れて来たのか。まるっきりの、根っからの戯作者《げさくしゃ》だ。蒼黒《あおぐろ》くでらでらした大きい油顔で、鼻が、——君、レニエ*の小説で僕はあんな鼻を読んだことがある

レニエ　Henri de Régnier（1864—1936）。フランスの詩人、小説家。象徴派から出発し、アナトール・フランスとともに当時フランス文壇の双璧と称された。「燃え上がる青春」「深夜の結婚」などの作品がある。

ぞ。危険きわまる鼻。危機一髪、団子鼻《だんごばな》に堕そうとするのを鼻のわきの深い皺《しわ》がそれを助けた。まったくねえ。レニエはうまいことを言う。眉毛《まゆげ》は太く短くまっ黒で、おどおどした両の小さい眼を被《おお》いかくすほどもじゃもじゃ繁茂《はんも》していやがる。額はあくまでもせまく皺が横に二筋はっきりきざまれていて、もう、なっちゃいない。首がふとく、襟《えり》脚《あし》はいやに鈍重な感じで、顎《あご》の下に赤い吹出物の跡を三つも僕は見つけた。僕の目算では、身の丈《たけ》は五尺七寸、体重は十五貫、足袋《たび》は十一文、年齢は断じて三十まえだ。おう、だいじなことを言い忘れた。ひどい猫背《ねこぜ》で、とんとせむし、——君、ちょっと眼をつぶってそんなふうの男を想像してごらん。ところが、これは嘘《うそ》なんだ。まるっきり嘘なんだ。おおやま師。装っているのだ。それにちがいないんだ。なにからなにまで見せかけなのだ。僕の睨《にら》んだ眼に狂いはない。ところどころに生《は》え伸びたまだらな無精鬚《ぶしょうひげ》。いや、あいつに無精なんてあり得ない。どんな場合でもあり得ない。わざとつとめて生やした鬚だ。ああ、僕はいったい誰のことを言っているのだ！　ごらん下さい、私はいまこうしています、ああしていますと、いちいち説明をつけなければ指一本うごかせず咳《せき》ばらい一つできない。いやなこった！　あいつの素顔は、眼も口も眉毛もないのっぺらぼうさ。眉毛を描いて眼鼻をくっつけ、そうして知らんふりをしていやがる。しかも君、それをあいつは芸にしている。ちぇっ！　僕はあいつを最初瞥見《べっけん》したとき、こんにゃくの舌で顔をぺろっと舐《な》められたような気がしたよ。思えば、たいへんな仲間ばかり集まって来たものさ。佐竹、太宰、佐野次郎、馬場、ははん、この四人が、ただ黙って立ち並んだだけでも歴史的だ。そうだ！　僕はやるぞ。なにも宿命だ。いやな仲間もまた一興じゃないか。僕はいのちをことし一年限りとして、Le Pirate に僕の全部の運命を賭《か》ける。乞食《こじき》になるか、バイロンになるか。神われに五ペンスを与う。佐竹の陰謀なんて糞《くそ》くらえだ！」ふいと声を落として、「君、起きろよ。雨戸をあけてやろう。もうすぐみんなここへ来るよ。きょうこの部屋で海賊の打ち合せをしようと思ってね。」

私も馬場の興奮に釣《つ》られてうろうろしはじめ、蒲団《ふとん》を蹴《け》って起きあがり、馬場とふたりで腐りかけた雨戸をがたぴしこじあけた。本郷のまちの屋根屋根は雨でけむっていた。

ひるごろ、佐竹が来た。レンコオトも帽子もなく、天鵞絨《ビロウド》のズボンに水色の毛糸のジヤケツを着けたきりで、顔は雨に濡れて、月のように青く光った不思議な頰の色であった。夜光虫は私たちに一言の挨拶《あいさつ》もせず、溶けて崩《くず》れるようにへたへたと部屋の隅に寝そべった。

「かんにんしてくれよ。僕は疲れているんだ。」

すぐつづいて太宰が障子をあけてのっそりあらわれた。ひとめ見て、私はあわてふためいて眼をそらした。これはいけないと思った。彼の風貌《ふうぼう》は、馬場の形容を基《もと》にして私が描いておいた好悪ふたつの影像のうち、わるいほうの影像と一分一厘の間隙《かんげき》もなくぴったり重なり合った。そうしてなおさらいけないことには、そのときの太宰の服装がそっくり、馬場のかねがね最もいみきらっているたちのものだったではないか。派手な大島絣《がすり》の袷《あわせ》に総絞りの兵児帯《へこおび》、荒い格子縞《こうしじま》のハンチング、浅黄《あさぎ》の羽二重《はぶたえ》の長襦袢《ながじゆばん》の裾《すそ》がちらちらこぼれて見えて、その裾をちょっとつまみあげて坐ったものであるが、窓のそとの景色を、形だけ眺めたふりをして、

「ちまたに雨が降る。」と女のような細い甲高《かんだか》い声で言って、私たちのほうを振りむき赤濁りに濁った眼を糸のように細くし顔じゅうをくしゃくしゃにして笑ってみせた。私は部屋から飛び出してお茶を取りに階下へ降りた。お茶道具と鉄瓶《てつびん》とを持って部屋へかえって来たら、もうすでに馬場と太宰が争っていたのである。

太宰は坊主頭のうしろへ両手を組んで、「言葉はどうでもよいのです。いったいやる気なのかね？」

「何をです。」

「雑誌をさ。やるなら一緒にやってもいい。」

「あなたは一体、何しにここへ来たのだろう。」

「さあ、――風に吹かれて。」

「言っておくけれども、御託宣《ごたくせん》と、警句と、冗談と、それから、そのにやにや笑いだけはよしにしましょう。」

「それじゃ、君に聞くが、君はなんだって僕を呼んだのだ。」

「おめえはいつでも呼べば必ず来るのかね？」

「まあ、そうだ。そうしなければいけないと自分に言い聞かせてあるのです。」

「人間のなりわいの義務。それが第一。そうですね？」

「ご勝手に。」

「おや、あなたは妙な言葉を体得していますね。ふてくされ。ああ、ごめんんだ。あなたと仲間になるなんて！　とこう言い切るとあなたのほうじゃ、すぐもうこっちをポンチにしているのだからな。かなわんよ。」

「それは、君だって僕だってはじめからポンチなのだ。ポンチにするのでもなければ、ポンチになるのでもない。」

「私は在《あ》る。おおきいふぐりをぶらさげて、さあ、この一物をどうしてくれる。そんな感じだ。困りましたね。」

「言いすぎかも知れないけれど、君の言葉はひどくしどろもどろの感じです。どうかしたのですか？　――なんだか、君たちは芸術家の伝記だけを知っていて、芸術家の仕事をまるっきり知っていないような気がします。」

「それは非難ですか？　それともあなたの研究発表ですか？　答案だろうか。僕に採点しろというのですか？」

「――中傷さ。」

「それじゃ言うが、そのしどろもどろは僕の特質だ。たぐい稀《まれ》なる特質だ。」

「しどろもどろの看板。」

「懐疑説の破綻《はたん》と来るね。ああ、よしてくれ。僕は掛合い万歳《まんざい》は好きでない。」

「君は自分の手塩にかけた作品を市場にさらしたあとの突き刺されるような悲しみを知らないようだ。お稲荷《いなり》さまを拝んでしまったあとの空虚を知らない。君たちは、たったいま、一《いち》の鳥居をくぐっただけだ。」

ちまたに雨が降る　ヴェルレーヌの詩の一句。「言葉なき恋歌」の一編、「ちまたに雨が降るように、ぼくの心に涙ふる……」

「ちえっ！　また御託宣か。――僕はあなたの小説を読んだことはないが、*リリシズムと、*ウィットと、ユウモアと、*エピグラムと、ポオズと、そんなものを除き去ったら、跡になんにも残らぬような駄洒落《だじやれ》小説をお書きになっているような気がするのです。僕はあなたに精神を感ぜずに世間を感ずる。芸術家の気品を感ぜずに、人間の胃《い》の腑《ふ》を感ずる。」

「わかっています。けれども、僕は生きて行かなくちゃいけないのです。たのみます、といって頭をさげる、それが芸術家の作品のような気さえしているのだ。僕はいま世渡りということについて考えている。僕は趣味で小説を書いているのではない。結構な身分でいて、道楽で書くくらいなら、僕ははじめから何も書きはせん。とりかかれば、一通りはうまくできるのが判《わか》っている。けれども、とりかかるまえに、これはなぜに今さらしくとりかかる値打ちがあるのか、それを四方八方から眺めて、まあ、まあ、ことごとしくとりかかるにも及ぶまいということに落ちついて、結局、何もしない。」

「それほどの心情をお持ちになりながら、なんだって、僕たちと一緒に雑誌をやろうなどと言うのだろう。」

「こんどは僕を研究する気ですか？　僕は怒りたくなったからです。なんでもいい、叫びが欲しくなったのだ。」

「あ、それは判る。つまり楯《たて》を持って恰好《かっこう》をつけたいのですね。けれども、――いや、そむいてみることさえできない。」

「君を好きだ。僕なんかも、まだ自分の楯を持っていない。みんな他人の借り物だ。どんなにぼろぼろでも自分専用の楯があったら。」

「あります。」私は思わず口をはさんだ。「イミテエション！」

「そうだ。佐野次郎にしちゃ大出来だ。一世一代だぞ、これあ。太宰さん。附《つ》け鬚《ひげ》模様の銀鍍金《ぎんめつき》の楯があなたによく似合うそうですよ。いや、太宰さんは、もう平気でその楯を持って構えていなさる。僕たちだけがまるはだかだ。」

「へんなことを言うようですけれども、君はまるはだかの野苺《のいちご》と着飾った市場の苺とどちらに誇りを感じます。登竜門というものは、ひとを市場へ一直線に送りこむ外面如菩《げめんにょぼ》薩《さつ》の地獄の門だ。けれども僕は着飾った苺の悲しみを知っている。そうしてこのごろ、それを尊く思いはじめた。僕は逃げない。連れて行くところまでは行ってみる。」口を曲げて苦しそうに笑った。「そのうちに君、眼がさめて見ると、――」

「おっとそれあ言うな。」馬場は右手を鼻の先で力なく振って、太宰の言葉をさえぎった。「眼がさめたら、僕たちは生きておれない。おい、佐野次郎。よそうよ。面白くねえや。君にはわるいけれども、僕は、やめる。僕はひとの食いものになりたくないのだ。太宰に食わせる油揚げはよそを捜して見つけたらいい。太宰さん、海賊クラブは一日きりで解散だ。そのかわり、――」立ちあがって、つかつか太宰のほうへ歩み寄り、「ばけもの！」

太宰は右の頰《ほお》を殴《なぐ》られた。平手で音高く殴られた。太宰は瞬間まったくの小児のよう

リリシズム　lyricism（英）抒情主義、抒情詩風。**ウィット**　wit（英）頓智、機知、しゃれ。**エピグラム**　epigram（英）警句、寸鉄詩。

な泣きべそを掻《か》いたが、すぐ、どす黒い唇《くちびる》を引きしめて、傲然《ごうぜん》と頭をもたげた。私はふっと、太宰の顔を好きに思った。佐竹は眼をかるくつぶって眠ったふりをしていた。

雨は晩になってもやまなかった。私は馬場とふたり、本郷の薄暗いおでんやで酒を呑んだ。はじめは、ふたりながら死んだように黙って呑んでいたのであるが、二時間くらいたってから、馬場はそろそろしゃべりはじめた。

「佐竹が太宰を抱き込んだのにちがいないのさ。下宿屋のまえまでふたり一緒に来たのだ。それくらいのことは、やる男だ。君、僕は知っているよ。佐竹は君に何かこっそり相談したことがありはしないか。」

「あります。」私は馬場に酌《しやく》をした。なんとかしていたわりたかった。

「佐竹は僕から君をとろうとしたのだ。別に理由はない。あいつは、へんな復讐心《ふくしゆうしん》を持っている。僕よりえらい。いや、僕にはよく判らない。――いや、ひょっとしたら、なんでもない俗な男なのかも知れん。そうだ、あんなのが世間から人並の男と言われるのだろう。だが、もういい。雑誌をよしてさばさばしたよ。今夜は僕、枕《まくら》を高くしてのうのうと寝るぞ！　それに、君、僕はちかく勘当《かんどう》されるかも知れないのだよ。一朝めざむれば、わが身はよるべなき乞食《こじき》であった。雑誌なんて、はじめから、やる気はなかったのさ。君を好きだから、君を離したくなかったから、海賊なんぞ持ちだしたまでのことだ。君が海賊の空想に胸をふくらめて、さまざまのプランを言いだすときの潤《うる》んだ眼だけが、僕の生き甲斐《がい》だった。この眼を見るために僕はきょうまで生きて来たのだと思った。僕は、ほんとうの愛情というものを君に教わって、はじめて知ったような気がしている。君は透明だ、純粋だ。おまけに、——美少年だ！　僕は君の瞳《ひとみ》のなかにフレキシビリティの極致を見たような気がする。そうだ。知性の井戸の底を覗《のぞ》いたのは、僕でもない太宰でもない佐竹でもない、君だ！　意外にも君であった。——ちぇっ！　僕はなぜこうべらべらしゃべってしまうのだろう。軽薄《けいはく》。狂躁《きょうそう》。ほんとうの愛情というものは死ぬまで黙っているものだ。菊のやつが僕にそう教えたことがある。君、ビッグ・ニュウス。どうしようもない。菊が君に惚《ほ》れているぞ。佐野次郎さんには、死んでも言うものか。死ぬほど好きなひとだもの。そんな逆説めいたことを口走って、サイダアを一瓶《びん》、頭から僕にぶっかけて、きゃっきゃっと気ちがいみたいに笑った。ところで君は、誰を一ばん好きなんだ。太宰を好きか？　え。佐竹か？　まさかねえ。そうだろう？　僕、——」

「僕は、」私はぶちまけてしまおうと思った。「誰もみんなきらいです。菊ちゃんだけを好きなんだ。川のむこうにいた女よりさきに菊ちゃんを見て知っていたような気もするのです。」

「まあ、いい。」馬場はそう呟《つぶや》いて微笑《ほほえ》んでみせたが、いきなり両手で顔をひたと覆《おお》って嗚咽《おえつ》をはじめた。芝居の台詞《せりふ》みたいな一種リズミカルな口調でもって、「君、僕は泣いているのじゃないよ。うそ泣きだ。そら涙だ。ちくしょう！　みんなそう言って笑うがいい。僕は生まれたときから死ぬるきわまで狂言をつづけおおせる。僕は幽霊《ゆうれい》だ。ああ、僕を忘れないでくれ！　僕には才分があるのだ。荒城の月を作曲したのは、誰だ。あ

フレキシビリティ　flexibility（英）柔軟性、しなやかさ。

滝廉太郎を僕じゃないという奴《やつ》がある。それほどまでにひとを疑わなくちゃ、いけないのか。嘘《うそ》なら嘘でいい。――いや、うそじゃない。正しいことは正しく言い張らなければいけない。絶対に嘘じゃない。」

私はひとりでふらふら外へ出た。雨が降っていた。ちまたに雨が降る。ああ、これは先刻、太宰が呟いた言葉じゃないか。そうだ、私は疲れているんだ。かんにんしておくれ！　あ！　佐竹の口真似をした。ちぇっ！　ああ、舌打ちの音まで馬場に似て来たようだ。そのうちに、私は荒涼《こうりょう》たる疑念にとらわれはじめたのである。私はいったい誰だろう、と考えて、慄然《りつぜん》とした。私は私の影を盗まれた。何が、フレキシビリティの極致だ！　私は、まっすぐに走りだした。歯医者。小鳥屋。甘栗屋。ベエカリイ。花屋。街路樹。古本屋。洋館。走りながら私は自分が何やらぶつぶつ低く呟いているのに気づいた。――走れ、電車。走れ、佐野次郎。走れ、電車。走れ、佐野次郎。出鱈目《でたらめ》な調子をつけて繰り返し繰り返し歌っていたのだ。あ、これが私の創作だ。私の創《つく》った唯一の詩だ。なんというだらしなさ！　頭がわるいから駄目《だめ》なんだ。だらしないから駄目なんだ。ライト。爆音。星。葉。信号。風。あっ！

四

「佐竹。ゆうべ佐野次郎が電車にはね飛ばされて死んだのを知っているか。」

「知っている。けさ、ラジオのニュウスで聞いた。」

「あいつ、うまく災難にかかりやがった。僕なんか、首でも吊《つ》らなければおさまりがつきそうもないのに。」

「そうして、君がいちばん長生きをするだろう。いや、僕の予言はあたるよ。君、――」

「なんだい。」

「ここに二百円だけある。ペリカンの画《え》が売れたのだ。佐野次郎氏と遊びたくてせっせとこれだけこしらえたのだが。」

「僕におくれ。」

「いいとも。」

「菊ちゃん。佐野次郎は死んだよ。ああ、いなくなったのだ。どこを捜してもいないよ。泣くな。」

「はい。」

「百円あげよう。これで綺麗《きれい》な着物と帯とを買えば、きっと佐野次郎のことを忘れる。水は器《うつわ》にしたがうものだ。おい、おい、佐竹。今晩だけ、ふたりで仲よく遊ぼう。僕がいいところへ案内してやる。日本でいちばんいいところだ。――こうしてお互いに生きているというのは、なんだか、なつかしいことでもあるな。」

「人は誰でもみんな死ぬさ。」

満願《まんがん》

これは、いまから、四年まえの話である。私が伊豆《いず》の三島の知合いのうちの二階で一夏を暮らし、*ロマネスクという小説を書いていたころの話である。ある夜、酔いながら自転車に乗り、まちを走って、怪我《けが》をした。右足のくるぶしの上のほうを裂いた。疵《きず》は深いものではなかったが、それでも酒をのんでいたために、出血がたいへんで、あわててお医者に駈《か》けつけた。まち医者は三十二歳の、大きくふとり、西郷隆盛《たかもり》に似ていた。たいへん酔っていた。私と同じくらいにふらふら酔って診察室に現われたので、私は、おかしかった。治療を受けながら、私がくすくす笑ってしまった。するとお医者もくすくす笑い出し、とうとうたまりかねて、ふたり声を合わせて大笑いした。

　その夜から私たちは仲良くなった。お医者は、文学よりも哲学を好んだ。私もそのほうを語るのが、気が楽で、話がはずんだ。お医者の世界観は、*原始二元論ともいうべきもので、世の中の有様をすべて善玉悪玉の合戦と見て、なかなか歯切れがよかった。私は愛という単一神を信じたく内心つとめていたのであるが、それでもお医者の善玉悪玉の説を聞くと、うっとうしい胸のうちが、一味爽涼《いちみそうりょう》を覚えるのだ。たとえば、宵《よい》の私の訪問をもてなすのに、ただちに奥さんにビイルを命ずるお医者自身は善玉であり、今宵《こよい》はビイルでなくブリッジ（トランプ遊戯の一種）いたしましょう、と笑いながら提議する奥さんこそは悪玉である、というお医者の例証には、私も素直に賛成した。奥さんは、小がらの、おたふくがおであったが、色が白く上品であった。子供はなかったが、奥さんの弟で沼津《ぬまづ》の商業学校にかよっているおとなしい少年がひとり、二階にいた。

お医者の家では、五種類の新聞をとっていたので、私はそれを読ませてもらいにほとんど毎朝、散歩の途中に立ち寄って、三十分か一時間お邪魔した。裏口からまわって、座敷の縁側に腰をかけ、奥さんの持って来る冷たい麦茶を飲みながら、風に吹かれてぱらぱら騒ぐ新聞を片手でしっかり押えつけて読むのであるが、縁側から二間と離れていない、青草原のあいだを水量たっぷりの小川がゆるゆる流れていて、その小川に沿った細い道を自転車で通る牛乳配達の青年が、毎朝きまって、おはようございます、と旅の私に挨拶《あいさつ》した。その時刻に、薬をとりに来る若い女のひとがあった。簡単服に下駄《げた》をはき、清潔な感じのひとで、よくお医者と診察室で笑い合っていて、ときたまお医者が、玄関までそのひとを見送り、

「奥さま、もうすこしのご辛抱《しんぼう》ですよ。」と大声で叱咤《しった》することがある。

ロマネスクという小説　昭和九年十二月創刊の同人雑誌「青い花」に掲載。短篇集「晩年」の中の一篇。**原始二元論**　世界を善悪の二元から簡単に割り切って説明しようとするので、与えた名称。特に出典はない。

お医者の奥さんが、あるとき私に、そのわけを語って聞かせた。小学校の先生の奥さまで、先生は、三年まえに肺をわるくし、このごろずんずんよくなった。お医者は一所懸命で、その若い奥さまに、いまがだいじのところと、固く禁じた。奥さまは言いつけを守った。それでも、ときどき、なんだか、ふびんに伺うことがある。お医者は、その都度《つど》、心を鬼にして、奥さまもうすこしのご辛抱ですよ、と言外に意味をふくめて叱咤するのだそうである。

八月のおわり、私は美しいものを見た。朝、お医者の家の縁側で新聞を読んでいると、私の傍《そば》に横坐りに坐っていた奥さんが、

「ああ、うれしそうね。」と小声でそっと囁《ささや》いた。

ふと顔をあげると、すぐ眼のまえの小道を、簡単服を着た清潔な姿が、さっさっと飛ぶようにして歩いていった。白いパラソルをくるくるっとまわした。

「けさ、おゆるしが出たのよ。」奥さんは、また、囁く。

三年、と一口にいっても、――胸が一ぱいになった。年つき経《た》つほど、私には、あの女性の姿が美しく思われる。あれは、お医者の奥さんのさしがねかも知れない。

富《ふ》嶽《がく》百《ひやっ》景《けい》

富士の頂角、*広重《ひろしげ》の富士は八十五度、*文晁《ぶんちょう》の富士も八十四度くらい、けれども、陸軍の実測図によって東西および南北に断面図を作ってみると、東西縦断は頂角、百二十四度となり、南北は百十七度である。広重、文晁に限らず、たいていの絵の富士は、鋭角である。いただきが、細く、高く、華奢《きゃしゃ》である。*北斎にいたっては、その頂角、ほと

広重 歌川（安藤）広重 寛政九年―安政五年（1797―1858）。江戸末期の浮世絵師。江戸に生まれ、歌川豊広に浮世絵を学ぶ。風景画にすぐれ、「東海道五十三次」を描いて有名となった。「江戸八景」「墨堤名所図」など、名所図の傑作がある。**文晁** 谷文晁 宝暦十三年―天保十一年（1763―1840）。江戸末期の画家。江戸の生まれ。山水、花鳥、人物画をよくし、富士の絵は有名である。狩野《かのう》派《は》、大和絵の影響を受けた画風。**北斎** 葛飾北斎 宝暦十年―嘉永二年（1760―1849）。江戸末期の浮世絵師。江戸に生まれ、狩野派の絵を学んだが、のち中国や西洋の画法を研究し、独得の画風を打ち立てた。特に風景画と美人画にすぐれ、「富嶽三十六景」が有名である。

んど三十度くらい、*エッフェル鉄塔のような富士をさえ描いている。けれども、実際の富士は、鈍角も鈍角、のろくさと拡《ひろ》がり、東西、百二十四度、南北は百十七度、決して、秀抜《しゅうばつ》の、すらと高い山ではない。たとえば私が、印度《インド》かどこかの国から、突然、鷲《わし》にさらわれ、すとんと日本の沼津《ぬまづ》あたりの海岸に落とされて、ふと、この山を見つけても、そんなに驚嘆しないだろう。ニッポンのフジヤマを、あらかじめ憧れているからこそ、ワンダフルなのであって、そうでなくて、そのような俗な宣伝を、一さい知らず、素朴《そぼく》な、純粋の、うつろな心に、果して、どれだけ訴え得るか、そのことになると、多少、心細い山である。低い。裾《すそ》のひろがっている割に、低い。あれくらいの裾を持っている山ならば、少なくとも、もう一・五倍、高くなければいけない。

十国峠《じっこくとうげ》から見た富士だけは、高かった。あれは、よかった。はじめ、雲のために、いただきが見えず、私は、その裾の勾配《こうばい》から判断して、たぶん、あそこあたりが、いただきであろうと、雲の一点にしるしをつけて、そのうちに、雲が切れて、見ると、ちがった。私が、あらかじめ印《しるし》をつけておいたところより、その倍も高いところに、青い頂《いただ》きが、すっと見えた。おどろいた、というよりも私は、へんにくすぐったく、げらげら笑った。やっていやがる、と思った。人は、完全のたのもしさに接すると、まず、だらしなくげらげら笑うものらしい。全身のネジが、他愛なくゆるんで、これはおかしな言いかたであるが、帯紐《おびひも》といて笑うといったような感じである。諸君が、もし恋人と逢《あ》って、逢ったとたんに、恋人がげらげら笑い出したら、慶祝である。必ず、恋人の非礼をとがめてはならぬ。恋人は、君に逢って、君の完全のたのもしさを、全身に浴びているのだ。

東京の、アパートの窓から見る富士は、くるしい。冬には、はっきり、よく見える。小さい、真白い三角が、地平線にちょこんと出ていて、それが富士だ。なんのことはない、クリスマスの飾り菓子である。しかも左のほうに、肩が傾いて心細く、船尾のほうからだんだん沈没しかけてゆく軍艦の姿に似ている。三年まえの冬、私はある人から、意外の事実を打ち明けられ、途方に暮れた。その夜、アパートの一室で、ひとりで、がぶがぶ酒のんだ。一睡もせず、酒のんだ。あかつき、小用に立って、アパートの便所の金網張られた四角い窓から、富士が見えた。小さく、真白で、左のほうにちょっと傾いて、あの富士を忘れない。窓の下のアスファルト路《みち》を、さかなやの自転車が疾駆《しっく》し、おう、けさは、やけに富士がはっきり見えるじゃねえか、めっぽう寒いや、など呟《つぶや》きのこして、私は、暗い便所の中に立ちつくし、窓の金網撫《な》でながら、じめじめ泣いて、あんな思いは、二度と繰りかえしたくない。

昭和十三年の初秋、思いをあらたにする覚悟で、私は、かばんひとつさげて旅に出た。*

甲州。ここの山々の特徴は、山々の起伏の線の、へんに虚《むな》しい、なだらかさにある。小島

エッフェル鉄塔　一八八九年のパリ万国博覧会開催の際、フランス人エッフェル Alexandre Gustave Eiffel（1832—1923）が設計建設した高さ約三百メートルの鉄塔。パリのセーヌ河畔シャン・ド・マルスの広場に立つ。**小島烏水**　明治六年—昭和二十三年（1873—1948）。本名は久太。浮世絵の研究、紹介に努めた。また、日本近代登山の草分けとして日本山岳会会長を務め、紀行文「日本アルプス」や「日本山水論」などの著書がある。

烏水《うすい》という人の日本山水論にも、「山の拗《す》ね者は多く、この土に仙遊《せんゆう》するがごとし。」とあった。甲州の山々は、あるいは山の、げてものなのかも知れない。私は、甲府市からバスにゆられて一時間。御坂峠《みさかとうげ》へたどりつく。

御坂峠、海抜千三百米《メエトル》。この峠の頂上に、天下茶屋という、小さな茶店があって、*井伏鱒二《いぶせますじ》氏が初夏のころから、ここの二階に、こもって仕事をしておられる。私は、それを知ってここへ来た。井伏氏のお仕事の邪魔にならないようなら、隣室でも借りて、私も、しばらくそこで仙遊しようと思っていた。

井伏氏は、仕事をしておられた。私は、井伏氏のゆるしを得て、当分その茶屋に落ちつくことになって、それから、毎日、いやでも富士と真正面から、向き合っていなければならなくなった。この峠は、甲府から東海道に出る鎌倉往還《かまくらおうかん》の衝《しょう》に当たっていて、北面富士の代表観望台であると言われ、ここから見た富士は、むかしから富士三景の一つにかぞえられているのだそうであるが、私は、あまり好かなかった。好かないばかりか、軽蔑《けいべつ》さえした。あまりに、おあつらえむきの富士である。まんなかに富士があって、その下に河口湖《かわぐちこ》が白く寒々とひろがり、近景の山々がその両袖《りょうそで》にひっそり蹲《うずくま》って湖を抱きかかえるようにしている。私は、ひとめ見て、狼狽《ろうばい》し、顔を赤らめた。これは、まるで、風呂屋《ふろや》のペンキ画だ。芝居の書割《かきわり》だ。どうにも註文《ちゅうもん》どおりの景色で、私は、恥ずかしくてならなかった。

私が、その峠の茶屋へ来て二、三日経《た》って、井伏氏の仕事も一段落ついて、ある晴れた午後、私たちは三《み》ツ峠《とうげ》へのぼった。三ツ峠、海抜千七百米。御坂峠より、少し高い。

急坂を這《は》うようにしてよじ登り、一時間ほどにして三ッ峠頂上に達する。蔦《つた》かずら掻《か》きわけて、細い山路《やまみち》、這うようにしてよじ登る私の姿は、決して見よいものではなかった。井伏氏は、ちゃんと登山服着ておられて、軽快の姿であったが、私には登山服の持ち合わせがなく、ドテラ姿であった。茶屋のドテラは短く、私の毛臑《けずね》は、一尺以上も露出して、しかもそれに茶屋の老爺《ろうや》から借りたゴム底の地下足袋《じかたび》をはいたので、われながらむさ苦しく、少し工夫して、角帯《かくおび》をしめ、茶店の壁にかかっていた古い麦藁帽《むぎわらぼう》をかぶってみたのであるが、いよいよ変で、井伏氏は、人のなりふりを決して軽蔑しない人であるが、このときだけはさすがに少し、気の毒そうな顔をして、男は、しかし、身なりなんか気にしないほうがいい、と小声で呟《つぶや》いて私をいたわってくれたのを、私は忘れない。とかくして頂上についたのであるが、急に濃い霧が吹き流れて来て、頂上のパノラマ台という、断崖《だんがい》の縁《へり》に立ってみても、いっこうに眺望がきかない。何も見えない。井伏氏は、濃い霧の底、岩に腰をおろし、ゆっくり煙草《たばこ》を吸いながら、放屁《ほうひ》なされた。いかにも、つまらなそうであった。パノラマ台には、茶店が三軒ならんで立っている。そのうちの一軒、老爺と老婆《ろうば》と二人きりで経営しているじみな一軒を選んで、そこで熱い茶を呑《の》んだ。茶店の老婆は気の毒がり、ほんとうにあいにくの霧で、もう少し経っ

井伏鱒二　明治三十一年―平成五年（1898―1993）。広島県生まれ。小説家。太宰との関係は、太宰の高校時代の同人雑誌に乞われて寄稿したことからはじまり、以後ながく師弟の交わりがあった。著作に、「さざなみ軍記」「駅前旅館」「黒い雨」など。また「太宰治のこと」など太宰の最高の理解者としてのエッセイもある。

たら霧もはれると思いますが、富士は、ほんのすぐそこに、くっきり見えます、と言い、茶店の奥から富士の大きい写真を持ち出し、崖《がけ》の端に立ってその写真を両手で高く掲示して、ちょうどこの辺に、このとおりに、こんなに大きく、こんなにはっきり、このとおりに見えます、と懸命に註釈《ちゆうしやく》するのである。私たちは、番茶をすすりながら、その富士を眺《なが》めて、笑った。いい富士を見た。霧の深いのを、残念にも思わなかった。

その翌々日であろうか、井伏氏は、御坂峠を引きあげることになって、私も甲府までおともした。甲府で私は、ある娘さんと見合いすることになっていた。井伏氏に連れられて甲府のまちはずれの、その娘さんのお家へお伺いした。井伏氏は、無雑作な登山服姿である。私は、角帯に、夏羽織を着ていた。娘さんの家のお庭には、薔薇《ばら》がたくさん植えられていた。母堂に迎えられて客間に通され、挨拶《あいさつ》して、そのうちに娘さんも出て来て、私は、娘さんの顔を見なかった。井伏氏と母堂とは、おとな同士の、よもやまの話をして、ふと、井伏氏が、

「おや、富士。」と呟いて、私の背後の長押《なげし》を見あげた。私も、からだを捻《ね》じ曲げて、うしろの長押を見上げた。富士山頂大噴火口の鳥瞰《ちようかん》写真が、額縁にいれられて、かけられていた。まっしろい睡蓮《すいれん》の花に似ていた。私は、それを見とどけ、また、ゆっくりからだを捻じ戻すとき、娘さんを、ちらと見た。きめた。多少の困難があっても、このひとと結婚したいものだと思った。あの富士は、ありがたかった。

井伏氏は、その日に帰京なされ、私は、ふたたび御坂にひきかえした。それから、九

月、十月、十一月の十五日まで、御坂の茶屋の二階で、少しずつ、少しずつ、仕事をすすめ、あまり好かないこの「富士三景の一つ」と、へたばるほど対談した。

いちど、大笑いしたことがあった。大学の講師か何かやっている*浪漫派《ろうまんは》の一友人が、ハイキングの途中、私の宿に立ち寄って、そのときに、ふたり二階の廊下に出て、富士を見ながら、

「どうも俗だねえ。お富士さん、という感じじゃないか。」

「見ているほうで、かえって、てれるね。」

などと生意気なこと言って、煙草をふかし、そのうちに、友人は、ふと、

「おや、あの僧形《そうぎょう》のものは、なんだね？」と顎《あご》でしゃくった。

墨染《すみぞめ》の破れたころもを身にまとい、長い杖《つえ》を引きずり、富士を振り仰ぎ振り仰ぎ、峠をのぼって来る五十歳くらいの小男がある。

「*富士見西行《さいぎょう》、といったところだね。かたちが、できてる。」私は、その僧をなつかしく思った。「いずれ、名のある聖僧かも知れないね。」

「ばか言うなよ。乞食《こじき》だよ。」友人は、冷淡だった。

「いや、いや。脱俗しているところがあるよ。歩きかたなんか、なかなか、できてるじ

浪漫派　ここでいう浪漫派は、昭和十年三月、亀井勝一郎、保田与重郎。神保光太郎らが創刊した同人雑誌「日本浪曼派」の同人をいう。**富士見西行**　画題。西行法師（元永元年—建久元年1118—1190 平安末、鎌倉初期の歌人）が後ろ向きで富士山を眺めているところが描かれている。

ゃないか。むかし、*能因《のういん》法師が、この峠で富士をほめた歌を作ったそうだが、——」

私が言っているうちに友人は、笑い出した。

「おい、見たまえ。できてないよ。」

能因法師は、茶店のハチという飼犬に吠えられて、周章狼狽《しゅうしょうろうばい》であった。その有様は、いやになるほど、みっともなかった。

「だめだねえ。やっぱり。」私は、がっかりした。

乞食の狼狽は、むしろ、あさましいほどに右往左往、ついには杖をかなぐり捨て、取り乱し、取り乱し、いまはかなわずと退散した。実に、それは、できてなかった。富士も俗なら、法師も俗だ、ということになって、いま思い出しても、ばかばかしい。

新田《にった》という二十五歳の温厚な青年が、峠を降りきった岳麓《がくろく》の吉田という細長い町の、郵便局につとめていて、そのひとが、郵便物によって、私がここに来ていることを知った、と言って、峠の茶屋をたずねて来た。二階の私の部屋で、しばらく話をして、ようやく馴《な》れて来たころ、新田は笑いながら、実は、もう二、三人、僕の仲間がありまして、皆で一緒にお邪魔にあがるつもりだったのですが、いざとなると、どうも皆、しりごみしまして、太宰さんは、ひどいデカダンで、それに性格破産者だ、と*佐藤春夫先生の小説に書いてございましたし、まさか、こんなまじめな、ちゃんとしたお方《かた》だとは、思いませんでしたから、僕も、無理に皆を連れて来るわけには、いきませんでした。こんどは、皆を連れて来ます。かまいませんでしょうか。

「それは、かまいませんけれど。」私は、苦笑していた。「それでは、君は、必死の勇をふるって、君の仲間を代表して僕を偵察《ていさつ》に来たわけですね。」

「決死隊でした。」新田は、率直だった。「ゆうべも、佐藤先生のあの小説を、もういちど繰りかえして読んで、いろいろ覚悟をきめて来ました。」

私は、部屋の硝子戸《ガラスど》越しに、富士を見ていた。富士は、のっそり黙って立っていた。偉いなあ、と思った。

「いいねえ。富士は、やっぱり、いいとこあるねえ。よく、やってるなあ。」富士には、かなわないと思った。念々と動く自分の愛憎が恥ずかしく、富士は、やっぱり偉い、と思った。よくやってる、と思った。

「よくやっていますか。」新田には、私の言葉がおかしかったらしく、聡明《そうめい》に笑っていた。

新田は、それから、いろいろな青年を連れて来た。皆、静かなひとである。皆は、私を、先生、と呼んだ。私はまじめにそれを受けた。私には、誇るべき何もない。学問もない。才能もない。肉体よごれて、心もまずしい。けれども、苦悩だけは、その青年たちに、先生、と言われて、だまってそれを受けていいくらいの、苦悩は、経《へ》て来た。たったそれだけ。藁《わら》一すじの自負である。けれども、私は、この自負だけは、はっきり持

能因法師　永延二年（988）生まれ、歿年不明。平安中期の歌人。三十六歌仙の一人。俗名は橘永愷《ながやす》。奥州、伊予など諸国を旅し、「白河の関」の歌にまつわる逸話は有名。「後拾遺集」の有名な歌人の一人。**佐藤春夫先生の小説**　佐藤春夫が昭和十一年十一月号の「改造」に発表した小説「芥川賞」をいう。

っていたいと思っている。わがままな駄々《だだ》っ子のように言われて来た私の、裏の苦悩を、一たい幾人知っていたろう。新田と、それから田辺《たなべ》という短歌の上手な青年と、二人は、井伏氏の読者であって、その安心もあって、私は、この二人と一ばん仲良くなった。いちど吉田に連れていってもらった。おそろしく細長い町であった。岳麓《がくろく》の感じがあった。富士に、日も、風もさえぎられて、ひょろひょろに伸びた茎のようで、暗く、うすら寒い感じの町であった。道路に沿って清水《しみず》が流れている。これは、岳麓の町の特徴らしく、三島でも、こんな工合《ぐあい》に、町じゅうを清水が、どんどん流れている。富士の雪が溶けて流れて来るのだ、とその地方の人たちが、まじめに信じている。吉田の水は、三島の水に較《くら》べると、水量も不足だし、汚《きた》ない。水を眺めながら、私は、話した。

「モウパスサンの小説に、どこかの令嬢が、貴公子のところへ毎晩、河《かわ》を泳いで逢《あ》いにいったと書いてあったが、着物は、どうしたのだろうね。まさか、裸ではなかろう。」

「そうですね。」青年たちも、考えた。「海水着じゃないでしょうか。」

「頭の上に着物を載せて、むすびつけて、そうして泳いでいったのかな？」

青年たちは、笑った。

「それとも、着物のままはいって、ずぶ濡《ぬ》れの姿で貴公子と逢って、ふたりでストオヴでかわかしたのかな？　そうすると、かえるときには、どうするだろう。せっかく、かわかした着物を、またずぶ濡れにして、泳がなければいけない。心配だね。貴公子のほうで泳いで来ればいいのに。男なら、猿股《さるまた》一つで泳いでも、そんなにみっともなくないからね。貴公子、鉄鎚《かなづち》だったのかな？」

「いや、令嬢のほうで、たくさん惚《ほ》れていたからだと思います。」新田は、まじめだった。

「そうかも知れないね。外国の物語の令嬢は、勇敢で、可愛《かわい》いね。好きだとなったら、河を泳いでまで逢いに行くんだからな。日本では、そうはいかない。*なんとかいう芝居があるじゃないか。まんなかに川が流れて、両方の岸で男と姫君とが、愁嘆《しゅうたん》している芝居が。あんなとき、何も姫君、愁嘆する必要がない。泳いでゆけば、どんなものだろう。芝居で見ると、とても狭い川なんだ。じゃぶじゃぶ渡っていったら、どんなもんだろう。あんな愁嘆なんて、意味ないね。同情しないよ。*朝顔《あさがお》の大井川は、あれは大水《おおみず》で、それに朝顔は、めくらの身なんだし、あれには多少、同情するが、けれども、あれだって、泳いで泳げないことはない。大井川の棒杭《ぼうぐい》にしがみついて、天道《てんとう》さまを、うらんでいたんじゃ、意味ないよ。あ、ひとりあるよ。日本にも、勇敢なやつが、ひとりあったぞ。あいつは、すごい。知ってるかい？」

「ありますか。」青年たちも、眼を輝かせた。

なんとかいう芝居　近松半二、近松東南その他の合作の浄瑠璃「妹背山婦女庭訓《いもせやまおんなていきん》」のことで、三段目の「山の段」に出る吉野川をはさんでの久我之助と娘雛鳥の愁嘆場。**朝顔の大井川**　近松徳叟作の浄瑠璃「生写《いきうつし》朝顔日記」大井川の段。盲目となって朝顔と名乗った深雪《みゆき》は、東海道島田の宿で恋人駒沢次郎左衛門に再会したが、彼とわからず取り残される。大井川は出水で渡れず、駒沢の後を慕い棒杭に取りすがって半狂乱となる。

「清姫*。安珍を追いかけて、日高川を泳いだ。泳ぎまくった。あいつは、すごい。ものの本によると、清姫は、あのとき十四だったんだってね。」

路《みち》を歩きながら、ばかな話をして、まちはずれの田辺の知合いらしい、ひっそり古い宿屋に着いた。

そこで飲んで、その夜の富士がよかった。夜の十時ごろ、青年たちは、私ひとりを宿に残して、おのおの家へ帰っていった。私は、眠れず、どてら姿で、外へ出てみた。おそろしく、明るい月夜だった。富士が、よかった。月光を受けて、青く透きとおるようで、私は、狐《きつね》に化かされているような気がした。富士が、したたるように青いのだ。燐《りん》が燃えているような感じだった。鬼火。狐火。ほたる。すすき。葛《*くず》の葉。私は、足のないような気持で、夜道を、まっすぐに歩いた。下駄《げた》の音だけが、自分のものでないように、他の生きもののように、からんころんからんころん、とても澄んで響く。そっと、振りむくと、富士がある。青く燃えて空に浮かんでいる。私は溜息《ためいき》をつく。維新の志士。鞍馬天狗《*くらまてんぐ》。私は、自分を、それだと思った。ちょっと気取って、ふところ手して歩いた。ずいぶん自分が、いい男のように思われた。ずいぶん歩いた。財布《さいふ》を落とした。五十銭銀貨が二十枚くらいはいっていたので、重すぎて、それで懐《ふところ》からするっと脱け落ちたのだろう。私は、不思議に平気だった。金がなかったら、御坂《みさか》まで歩いてかえればいい。そのまま歩いた。ふと、いま来た路を、そのとおりに、もういちど歩けば、財布はある、ということに気がついた。懐手のまま、ぶらぶら引きかえした。富士。月夜。維新の志士。財布を落とした。興あるロマンスだと思った。財布は路のまんなかに光っていた。あるにきまっている。私は、それを拾って、宿へ帰って、寝た。

富士に、化《ば》かされたのである。私は、あの夜、阿呆《あほう》であった。完全に、無意志であった。あの夜のことを、いま思い出しても、へんに、だるい。

吉田に一泊して、あくる日、御坂へ帰って来たら、茶店のおかみさんは、にやにや笑って、十五の娘さんは、つんとしていた。私は、不潔なことをして来たのではないということを、それとなく知らせたく、きのう一日の行動を、聞かれもしないのに、ひとりでこまかに言いたてた。泊まった宿屋の名前、吉田のお酒の味、月夜富士、財布を落としたこと、みんな言った。娘さんも、機嫌《きげん》が直った。

「お客さん！　起きて見よ！」かん高い声である朝、茶店の外で、娘さんが絶叫したの

清姫　道成寺縁起伝説で知られる。紀伊（和歌山県）の牟婁《むろ》の庄屋の娘清姫は、わが家に泊まった僧安珍を恋慕して後を追うが、日高川で船頭が渡してくれず、蛇体となって川を渡り、安珍の隠れる道成寺の釣鐘をまいて焼き殺す。能楽に「道成寺」があり、これから歌舞伎や浄瑠璃などが多く出た。　**葛の葉**　竹田出雲作の浄瑠璃「蘆屋道満大内鑑《あしやどうまんおおうちかがみ》」の通称であり、またその女主人公の名である。和泉国《いずみのくに》（大阪府）信太《しのだ》の森の白狐が、安倍保名《あべのやすな》に命を助けられ、女に化けて保名と夫婦となり一子をもうけたが、正体が知れて「恋しくば尋ね来て見よ和泉なる信太の森のうらみ葛の葉」の一首を残して去るという筋。古くからの伝承によっている。　**鞍馬天狗**　大佛次郎（明治三十年—昭和四十八年　1897—1973）によって創作された人物。幕末の志士倉田典膳のあだ名で、超人的活躍をみせる。「小鳥を飼う武士」その他のシリーズの主人公。

で、私は、しぶしぶ起きて、廊下へ出て見た。

娘さんは、興奮して頰《ほお》をまっかにしていた。だまって空を指さした。見ると、雪。はっと思った。富士に雪が降ったのだ。山頂が、まっしろに、光りかがやいていた。御坂の富士も、ばかにできないぞと思った。

「いいね。」

とほめてやると、娘さんは得意そうに、

「すばらしいでしょう？」といい言葉使って、「御坂の富士は、これでも、だめ？」としゃがんで言った。私が、かねがね、こんな富士は俗でだめだ、と教えていたので、娘さんは、内心しょげていたのかも知れない。

「やはり、富士は、雪が降らなければ、だめなものだ。」もっともらしい顔をして、私は、そう教えなおした。

私は、どてら着て山を歩きまわって、月見草の種を両の手のひらに一ぱいとって来て、それを茶店の背戸《せど》に播《ま》いてやって、

「いいかい、これは僕の月見草だからね、来年また来て見るのだからね、ここへお洗濯《せんたく》の水なんか捨てちゃいけないよ。」娘さんは、うなずいた。

ことさらに、月見草を選んだわけは、富士には月見草がよく似合うと、思い込んだ事情があったからである。御坂峠のその茶店は、いわば山中の一軒家であるから、郵便物は、配達されない。峠の頂上から、バスで三十分ほどゆられて峠の麓《ふもと》、河口湖畔《かわぐちこはん》の、河口村という文字通りの寒村にたどり着くのであるが、その河口村の郵便局に、私宛《あて》の郵

便物が留め置かれて、私は三日に一度くらいの割で、その郵便物を受け取りに出かけなければならない。天気の良い日を選んで行く。ここのバスの女車掌は、遊覧客のために、格別風景の説明をしてくれない。それでもときどき、思い出したように、はなはだ散文的な口調で、あれが三ツ峠、向うが河口湖、わかさぎという魚がいます、など、物憂《ものう》そうな、呟《つぶや》きに似た説明をして聞かせることもある。

河口局から郵便物を受け取り、またバスにゆられて峠の茶屋に引き返す途中、私のすぐとなりに、濃い茶色の被布《ひふ》を着た青白い端正の顔の、六十歳くらい、私の母とよく似た老婆がしゃんと坐《すわ》っていて、女車掌が、思い出したように、みなさん、きょうは富士がよく見えますね、と説明ともつかず、また自分ひとりの咏嘆《えいたん》ともつかぬ言葉を、突然言い出して、リュックサックしょった若いサラリイマンや、大きい日本髪ゆって、口もとを大事にハンケチでおおいかくし、絹物まとった芸者風の女など、からだをねじ曲げ、一せいに車窓から首を出して、いまさらのごとく、その変哲《へんてつ》もない三角の山を眺めては、やあ、とか、まあ、とか間抜けた嘆声を発して、車内はひとしきり、ざわめいた。けれども、私のとなりの御隠居《ごいんきょ》は、胸に深い憂悶《ゆうもん》でもあるのか、他の遊覧客とちがって、富士には一瞥《いちべつ》も与えず、かえって富士と反対側の、山路《やまみち》に沿った断崖《だんがい》をじっと見つめて、私にはそのさまが、からだがしびれるほど快く感ぜられ、私もまた、富士なんか、あんな俗な山、見たくもないという、高尚《こうしょう》な虚無の心を、その老婆に見せてやりたく思って、あなたのお苦しみ、わびしさ、みなよくわかる、と頼まれもせぬのに、共鳴の素振りを見せてあげたく、老婆に甘えかかるように、そっとすり寄って、老婆とおなじ姿勢で、ぼんやり崖《がけ》の方を、眺めてやった。

老婆も何かしら、私に安心していたところがあったのだろう、ぼんやりひとこと、

「おや、月見草。」

そう言って、細い指でもって、路傍の一カ所をゆびさした。さっと、バスは過ぎてゆき、私の目には、いま、ちらとひとめ見た黄金色《こがねいろ》の月見草の花ひとつ、花弁もあざやかに消えず残った。

三七七八米《メエトル》の富士の山と、立派に相対峙《あいたいじ》し、みじんもゆるがず、なんと言うのか、金剛力草《こんごうりきそう》とでも言いたいくらい、けなげにすっくと立っていたあの月見草は、よかった。富士には、月見草がよく似合う。

十月のなかば過ぎても、私の仕事は遅々《ちち》として進まぬ。人が恋しい。夕焼け赤き雁《がん》の腹雲《はらぐも》、二階の廊下で、ひとり煙草《たばこ》を吸いながら、わざと富士には目もくれず、それこそ血の滴《したた》るような真赤な山の紅葉を、凝視《ぎょうし》していた。茶店のまえの落葉を掃《は》きあつめている茶店のおかみさんに、声をかけた。

「おばさん！　あしたは、天気がいいね。」

自分でも、びっくりするほど、うわずって、歓声にも似た声であった。おばさんは箒《ほうき》の手をやすめ、顔をあげて、不審げに眉《まゆ》をひそめ、

「あした、何かおありなさるの？」

そう聞かれて、私は窮した。

「なにもない。」

おかみさんは笑い出した。

「おさびしいのでしょう。山へでもおのぼりになったら？」

「山は、のぼっても、すぐまた降りなければいけないのだから、つまらない。どの山へのぼっても、おなじ富士山が見えるだけで、それを思うと、気が重くなります。」

私の言葉が変だったのだろう。おばさんはただ曖昧《あいまい》にうなずいただけで、また枯葉を掃いた。

ねるまえに、部屋のカーテンをそっとあけて硝子窓《ガラスまど》越しに富士を見る。月のある夜は富士が青白く、水の精みたいな姿で立っている。私は溜息《ためいき》をつく。ああ、富士が見える。星が大きい。あしたは、お天気だな、とそれだけが、幽《かす》かに生きている喜びで、そうしてまた、そっとカーテンをしめて、そのまま寝るのであるが、あした、天気だからとて、別段この身には、なんということもないのに、と思えば、おかしく、ひとりで蒲《ふ》団《とん》の中で苦笑するのだ。くるしいのである。仕事が、――純粋に運筆することの、その苦しさよりも、いや、運筆はかえって私の楽しみでさえあるのだが、そのことではなく、私の世界観、芸術というもの、あすの文学というもの、いわば、新しさというもの、私はそれらについて、まだ愚図愚図《ぐずぐず》、思い悩み、誇張ではなしに、身悶《みもだ》えしていた。

素朴《そぼく》な、自然のもの、従って簡潔な鮮明なもの、そいつをさっと一挙動で摑《つか》まえて、そのままに紙にうつしとること、それよりほかにはないと思い、そう思うときには、眼前の富士の姿も、別な意味をもって目にうつる。この姿は、この表現は、結局、私の考えている「単一表現」の美しさなのかも知れない、と少し富士に妥協しかけて、けれどもやはりどこかこの富士の、あまりにも棒状の素朴には閉口しているところもあり、これがいいなら、ほていさまの置物だっていいはずだ、ほていさまの置物は、どうにも我慢できない、あんなもの、とても、いい表現とは思えない、この富士の姿も、やはりどこか間違っている、これは違う、と再び思いまどうのである。

朝に、夕に、富士を見ながら、陰鬱《いんうつ》な日を送っていた。十月の末に、麓《ふもと》の吉田のまちの、遊女の一団体が、御坂峠へ、おそらくは年に一度くらいの開放の日なのであろう、自動車五台に分乗してやってきた。私は二階から、そのさまを見ていた。自動車からおろされて、色さまざまの遊女たちは、バスケットからぶちまけられた一群の伝書鳩《でんしょばと》のように、はじめは歩く方向を知らず、ただかたまってうろうろして、沈黙のまま押し合い、へし合いしていたが、やがてそろそろ、その異様の緊張がほどけて、てんでにぶらぶら歩きはじめた。茶店の店頭に並べられてある絵葉書を、おとなしく選んでいるもの、佇《たたず》んで富士を眺めているもの、暗く、わびしく、見ちゃおれない風景であった。二階のひとりの男の、いのち惜しまぬ共感も、これら遊女の幸福に関しては、なんの加えるところがない。私は、ただ、見ていなければならぬのだ。苦しむものは苦しめ。落ちるものは落ちよ。私に関係したことではない。それが世の中だ。そう無理につめたく装い、かれらを見下ろしているのだが、私は、かなり苦しかった。

富士にたのもう。突然それを思いついた。おい、こいつらを、よろしく頼むぜ、そんな気持で振り仰げば、寒空のなか、のっそり突っ立っている富士山、そのときの富士はまるで、どてら姿に、ふところ手して傲然とかまえている大親分のようにさえ見えたのであるが、私は、そう富士に頼んで、大いに安心し、気軽くなって茶店の六歳の男の子と、ハチというむく犬を連れ、その遊女の一団を見捨てて、峠のちかくのトンネルの方へ遊びに出掛けた。トンネルの入口のところで、三十歳くらいの痩《や》せた遊女が、ひとり、何かしらつまらぬ草花を、だまって摘み集めていた。私たちが傍《そば》を通っても、ふりむきもせず熱心に草花をつんでいる。この女のひとのことも、ついでに頼みます、とまた振り仰いで富士にお願いしておいて、私は子供の手をひき、とっとと、トンネルの中にはいって行った。トンネルの冷たい地下水を、頰《ほお》に、首筋に、滴々と受けながら、おれの知ったことじゃない、とわざと大股《おおまた》に歩いてみた。

そのころ、私の結婚の話も、一頓挫《いちとんざ》のかたちであった。私のふるさとからは、全然、助力が来ないということが、はっきり判《わか》ってきたので、私は困ってしまった。せめて百円くらいは、助力してもらえるだろうと、虫のいい、ひとりぎめをして、それでもって、ささやかでも、厳粛な結婚式を挙《あ》げ、あとの、世帯《しょたい》を持つに当たっての費用は、私の仕事でかせいで、しようと思っていた。けれども、二、三の手紙の往復により、うちから助力は、全くないということが明らかになって、私は、途方にくれていたのである。このうえは、縁談ことわられても仕方がない、と覚悟をきめ、とにかく先方へ、事の次第を洗いざらい言ってみよう、と私は単身、峠を下り、甲府の娘さんのお家へお伺いした。悉《しっ》さいわい娘さんも、家にいた。私は客間に通され、娘さんと母堂と二人を前にして、悉皆《かい》の事情を告白した。ときどき演説口調になって、閉口した。けれども、割に素直に語

りつくしたように思われた。娘さんは、落ちついて、

「それで、おうちでは、反対なのでございましょうか。」と、首をかしげて私にたずねた。

「いいえ、反対というのではなく、」私は右の手のひらを、そっと卓の上に押し当て、「おまえひとりで、やれ、という工合《ぐあ》いらしく思われます。」

「結構でございます。」母堂は、品よく笑いながら、「私たちも、ごらんのとおりお金持ではございませぬし、ことごとしい式などは、かえって当惑するようなもので、ただ、あなたおひとり、愛情と、職業に対する熱意さえ、お持ちならば、それで私たち、結構でございます。」

私は、お辞儀するのも忘れて、しばらく呆然《ぼうぜん》と庭を眺めていた。眼の熱いのを意識した。この母に、孝行しようと思った。

かえりに、娘さんは、バスの発着所まで送って来てくれた。歩きながら、

「どうです。もう少し交際してみますか？」

きざなことを言ったものである。

「いいえ。もう、たくさん。」娘さんは、笑っていた。

「なにか、質問ありませんか？」いよいよ、ばかである。

「ございます。」

私は何を聞かれても、ありのまま答えようと思っていた。

「富士山には、もう雪が降ったでしょうか。」

私は、その質問に拍子《ひようし》抜《ぬ》けがした。

「降りました。いただきのほうに、――」と言いかけて、ふと前方を見ると、富士が見える。へんな気がした。

「なあんだ。甲府からでも、富士が見えるじゃないか。ばかにしていやがる。」やくざな口調になってしまって、「いまのは、愚問です。ばかにしていやがる。」

娘さんは、うつむいて、くすくす笑って、

「だって、御坂峠にいらっしゃるのですし、富士のことでもお聞きしなければ、わるいと思って。」

おかしな娘さんだと思った。

甲府から帰って来ると、やはり、呼吸ができないくらいにひどく肩が凝《こ》っているのを覚えた。

「いいねえ、おばさん。やっぱり御坂は、いいよ。自分のうちに帰って来たような気さえするのだ。」

夕食後、おかみさんと、娘さんと、かわるがわる、私の肩をたたいてくれる。おかみさんの拳《こぶし》は固《かた》く、鋭い。娘さんのこぶしは柔らかく、あまり効《き》きめがない。もっと強く、もっと強くと私に言われて、娘さんは薪《まき》を持ち出し、それでもって私の肩をとんとん叩《たた》いた。それほどにしてもらわなければ、肩の凝りがとれないほど、私は甲府で緊張し、一心に努めたのである。

甲府へ行って来て、二、三日、さすがに私はぼんやりして、仕事する気も起こらず、机のまえに坐って、とりとめのない落書《らくがき》をしながら、*バットを七箱も八箱も吸い、また寝ころんで、*金剛石《こんごうせき》も磨《みが》かずば、という唱歌を、繰り返し繰り返し歌ってみたりしているばかりで、小説は、一枚も書きすすめることができなかった。

「お客さん。甲府へ行ったら、わるくなったわね。」

朝、私が机に頬杖《ほおづえ》つき、目をつぶって、さまざまのことを考えていたら、私の背後で、床《とこ》の間《ま》ふきながら、十五の娘さんは、しんからいまいましそうに、多少、とげとげしい口調で、そう言った。私は、振りむきもせず、

「そうかね。わるくなったかね。」

娘さんは、拭《ふ》き掃除《そうじ》の手を休めず、

「ああ、わるくなった。この二、三日、ちっとも勉強すすまないじゃないの。あたしは毎朝、お客さんの書き散らした原稿用紙、番号順にそろえるのが、とっても、たのしい。たくさんお書きになっていれば、うれしい。ゆうべもあたし、二階へそっと様子を見に来たの、知ってる？　お客さん、ふとん頭からかぶって、寝てたじゃないか。」

私は、ありがたいことだと思った。大袈裟《おおげさ》な言いかたをすれば、これは人間の生き抜く努力に対しての、純粋な声援である。なんの報酬《ほうしゅう》も考えていない。私は、娘さんを、美しいと思った。

十月末になると、山の紅葉も黒ずんで、汚なくなり、とたんに一夜あらしがあって、みるみる山は、真黒い冬木立《ふゆこだち》に化してしまった。遊覧の客も、いまはほとんど、数えるほどしかない。茶店もさびれて、ときたま、おかみさんが、六つになる男の子を連れて、

峠のふもとの船津《ふなつ》、吉田に買物をしに出かけて行って、あとには娘さんひとり、遊覧の客もなし、一日中、私と娘さんと、ふたりきり、峠の上で、ひっそり暮らすことがある。私が二階で退屈して、外をぶらぶら歩きまわり、茶店の背戸《せど》で、お洗濯《せんたく》している娘さんの傍《そば》へ近寄り、

「退屈だね。」

と大声で言って、ふと笑いかけたら、娘さんはうつむき、私はその顔を覗《のぞ》いてみて、はっと思った。泣きべそかいているのだ。あきらかに恐怖の情である。そうか、と苦《に》が苦《に》がしく私は、くるりと廻《まわ》れ右して、落葉しきつめた細い山路を、まったくいやな気持で、どんどん荒く歩きまわった。

それからは、気をつけた。娘さんひとりきりのときには、なるべく二階の室から出ないようにつとめた。茶店にお客でも来たときには、私がその娘さんを守る意味もあり、のしのし二階から降りていって、茶店の一隅《ぐう》に腰をおろしゆっくりお茶を飲むのである。いつか花嫁姿のお客が、紋附を着た爺《じい》さんふたりに附き添われて、自動車に乗ってやって来て、この峠の茶屋でひと休みしたことがある。そのときも、娘さんひとりしか茶店にいなかった。私は、やはり二階から降りていって、隅《すみ》の椅子《いす》に腰をおろし、煙草《たばこ》をふかした。花嫁は裾模様《すそもよう》の長い着物を着て、*金襴《きんらん》の帯を背負い、角隠《つのかく》しつけて、堂々正式

バット　ゴールデン・バット。戦前から最も安い両切紙巻煙草。　**金剛石も磨かずば**　昭憲皇太后（嘉永三年—大正三年　1850—1914）の和歌を奥好義が作曲し、東京の華族女学校（学習院の前身）の校歌となった。　**金襴**　錦地に金糸で模様を織った華麗な織物。

の礼装であった。まったく異様のお客様だったので、娘さんもどうあしらいしていいのかわからず、花嫁さんと、二人の老人にお茶をついでやっただけで、私の背後にひっそり隠れるように立ったまま、だまって花嫁のさまを見ていた。一生にいちどの晴れの日に、——峠の向う側から、反対側の船津か、吉田のまちへ嫁入りするのであろうが、その途中、この峠の頂上で一休みして、富士を眺めるということは、はたで見ていても、くすぐったいほど、ロマンチックで、そのうちに花嫁は、そっと茶店から出て、茶店のまえの崖《がけ》のふちに立ち、ゆっくり富士を眺めた。脚《あし》をX形に組んで立っていて、大胆なポオズであった。余裕のあるひとだな、となおも花嫁を、富士と花嫁を、私は観賞していたのであるが、間もなく花嫁は、富士に向かって、大きな欠伸《あくび》をした。

「あら!」

と背後で、小さい叫びを挙《あ》げた。娘さんも、素早くその欠伸を見つけたらしいのである。やがて花嫁の一行は、待たせておいた自動車に乗り、峠を降りていったが、あとで花嫁さんは、さんざんだった。

「馴《な》れていやがる。あいつは、きっと二度目、いや、三度目くらいだよ。おむこさんが、峠の下で待っているだろうに、自動車から降りて、富士を眺めるなんて、はじめてのお嫁だったら、そんな太いこと、できるわけがない。」

「欠伸したのよ。」娘さんも、力こめて賛意を表した。「あんな大きい口あけて欠伸して、図々《ずうずう》しいのね。お客さん、あんなお嫁さんもらっちゃ、いけない。」

私は年甲斐《としがい》もなく、顔を赤くした。私の結婚の話も、だんだん好転していって、ある先輩に、すべてお世話になってしまった。結婚式も、ほんの身内の二、三のひとにだけ立ち会ってもらって、まずしくとも厳粛に、その先輩の宅で、していただけるようになって、私は人の情に、少年のごとく感奮《かんぷん》していた。

十一月にはいると、もはや御坂の寒気、堪えがたくなった。茶店では、ストオヴを備えた。

「お客さん、二階はお寒いでしょう。お仕事のときは、ストオヴの傍《そば》でなさったら。」と、おかみさんは言うのであるが、私は、人の見ているまえでは、仕事のできないたちなので、それは断わった。おかみさんは心配して、峠の麓《ふもと》の吉田へ行き、炬燵《こたつ》をひとつ買って来た。私は二階の部屋でそれにもぐって、この茶店の人たちの親切には、しんからお礼を言いたく思って、けれども、もはやその全容の三分の二ほど、雪をかぶった富士の姿を眺め、また近くの山々の、蕭条《しょうじょう》たる冬木立に接しては、これ以上、この峠で、皮膚を刺す寒気に辛抱《しんぼう》していることも無意味に思われ、山を下ることに決意した。山を下る、その前日、私は、どてらを二枚かさねて着て、茶店の椅子に腰かけて、熱い茶番を啜《すす》っていたら、冬の外套《がいとう》着た、タイピストでもあろうか、若い知的の娘さんがふたり、トンネルの方から、何かきゃっきゃっ笑いながら歩いて来て、ふと眼前に真白い富士を見つけ、打たれたように立ち止まり、それから、ひそひそ相談の様子で、そのうちのひとり、眼鏡《めがね》かけた、色の白い子が、にこにこ笑いながら、私のほうへやって来た。

「相すみません。シャッタア切って下さいな。」

私は、へどもどした。私は機械のことには、あまり明るくないのだし、写真の趣味は皆無であり、しかも、どてらを二枚もかさねて着ていて、茶店の人たちさえ、山賊みたいだ、といって笑っているような、そんなむさくるしい姿でもあり、多分は東京の、そんな華《はな》やかな娘さんから、はいからの用事を頼まれて、内心ひどく狼狽《ろうばい》したのである。けれども、また思い直し、こんな姿はしていても、やはり、見る人が見れば、どこかしら、きゃしゃな俤《おもかげ》もあり、写真のシャッタアくらい器用に手さばきできるほどの男に見えるのかも知れない、などと少し浮き浮きした気持も手伝い、私は平静を装い、娘さんの差し出すカメラを受け取り、何気なさそうな口調で、シャッタアの切りかたをちょっとたずねてみてから、わななきわななき、レンズをのぞいた。まんなかに大きい富士、その下に小さい、罌粟《けし》の花ふたつ。ふたり揃《そろ》いの赤い外套を着ているのである。ふたりは、ひしと抱き合うように寄り添い、きっとまじめな顔になった。私は、おかしくてならない。カメラ持つ手がふるえて、どうにもならぬ。笑いをこらえて、レンズをのぞけば、罌粟の花、いよいよ澄まして、固くなっている。どうにも狙《ねら》いがつけにくく、私は、ふたりの姿をレンズから追放して、ただ富士山だけを、レンズ一ぱいにキャッチして、富士山、さようなら、お世話になりました。パチリ。

「はい、うつりました。」

「ありがとう。」

ふたり声をそろえてお礼を言う。うちへ帰って現像してみた時には驚くだろう。富士山だけが大きく大きく写っていて、ふたりの姿はどこにも見えない。

その翌《あく》る日に、山を下りた。まず、甲府の安宿に一泊して、そのあくる朝、安宿の廊下の汚《きた》ない欄干《らんかん》によりかかり、富士を見ると、甲府の富士は、山々のうしろから、三分の一ほど顔を出している。酸漿《ほおずき》に似ていた。

葉桜《はざくら》と魔笛《まてき》

桜が散って、このように葉桜《はざくら》のころになれば、私は、きっと思い出します。――と、その老夫人は物語る。――いまから三十五年まえ、父はそのころまだ存命中でございまして、私の一家、と言いましても、母はその七年まえ私が十三のときに、もう他界なされて、あとは、父と、私と妹と三人きりの家庭でございましたが、父は、私十八、妹十六のときに島根県の日本海に沿った人口二万余りのある*お城下まちに、中学校長として赴任《ふにん》して来て、恰好《かっこう》の借家もなかったので、町はずれの、もうすぐ山に近いところに一つ離れてぽつんと建って在《あ》るお寺の、離れ座敷、二部屋拝借して、そこに、ずっと、六年目に松江の中学校に転任になるまで、住んでいました。私が結婚いたしましたのは、松江に来てからのことで、二十四の秋でございますから、当時としてはずいぶん遅い結婚でございました。早くから母に死なれ、父は頑固一徹《がんこいってつ》の学者気質で、世俗のことには、とんと、うとく、私がいなくなれば、一家の切りまわしが、まるで駄目《だめ》になることが、わかっていましたので、私も、それまでにいくらも話があったのでございますが、家を捨ててまで、よそへお嫁に行く気が起こらなかったのでございます。せめて、妹さえ丈夫でございましたならば、私も、少し気楽だったのですけれども、妹は、私に似ないで、たいへん美しく、髪も長く、とてもよくできる、可愛《かわい》い子でございましたが、からだが弱く、その城下まちへ赴任して、二年目の春、私二十、妹十八で、妹は、死にました。そのころの、これは、お話でございます。妹は、もう、よほどまえから、いけなかったのでございます。腎臓結核《じんぞうけっかく》という、わるい病気でございまして、気のついたときには、両方の腎臓が、もう虫食われてしまっていたのだそうで、医者も、百日以内、とはっきり父に言いました。どうにも、手のほどこしようがないのだそうでございます。ひとつき経《た》ち、ふたつき経って、そろそろ百日目がちかくなって来ても、私たちはだまって見ていなければいけません。妹は、何も知らず、割に元気で、終日寝床に寝たきりなのでございますが、それでも、陽気に歌をうたったり、冗談言ったり、私に甘えたり、これがもう三、四十日経つと、死んでゆくのだ、はっきり、それにきまっているのだ、と思うと、胸が一ぱいになり、総身《そうみ》を縫針《ぬいばり》で突き刺されるように苦しく、私は、気が狂うようになってしまいます。三月、四月、五月、そうです。五月のなかば、私は、あの日を忘れません。

野も山も新緑で、はだかになってしまいたいほど温《あたた》かく、私には、新緑がまぶしく、眼にちかちか痛くって、ひとり、いろいろ考えごとをしながら帯の間に片手をそっと差

あるお城下まち　島根県浜田市を想定している。江戸時代は松平氏が治め市街地北の亀山に城跡がある。

しいれ、うなだれて野道を歩き、考えること、考えること、みんな苦しいことばかりで息ができなくなるくらい、私は、身悶《みもだ》えしながら歩きました。どおん、どおん、と春の土の底から、まるで十万億土*から響いて来るように、幽《かす》かな、けれども、おそろしく幅《はば》のひろい、まるで地獄の底で大きな大きな太鼓《たいこ》でも打ち鳴らしているような、おどろおどろした物音が、絶え間なく響いて来て、私には、その恐ろしい物音が、なんであるか、わからず、ほんとうにもう自分が狂ってしまったのではないか、と思い、そのまま、からだが凝結して立ちすくみ、突然わあっ！ と大声が出て、立っていられずぺたんと草原に坐《すわ》って、思い切って泣いてしまいました。

あとで知ったことでございますが、あの恐ろしい不思議な物音は、日本海大海戦*、軍艦の大砲の音だったのでございます。東郷提督《ていとく》の命令一下で、露国のバルチック艦隊を一挙に撃滅なさるための、大激戦の最中だったのでございます。ちょうど、そのころでございますものね。海軍記念日は、ことしも、また、そろそろやってまいります。あの海岸の城下まちにも、大砲の音が、おどろおどろ聞こえて来て、まちの人たちも、生きたそらがなかったのでございましょうが、私は、そんなことは知らず、ただもう妹のことで一ぱいで、半気違いの有様だったので、何か不吉な地獄の太鼓のような気がして、ながいこと草原で、顔もあげずに泣きつづけておりました。日が暮れかけて来たころ、私はやっと立ちあがって死んだように、ぼんやりなってお寺へ帰ってまいりました。

「ねえさん。」と妹が呼んでおります。妹も、そのころは、痩《や》せ衰えて、ちからなく、自分でも、うすうす、もうそんなに永くないことを知って来ている様子で、以前のように、あまり何かと私に無理難題いいつけて甘ったれるようなことが、なくなってしまって、私には、それがまた一そうつらいのでございます。

「ねえさん、この手紙、いつ来たの？」

私は、はっと、むねを突かれ、顔の血の気がなくなったのを自分ではっきり意識いたしました。

「いつ来たの？」妹は、無心のようでございます。私は、気を取り直して、

「ついさっき。あなたの眠っていらっしゃる間に。あなた、笑いながら眠っていたわ。あたし、こっそりあなたの枕《まくら》もとに置いといたの。知らなかったでしょう？」

「ああ、知らなかった。」妹は、夕闇《ゆうやみ》の迫った薄暗い部屋の中で、白く美しく笑って、「ねえさん、あたし、この手紙読んだの。おかしいわ。あたしの知らないひとなのよ。」

知らないことがあるものか。私は、その手紙の差出人のM・Tという男のひとを知っております。ちゃんと知っていたのでございます。いいえ、お逢《あ》いしたことはないのでございますが、私が、その五、六日まえ、妹の簞笥《たんす》をそっと整理して、その折に、ひとつの引き出しの奥底に、一束の手紙が、緑のリボンできっちり結ばれて隠されて在《あ》るのを発見いたし、いけないことでしょうけれども、リボンをほどいて、見てしまったので

十万億土　娑婆から極楽浄土に至るまでにあるという仏土の総称。転じて極楽浄土をいう。
日本海大海戦　日露戦争（明治三十七、八年戦役）で、三十八年五月、東郷平八郎提督の率いるわが聯合艦隊がロシアのバルチック艦隊を迎え撃って、撃滅した。なお、大砲の轟のことは、当時松江に住んでいた太宰夫人の母堂から聞いた実話である。

ございます。およそ三十通ほどの手紙、全部がそのM・Tさんからのお手紙だったのでございます。もっとも手紙のおもてには、M・Tさんのお名前は書かれておりませぬ。手紙の中にちゃんと書かれてあるのでございます。そうして、手紙のおもてには、差出人としていろいろの女のひとの名前が記《しる》されてあって、それがみんな、実在の、妹のお友達のお名前でございましたので、私も父も、こんなにどっさり男のひとと文通しているなど、夢にも気附かなかったのでございます。

きっと、そのM・Tという人は、用心深く、妹からお友達の名前をたくさん聞いておいて、つぎつぎとその数ある名前を用いて手紙をよこしていたのでございましょう。私は、それにきめてしまって、若い人たちの大胆さに、ひそかに舌を巻き、あの厳格な父に知れたら、どんなことになるだろう、と身震いするほどおそろしく、けれども、一通ずつ日附にしたがって読んでゆくにつれて、私まで、なんだか楽しく浮き浮きして来て、ときどきはあまりの他愛なさに、ひとりでくすくす笑ってしまって、おしまいには自分自身にさえ、広い大きな世界がひらけて来るような気がいたしました。

私も、まだそのころは二十になったばかりで、若い女としての口には言えぬ苦しみも、いろいろあったのでございます。三十通あまりの、その手紙を、まるで谷川が流れ走るような感じで、ぐんぐん読んでいって、去年の秋の、最後の一通の手紙を、読みかけて、思わず立ちあがってしまいました。雷電に打たれたときの気持って、あんなものかも知れませぬ。のけぞるほどに、ぎょっといたしました。妹たちの恋愛は、心だけのものではなかったのです。もっと醜《みにく》くすすんでいたのでございます。私は、手紙を焼きました。

一通のこらず焼きました。M・Tは、その城下まちに住む、まずしい歌人の様子で、卑《ひ》怯《きょう》なことには妹の病気を知るとともに、妹を捨て、もうお互い忘れてしまいましょう、など残酷なこと平気でその手紙にも書いてあり、それっきり、一通の手紙もよこさないらしい具合いでございましたから、これは、私さえ黙って一生ひとに語らなければ、妹は、きれいな少女のままで死んでゆける。誰も、ごぞんじないのだ、と私は苦しさを胸一つにおさめて、けれども、その事実を知ってしまってからは、なおのこと妹が可哀《かわい》そうで、いろいろ奇怪な空想も浮かんで、私自身、胸がうずくような、甘酸《あまず》っぱい、それは、いやな切ない思いで、あのような苦しみは、年ごろの女のひとでなければ、わからない、生き地獄《じごく》でございます。まるで、私が自身で、そんな憂《う》き目に逢ったかのように、私は、ひとりで苦しんでおりました。あのころは、私自身も、ほんとに、少し、おかしかったのでございます。

「姉さん、読んでごらんなさい。なんのことやら、あたしには、ちっともわからない。」

私は、妹の不正直をしんから憎く思いました。

「読んでいいの？」そう小声で尋ねて、妹から手紙を受け取る私の指先は、当惑するほど震えていました。ひらいて読むまでもなく、私は、この手紙の文句を知っております。けれども私は、何くわぬ顔してそれを読まなければいけません。手紙には、こう書かれてあるのです。私は、手紙をろくろく見ずに、声立てて読みました。

――きょうは、あなたにおわびを申し上げます。僕がきょうまで、がまんしてあなたにお手紙差し上げなかったわけは、すべて僕の自信のなさからであります。僕は、貧しく、無能であります。あなたひとりを、どうしてあげることもできないのです。ただ言葉で、その言葉には、みじんも嘘《うそ》がないのでありますが、ただ言葉で、あなたへの愛の証明をするほかには、何ひとつできぬ僕自身の無力が、いやになったのです。あなたを、一日も、いや夢にさえ、忘れたことはないのです。けれども、僕は、あなたを、どうしてあげることもできない。それが、つらさに、僕は、あなたと、おわかれしようと思ったのです。あなたの不幸が大きくなればなるほど、そうして僕の愛情が深くなればなるほど、僕はあなたに近づきにくくなるのです。おわかりでしょうか。僕は、決して、ごまかしを言っているのではありません。僕は、それを僕自身の正義の責任感からと解していました。けれども、それは、僕のまちがい。僕は、はっきり間違っておりました。おわびを申し上げます。僕は、あなたに対して完璧《かんぺき》の人間になろうと、我慾《がよく》を張っていただけのことだったのです。僕たち、さびしく無力なのだから、ほかになんにもできないのだから、せめて言葉だけでも誠実こめてお贈りするのが、まことの、謙譲《けんじょう》の美しい生きかたである、と僕はいまでは信じています。つねに、自身にできる限りの範囲で、それを為《な》し遂《と》げるように努力すべきだと思います。どんなに小さいことでもよい。タンポポの花一輪の贈りものでも、決して恥じずに差し出すのが、もっとも勇気ある、男らしい態度であると信じます。僕は、もう逃げません。僕は、あなたを愛しています。毎日、毎日、歌をつくってお送りします。それから、毎日、毎日、あなたのお庭の塀《へい》のそとで、口笛吹いて、お聞かせしましょう。あしたの晩の六時には、さっそく口笛、軍艦マアチ吹いてあげます。僕の口笛は、うまいですよ。いまのところ、それだけが、僕の力で、わけなくできる奉仕です。お笑いになっては、いけません。いや、お笑いになって下さい。元気でいて下さい。神さまは、きっとどこかで見ています。僕は、それを信じています。あなたも、僕も、ともに神の寵児《ちょうじ》です。きっと、美しい結婚できます。

待ち待ちて　ことし咲きけり　桃の花　白と聞きつつ　花は紅なり

僕は勉強しています。すべては、うまくいっています。では、また、明日。M・T。

「姉さん、あたし知っているのよ。」妹は、澄んだ声でそう呟《つぶや》き、「ありがとう、姉さん、これ、姉さんが書いたのね。」

私は、あまりの恥ずかしさに、その手紙、千々《ちぢ》に引き裂いて、自分の髪をくしゃくしゃ引き搔《む》しってしまいたく思いました。いても立ってもおられぬ、とはあんな思いを指《さ》して言うのでしょう。私が書いたのだ。妹の苦しみを見かねて、私が、これから毎日M・Tの筆蹟を真似《まね》て、妹の死ぬる日まで、手紙を書き、下手な和歌を、苦心してつくり、それから晩六時には、こっそり塀の外へ出て、口笛吹こうと思っていたのです。

恥ずかしかった。下手な歌みたいなものまで書いて、恥ずかしゅうございました。身も世も、あらぬ思いで、私は、すぐには返事も、できませんでした。

「姉さん、心配なさらなくても、いいのよ。」妹は、不思議に落ちついて、崇高《すうこう》なくらいに美しく微笑していました。「姉さん、あの緑のリボンで結んであった手紙を見たのでしょう？　あれは、ウソ。あたし、あんまり淋《さび》しいから、おととしの秋から、ひとりであんな手紙書いて、あたしに宛《あ》てて投函《とうかん》していたの。姉さん、ばかにしないでね。青春というものは、ずいぶん大事なものなのよ。あたし、病気になってから、それが、はっきりわかって来たの。一人で、自分あての手紙なんか書いてるなんて、汚《きた》ない。あさましい。ばかだ。あたしは、ほんとうに男のかたと、大胆に遊べば、よかった。あたしのからだを、しっかり抱いてもらいたかった。姉さん、あたしは今までいちども、恋人どころか、よその男のかたと話してみたこともなかった。姉さんだって、そうなのね。姉さん、あたしたち間違っていた。お利巧すぎた。ああ、死ぬなんて、いやだ。あたしの手が、指先が、髪が、可哀《かわい》そう。死ぬなんて、いやだ。いやだ。」

私は、かなしいやら、こわいやら、うれしいやら、はずかしいやら、胸が一ぱいになり、わからなくなってしまいまして、妹の痩《や》せた頬《ほお》に、私の頬をぴったり押しつけ、ただもう涙が出て来て、そっと妹を抱いてあげました。そのとき、ああ、聞こえるのです。低く幽《かす》かに、でも、たしかに、軍艦マアチの口笛でございます。妹も、耳をすましました。ああ、時計を見ると六時なのです。私たち、言い知れぬ恐怖に、強く強く抱き合ったまま、身じろぎもせず、そのお庭の葉桜の奥から聞こえて来る不思議なマアチに耳をすましておりました。

神さまは、在《あ》る。きっと、いる。私は、それを信じました。妹は、それから三日目に死にました。医者は、首をかしげておりました。あまりに静かに、早く息をひきとったからでございましょう。けれども、私は、そのとき驚かなかった。何もかも神さまの、おぼしめしと信じていました。

いまは、――年とって、もろもろの物慾《ぶつよく》が出て来て、お恥ずかしゅうございます。信仰とやらも少し薄らいでまいったのでございましょうか、あの口笛も、ひょっとしたら、父の仕業《しわざ》ではなかったろうかと、なんだかそんな疑いを持つこともございます。学校のおつとめからお帰りになって、隣りのお部屋で、私たちの話を立聞きして、ふびんに思い、厳酷《げんこく》の父としては一世一代の狂言したのではなかろうか、と思うことも、ございますが、まさかそんなこともないでしょうね。父が在世中ならば、問いただすこともできるのですが、父がなくなって、もう、かれこれ十五年にもなりますものね。いや、やっぱり神さまのお恵みでございましょう。

私は、そう信じて安心しておりたいのでございますけれども、どうも、年とって来ると、物慾が起こり、信仰も薄らいでまいって、いけないと存じます。

駈込《かけこ》み訴《うった》え

申し上げます。申し上げます。旦那《だんな》さま。あの人は、酷《ひど》い。酷い。はい。厭《いや》な奴《やつ》です。悪い人です。ああ。我慢ならない。生かしておけねえ。

はい、はい。落ちついて申し上げます。あの人を、生かしておいてはなりません。世の中の仇《かたき》です。はい、何もかも、すっかり、全部、申し上げます。私は、あの人の居所《いどころ》を知っています。すぐに御案内申します。ずたずたに切りさいなんで、殺して下さい。あの人は、私の師です。主です。けれども私と同じ年です。三十四であります。私は、あの人よりたった二月《ふたつき》おそく生まれただけなのです。たいした違いがないはずだ。人と人との間に、そんなにひどい差別はないはずだ。それなのに私はきょうまであの人に、どれほど意地悪くこき使われて来たことか。どんなに嘲弄《ちょうろう》されて来たことか。ああ、もう、いやだ。堪《た》えられるところまでは、堪えて来たのだ。怒《おこ》る時に怒らなければ、人間の甲斐《かい》がありません。私は今まであの人を、どんなにこっそり庇《かば》ってあげたか。誰も、ご存じないのです。あの人ご自身だって、それに気がついていないのだ。いや、あの人は知っているのだ。ちゃんと知っています。知っているからこそ、なおさらあの人は私を意地悪く軽蔑《けいべつ》するのだ。あの人は傲慢《ごうまん》だ。私から大きに世話を受けているので、それがご自身に口惜《くや》しいのだ。あの人は、阿呆《あほう》なくらいに自惚《うぬぼ》れ屋だ。私などから世話を受けている、ということを、何かご自身の、ひどい引け目ででもあるかのように思い込んでいなさるのです。あの人は、なんでもご自身でできるかのように、ひとから見られたくてたまらないのだ。ばかな話だ。世の中はそんなものじゃないんだ。この世に暮らして行くからには、どうしても誰かに、ぺこぺこ頭を下げなければいけないのだし、そうして歩一歩、苦労して人を抑《おさ》えてゆくよりほかに仕様がないのだ。あの人に一体、何ができましょう。なんにもできやしないのです。私から見れば青二才だ。私がもしおらなかったらあの人は、もう、とうの昔、あの無能でとんまの弟子たちと、どこかの野原でのたれ死《じに》していたに違いない。「狐《きつね》には穴あり、鳥には塒《ねぐら》、されども人の子には枕《まくら》するところ無し。」それ、それ、それだ。ちゃんと白状していやがるのだ。ペテロに何ができますか。ヤコブ、ヨハネ、アンデレ、トマス、痴《こけ》の集まり、ぞろぞろあの人について歩いて、背筋が寒くなるような、甘ったるいお世辞を申し、天国だなんて馬鹿げたことを夢中で信じて熱狂し、その天国が近づいたなら、あいつらみんな右大臣、左大

狐には穴あり……　新約聖書マタイ伝八章二十節にある言葉。**ペテロ**……　ペテロ Peter（英語綴り）はキリスト十二使徒中最も有力な一人。ヤコブ Jacob、ヨハネ John、アンデレ Andrew、トマス Thomas、さらにバルトロマイ（三九六頁一二行）Bartholomew はいずれもキリストの十二使徒中の人物。

臣にでもなるつもりなのか、馬鹿な奴《やつ》らだ。その日のパンにも困っていて、私がやりくりしてあげないことには、みんな飢え死してしまうだけじゃないのか。私はあの人に説教させ、群集からこっそり賽銭《さいせん》を巻き上げ、また、村の物持ちから供物《くもつ》を取り立て、宿舎の世話から日常衣食の購求まで、煩《はん》をいとわず、してあげていたのに、あの人はもとより弟子の馬鹿どもまで、私に一言のお礼も言わない。お礼を言わぬどころか、あの人は、私のこんな隠れた日々の苦労をも知らぬ振りして、いつでも大変な贅沢《ぜいたく》を言い、五つのパンと魚が二つ在《あ》るきりの時でさえ、目前の大群集みなに食物を与えよ、などと無理難題を言いつけなさって、私は陰で実に苦しいやり繰りをして、どうやら、その命じられた食いものを、まあ、買い調《ととの》えることができるのです。いわば、私はあの人の奇蹟《きせき》の手伝いを、危《あぶ》ない手品の助手を、これまで幾度となく勤めて来たのだ。私はこう見えても、決して吝嗇《りんしょく》の男じゃない。それどころか私は、よっぽど高い趣味家なのです。私はあの人を、美しい人だと思っている。私から見れば、子供のように慾《よく》がなく、私が日々のパンを得るために、お金をせっせと貯《た》めたっても、すぐにそれを一厘《りん》残さず、むだなことに遣《つか》わせてしまって、けれども私は、それを恨みに思いません。あの人は美しい人なのだ。私はもともと貧しい商人ではありますが、それでも精神家というものを理解していると思っています。だから、あの人が、私の辛苦《しんく》して貯めておいた粒々《りゅうりゅう》の小金《こがね》を、どんなに馬鹿らしくむだ遣いしても、私は、なんとも思いません。思いませんけれども、それならば、たまには私にも、優しい言葉の一つぐらいは掛けてくれてもよさそうなのに、あの人は、いつでも私に意地悪くしむけるのです。一度、あの人が、春の海辺《うみべ》をぶらぶら歩きながら、ふと、私の名を呼び、「おまえにも、お世話になるね。おまえの寂しさは、わかっている。けれども、そんなにいつも不機嫌《ふきげん》な顔をしていては、いけない。寂しいときに、寂しそうな面容《おももち》をするのは、それは偽善者《ぎぜんしゃ》のすることなのだ。寂しさを人にわかってもらおうとして、ことさらに顔色を変えて見せているだけなのだ。まことに神を信じているならば、おまえは、寂しい時でも素知らぬ振りして顔を綺麗《きれい》に洗い、頭に膏《あぶら》を塗り、微笑《ほほえ》んでいなさるがよい。わからないかね。寂しさを、人にわかってもらわなくても、どこか眼に見えないところにいるお前の誠の父だけが、わかっていて下さったなら、それでよいではないか。そうではないかね。寂しさは、誰にだって在るのだよ。」そうおっしゃってくれて、私はそれを聞いて、なぜだか声出して泣きたくなり、いいえ、私は天の父にわかっていただかなくても、また世間の者に知られなくても、ただ、あなたお一人さえ、おわかりになっていて下さったら、それでもう、よいのです。私はあなたを愛しています。ほかの弟子たちが、どんなに深くあなたを愛していたって、それとは較《くら》べものにならないほどに愛しています。誰よりも愛しています。ペテロやヤコブたちは、ただ、あなたについて歩いて、何かいいこともあるかと、そればかりを考えているのです。けれども、私だけは知っています。あなたについて歩いたって、なんの得《とく》するところもないということを知っています。それでいながら、私はあなたから離れることができません。どうしたのでしょう。あなたがこの世にいなくなったら、私もすぐに死にます。生きていることができません。私には、いつでも一人でこっそり考えていることがあるんです。それはあなたが、くだらない弟子たち全部から離れて、また天の父の御教えとやらを説かれることもお止《よ》しになり、つつましい民のひとりとして、お母のマリヤ様と、私と、それだけで静かな一生を、永く暮らして行くことであります。私の村には、まだ私の小さい家が残ってあります。年老いた父も母もおります。ずいぶん広い桃畠《ももばたけ》もあります。春、いまごろは、桃の花が咲いて見事であります。一生、安楽にお暮らしできます。私がいつでもお傍《そば》について、御奉公申し上げたく思います。よい奥さまをおもらいなさいまし。そう私が言ったら、あの人は、薄くお笑いになり、「ペテロやシモンは漁人《すなどり》だ。美しい桃の畠もない。ヤコブもヨハネも赤貧の漁人《すなどり》だ。あのひとたちには、そんな、一生を安楽に暮らせるような土地が、どこにもないのだ。」と低く独《ひと》りごとのように呟《つぶや》いて、また海辺を静かに歩きつづけたのでしたが、後にもさきにも、あの人と、しんみりお話できたのは、そのとき一度だけで、あとは、決して私に打ち解けて下さったことがなかった。私はあの人を愛している。あの人が死ねば、私も一緒に死ぬのだ。あの人は、誰のものでもない。私のものだ。あの人を他人に手渡すくらいなら、手渡すまえに、私はあの人を殺してあげる。父を捨て、母を捨て、生まれた土地を捨てて、私はきょうまで、あの人について歩いて来たのだ。私は天国を信じない。神も信じない。あの人の復活も信じない。なんであの人が、イスラエルの王なものか。馬鹿な弟子どもは、あの人を神の御子だと信じていて、そうして神の国の福音とかいうものを、あの人から伝え聞いては、浅ましくも、欣喜雀躍《きんきじやくやく》している。今にがっかりするのが、私にはわかっています。おのれを高うする者は卑《ひく》うせられ、おのれを卑《ひく》うする者は高うせられると、あの人は約束なさったが、世の中、そんなに甘くいってたまるものか。あの人は嘘《うそ》つきだ。言うこと言うこと、一から十まで出鱈目《でたらめ》だ。私はてんで信じていない。けれども私は、あの人の美しさだけは信じている。あんな美しい人はこの世にない。私はあの人の美しさを、純粋に愛している。それだけだ。私は、なんの報酬《ほうしゅう》も考えていない。あの人について歩いて、やがて天国が近づき、その時こそは、あっぱれ右大臣、左大臣になってやろうなどと、そんなさもしい根性は持っていない。私は、ただ、あの人から離れたくないのだ。ただ、あの人の傍にいて、あの人の声を聞き、あの人の姿を眺《なが》めていればそれでよいのだ。そうして、できればあの人に説教などを止してもらい、私とたった二人きりで一生永く生きていてもらいたいのだ。ああ、そうなったら！　私はどんなに仕合せだろう。私は今の、この、現世の喜びだけを信じる。次の世の審判など、私は少しも怖《おそ》れていない。あの人は、私のこの無報酬の、純粋の愛情を、どうして受け取って下さらぬのか。ああ、あの人を殺して下さい。旦那《だんな》さま。私はあの人の居所《いどころ》を知っております。御案内申し上げます。あの人は私を賤《いや》しめ、憎悪《ぞうお》しております。私は、きらわれております。私はあの人や、弟子たちのパンのお世話を申し、日々の飢渇から救ってあげているのに、どうして私を、あんなに意地悪く軽蔑《けいべつ》するのでしょう。お聞き下さい。六日まえのことでした。あの人はベタニヤのシモンの家で食事をなさっていたとき、あの村のマルタ奴《め》の妹のマリヤが、ナルドの香油*を一ぱい満たしてある石膏《せっこう》の壺《つぼ》をかかえて饗宴《きょうえん》の室にこっそりはいって来て、だしぬけに、

ナルドの香油　ヒマラヤ産の甘松香の根から採った香料で香りをつけた高価な油。新約聖書マタイ伝第二十六章六節と、マルコ伝第十四章三節にイエスの首《こうべ》にそそいだ話が出ている。

その油をあの人の頭にざぶと注いで御足まで濡《ぬ》らしてしまって、それでも、その失礼を詫《わ》びるどころか、落ちついてしゃがみ、マリヤ自身の髪の毛で、あの人の濡れた両足をていねいに拭《ぬぐ》ってあげて、香油の匂いが室に立ちこもり、まことに異様な風景でありましたので、私は、なんだか無性《むしょう》に腹が立って来て、失礼なことをするな！　と、その妹娘に怒鳴ってやりました。これ、このようにお着物が濡れてしまったではないか、それに、こんな高価な油をぶちまけてしまって、もったいないと思わないか、なんというお前は馬鹿な奴《やつ》だ。これだけの油だったら、三百デナリ*もするではないか、この油を売って、三百デナリ儲《もう》けて、その金をば貧乏人に施《ほどこ》してやったら、どんなに貧乏人が喜ぶか知れない。無駄《むだ》なことをしては困るね、と、私は、さんざ叱《しか》ってやりました。すると、あの人は、私のほうをきっと見て、「この女を叱ってはいけない。この女のひとは、大変いいことをしてくれたのだ。貧しい人にお金を施すのは、おまえたちには、これからあとあと、いくらでもできることではないか。私には、もう施しができなくなっているのだ。そのわけは言うまい。この女のひとだけは知っている。この女が私のからだに香油を注いだのは、私の葬《とむら》いの備えをしてくれたのだ。おまえたちも覚えておくがよい。全世界、どこの土地でも、私の短い一生を言い伝えられる処《ところ》には、必ず、この女の今日の仕草《しぐさ》も記念として語り伝えられるであろう。」そう言い結んだ時に、あの人の青白い頰《ほお》は幾分、上気して赤くなっていました。私は、あの人の言葉を信じません。れいによって大袈裟《おおげさ》なお芝居であると思い、平気で聞き流すことができましたが、それよりも、その時、あの人の声に、また、あの人の瞳《ひとみ》の色に、いままでかつてなかったほどの異様なものが感じられ、私は瞬時戸惑《とまど》いして、さらにあの人の幽《かす》かに赤らんだ頰と、うすく涙に潤《うる》んでいる瞳とを、つくづく見直し、はッと思い当たることがありました。ああ、いまわしい、口に出すさえ無念至極のことであります。あの人は、こんな貧しい百姓女に恋、ではないが、まさか、そんなことは絶対にないのですが、でも、危《あぶ》ない、それに似たあやしい感情を抱《いだ》いたのではないか？　あの人ともあろうものが、あんな無智《むち》な百姓女ふぜいに、そよとでも特殊な愛を感じたとあれば、それは、なんという失態。取りかえしのできぬ大醜聞《だいしゅうぶん》。私は、ひとの恥辱となるような感情を嗅《か》ぎわけるのが、生まれつき巧みな男であります。自分でもそれを下品な嗅覚《きゅうかく》だと思い、いやでありますが、ちらと一目《ひとめ》見ただけで、人の弱点を、あやまたず見届けてしまう鋭敏の才能を持っております。あの人が、たとえ微弱にでも、あの無学の百姓女に、特別の感情を動かしたということは、やっぱり間違いありません。私の眼には狂いがないはずだ。たしかにそうだ。ああ、我慢ならない。堪忍《かんにん》ならない。私は、あの人も、こんな体《てい》たらくでは、もはや駄目《だめ》だと思いました。醜態《しゅうたい》の極だと思いました。あの人はこれまで、どんなに女に好かれても、いつでも美しく、水のように静かであった。いささかも取り乱すことがなかったのだ。ヤキがまわった。だらしがねえ。あの人だってまだ若いのだし、それは無理もないと言えるかも知れぬけれど、そんなら私だって同じ年だ。しかも、あの人より二月《ふたつき》おそく生まれているのだ。若さに変わりはないはずだ。それでも私は堪えている。あの人ひとりに心を捧げ、これまでどんな女にも心を動かしたことはないのだ。マルタ

デナリ　denarii（伊）古代ローマの銀貨。

の妹のマリヤは、姉のマルタが骨組頑丈《ほねぐみがんじょう》で牛のように大きく、気象も荒く、どたばた立ち働くのだけが取柄《とりえ》で、なんの見どころもない百姓女でありますが、あれは違って骨も細く、皮膚は透きとおるほどの青白さで、手足もふっくらして小さく、湖水のように深く澄んだ大きい眼が、いつも夢みるように、うっとり遠くを眺めていて、あの村では皆、不思議がっているほどの気高《けだか》い娘でありました。私だって思っていたのだ。町へ出たとき、何か白絹でも、こっそり買って来てやろうと思っていたのだ。ああ、もう、わからなくなりました。私は何を言っているのだ。そうだ、私は口惜《くや》しいのです。なんのわけだか、わからない。地団駄《じだんだ》踏むほど無念なのです。あの人が若いなら、私だって若い、私は才能ある、家も畠《はたけ》もある立派な青年です。それでも私は、あの人のために私の特権全部を捨てて来たのです。だまされた。あの人は、嘘《うそ》つきだ。旦那《だんな》さま。あの人は、私の女をとったのだ。いや、ちがった！　あの女が、私からあの人を奪ったのだ。ああ、それもちがう。私の言うことは、みんな出鱈目《でたらめ》だ。一言も信じないで下さい。わからなくなりました。ごめん下さいまし。ついつい根も葉もないことを申しました。そんな浅《あさ》墓《はか》な事実なぞ、みじんもないのです。醜いことを口走りました。だけれども、私は、口惜しいのです。胸を掻《か》きむしりたいほど、口惜しかったのです。なんのわけだか、わかりませぬ。ああ、ジェラシイ*というのは、なんてやりきれない悪徳だ。私がこんなに、命を捨てるほどの思いであの人を慕い、きょうまでつき随《したが》って来たのに、私には一つの優しい言葉も下さらず、かえってあんな賤《いや》しい百姓女の身の上を、お頬を染めてまでかばっておやりなさった。ああ、やっぱり、あの人はだらしない。ヤキがまわった。もう、あの人には見込みがない。凡夫《ぼんぷ》だ。ただの人だ。死んだって惜しくはない。そう思ったら私は、ふいと恐ろしいことを考えるようになりました。悪魔に魅《み》こまれたのかも知れませぬ。そのとき以来、あの人を、いっそ私の手で殺してあげようと思いました。いずれは殺されるお方にちがいない。またあの人だって、無理に自分を殺させるように仕向けているみたいな様子が、ちらちら見える。私の手で殺してあげる。他の手で殺させたくはない。あの人を殺して私も死ぬ。旦那さま、泣いたりしてお恥ずかしゅう思います。はい、もう泣きませぬ。はい、はい。落ちついて申し上げます。そのあくる日、私たちはいよいよあこがれのエルサレムに向かい、出発いたしました。大群集、老いも若きも、あの人のあとにつき従い、やがて、エルサレムの宮が間近になったころ、あの人は、一匹の老いぼれた驢馬《ろば》を道ばたで見つけて、微笑してそれに打ち乗り、これこそは、「シ*オンの娘よ。懼《おそ》るな、視《み》よ、なんじの王は驢馬の子に乗りて来たり給《たも》う。」と予言されてある通りの形なのだと、弟子たちに晴れがましい顔をして教えましたが、私ひとりは、なんだか浮かぬ気持でありました。なんという、あわれな姿であったでしょう。待ちに待った過越《すぎこし》*の祭り、エルサレム宮に乗り込む、これが、あのダビデの御子の姿であったのか。あの人の一生の念願とした晴れの姿は、この老いぼれた驢馬に跨《またが》り、とぼとぼ進

ジェラシイ　Jealousy（英）嫉妬。やきもち。　**シオンの娘よ……**　新約聖書ヨハネ伝第十二章十五節にある言葉。　**過越の祭り**　ユダヤ教の三大祝節の一つ。その祖先がエジプトの圧迫から脱出してパレスチナに帰着した記念の祝典。春に行ない、習慣として贖罪《しょくざい》のために犠牲を捧げる。

むあわれな景観であったのか。私には、もはや、憐憫《れんびん》以外のものは感じられなくなりました。実に悲惨な、愚かしい茶番狂言《ちゃばんきょうげん》を見ているような気がして、ああ、もう、この人も落ち目だ。一日生き延びれば、生き延びただけ、あさはかな醜態《しゅうたい》をさらすだけだ。花は、しぼまぬうちこそ、花である。美しい間に、剪《き》らなければならぬ。あの人を、一ばん愛しているのは私だ。どのように人から憎まれてもいい。一日も早くあの人を殺してあげなければならぬと、私は、いよいよ、このつらい決心を固めるだけでありました。群衆は、刻一刻とその数を増し、あの人の通る道々に、赤、青、黄、色とりどりの彼らの着物をほうり投げ、あるいは棕櫚《しゅろ》の枝を伐《き》って、その行く道に敷きつめてあげて、歓呼にどよめき迎えるのでした。かつ、前にゆき、あとに従い、右から、左から、まつわりつくようにして果ては大浪《おおなみ》のごとく、驢馬とあの人をゆさぶり、ゆさぶり、「ダビデの子に*ホサナ、讃《ほ》むべきかな、主《しゅ》の御名《みな》によりて来たる者、いと高き処《ところ》にて、ホサナ。」と熱狂して口々に歌うのでした。ペテロやヨハネやバルトロマイ、そのほか全部の弟子どもは、ばかなやつ、すでに天国を目のまえに見たかのように、まるで凱旋《がいせん》の将軍につき従っているかのように、有頂天《うちょうてん》の歓喜で互いに抱き合い、涙に濡《ぬ》れた接吻《せっぷん》を交《かわ》し、一徹者《いってつもの》のペテロなど、ヨハネを抱きかかえたまま、わあわあ大声で嬉《うれ》し泣きに泣き崩《くず》れていました。その有様を見ているうちに、さすがに私も、この弟子たちと一緒に艱難《かんなん》を冒して布教に歩いて来た、その忍苦困窮の日々を思い出し、不覚にも、目がしらが熱くなって来ました。かくしてあの人は宮に入り、驢馬から降りて、何思ったか、縄《なわ》を拾いこれを振りまわし、宮の境内《けいだい》の、両替する者の台やら、鳩《はと》売る者の腰掛けやらを打ち倒し、また、売り物に出ている牛、羊をも、その縄の鞭《むち》でもって全部、宮から追い出して、境内にいる大勢の商人たちに向かい、「おまえたち、みな出て失《う》せろ、私の父の家を、商《あきな》いの家にしてはならぬ。」と甲高《かんだか》い声で怒鳴るのでした。あの優しいお方が、こんな酔っぱらいのような、つまらぬ乱暴を働くとは、どうしても少し気がふれているとしか、私には思われませんでした。傍《そば》の人もみな驚いて、これはどうしたことですか、とあの人に訊《たず》ねると、あの人の息せき切って答えるには、「おまえたち、この宮をこわしてしまえ、私は三日の間に、また建て直してあげるから。」ということだったので、さすが愚直の弟子たちも、あまりに無鉄砲なその言葉には、信じかねて、ぽかんとしてしまいました。けれども私は知っていました。所詮《しょせん》はあの人の、幼い強がりにちがいない。あの人の信仰とやらでもって、万事成らざるはなしという気概のほどを、人々に見せたかったのに違いないのです。それにしても、縄の鞭を振りあげて、無力な商人を追い廻したりなんかして、なんて、まあ、けちな強がりなんでしょう。あなたにできる精一ぱいの反抗は、たったそれだけなのですか、鳩売りの腰掛けを蹴《け》散《ち》らすだけのことなのですか、と私は憫笑《びんしょう》しておたずねしてみたいとさえ思いました。もはやこの人は駄目なのです。破れかぶれなのです。自重自愛《じちょうじあい》を忘れてしまった。自分の力では、この上もう何もできぬということをこのごろそろそろ知り始めた様子ゆえ、あまりボロの出ぬうちに、わざと祭司長に捕えられ、この世からおさらばしたくなって来たのでありましょう。私

ホサナ　hosanna　ヘブライ語で「いま救い給え」の意。この引用は新約聖書マタイ伝第二十一章九節にある。

は、それを思った時、はっきりあの人を諦《あきら》めることができました。そうして、あんな気取り屋の坊っちゃんを、これまで一途《いちず》に愛して来た私自身の愚かさをも、容易に笑うことができました。やがてあの人は宮に集まる大群の民を前にして、これまで述べた言葉のうちで一ばんひどい、無礼傲慢《ぶれいごうまん》の暴言を、滅茶苦茶に、わめき散らしてしまったのです。さよう、たしかに、やけくそです。私はその姿を薄汚《うすぎた》なくさえ思いました。殺されたがって、うずうずしていやがる。「*禍害《わざわい》なるかな、偽善なる学者、パリサイ人《びと》よ、汝《なんじ》らは酒杯《さかずき》と皿《さら》との外を潔《きよ》くす、然《しか》れども内は貪慾《どんよく》と放縦《ほうじゅう》とにて満つるなり。禍害なるかな、偽善なる学者、パリサイ人よ、汝らは白く塗りたる墓に似たり、外は美しく見ゆれども、内は死人の骨とさまざまの穢《けがれ》とに満つ。かくのごとく汝らも外は正しく見ゆれども、内は偽善と不法とにて満つるなり。蛇《へび》よ、蝮《まむし》の裔《すえ》よ、なんじら争《いか》で、ゲヘナの刑罰を避け得んや。ああエルサレム、エルサレム、予言者たちを殺し、遣《つか》わされたる人々を石にて撃つ者よ、牝鶏《めんどり》のその雛《ひな》を翼の下に集むるごとく、我なんじの子らを集めんと為《せ》しこと幾度《いくたび》ぞや、然《さ》れど、汝らは好まざりき。」馬鹿なことです。噴飯《ふんぱん》ものだ。口真似《くちまね》するのさえ、いまわしい。たいへんなことを言う奴《やつ》だ。あの人は、狂ったのです。まだそのほかに、饑饉《ききん》があるの、地震が起こるの、星は空より堕《お》ち、月は光を放たず、地に満つ人の死骸《しがい》のまわりに、それをついばむ鷲《わし》が集まるの、人はそのとき哀哭《なげき》、切歯《はがみ》することがあろうだの、実に、とんでもない暴言を口から出まかせに言い放ったのです。なんという思慮のないことを、言うのでしょう。思い上がりも甚《はなは》だしい。ばかだ。身のほど知らぬ。いい気なものだ。もはや、あの人の罪は、まぬかれぬ。必ず十字架。それにきまった。

祭司長や民の長老たちが、大祭司カヤバの中庭にこっそり集まって、あの人を殺すことを決議したとか、私はそれを、きのう町の物売りから聞きました。もし群衆の目前であの人を捕えたならば、あるいは群衆が暴動を起こすかも知れないから、あの人と弟子たちとだけの居るところを見つけて役所に知らせてくれた者には銀三十を与えるということをも、耳にしました。もはや猶予の時ではない。あの人は、どうせ死ぬのだ。ほかの人の手で、下役《したやく》たちに引き渡すよりは、私が、それをなそう。きょうまで私の、あの人に捧《ささ》げた一すじなる愛情の、これが最後の挨拶《あいさつ》だ。私の義務です。私があの人を売ってやる。つらい立場だ。誰がこの私のひたむきの愛の行為を、正当に理解してくれることか。いや、誰に理解されなくてもいいのだ。私の愛は純粋の愛だ。人に理解してもらうための愛ではない。そんなさもしい愛ではないのだ。私は永遠に、人の憎しみを買うだろう。けれども、この純粋の愛の貪慾のまえには、どんな刑罰も、どんな地獄の業火《ごうか》も問題でない。私は私の生き方を生き抜く。身震いするほどに固く決意しました。私は、ひそかによき折を、うかがっていたのであります。いよいよ、お祭りの当日になりました。私たち師弟十三人は丘の上の古い料理屋の、薄暗い二階座敷を借りてお祭りの宴会を開くことにいたしました。みんな食卓に着いて、いざお祭りの夕餐《ゆうげ》を始めようとした

禍害なるかな……　新約聖書マタイ伝第二十三章二十五—二十九節、三十三節、三十七節に記されてある。パリサイ人は、ヘブライ語では分離主義者の意。ユダヤ学者のうち綿密な解説に熱中した人たちに与えられたあだ名。ゲヘナの刑罰は、永遠の刑罰のこと。

とき、あの人は、つと立ち上がり、黙って上衣《うわぎ》を脱いだので、私たちは一体なにをお始めなさるのだろうと不審に思って見ているうちに、あの人は卓の上の水甕《みずがめ》を手にとり、その水甕の水を、部屋の隅《すみ》にあった小さい盥《たらい》に注ぎ入れ、それから純白の手巾をご自身の腰にまとい、盥の水で弟子たちの足を順々に洗って下さったのであります。弟子たちには、その理由がわからず、度を失って、うろうろするばかりでありましたけれど、私には何やら、あの人の秘めた思いがわかるような気持でありました。あの人は、寂しいのだ。極度に気が弱って、いまは、無智《むち》な頑迷《がんめい》の弟子たちにさえ縋《すが》りつきたい気持になっているのにちがいない。可哀想《かわいそう》に。あの人は自分の逃れがたい運命を知っていたのだ。その有様を見ているうちに、私は、突然、強力な嗚咽《おえつ》が喉《のど》につき上げて来るのを覚えた。やにわにあの人を抱きしめ、ともに泣きたく思いました。おう可哀想に、あなたを罪してなるものか。あなたは、いつでも優しかった。あなたは、いつでも正しかった。あなたは、いつでも貧しい者の味方だった。そうしてあなたは、いつでも光るばかりに美しかった。あなたは、まさしく神の御子だ。私はそれを知っています。おゆるし下さい。私はあなたを売ろうとしてこの二、三日、機会をねらっていたのです。もう今はいやだ。あなたを売るなんて、なんという私は無法なことを考えていたのでしょう。御安心なさいまし。もう今からは、五百の役人、千の兵隊が来たとても、あなたのおからだに指一本ふれさせることはない。あなたは、いま、つけねらわれているのです。危《あぶ》ない。いますぐ、ここから逃げましょう。ペテロも来い、ヤコブも来い、ヨハネも来い、みんな来い。われらの優しい主を護《まも》り、一生永く暮らして行こう、と心の底からの愛の言葉が、口に出しては言えなかったけれど、胸に沸《わ》きかえっておりました。きょうまで感じたことのなかった一種崇高な霊感《れいかん》に打たれ、熱いお詫《わ》びの涙が気持よく頬《ほお》を伝って流れて、やがてあの人は私の足をも静かに、ていねいに洗って下され、腰にまとってあった手巾で柔らかく拭《ふ》いて、ああ、そのときの感触は。そうだ、私はあのとき、天国を見たのかも知れない。私の次には、ピリポの足を、その次にはアンデレの足を、そうして、次に、ペテロの足を洗って下さる順番になったのですが、ペテロは、あのように愚かな正直者でありますから、不審の気持を隠しておくことができず、主よ、あなたはどうして私の足などお洗いになるのです、と多少不満げに口を尖《とが》らして尋ねました。あの人は、「ああ、私のすることは、おまえには、わかるまい。あとで、思い当たることもあるだろう。」と穏やかに言いさとし、ペテロの足もとにしゃがんだのだが、ペテロはなおも頑《がん》強《きょう》にそれを拒んで、いいえ、いけません。永遠に私の足などお洗いになってはなりませぬ。もったいない、とその足をひっこめて言い張りました。すると、あの人は少し声を張り上げて、「私がもし、おまえの足を洗わないなら、おまえと私とは、もう何の関係もないことになるのだ。」と随分、思い切った強いことを言いましたので、ペテロは大あわてにあわて、ああ、ごめんなさい、それならば、私の足だけでなく、手も頭も思う存分に洗って下さい、と平身低頭して頼みいりましたので、私は思わず噴《ふ》き出してしまい、ほかの弟子たちも、そっと微笑《ほほえ》み、なんだか部屋が明るくなったようでした。あの人も少し笑いながら、「ペテロよ、足だけ洗えば、もうそれで、おまえの全身は潔《きよ》いのだ、ああ、おまえだけでなく、ヤコブも、ヨハネも、みんな汚れのない、潔《きよ》いからだになったのだ。けれども、」と言いかけてすっと腰を伸ばし、瞬時、苦痛に耐えかねるような、とても悲しい眼つきをなされ、すぐにその眼をぎゅっと固くつぶり、つぶったままで言いました。「みんなが潔《きよ》ければいいのだが。」はッと思った。やられた！　私のことを言っているのだ。私があの人を売ろうとたくらんでいた寸刻以前までの暗い気持を見抜いていたのだ。けれども、その時は、ちがっていたのだ。断然、私は、ちがっていたのだ！　私は、潔《きよ》くなっていたのだ。私の心は変わっていたのだ。ああ、あの人はそれを知らない。それを知らない。ちがう！　ちがいます、と喉《のど》まで出かかった絶叫を、私の弱い卑屈な心が、唾《つば》を呑《の》みこむように、呑みくだしてしまった。言えない。何も言えない。あの人からそう言われてみれば、私はやはり潔《きよ》くなっていないのかも知れないと気弱く肯定する僻《ひが》んだ気持が頭をもたげ、とみるみるその卑屈の反省が、醜く、黒くふくれあがり、私の五臓六腑《ごぞうろっぷ》を駈《か》けめぐって、逆にむらむら憤怒《ふんぬ》の念が炎を挙《あ》げて噴出したのだ。ええっ、だめだ。私は、だめだ。あの人に心の底から、きらわれている。売ろう。売ろう。あの人を、殺そう。そうして私もともに死ぬのだ、と前からの決意に再び眼覚《めざ》め、私はいまは完全に、復讐《ふくしゅう》の鬼になりました。あの人は、私の内心の、ふたたび三たび、どんでん返しして変化した大動乱には、お気づきなさることのなかった様子で、やがて上衣をまとい服装を正し、ゆったりと席に坐《すわ》り、実に蒼《あお》ざめた顔をして、

「私がおまえたちの足を洗ってやったわけを知っているか。おまえたちは私を主と称《とな》え、また師と称えているようだが、それは間違いないことだ。私はおまえたちの主、または師なのに、それでもなお、おまえたちの足を洗ってやったのだから、おまえたちもこれ

からは互いに仲よく足を洗い合ってやるように心がけなければなるまい。私は、おまえたちと、いつまでも一緒にいることができないかも知れぬから、いま、この機会に、おまえたちに模範を示してやったのだ。私のやったとおりに、おまえたちも行なうように心がけなければならぬ。師は必ず弟子より優《すぐ》れたものなのだから、よく私の言うことを聞いて忘れぬようになさい。」ひどく物憂《ものう》そうな口調で言って、おとなしく食事を始め、ふっと、「おまえたちのうちの、一人が、私を売る。」と顔を伏せ、呻《うめ》くような、歔欷《きょき》なさるような苦しげの声で言い出したので、弟子たちすべて、のけぞらんばかりに驚き、一斉《いっせい》に席を蹴《け》って立ち、あの人のまわりに集まっておのおの、主よ、私のことですか、主よ、それは私のことですかと、罵《のの》り騒《し》ぎ、あの人は死ぬる人のように幽《かす》かに首を振り、「私がいま、その人に一つまみのパンを与えます。その人は、ずいぶん不仕合せな男なのです。ほんとうに、その人は、生まれて来なかったほうが、よかった。」と意外にはっきりした語調で言って、一つまみのパンをとり、腕をのばし、あやまたず私の口にひたと押し当てました。私も、もうすでに度胸がついていたのだ。恥じるよりは憎んだ。あの人の今更ながらの意地悪さを憎んだ。このように弟子たち皆の前で公然と私を辱《はず》かしめるのが、あの人のこれまでの仕来《しきた》りなのだ。火と水と。永遠に解け合うことのない宿命が、私とあいつとの間にあるのだ。犬か猫に与えるように、一つまみのパン屑《くず》を私の口に押し入れて、それがあいつのせめてもの腹いせだったのか。ははん。ばかな奴《やっ》だ。旦那《だんな》さま、あいつは私に、おまえの為《な》すことを速やかに為せと言いました。私はすぐに料亭から走り出て、夕闇《ゆうやみ》の道をひた走りに走り、ただいまここに参りました。そうして急ぎ、このとおり訴え申し上げました。さあ、あの人を罰して下さい。どうとも勝手に、罰して下さい。捕えて、棒で殴《なぐ》って素裸にして殺すがよい。もう、もう私は我慢ならない。あれは、いやな奴です。ひどい人だ。私を今まで、あんなにいじめた。はははは、ちきしょうめ。あの人はいま、*ケデロンの小川のかなた、*ゲッセマネの園《その》にいます。もうはや、あの二階座敷の夕餐《ゆうげ》もすみ、弟子たちとともにゲッセマネの園に行き、いまごろは、きっと天へお祈りを捧《ささ》げている時刻です。弟子たちのほかには誰もおりません。今なら難なくあの人を捕えることができます。ああ、小鳥が啼《な》いて、うるさい。今夜はどうしてこんなに夜鳥の声が耳につくのでしょう。私がここへ駈《か》け込む途中の森でも、小鳥がピイチク啼いておりました。夜に囀《さえず》る小鳥は、めずらしい。私は子供のような好奇心でもって、その小鳥の正体を一目見たいと思いました。立ちどまって首をかしげ、樹々《きぎ》の梢《こずえ》をすかして見ました。ああ、私はつまらないことを言っています。ごめん下さい。旦那さま、お仕度《したく》は出来ましたか。ああ楽しい。いい気持。今夜は私にとっても最後の夜だ。旦那さま、旦那さま、今夜これから私とあの人と立派に肩を接して立ち並ぶ光景を、よく見ておいて下さいまし。私は今夜あの人と、ちゃんと肩を並べて立ってみせます。あの人を怖《おそ》れることはないんだ。卑下することはないんだ。私はあの人と同じ年だ。同じ、すぐれた若いものだ。ああ、小鳥の声が、うるさい。耳についてうるさい。どうして、こんなに小鳥が騒ぎまわっているのだろう。ピイチクピイチク、何を騒いでいるのでしょう。おや、そのお金は？　私に下さるのですか、あの、私に、三十銀。なるほど、はははは。いや、お断わり申しましょう。殴《なぐ》られぬうちに、その金ひっこめたらいいでしょう。金が欲《ほ》しくて訴え出たのではないんだ。ひっこめろ！　いいえ、ごめんなさい、いただきましょう。そうだ、私は商人だったのだ。金銭ゆえに、私は優美なあの人から、いつも軽蔑《けいべつ》されて来たのだっけ。いただきましょう。私は所詮《しょせん》、商人だ。いやしめられている金銭で、あの人に見事、復讐《ふくしゅう》してやるのだ。これが私に、一ばんふさわしい復讐の手段だ。ざまあみろ！　銀三十で、あいつは売られる。私は、ちっとも泣いてやしない。私は、あの人を愛していない。はじめから、みじんも愛していなかった。はい、旦那さま。私は嘘《うそ》ばかり申し上げました。私は、金が欲しさにあの人について歩いていたのです。おお、それにちがいない。あの人が、ちっとも私に儲《もう》けさせてくれないと今夜見極《みきわ》めがついたから、そこは商人、素速く寝返りを打ったのだ。金。世の中は金だけだ。銀三十、なんとすばらしい。いただきましょう。私は、けちな商人です。欲しくてならぬ。はい、有難う存じます。はい、はい。申しおくれました。私の名は、商人のユダ。へっへ。イスカリオテのユダ。

ケデロン　エルサレムの東方にある渓谷。旧約聖書にはキデロンとしてある。**ゲッセマネの園**　エルサレム近郊の地、ケデロンの谷をへだてたオリーブ山の西麓にある園。キリストが処刑の前日、そのオリーブ園にいって祈禱したと伝えられる。

走《はし》れメロス

メロスは激怒《げきど》した。必ず、かの邪智暴虐《じゃちぼうぎゃく》の王を除かなければならぬと決意した。メロスには政治がわからぬ。メロスは、村の牧人《ぼくじん》である。笛を吹き、羊と遊んで暮らして来た。けれども邪悪に対しては、人一倍に敏感であった。きょう未明メロスは村を出発し、野を越え山越え、十里はなれたこの*シラクスの市にやって来た。メロスには父も、母もない。女房もない。十六の、内気な妹と二人暮しだ。この妹は、村のある律気《りちぎ》な一牧人を、近々、花婿として迎えることになっていた。結婚式も間近かなのである。メロスは、それゆえ、花嫁の衣裳《いしょう》やら祝宴の御馳走《ごちそう》やらを買いに、はるばる市にやって来たのだ。まず、その品々を買い集め、それから都の大路《おおじ》をぶらぶら歩いた。メロスには竹《ちく》馬《ば》の友があった。セリヌンティウスである。今はこのシラクスの市で、石工《いしく》をしている。その友を、これから訪《たず》ねてみるつもりなのだ。久しく逢《あ》わなかったのだから、訪ねて行くのが楽しみである。歩いているうちにメロスは、まちの様子を怪しく思った。ひっそりしている。もうすでに日も落ちて、まちの暗いのは当りまえだが、けれども、なんだか、夜のせいばかりではなく、市全体が、やけに寂しい。のんきなメロスも、だんだん不安になって来た。路《みち》で逢った若い衆をつかまえて、何かあったのか、二年まえにこの市に来たときは、夜でも皆が歌をうたって、まちは賑《にぎ》やかであったはずだが、と質問した。若い衆は、首を振って答えなかった。しばらく歩いて老爺《ろうや》に逢い、こんどはもっと、語勢を強くして質問した。老爺は答えなかった。メロスは両手で老爺のからだをゆすぶって質問を重ねた。老爺は、あたりをはばかる低声で、わずか答えた。

「王様は、人を殺します。」

「なぜ殺すのだ。」

「悪心を抱《いだ》いている、というのですが、誰もそんな、悪心を持ってはおりませぬ。」

「たくさんの人を殺したのか。」

「はい、はじめは王様の妹婿さまを。それから、御自身のお世嗣《よつぎ》を。それから、妹さまを。それから、妹さまの御子さまを。それから、皇后さまを。それから、賢臣のアレキス様を。」

「おどろいた。国王は乱心か。」

「いいえ、乱心ではございませぬ。人を、信ずることができぬ、というのです。このごろは、臣下の心をも、お疑いになり、少しく派手な暮しをしている者には、人質ひとりずつ差し出すことを命じております。御命令を拒《こば》めば十字架にかけられて、殺されます。きょうは、六人殺されました。」

シラクス　Syracuse　シシリー島東南岸の都市。

聞いて、メロスは激怒した。「呆《あき》れた王だ。生かしておけぬ。」

メロスは、単純な男であった。買い物を、背負ったままで、のそのそ王城にはいって行った。たちまち彼は、巡邏《じゅんら》の警吏に捕縛《ほばく》された。調べられて、メロスの懐中からは短剣が出て来たので、騒ぎが大きくなってしまった。メロスは、王の前に引き出された。

「この短刀で何をするつもりであったか。言え！」暴君ディオニスは静かに、けれども威厳をもって問いつめた。その王の顔は蒼白《そうはく》で、眉間《みけん》の皺《しわ》は、刻み込まれたように深かった。

「市を暴君の手から救うのだ。」とメロスは悪びれずに答えた。

「おまえがか？」王は、憫笑《びんしょう》した。「仕方のないやつじゃ。おまえなどには、わしの孤独の心がわからぬ。」

「言うな！」とメロスは、いきり立って反駁《はんばく》した。「人の心を疑うのは、もっとも恥ずべき悪徳だ。王は、民《たみ》の忠誠をさえ疑っておられる。」

「疑うのが、正当の心構えなのだと、わしに教えてくれたのは、おまえたちだ。人の心は、あてにならない。人間は、もともと私慾《しよく》のかたまりさ。信じては、ならぬ。」暴君は落ち着いて呟《つぶや》き、ほっと溜息《ためいき》をついた。「わしだって、平和を望んでいるのだが。」

「なんのための平和だ。自分の地位を守るためか。」こんどはメロスが嘲笑《ちょうしょう》した。「罪のない人を殺して、何が平和だ。」

「だまれ、下賤《げせん》の者。」王は、さっと顔を挙《あ》げて報いた。「口では、どんな清らかなことでも言える。わしには、人の腹綿《はらわた》の奥底が見え透いてならぬ。おまえだって、いまに、磔《はりつけ》になってから、泣いて詫《わ》びたって聞かぬぞ。」

「ああ、王は利巧だ。自惚《うぬぼ》れているがよい。私は、ちゃんと死ぬる覚悟でいるのに。命乞《いのちご》いなど決してしない。ただ、――」と言いかけて、メロスは足もとに視線を落とし瞬時ためらい、「ただ、私に情をかけたいつもりなら、処刑までに三日間の日限を与えて下さい。たった一人の妹に、亭主《ていしゅ》を持たせてやりたいのです。三日のうちに、私は村で結婚式を挙げさせ、必ず、ここへ帰って来ます。」

「ばかな。」と暴君は、嗄《しやが》れた声で低く笑った。「とんでもない嘘《うそ》を言うわい。逃がした小鳥が帰って来るというのか。」

「そうです。帰って来るのです。」メロスは必死で言い張った。「私は約束を守ります。私を、三日間だけ許して下さい。妹が、私の帰りを待っているのだ。そんなに私を信じられないならば、よろしい、この市にセリヌンティウスという石工がいます。私の無二の友人だ。あれを、人質としてここに置いて行こう。私が逃げてしまって、三日目の日暮まで、ここに帰って来なかったら、あの友人を絞め殺して下さい。たのむ。そうして下さい。」

それを聞いて王は、残虐な気持で、そっと北叟笑《ほくそえ》んだ。生意気なことを言うわい。どうせ帰って来ないにきまっている。この嘘つきに騙《だま》された振りして、放してやるのも面白い。そうして身代りの男を、三日目に殺してやるのも気味がいい。人は、これだから信じられぬと、わしは悲しい顔して、その身代りの男を磔刑《たくけい》に処してやるのだ。世の中の、正直者とかいう奴輩《ぬはい》にうんと見せつけてやりたいものさ。「願いを、聞いた。その身代りを呼ぶがよい。三日目には日没までに帰って来い。おくれたら、その身代りを、きっと殺すぞ。ちょっとおくれて来るがいい。おまえの罪は、永遠にゆるしてやろうぞ。」

「なに、何をおっしゃる。」

「はは。いのちが大事だったら、おくれて来い。おまえの心は、わかっているぞ。」

メロスは口惜《くや》しく、地団駄《じだんだ》踏んだ。ものも言いたくなくなった。

竹馬の友、セリヌンティウスは、深夜、王城に召された。暴君ディオニスの面前で、佳《よ》き友と佳き友は、二年ぶりで相逢《あいお》うた。メロスは、友に一切の事情を語った。セリヌンティウスは無言で首肯《うなず》き、メロスをひしと抱きしめた。友と友の間は、それでよかった。セリヌンティウスは、縄打《なわう》たれた。メロスは、すぐに出発した。初夏、満天の星である。

メロスはその夜、一睡《いっすい》もせず十里の路《みち》を急ぎに急いで、村へ到着したのは、翌《あく》る日の午前、陽《ひ》はすでに高く昇《のぼ》って、村人たちは野に出て仕事をはじめていた。メロスの十六の妹も、きょうは兄の代りに羊群の番をしていた。よろめいて歩いて来る兄の、疲労困《こん》憊《ぱい》の姿を見つけて驚いた。そうして、うるさく兄に質問を浴びせた。

「なんでもない。」メロスは無理に笑おうと努めた。「市に用事を残して来た。またすぐ市に行かなければならぬ。あす、おまえの結婚式を挙げる。早いほうがよかろう。」

妹は頬《ほお》をあからめた。

「うれしいか。綺麗《きれい》な衣裳《いしょう》も買って来た。さあ、これから行って、村の人たちに知らせて来い。結婚式は、あすだと。」

メロス、また、よろよろと歩き出し、家へ帰って神々の祭壇を飾り、祝宴の席を調《ととの》え、間もなく床に倒れ伏し、呼吸もせぬくらいの深い眠りに落ちてしまった。

眼が覚《さ》めたのは夜だった。メロスは起きてすぐ、花婿の家を訪れた。そうして、少し事情があるから、結婚式を明日にしてくれ、と頼んだ。婿の牧人は驚き、それはいけない、こちらにはまだ何の仕度《したく》も出来ていない、葡萄《ぶどう》の季節まで待ってくれ、と答えた。メロスは、待つことはできぬ、どうか明日にしてくれたまえ、とさらに押してたのんだ。婿の牧人も頑強《がんきょう》であった。なかなか承諾してくれない。夜明けまで議論をつづけて、やっと、どうにか婿をなだめ、すかして、説き伏せた。結婚式は、真昼に行なわれた。新郎新婦の、神々への宣誓が済んだころ、黒雲が空を覆《おお》い、ぽつりぽつり雨が降り出し、やがて車軸を流すような大雨となった。祝宴に列席していた村人たちは、何か不吉なものを感じたが、それでも、めいめい気持を引きたて、狭い家の中で、むんむん蒸し暑いのも怺《こら》え、陽気に歌をうたい、手を拍《う》った。メロスも、満面に喜色を湛《たた》え、しばらくは、王とのあの約束をさえ忘れていた。祝宴は、夜に入っていよいよ乱れ華《はな》やかになり、人々は、外の豪雨を全く気にしなくなった。メロスは、一生このままここにいたい、と思った。この佳い人たちと生涯《しょうがい》暮らして行きたいと願ったが、いまは、自分のからだで、自分のものではない。ままならぬことである。メロスは、わが身に鞭打《むちう》ち、ついに出発を決意した。あすの日没までには、まだ十分の時がある。ちょっと一眠りして、それからすぐに出発しよう、と考えた。そのころには、雨も小降りになっていよう。少しでも永くこの家に愚図愚図《ぐずぐず》とどまっていたかった。メロスほどの男にも、やはり未練の情というものはある。今宵呆然《こよいぼうぜん》、歓喜に酔っているらしい花嫁に近寄り、

「おめでとう。私は疲れてしまったから、ちょっとご免こうむって眠りたい。眼が覚めたら、すぐに市に出かける。大切な用事があるのだ。私がいなくても、もうおまえには優しい亭主《ていしゅ》があるのだから、決して寂しいことはない。おまえの兄の、一ばんきらいなものは、人を疑うことと、それから、嘘をつくことだ。おまえも、それは、知っているね。亭主との間に、どんな秘密でも作ってはならぬ。おまえに言いたいのは、それだけだ。おまえの兄は、たぶん偉い男なのだから、おまえもその誇りを持っていろ。」

花嫁は、夢見心地《ごこち》で首肯いた。メロスは、それから花婿の肩をたたいて、

「仕度のないのはお互いさまさ。私の家にも、宝といっては、妹と羊だけだ。ほかには、何もない。全部あげよう。もう一つ、メロスの弟になったことを誇ってくれ。」

花婿は揉《も》み手して、てれていた。メロスは笑って村人たちにも会釈《えしゃく》して、宴席から立ち去り、羊小屋にもぐり込んで、死んだように深く眠った。

眼が覚めたのは翌る日の薄明のころである。メロスは跳《は》ね起き、南無三《なむさん》、寝過ごしたか、いや、まだまだ大丈夫、これからすぐに出発すれば、約束の刻限までには十分間に合う。きょうはぜひとも、あの王に、人の信実の存するところを見せてやろう。そうして笑って磔《はりつけ》の台に上ってやる。メロスは、悠々《ゆうゆう》と身仕度をはじめた。雨も、いくぶん小降りになっている様子である。身仕度は出来た。さて、メロスは、ぶるんと両腕を大

きく振って、雨中、矢のごとく走り出た。

私は、今宵《こよい》、殺される。殺されるために走るのだ。身代りの友を救うために走るのだ。王の奸佞邪智《かんねいじゃち》を打ち破るために走るのだ。走らなければならぬ。そうして、私は殺される。若い時から名誉を守れ。さらば、ふるさと。若いメロスは、つらかった。幾度か、立ちどまりそうになった。えい、えいと大声挙《あ》げて自身を叱《しか》りながら走った。村を出て、野を横切り、森をくぐり抜け、隣村に着いたころには、雨も止《や》み、日は高く昇《のぼ》って、そろそろ暑くなって来た。メロスは額の汗をこぶしで払い、ここまで来れば大丈夫、もはや故郷への未練はない。妹たちは、きっと佳《よ》い夫婦になるだろう。私には、いま、なんの気がかりもないはずだ。まっすぐに王城に行き着けば、それでよいのだ。そんなに急ぐ必要もない。ゆっくり歩こう、と持ちまえの呑気《のんき》さを取り返し、好きな小歌をいい声で歌い出した。ぶらぶら歩いて二里行き三里行き、そろそろ全里程の半ばに到達したころ、降って湧《わ》いた災難、メロスの足は、はたと、とまった。見よ、前方の川を。きのうの豪雨で山の水源地は氾濫《はんらん》し、濁流滔々《だくりゅうとうとう》と下流に集まり、猛勢一挙に橋を破壊し、どうどうと響きをあげる激流が、木葉微塵《こっぱみじん》に橋桁《はしげた》を跳《は》ね飛ばしていた。彼は茫然《ぼうぜん》と、立ちすくんだ。あちこちと眺《なが》めまわし、また、声を限りに呼びたててみたが、繋舟《けいしゅう》は残らず浪《なみ》に浚《さら》われて影なく、渡守《わたしもり》の姿も見えない。流れはいよいよ、ふくれ上がり、海のようになっている。メロスは川岸にうずくまり、男泣きに泣きながら*ゼウスに手を挙げ

ゼウス　Zeus（ギリシャ語）ギリシャ神話の最高神。ローマ神話のジュピター。オリムポス山頂の宮殿に住み、神々と人とをともに支配する。

て哀願した。「ああ、鎮《しず》めたまえ、荒れ狂う流れを！　時は刻々に過ぎて行きます。太陽もすでに真昼時です。あれが沈んでしまわぬうちに、王城に行き着くことができなかったら、あの佳《よ》い友達が、私のために死ぬのです。」

濁流は、メロスの叫びをせせら笑うごとく、ますます激しく躍《おど》り狂う。浪は浪を呑み、捲《ま》き、煽《あお》り立て、そうして時は、刻一刻と消えて行く。今はメロスも覚悟した。泳ぎ切るよりほかにない。ああ、神々も照覧《しょうらん》あれ！　濁流にも負けぬ愛と誠の偉大な力を、いまこそ発揮して見せる。メロスは、ざんぶと流れに飛び込み、百匹の大蛇《おろち》のようにのた打ち荒れ狂う浪を相手に、必死の闘争を開始した。満身の力を腕にこめて、押し寄せ渦《うず》巻き引きずる流れを、なんのこれしきと掻《か》きわけ掻きわけ、めくらめっぽう獅子《しし》奮迅《ふんじん》の人の子の姿には、神も哀れと思ったか、ついに憐愍《れんびん》を垂《た》れてくれた。押し流されつつも、見事、対岸の樹木の幹に、すがりつくことができたのである。ありがたい。メロスは馬のように大きな胴震いを一つして、すぐにまた先きを急いだ。一刻といえども、むだにはできない。陽《ひ》はすでに西に傾きかけている。ぜいぜい荒い呼吸をしながら峠《とうげ》をのぼり、のぼり切って、ほっとした時、突然、目の前に一隊の山賊が躍《おど》り出た。

「待て。」

「何をするのだ。私は陽の沈まぬうちに王城へ行かなければならぬ。放せ。」

「どっこい放さぬ。持ちもの全部を置いて行け。」

「私には、いのちのほかには何もない。その、たった一つの命も、これから王にくれてやるのだ。」

「その、いのちが欲しいのだ。」

「さては、王の命令で、ここで私を待ち伏せしていたのだな。」

山賊たちは、ものも言わず一斉《いっせい》に棍棒《こんぼう》を振り挙げた。メロスはひょいと、からだを折り曲げ、飛鳥のごとく身近かの一人に襲いかかり、その棍棒を奪い取って、「気の毒だが、正義のためだ！」と猛然一撃、たちまち、三人を殴《なぐ》り倒し、残る者のひるむ隙《すき》に、さっさと走って峠を下った。一気に峠を駈《か》け降《お》りたが、さすがに疲労し、折から午後の灼熱《しゃくねつ》の太陽がまともに、かっと照って来て、メロスは幾度となく眩暈《めまい》を感じ、これではならぬ、と気を取り直しては、よろよろ二、三歩あるいて、ついに、がくりと膝《ひざ》を折った。立ち上がることができぬのだ。天を仰いで、くやし泣きに泣き出した。ああ、あ、濁流を泳ぎ切り、山賊を三人も撃《う》ち倒し韋駄天《いだてん》、ここまで突破して来たメロスよ。真の勇者、メロスよ。今、ここで、疲れ切って動けなくなるとは情ない。愛する友は、おまえを信じたばかりに、やがて殺されなければならぬ。おまえは、稀代《きたい》の不信の人間、まさしく王の思う壺《つぼ》だぞ、と自分を叱《しか》ってみるのだが、全身萎《な》えて、もはや芋《いも》虫《むし》ほどにも前進かなわぬ。路傍の草原にごろりと寝ころがった。身体疲労すれば、精神もともにやられる。もう、どうでもいいという、勇者に不似合いな不貞腐《ふてくさ》れた根性が、心の隅《すみ》に巣喰《すく》った。私は、これほど努力したのだ。約束を破る心は、みじんもなかった。神も照覧、私は精一ぱいに努めて来たのだ。動けなくなるまで走って来たのだ。私は不信の徒ではない。ああ、できることなら私の胸を截《た》ち割《わ》って、真紅《しんく》の心臓をお目に掛けたい。愛と信実の血液だけで動いているこの心臓を見せてやりたい。けれども私は、この大事な時に、精も根も尽きたのだ。私は、よくよく不幸な男だ。私は、きっと笑われる。私の一家も笑われる。私は友を欺《あざむ》いた。中途で倒れるのは、はじめから何もしないのと同じことだ。ああ、もう、どうでもいい。これが、私の定まった運命なのかも知れない。セリヌンティウスよ、ゆるしてくれ。君は、いつでも私を信じた。私も君を、欺かなかった。私たちは、本当に佳い友と友であったのだ。いちどだって、暗い疑惑の雲を、お互い胸に宿したことはなかった。いまだって、君は私を無心に待っているだろう。ああ、待っているだろう。ありがとう、セリヌンティウス。よくも私を信じてくれた。それを思えば、たまらない。友と友の間の信実は、この世で一ばん誇るべき宝なのだからな。セリヌンティウス、私は走ったのだ。君を欺くつもりは、みじんもなかった。信じてくれ！ 私は急ぎに急いでここまで来たのだ。濁流を突破した。山賊の囲みからも、するりと抜けて一気に峠を駈け降りて来たのだ。私だから、できたのだよ。ああ、この上、私に望みたもうな。放っておいてくれ。どうでも、いいのだ。私は負けたのだ。だらしがない。笑ってくれ。王は私に、ちょっとおくれて来い、と耳打ちした。おくれたら、身代りを殺して、私を助けてくれると約束した。私は王の卑劣を憎んだ。けれども、今になってみると、私は王の言うままになっている。私は、おくれて行くだろう。王は、ひとり合点《がてん》して私を笑い、そうして事もなく私を放免するだろう。そうなったら、私は、死ぬよりつらい。私は、永遠に裏切者だ。地上でもっとも、不名誉の人種だ。セリヌンティウスよ、私も死ぬぞ。君と一緒に死なせてくれ。君だけは私を信じてくれるにちがいない。いや、それも私の、ひとりよがりか？ ああ、もういっそ、悪徳者として生き伸びてやろうか。村には私の家が在《あ》る。羊もいる。妹夫婦は、まさか私を村から追い出すようなことはしないだろう。正義だの、信実だの、愛だの、考えてみれば、くだらない。人を殺して自分が生きる。それが人間世界の定法ではなかったか。ああ、何もかも、ばかばかしい。私は、醜い裏切り者だ。どうとも、勝手にするがよい。やんぬるかな。――四肢《しし》を投げ出して、うとうと、まどろんでしまった。

ふと耳に、潺々《せんせん》、水の流れる音が聞こえた。そっと頭をもたげ、息を呑《の》んで耳をすました、すぐ足もとで、水が流れているらしい。よろよろ起き上がって、見ると、岩の裂《さ》け目《め》から滾々《こんこん》と、何か小さく囁《ささや》きながら清水が湧《わ》き出ているのである。その泉に吸い込まれるようにメロスは身をかがめた。水を両手で掬《すく》って、一くち飲んだ。ほうと長い溜《ため》息《いき》が出て、夢から覚《さ》めたような気がした。歩ける。行こう。肉体の疲労恢復《かいふく》とともに、わずかながら希望が生まれた。義務遂行の希望である。わが身を殺して、名誉を守る希望である。斜陽は赤い光を、樹々《きぎ》の葉に投じ、葉も枝も燃えるばかりに輝いている。日没までには、まだ間がある。私を、待っている人があるのだ。少しも疑わず、静かに期待してくれている人があるのだ。私は、信じられている。私の命なぞは、問題ではない。死んでお詫《わ》び、などと気のいいことは言っておられぬ。私は、信頼に報《むく》いなければならぬ。いまはただその一事だ。走れ！　メロス。

私は信頼されている。私は信頼されている。先刻の、あの悪魔の囁きは、あれは夢だ。悪い夢だ。忘れてしまえ。五臓が疲れているときは、ふいとあんな悪い夢を見るものだ。メロス、おまえの恥ではない。やはり、おまえは真の勇者だ。ふたたび立って走れるようになったではないか。ありがたい！　私は、正義の士として死ぬことができるぞ。ああ、陽《ひ》が沈む。ずんずん沈む。待ってくれ、ゼウスよ。私は生れた時から正直な男であった。正直な男のままにして死なせて下さい。

路行《みちゆ》く人を押しのけ、跳《は》ねとばし、メロスは黒い風のように走った。野原で酒宴の、その宴席のまっただ中を駈《か》け抜け、酒宴の人たちを仰天《ぎょうてん》させ、犬を蹴《け》とばし、小川を飛び越え、少しずつ沈んでゆく太陽の、十倍も早く走った。一団の旅人とさっとすれちがった瞬間、不吉な会話を小耳にはさんだ。「いまごろは、あの男も、磔《はりつけ》にかかっているよ。」ああ、その男、その男のために私は、いまこんなに走っているのだ。その男を死なせてはならない。急げ、メロス。おくれてはならぬ。愛と誠の力を、いまこそ知らせてやるがよい。風態《ふうてい》なんかは、どうでもいい。メロスは、いまは、ほとんど全裸体であった。呼吸もできず、二度、三度、口から血が噴《ふ》き出た。見える。はるか向うに小さく、シラクスの市の塔楼《とうろう》が見える。塔楼は、夕陽を受けてきらきら光っている。

「ああ、メロス様。」うめくような声が、風とともに聞こえた。

「誰だ。」メロスは走りながら尋ねた。

「フィロストラトスでございます。貴方《あなた》のお友達セリヌンティウス様の弟子でございます。」その若い石工《いしく》も、メロスの後について走りながら叫んだ。「もう、駄目《だめ》でございます。むだでございます。走るのは、やめて下さい。もう、あの方をお助けになることはできません。」

「いや、まだ陽は沈まぬ。」

「ちょうど今、あの方《かた》が死刑になるところです。ああ、あなたは遅《おそ》かった。おうらみ申します。ほんの少し、もうちょっとでも、早かったら！」

「いや、まだ陽は沈まぬ。」メロスは胸の張り裂ける思いで、赤く大きい夕陽ばかりを見つめていた。走るよりほかはない。

「やめて下さい。走るのは、やめて下さい。いまはご自分のお命が大事です。あの方は、あなたを信じておりました。刑場に引き出されても、平気でいました。王様が、さんざんあの方をからかっても、メロスは来ます、とだけ答え、強い信念を持ちつづけている様子でございました。」

「それだから、走るのだ。信じられているから走るのだ。間に合う、間に合わぬは問題でないのだ。人の命も問題でないのだ。私は、なんだか、もっと恐ろしく大きいもののために走っているのだ。ついて来い！　フィロストラトス。」

「ああ、あなたは気が狂ったか。それでは、うんと走るがいい。ひょっとしたら、間に合わぬものでもない。走るがいい。」

言うにや及ぶ。まだ陽は沈まぬ。最後の死力を尽して、メロスは走った。メロスの頭は、からっぽだ。何一つ考えていない。ただ、わけのわからぬ大きな力にひきずられて走った。陽は、ゆらゆら地平線に没し、まさに最後の一片の残光も、消えようとした時、メロスは疾風《しっぷう》のごとく刑場に突入した。間に合った。

「待て。その人を殺してはならぬ。メロスが帰って来た。約束のとおり、いま、帰って来た。」と大声で刑場の群衆にむかって叫んだつもりであったが、喉《のど》がつぶれて嗄《しゃが》れた声が幽《かす》かに出たばかり、群衆は、ひとりとして彼の到着に気がつかない。すでに磔《はりつけ》の柱が高々と立てられ、縄《なわ》を打たれたセリヌンティウスは、徐々に釣《つ》り上げられてゆく。メロスはそれを目撃して最後の勇、先刻、濁流を泳いだように群衆を掻《か》きわけ、掻きわけ、

「私だ、刑吏！　殺されるのは、私だ。メロスだ。彼を人質にした私は、ここにいる！」と、かすれた声で精一ぱいに叫びながら、ついに磔台に昇《のぼ》り、釣り上げられてゆく友の両足に、齧《かじ》りついた。群衆は、どよめいた。あっぱれ。ゆるせ、と口々にわめいた。セリヌンティウスの縄は、ほどかれたのである。

「セリヌンティウス。」メロスは眼に涙を浮かべて言った。「私を殴《なぐ》れ。ちから一ぱいに頬《ほお》を殴れ。私は、途中で一度、悪い夢を見た。君がもし私を殴ってくれなかったら、私は君と抱擁する資格さえないのだ。殴れ。」

セリヌンティウスは、すべてを察した様子で首肯《うなず》き、刑場一ぱいに鳴り響くほど音高くメロスの右頬を殴った。殴ってから優《やさ》しく微笑《ほほえ》み、

「メロス、私を殴れ。同じくらい音高く私の頬を殴れ。私はこの三日の間、たった一度だけ、ちらと君を疑った。生まれて、はじめて君を疑った。君が私を殴ってくれなければ、私は君と抱擁できない。」

メロスは腕に唸《うな》りをつけてセリヌンティウスの頬を殴った。

「ありがとう、友よ。」二人同時に言い、ひしと抱き合い、それから嬉《うれ》し泣きにおいおい声を放って泣いた。

群衆の中からも、歔欷《すすりなき》の声が聞こえた。暴君ディオニスは、群衆の背後から二人のさまを、まじまじと見つめていたが、やがて静かに二人に近づき、顔をあからめて、こう言った。

「おまえらの望みは叶《かな》ったぞ。おまえらは、わしの心に勝ったのだ。信実とは、決して空虚な妄想ではなかった。どうか、わしも仲間に入れてくれまいか。どうか、わしの願いを聞き入れて、おまえらの仲間の一人にしてほしい。」

どっと群衆の間に、歓声が起こった。

「万歳、王様万歳。」

ひとりの少女が、緋《ひ》のマントをメロスに捧げた。メロスは、まごついた。佳《よ》き友は、気をきかせて教えてやった。

「メロス、君は、まっぱだかじゃないか。早くそのマントを着るがいい。この可愛《かわい》い娘さんは、メロスの裸体を、皆に見られるのが、たまらなく口惜《くや》しいのだ。」

勇者は、ひどく赤面した。

（*古伝説と、*シルレルの詩から。）

古伝説　ギリシャの、ゲーモンとピシアスの伝説。　**シルレルの詩**　シルレルの一七九五年作の物語詩「保証」のことである。

トカトントン

拝啓。

一つだけ教えて下さい。困っているのです。

私はことし二十六歳です。生まれたところは、青森市の寺町です。たぶんご存じないでしょうが、寺町の清華寺の隣りに、トモヤという小さい花屋がありました。私はそのトモヤの次男として生まれたのです。青森の中学校を出て、それから横浜のある軍需工場の事務員になって、三年勤め、それから軍隊で四年間暮らし、無条件降伏と同時に、生まれた土地へ帰って来ましたが、すでに家は焼かれ、父と兄と嫂《あによめ》と三人、その焼跡にあわれな小屋を建てて暮らしていました。母は、私の中学四年の時に死んだのです。さすがに私は、その焼跡の小さい住宅にもぐり込むのは、父にも兄夫婦にも気の毒で、父や兄とも相談の上、このＡという青森市から二里ほど離れた海岸の部落の三等郵便局に勤めることになったのです。この郵便局は、死んだ母の実家で、局長さんは母の兄に当たっているのです。ここに勤めてから、もうかれこれ一カ年以上になりますが、日ましに自分がくだらないものになってゆくような気がして、実に困っているのです。

　私があなたの小説を読みはじめたのは、横浜の軍需工場で事務員をしていた時でした。「*文体」という雑誌に載っていたあなたの短い小説を読んでから、それから、あなたの作品を捜して読む癖がついて、いろいろ読んでいるうちに、あなたが私の中学校の先輩であり、またあなたは中学時代に青森の寺町の豊田さんのお宅にいらしたのだということを知り、胸のつぶれる思いをしました。呉服屋の豊田さんなら、私の家と同じ町内でしたから、私はよく知っているのです。先代の太左衛門《たざえもん》さんは、ふとっていらっしゃいましたから、太左衛門というお名前もよく似合っていましたが、当代の太左衛門さんは、痩《や》せてそうしてイキでいらっしゃるから、*羽左衛門《うざえもん》さんとでもお呼びしたいようでした。でも、皆さんがいいお方のようですね。こんどの空襲で豊田さんも全焼し、それに土蔵まで焼け落ちたようで、お気の毒です。私はあなたが、あの豊田さんのお家にいらしたことがあるのだということを知り、よっぽど当代の太左衛門さんにお願いして紹介状を書いていただき、あなたをおたずねしようかと思いましたが、小心者ですから、ただそれを空想してみるばかりで、実行の勇気はありませんでした。

　そのうちに私は兵隊になって、千葉県の海岸の防備にまわされ、終戦までただもう毎

文体　昭和十三年十一月創刊、十四年五月終刊。三好達治の編集で、スタイル社発行。ここでいう小説は、二月号に掲載された「富嶽百景」のことである。同誌は戦後、文体社から復刊されたが、間もなく廃刊となった。**羽左衛門**　歌舞伎役者の十五世市村羽左衛門（明治七年—昭和二十年　1874—1945）のこと。いわゆる二枚目役者で一世を風靡した。

日々、穴掘りばかりやらされていましたが、それでもたまに半日でも休暇があると町へ出て、あなたの作品を捜して読みました。そうして、あなたに手紙を差し上げたくて、ペンを執《と》ってみたことが何度あったか知れません。けれども、拝啓、と書いて、それから、何と書いていいのやら、別段用事はないのだし、それに私はあなたにとってはまるで赤の他人なのだし、ペンを持ったままひとりで当惑するばかりなのです。やがて、日本は無条件降伏ということになり、私も故郷にかえり、Aの郵便局に勤めましたが、こないだ青森へ行ったついでに、青森の本屋をのぞき、あなたの作品を捜して、そうしてあなたも罹災《りさい》して生まれた土地の*金木町《かなぎまち》に来ているということを、あなたの作品によって知り、再び胸のつぶれる思いがいたしました。それでも私は、あなたの御生家に突然たずねて行く勇気はなく、いろいろ考えた末、とにかく手紙を、書きしたためることにしたのです。こんどは私も、拝啓、と書いただけで途方にくれるようなことはないのです。なぜなら、これは用事の手紙ですから。しかも火急の用事です。

教えていただきたいことがあるのです。本当に、困っているのです。しかもこれは、私ひとりの問題でなく、他にもこれと似たような思いで悩んでいるひとがあるような気がしますから、私たちのために教えて下さい。横浜の工場にいた時も、また軍隊にいた時も、あなたに手紙を出したいと思い続け、いまやっとあなたに手紙を差し上げる、その最初の手紙が、このようなよろこびの少ない内容のものになろうとは、まったく、思いもよらないことでありました。

昭和二十年八月十五日正午に、私たちは兵舎の前の広場に整列させられて、そうして陛下《へいか》みずからの御放送だという、ほとんど雑音に消されて何一つ聞きとれなかったラジオを聞かされ、そうして、それから、若い中尉がつかつかと壇上に駈《か》けあがって、

「聞いたか。わかったか。日本はポツダム宣言*を受諾し、降参をしたのだ。しかし、それは政治上のことだ。われわれ軍人は、あくまでも抗戦をつづけ、最後には皆ひとり残らず自決して、もって大君におわびを申し上げる。自分はもとよりそのつもりでいるのだから、皆もその覚悟をしておれ。いいか。よし。解散。」

そう言って、その若い中尉は壇から降りて眼鏡《めがね》をはずし、歩きながらぽたぽた涙を落としました。厳粛とは、あのような感じを言うのでしょうか。私はつっ立ったまま、あたりがもやもやと暗くなり、どこからともなく、つめたい風が吹いて来て、そうして私のからだが自然に地の底へ沈んで行くように感じました。

死のうと思いました。死ぬのが本当だ、と思いました。前方の森がいやにひっそりして、漆黒《しっこく》に見えて、そのてっぺんから一むれの小鳥が一つまみの胡麻粒《ごまつぶ》を空中に投げたように、音もなく飛び立ちました。

金木町　太宰治の生地である青森県北津軽郡金木村（のちに町となった）のこと。**ポツダム宣言**　一九四五年（昭和二十年）七月二十六日、ベルリン近郊のポツダムにおいて、アメリカ、イギリス、中華民国（のちにソ連が参加）が、日本に対して戦争終結の機会を与え、降伏条件を定めて発表した宣言。条件は帝国主義的指導勢力の除去、戦犯の厳罰、連合国による占領、日本領土の局限、日本の徹底的民主化などとする。日本は同年八月十四日これを受諾して終戦を迎えた。

ああ、その時です。背後の兵舎のほうから、誰やら金槌《かなづち》で釘を打つ音が、幽《かす》かに、トカトントンと聞こえました。それを聞いたとたんに、眼から鱗《うろこ》が落ちるとはあんな時の感じを言うのでしょうか、悲壮も厳粛も一瞬のうちに消え、私は憑《つ》きものから離れたようにきょろりとなり、なんともどうにも白々しい気持で、夏の真昼の砂原を眺《なが》め見渡し、私にはいかなる感慨も、何も一つもありませんでした。

そうして私は、リュックサックにたくさんのものをつめ込んで、ぼんやり故郷に帰還しました。

あの、遠くから聞こえて来た幽かな、金槌の音が、不思議なくらい綺麗《きれい》に私からミリ*タリズムの幻影を剝《は》ぎとってくれて、もう再び、あの悲壮らしい厳粛らしい悪夢に酔わされるなんてことは絶対になくなったようですが、しかしその小さい音は、私の脳髄の金的《きんてき》を射貫《いぬ》いてしまったものか、それ以後げんざいまで続いて、私は実に異様な、いまわしい癇癪《かんしゃく》持ちみたいな男になりました。

と言っても決して、兇暴《きょうぼう》な発作《ほっさ》などを起こすというわけではありません。その反対です。何か物事に感激し、奮《ふる》い立とうとすると、どこからともなく、幽かに、トカトントンとあの金槌の音が聞こえて来て、とたんに私はきょろりとなり、眼前の風景がまるでもう一変してしまって、映写がふっと中絶してあとにはただ純白のスクリンだけが残り、それをまじまじと眺めているような、何ともはかない、ばからしい気持になるのです。

さいしょ、私は、この郵便局に来て、さあこれからは、何でも自由に好きな勉強ができるのだ、まず一つ小説でも書いて、そうしてあなたのところへ送って読んでいただこうと思い、郵便局の仕事のひまひまに、軍隊生活の追憶を書いてみたのですが、大いに努力して百枚ちかく書きすすめて、いよいよ今明日のうちに完成だという秋の夕暮、局の仕事もすんで、銭湯へ行き、お湯にあたたまりながら、今夜これから最後の章を書くにあたり、オネーギンの終章のような、あんなふうの華《はな》やかな悲しみの結び方にしようか、それとも*ゴーゴリの「喧嘩噺《けんかばなし》」式の絶望の終局にしようか、などひどい興奮でわくわくしながら、銭湯の高い天井からぶらさがっている裸電球の光を見上げた時、トカトントン、と遠くからあの金槌の音が聞こえたのです。とたんに、さっと浪《なみ》がひいて、私はただ薄暗い湯槽《ゆぶね》の隅《すみ》で、じゃぼじゃぼお湯を掻《か》きまわして動いている一個の裸形《らぎょう》の男にすぎなくなりました。

まことにつまらない思いで、湯槽から這《は》い上がって、足の裏の垢《あか》など落として、銭湯の他の客たちの配給の話などに耳を傾けていました。プウシキンもゴーゴリも、それはまるで外国製の歯ブラシの名前みたいな、味気ないものに思われました。銭湯を出て、橋を渡り、家へ帰って黙々とめしを食い、それから自分の部屋に引き上げて、机の上の

ミリタリズム　militarism（英）軍国主義。　**ゴーゴリ**　Nikolai Vasilievich Gogol（1809—1852）。ロシアの小説家。現実の観察に鋭く、諷刺と諧謔に富み、ロシアの農民や官吏を描いた作品が多い。小説「タラス・ブーリバ」「鼻」「外套」、喜劇「検察官」などがある。「喧嘩噺」とは短篇「イワン・イワノヴィチと、イワン・ニキホロヴィチが喧嘩をした話」をいう。

百枚ちかくの原稿をぱらぱらとめくって見て、あまりのばかばかしさに呆《あき》れ、うんざりして、破る気力もなく、それ以後の毎日の鼻紙にいたしました。それ以来、私はきょうまで、小説らしいものは一行も書きません。伯父《おじ》のところに、わずかながら蔵書がありますので、時たま明治大正の傑作小説集など借りて読み、感心したり、感心しなかったり、はなはだふまじめな態度で吹雪《ふぶき》の夜は早寝ということになり、まったく「精神的」でない生活をして、そのうちに、世界美術全集などを見て、以前あんなに好きだったフランスの印象派の画《え》には、さほど感心せず、このたびは日本の元禄《げんろく》時代の尾形光琳《おがたこうりん》と尾形乾山《けんざん》と二人の仕事に一ばん眼をみはりました。光琳の躑躅《つつじ》などは、セザンヌ、*モネー、ゴーギャン、誰の画よりも、すぐれていると思われました。こうしてまた、だんだん私のいわゆる精神生活が、息を吹きかえして来たようで、けれどもさすがに自分が光琳、乾山のような名家になろうなどという大それた野心を起こすことはなく、まあ片田舎《かたいなか》の*ディレッタント、そうして自分にできる精一ぱいの仕事は、朝から晩まで郵便局の窓口に坐《すわ》って、他人の紙幣をかぞえていること、せいぜいそれくらいのところだが、私のような無能無学の人間には、そんな生活だって、あながち堕落の生活ではあるまい。謙譲の王冠というものも、あるかも知れぬ。平凡な日々の業務に精励するということこそ最も高尚《こうしょう》な精神生活かも知れない。などと少しずつ自分の日々の暮しにプライドを持ちはじめて、そのころちょうど*円貨の切り換えがあり、こんな片田舎の三等郵便局でも、いやいや、小さい郵便局ほど人手不足でかえって、てんてこ舞いのいそがしさだったようで、あのころは私たちは毎日早朝から預金の申告受附《うけつ》けだの、*旧円の証紙張りだの、へとへとになっても休むことができず、ことにも私は、伯父の居候《いそうろう》の身分ですから御恩返しはこの時とばかりに、両手がまるで鉄の手袋でもはめているように重くて、少しも自分の手の感じがしなくなったほどに働きました。

そんなに働いて、死んだように眠って、そうして翌《あく》る朝は枕元《まくらもと》の眼ざまし時計の鳴ると同時にはね起き、すぐ局へ出て大掃除《おおそうじ》をはじめます。掃除などは、女の局員がすることになっていたのですが、その円貨切り換えの大騒ぎがはじまって以来、私の働きぶりに異様なハズミがついて、何でもかでも滅茶苦茶に働きたくなって、きのうよりは今日、きょうよりは明日と物凄《ものすご》い加速度をもって、ほとんど半狂乱みたいな獅子奮迅《ししふんじん》をつづけ、いよいよ切り換えの騒ぎも、きょうでおしまいという日に、私はやはり薄暗いうちから起きて局の掃除を大車輪でやって、全部きちんとすましてから私の受持の窓口のところに腰かけて、ちょうど朝日が私の顔にまっすぐにさして来て、私は寝不足の眼を

尾形乾山　寛文三年—寛保三年（1663—1743）。江戸中期の陶工。京都の人で光琳の弟。楽焼風な味で京焼に新方向を開く。画を兄光琳に学び、装飾画にすぐれたものがある。**ディレッタント**　dilettante（英）好事家。美術や文学の愛好家。一般に何事をも慰み半分、趣味本位でする人。**円貨の切り換え**　昭和二十一年二月十七日、政府は金融緊急措置令を公布、戦後のインフレの終熄をはかった。この日現在で金融機関の預金、債務を封鎖し、旧円をすべて金融機関に預け入れさせ、同年三月三日から新円を発行した。それと同時に財産を調査して財産税を課した。（四五九頁、「五百円生活」参照）**旧円の証紙張り**　新円の切り換えに当たって、旧円には証紙を張って、一定限度内だけの流通が行なわれた。

細くして、それでも何だかひどく得意な満足の気持で、労働は神聖なり、という言葉などを思い出し、ほっと溜息《ためいき》をついた時に、トカトントンとあの音が遠くから幽《かす》かに聞こえたような気がして、もうそれっきり、何もかも一瞬のうちに馬鹿らしくなり、私は立って自分の部屋に行き、蒲団《ふとん》をかぶって寝てしまいました。ごはんの知らせが来ても、私は、からだ具合いが悪いから、きょうは起きない、とぶっきらぼうに言い、その日は局でも一ばんいそがしかったようで、もっとも優秀な働き手の私に寝込まれて実にみんな困った様子でしたが、私は終日うつらうつら眠っていました。伯父への御恩返しも、こんな私のわがままのために、かえってマイナスになったようでしたが、もはや、私には精魂こめて働く気などは少しもなく、その翌る日には、ひどく朝寝坊をして、そうしてぼんやり私の受持の窓口に坐り、あくびばかりして、たいていの仕事は、隣りの女の局員にまかせきりにしていました。そうしてその翌日も、翌々日も、私ははなはだ気力のないのろのろしていて不機嫌《ふきげん》な、つまり普通の、あの窓口局員になりました。

「まだお前は、どこか、からだ具合いがわるいのか。」

と伯父の局長に聞かれても薄笑いして、

「どこも悪くない。神経衰弱かも知れん。」

と答えます。

「そうだ、そうだ。」と伯父は得意そうに、「俺《おれ》もそうにらんでいた。お前は頭が悪いくせに、むずかしい本を読むからそうなる。俺やお前のように、頭の悪い男は、むずかしいことを考えないようにするのがいいのだ。」と言って笑い、私も苦笑しました。

この伯父は専門学校を出たはずの男ですが、さっぱりどこにもインテリらしい面影がないんです。

そうしてそれから、（私の文章には、ずいぶん、そうしてそれから、が多いでしょう？　これもはやり頭の悪い男の文章の特色でしょうかしら。自分でも大いに気になるのですが、でも、つい自然に出てしまうので、泣き寝入りです）そうしてそれから、私は、コイをはじめたのです。お笑いになってはいけません。いや、笑われたって、どうしようもないんです。金魚鉢《きんぎょばち》のメダカが、鉢の底から二寸くらいの個所《かしょ》にうかんで、じっと静止して、そうしておのずから身ごもっているように、私も、ぼんやり暮らしながら、いつとはなしに、どうやら、羞《は》ずかしい恋をはじめていたのでした。

恋をはじめると、とても音楽が身にしみて来ますね。あれがコイのヤマイの一ばんたしかな兆候《ちょうこう》だと思います。

片恋なんです。でも私は、その女のひとを好きで好きで仕方がないんです。そのひとは、この海岸の部落にたった一軒しかない小さい旅館の、女中さんなのです。まだ、はたち前のようです。伯父の局長は酒飲みですから、何か部落の宴会が、その旅館の奥座敷でひらかれたりするたびごとに、きっと欠かさず出かけますので、伯父とその女中さんとはお互い心やすい様子で、女中さんが貯金だの保険だのの用事で郵便局の窓口の向う側にあらわれると、伯父はかならず、可笑《おか》しくもない陳腐《ちんぷ》な冗談を言ってその女中さんをからかうのです。

「このごろはお前も景気がいいと見えて、なかなか貯金にも精が出るのう。感心かんしん。いい旦那《だんな》でも、ついたかな？」

「つまらない。」

と言います。そうして、じっさい、つまらなそうな顔をして言います。時田花江《ときたはなえ》という名前です。ヴァン・ダイク*の画《え》の、女の顔でなく、貴公子の顔に似た顔をしています。貯金帳にそう書いてあるんです。以前は、宮城県《みやぎけん》にいたようで、貯金帳の住所欄には、以前のその宮城県の住所も書かれていて、そうして赤線で消されて、その傍《そば》にここの新しい住所が書き込まれています。女の局員たちの噂《うわさ》では、なんでも、宮城県のほうで戦災に遭《あ》って、無条件降伏直前に、この部落へひょっこりやって来た女で、あの旅館のおかみさんの遠い血筋のものだとか、そうして身持ちがよろしくないようで、まだ子供のくせに、なかなかの凄腕《すごうで》だとかいうことでしたが、疎開《そかい》して来たひとで、その土地の者たちの評判のいいひとなんて、ひとりもありません。私はそんな、凄腕などということは少しも信じませんでしたが、しかし、花江さんの貯金も決して乏しいものではありませんでした。郵便局の局員が、こんなことを公表してはいけないことになっているのですけど、とにかく花江さんは、局長にからかわれながらも、一週間にいちどくらいは二百円か三百円の新円を貯金しに来て、総額がぐんぐん殖《ふ》えているんです。まさか、いい旦那がついたから、とも思いませんが、私は花江さんの通帳に弐百円とか参百円とかのハンコを押すたんびに、なんだか胸がどきどきして顔があからむのです。

そうして次第に私は苦しくなりました。花江さんは決して凄腕なんかじゃないんだけれども、しかし、この部落の人たちはみんな花江さんをねらって、お金なんかをやって、そうして、花江さんをダメにしてしまうのではなかろうか。きっとそうだ、と思うと、ぎょっとして夜中に床からむっくり起き上がったことさえありました。

けれども花江さんは、やっぱり一週間にいちどくらいの割で、平気でお金を持って来ます。いまはもう、胸がどきどきして顔が赤らむどころか、あんまり苦しくて顔が蒼《あお》くなり額に油汗のにじみ出るような気持で、花江さんの取り澄まして差し出す証紙を貼《は》った汚ない十円紙幣を一枚二枚と数えながら、やにわに全部ひき裂いてしまいたい発作に襲われたことが何度あったか知れません。そうして私は、花江さんに一こと言ってやりたかった。あの、*れいの鏡花の小説に出て来る有名な、せりふ、「死んでも、ひとのおもちゃになるな！」と、キザもキザ、それに私のような野暮《やぼ》な田舎者《いなかもの》には、とても言い出し得ない台詞《せりふ》ですが、でも私は大まじめに、その一言を言ってやりたくて仕方がなかったんです。死んでも、ひとのおもちゃになるな、物質がなんだ、金銭がなんだ、と。

思えば思われるということは、やっぱりあるものでしょうか。あれは五月の、なかば過ぎのころでした。花江さんは、れいのごとく、澄まして局の窓口の向う側にあらわれ、どうぞと言ってお金と通帳を私に差し出します。私は溜息《ためいき》をついてそれを受け取り、悲

ヴァン・ダイク　Anthonis Van Dyck（1599―1641）。ルーベンスの歿後、十七世紀フランドル最大の画家。のちイギリス王室の宮廷画家となり、肖像画を多く描いた。　**れいの鏡花の小説**　泉鏡花（明治六年―昭和十四年　1873―1939）の小説「歌行灯《うたあんどん》」二十二にある。主人公喜多八が宗山の娘お袖を愛人と勘違いして「可愛い人だな、おい、殺されても死んでも、人の玩弄物《おもちゃ》にされるな」といって突っ放す。

しい気持で汚ない紙幣を一枚二枚とかぞえます。そうして通帳に金額を記入して、黙って花江さんに返してやります。

「五時ごろ、おひまですか？」

私は、自分の耳を疑いました。春の風にたぶらかされているのではないかと思いました。それほど低く素早い言葉でした。

「おひまでしたら、橋にいらして。」

そう言って、かすかに笑い、すぐにまた澄まして花江さんは立ち去りました。

私は時計を見ました。二時すこし過ぎでした。それから五時まで、だらしない話ですが、私は何をしていたか、いまどうしても思い出すことができないのです。きっと、何やら深刻な顔をして、うろうろして、突然となりの女の局員に、きょうはいいお天気だ、なんて曇っている日なのに、大声で言って、相手がおどろくと、ぎょろりと睨《にら》んでやって、立ち上がって便所へ行ったり、まるで阿呆《あほう》みたいになっていたのでしょう。五時、七、八分まえに私は、家を出ました。途中、自分の両手の指の爪《つめ》がのびているのを発見して、それがなぜだか、実に泣きたいくらい気になったのを、いまでも覚えています。

橋のたもとに、花江さんが立っていました。スカートが短かすぎるように思われました。長いはだかの脚《あし》をちらと見て、私は眼を伏せました。

「海のほうへ行きましょう。」

花江さんは、落ちついてそう言いました。

花江さんがさきに、それから五、六歩はなれて私が、ゆっくり海のほうへ歩いて行きました。そうして、それくらい離れて歩いているのに、二人の歩調が、いつのまにか、ぴったり合ってしまって、困りました。曇天《どんてん》で、風が少しあって、海岸には砂ほこりが立っていました。

「ここが、いいわ。」

岸にあがっている大きい漁船と漁船のあいだに花江さんは、はいって行って、そうして砂地に腰をおろしました。

「いらっしゃい。坐ると風が当たらなくて、あたたかいわ。」

私は花江さんが両脚を前に投げ出して坐っている個所《かしょ》から、二メートルくらい離れたところに腰をおろしました。

「呼び出したりして、ごめんなさいね。でも、あたし、あなたに一こと言わずにはいられないのよ。あたしの貯金のこと、ね、へんに思っていらっしゃるんでしょう？」

私も、ここだと思い、しゃがれた声で答えました。

「へんに、思っています。」

「そう思うのが当然ね。」と言って花江さんは、うつむき、はだかの脚に砂を掬《すく》って振りかけながら、「あれはね、あたしのお金じゃないのよ。あたしのお金だったら、貯金なんかしやしないわ。いちいち貯金なんて、めんどうくさい。」

なるほどと思い、私は黙ってうなずきました。

「そうでしょう？　あの通帳はね、おかみさんのものなのよ。でも、それは絶対に秘密よ。あなた、誰にも言っちゃだめよ。おかみさんが、なぜそんなことをするのか、あたしには、ぼんやりわかっているんだけど、でも、それはね、とても複雑していることなんですから、言いたくないわ。つらいのよ、あたしは。信じて下さる？」

すこし笑って花江さんの眼が妙に光って来たと思ったら、それは涙でした。

私は花江さんにキスしてやりたくて、仕様がありませんでした。花江さんとなら、どんな苦労をしてもいいと思いました。

「この辺のひとたちは、みんな駄目《だめ》ねえ。あたし、あなたに、誤解されてやしないかと思って、あなたに一こと言いたくって、それできょうね、思い切って。」

その時、実際ちかくの小屋から、トカトントンという釘を打つ音が聞こえたのです。この時の音は、私の幻聴《げんちょう》ではなかったのです。海岸の佐々木さんの納屋《なや》で、事実、音高く釘を打ちはじめたのです。トカトントン、トントントカトン、とさかんに打ちます。私は、身ぶるいして立ち上がりました。

「わかりました。誰にも言いません。」花江さんのすぐうしろに、かなり多量の犬の糞《くそ》があるのをそのとき見つけて、よっぽどそれを花江さんに注意してやろうかと思いました。

波は、だるそうにうねって、きたない帆《ほ》をかけた船が、岸のすぐ近くをよろよろと、とおって行きます。

「それじゃ、失敬。」

空々漠々《くうくうばくばく》たるものでした。貯金がどうだって、俺の知ったことか。もともと他人なんだ。ひとのおもちゃになったって、どうなったって、ちっともそれは俺に関係したことじゃない。ばかばかしい。腹がへった。

それからも、花江さんは相変らず、一週間か十日目くらいに、お金を持って来て貯金して、もういまでは何千円かの額になっていますが、私には少しも興味がありません。花江さんの言ったように、それはおかみさんのお金なのか、または、やっぱり花江さんのお金なのか、どっちにしたって、それはまったく私には関係のないことですもの。

そうして、いったいこれは、どちらが失恋したということになるのかと言えば、私には、どうしても、失恋したのは私のほうだというような気がしているのですけれども、しかし、失恋して別段かなしい気もいたしませんから、これはよっぽど変わった失恋の仕方だと思っています。そうして私は、またもや、ぼんやりした普通の局員になったのです。

六月にはいってから、私は用事があって青森へ行き、偶然、労働者のデモを見ました。それまでの私は社会運動または政治運動というようなものには、あまり興味がない、というよりは、絶望に似たものを感じていたのです。誰がやったって、同じようなものなんだ。また自分が、どのような運動に参加したって、所詮《しょせん》はその指導者たちの、名誉慾か権勢慾の乗りかかった船の、犠牲になるだけのことだ。何の疑うところもなく堂々と所信を述べ、わが言に従えば必ずや汝《なんじ》自身ならびに汝の家庭、汝の村、汝の国、否《いな》全世界が救われるであろうと、大見得《おおみえ》を切って、救われないのは汝らがわが言に従わないからだとうそぶき、そうして一人のおいらんに、振られて振られて振られとおして、やけになって公娼廃止《こうしょうはいし》を叫び、憤然《ふんぜん》として美男の同志を殴《なぐ》り、あばれて、うるさがられて、たまたま勲章をもらい、冲天《ちゅうてん》の意気をもってわが家に駈《か》け込み、かあちゃんこれだ、と得意満面、その勲章の小箱をそっとあけて女房に見せると、女房は冷たく、あら、勲五等じゃないの、せめて勲二等くらいでなくちゃねえ、と言い、亭主《ていしゅ》がっかり、などという何が何やらまるで半気違いのような男が、その政治運動だの社会運動だのに没頭しているものとばかり思い込んでいたのです。それですから、ことしの四月の総選挙も、民主主義とか何とか言って騒ぎ立てても、私には一向にその人たちを信用する気が起こらず、自由党、進歩党は、相変らずの古くさい人たちばかりのようでまるで問題にならず、また社会党、共産党は、いやに調子づいてはしゃいでいるけれども、これはまた敗戦便乗とでもいうのでしょうか、無条件降伏の屍《しかばね》にわいた蛆虫《うじむし》のような不潔な印象を消すことができず、四月十日の投票日にも私は、伯父《おじ》の局長から自由党の加藤さんに入れるようにと言われていたのですが、はいはいと言って家を出て海岸を散歩して、それだけで帰宅しました。社会問題や政治問題についてどれだけ言い立てても、私たちの日々の暮しの憂鬱《ゆううつ》は解決されるものではないと思っていたのですが、しかし、私はあの日、青森で偶然、労働者のデモを見て、私の今までの考えは全部間違っていたことに気がつきました。

生々潑剌《せいせいはつらつ》、とでも言ったらいいのでしょうか。なんとまあ、楽しそうな行進なのでしょう。憂鬱の影も卑屈の皺《しわ》も、私は一つも見出《みいだ》すことができませんでした。伸びて行く活力だけです。若い女のひとたちも、手に旗を持って労働歌を歌い、私は胸が一ぱいになり、涙が出ました。ああ、日本が戦争に負けて、よかったのだと思いました。生まれてはじめて、真の自由というものの姿を見た、と思いました。もしこれが、政治運動や社会運動から生まれた子だとしたなら、人間はまず政治思想、社会思想をこそ第一に学ぶべきだと思いました。

なおも行進を見ているうちに、自分の行くべき一条の光りの路《みち》がいよいよ間違いなしに触知《しょくち》せられたような大歓喜の気分になり、涙が気持よく頬《ほお》を流れて、そうして水にもぐって眼をひらいてみた時のように、あたりの風景がぼんやり緑色に煙《けむ》って、そうしてその薄明《はくめい》の漾々《ようよう》と動いている中を、真紅《しんく》の旗が燃えている有様を、ああその色を、私はめそめそ泣きながら、死んでも忘れまいと思ったら、トカトントンと遠く幽《かす》かに聞こえて、もうそれっきりになりました。

いったい、あの音はなんでしょう。虚無《ニヒル》などと簡単に片づけられそうもないんです。あのトカトントンの幻聴は、虚無《ニヒル》をさえ打ちこわしてしまうのです。

夏になると、この地方の青年たちの間で、にわかにスポーツ熱がさかんになりました。私には多少、年寄りくさい実利主義的な傾向もあるのでしょうか、何の意味もなくまっぱだかになって角力《すもう》をとり、投げられて大怪我《おおけが》をしたり、顔つきをかえて走って誰よりも誰が早いとか、どうせ百メートル二十秒の組でどんぐりの背ならべなのに、ばかばかしい、というような気がして、青年たちのそんなスポーツに参加しようと思ったことはいちどもなかったのです。けれども、ことしの八月に、この海岸線の各部落を縫《ぬ》って走破する駅伝競走というものがあって、この郡の青年たちが大勢参加し、このAの郵便局も、その競走の中継所ということになり、青森を出発した選手が、ここで次の選手と交代になるのだそうで、午前十時少し過ぎ、そろそろ青森を出発した選手たちがここへ到着するころだというので、局の者たちは皆、外へ見物に出て、私と局長だけ局に残って簡易保険の整理をしていましたが、やがて、来た、来た、というどよめきが聞こえ、私は立って窓から見ていましたら、それがすなわちラストヘビーというもののつもりなのでしょう、両手の指の股《また》を蛙《かえる》の手のようにひろげ、空気を掻《か》き分けて進むというような奇妙な腕の振り具合いで、そうしてまっぱだかにパンツ一つ、もちろん裸足《はだし》で、大きい胸を高く突き上げ、苦悶《くもん》の表情よろしく首をそらして左右にうごかし、よたよたよたと走って局の前まで来て、ううんと一声唸《うな》って倒れ、

「ようし！　頑張《がんば》ったぞ！」と附添いの者が叫んで、それを抱き上げ、私の見ている窓の下に連れて来て、用意の手桶《ておけ》の水を、ざぶりとその選手にぶっかけ、選手はほとんど半死半生の危険な状態のようにも見え、顔は真蒼《まっさお》でぐたりとなって寝ている、その姿を眺めて私は、実に異様な感激に襲われたのです。

可憐《かれん》、などと二十六歳の私が言うのも思い上がっているようですが、いじらしさ、と言えばいいか、とにかく、力の浪費もここまで来ると、見事なものだと思いました。このひとたちが、一等をとったって二等をとったって、世間はそれにほとんど興味を感じないのに、それでも生命《いのち》懸《が》けで、ラストヘビーなんかやっているのです。別に、この駅伝競走によって、いわゆる文化国家を建設しようという理想を持っているわけでもないでしょうし、また、理想も何もないのに、それでも、おていさいから、そんな理想を口にして走って、もって世間の人たちにほめられようなどとも思っていないでしょう。ま

た、将来大マラソン家になろうという野心もなく、どうせ田舎の駈けっくらべ、タイムも何も問題にならんことは、よく知っているでしょうし、家へ帰っても、その家族の者たちに手柄話などする気もなく、かえってお父さんに叱《しか》られはせぬかと心配して、けれども、それでも走りたいのです。いのちがけで、やってみたいのです。誰にほめられなくてもいいんです。ただ、走ってみたいのです。無報酬の行為です。幼時の危《あぶ》ない木登りには、まだ柿《かき》の実を取って食おうという慾がありましたが、このいのちがけのマラソンには、それさえありません。ほとんど虚無の情熱だと思いました。それが、その時の私の空虚な気分にぴったり合ってしまったのです。

私は局員たちを相手にキャッチボールをはじめました。へとへとになるまで続けると、何か脱皮に似た爽《さわ》やかさが感ぜられ、これだと思ったとたんに、やはりあのトカトントンが聞こえるのです。あのトカトントンの音は、虚無の情熱をさえ打ち倒します。

もう、このごろでは、あのトカトントンが、いよいよ頻繁《ひんぱん》に聞こえ、新聞をひろげて、新憲法を一条々々熟読しようとすると、トカトントン、局の人事について伯父から相談を掛けられ、名案がふっと胸に浮かんでも、トカトントン、あなたの小説を読もうとしても、トカトントン、こないだこの部落に火事があって起きて火事場に駆けつけようとして、トカトントン、伯父のお相手で、晩ごはんの時お酒を飲んで、も少し飲んでみようかと思って、トカトントン、もう気が狂ってしまっているのではなかろうかと思って、これもトカトントン、自殺を考え、トカトントン。

「人生というのは、一口に言ったら、なんですか。」

と私は昨夜、伯父の晩酌《ばんしゃく》の相手をしながら、ふざけた口調で尋ねてみました。

「人生、それはわからん。しかし、世の中は、色と慾さ。」

案外の名答だと思いました。そうして、ふっと私は、闇屋《やみや》になろうかしらと思いました。しかし、闇屋になって一万円もうけた時のことを考えたら、すぐトカトントンが聞こえて来ました。

教えて下さい。この音は、なんでしょう。そうして、この音からのがれるには、どうしたらいいのでしょう。私はいま、実際、この音のために身動きができなくなっています。どうか、ご返事を下さい。

なお最後にもう一言つけ加えさせていただくなら、私はこの手紙を半分も書かぬうちに、もう、トカトントンが、さかんに聞こえて来ていたのです。こんな手紙を書く、つまらなさ。それでも、我慢してとにかく、これだけ書きました。そうして、あんまりつまらないから、やけになって、ウソばっかり書いたような気がします。花江さんなんて女もいないし、デモも見たのじゃないんです。その他のことも、たいがいウソのようです。

しかし、トカトントンだけは、ウソでないようです、読みかえさず、このままお送りいたします。敬具。

この奇異なる手紙を受け取った某作家は、むざんにも無学無思想の男であったが、次のごとき返答を与えた。

拝復。気取った苦悩ですね。僕は、あまり同情してはいないんですよ。十指の指差すところ、十目の見るところの、いかなる弁明も成立しない醜態を、君はまだ避けているようですね。真の思想は、叡智《えいち》よりも勇気を必要とするものです。マタイ十章、二八、「身を殺して霊魂《たましい》をころし得ぬ者どもを懼《おそ》るな、身と霊魂《たましい》とをゲヘナにて滅ぼし得る者をおそれよ。」この場合の「懼る」は、「畏敬《いけい》」の意にちかいようです。このイエスの言に、霹靂《へきれき》を感ずることができたら、君の幻聴は止《や》むはずです。不尽《ふじん》。

ヴィヨンの妻《つま》*

一

あわただしく、玄関をあける音が聞こえて、私はその音で、眼をさましましたが、それは泥酔《でいすい》の夫の、深夜の帰宅にきまっているのでございますから、そのまま黙って寝ていました。

夫は、隣の部屋に電気をつけ、はあっはあっ、とすさまじく荒い呼吸をしながら、机の引出しや本箱の引出しをあけて掻《か》きまわし、何やら捜している様子でしたが、やがて、どたりと畳に腰をおろして坐《すわ》ったような物音が聞こえまして、あとはただ、はあっはあっという荒い呼吸ばかりで、何をしていることやら、私が寝たまま、

「おかえりなさいまし。ごはんは、おすみですか？　お戸棚《とだな》に、おむすびがございますけど。」

と申しますと、

「や、ありがとう。」といつになく優しい返事をいたしまして、「坊やはどうです。熱は、まだありますか？」とたずねます。

これも珍らしいことでございました。坊やは、来年は四つになるのですが、栄養不足のせいか、または夫の酒毒のせいか、病毒のせいか、よその二つの子供よりも小さいくらいで、歩く足許《あしもと》さえおぼつかなく、言葉もウマウマとか、イヤイヤとかを言えるくらいが関の山で、脳が悪いのではないかとも思われ、私はこの子を銭湯に連れて行きはだかにして抱き上げて、あんまり小さく醜く痩《や》せているので、凄《さび》しくなって、おおぜいの人の前で泣いてしまったことさえございました。そうしてこの子は、しょっちゅう、おなかをこわしたり、熱を出したり、夫はほとんど家に落ちついていることはなく、子供のことなど何と思っているのやら、坊やが熱を出しまして、と私が言っても、あ、そう、お医者に連れて行ったらいいでしょう、と言って、いそがしげに＊二重廻《にじゅうまわ》しを羽織ってどこかへ出掛けてしまいます。お医者に連れて行きたくっても、お金が何もないのですから、私は坊やに添い寝して、坊やの頭を黙って撫《な》でてやっているよりほかはないのでございます。

ヴィヨン　François Villon（1431—1463?）。フランスの詩人。百年戦争直後の混乱の中で、奔放無頼の生活を送り、恋愛から誤って人を殺し、死刑を宣告されたが逃亡した。中世末期最高の抒情詩人で、一四六二年の「遺言詩集」で知られる。**二重廻し**　洋風の外套の一種インバネス inverness を和風にしたもの。とんびともいう。詳しくは八一頁を参照。

けれどもその夜はどういうわけか、いやに優しく、坊やの熱はどうだ、など珍らしくたずねて下さって、私はうれしいよりも、何だかおそろしい予感で、背筋が寒くなりました。何とも返事のしようがなく黙っていますと、それから、しばらくは、ただ、夫の烈《はげ》しい呼吸ばかり聞こえていましたが、

「ごめん下さい。」

と、女のほそい声が玄関でいたします。私は、総身に冷水を浴びせられたように、ぞっとしました。

「ごめん下さい。大谷《おおたに》さん。」

こんどは、ちょっと鋭い語調でした。同時に、玄関のあく音がして、

「大谷さん！　いらっしゃるんでしょう？」

と、はっきり怒《おこ》っている声で言うのが聞こえました。

夫は、その時やっと玄関に出た様子で、

「なんだい。」

と、ひどくおどおどしているような、まの抜けた返事をいたしました。

「なんだいではありませんよ。」と女は、声をひそめて言い、「こんな、ちゃんとしたお家もあるくせに、どろぼうを働くなんて、どうしたことです。ひとのわるい冗談はよして、あれを返して下さい。でなければ、私はこれからすぐ警察に訴えます。」

「何を言うんだ。失敬なことを言うな。ここは、お前たちの来るところではない。帰れ！　帰らなければ、僕《ぼく》のほうからお前たちを訴えてやる。」

その時、もうひとりの男の声が出ました。

「先生、いい度胸だね。お前たちの来るところではない、とは出かした。呆《あき》れてものが言えねえや。ほかのこととは違う。よその家の金を、あんた、冗談にも程度がありますよ。いままでだって、私たち夫婦は、あんたのために、どれだけ苦労をさせられて来たか、わからねえのだ。それなのに、こんな、今夜のような情ねえことをし出かしてくれる。先生、私は見そこないましたよ。」

「ゆすりだ。」と夫は、威たけ高に言うのですが、その声は震えていました。「恐喝《きょうかつ》だ。帰れ！　文句があるなら、あした聞く。」

「たいへんなことを言いやがるなあ、先生、すっかりもう一人前の悪党だ。それではもう警察へお願いするより手がねえぜ。」

その言葉の響きには、私の全身鳥肌《とりはだ》立ったほどの凄《すご》い憎悪《ぞうお》がこもっていました。

「勝手にしろ！」と叫ぶ夫の声はすでに上ずって、空虚な感じのものでした。

私は起きて寝巻きの上に羽織を引っ掛け、玄関に出て、二人のお客に、

「いらっしゃいまし。」

と挨拶《あいさつ》しました。

「や、これは奥さんですか。」

膝《ひざ》きりの短い外套《がいとう》を着た五十すぎくらいの丸顔の男のひとが、少しも笑わずに私に向かってちょっと首肯《うなず》くように会釈《えしゃく》しました。

女のほうは四十前後の痩《や》せて小さい、身なりのきちんとしたひとでした。

「こんな夜中にあがりまして。」

とその女のひとは、やはり少しも笑わずにショールをはずして私にお辞儀をかえしました。

その時、やにわに夫は、下駄《げた》を突っかけて外に飛び出ようとしました。

「おっと、そいつあいけない。」

男のひとは、その夫の片腕をとらえ、二人は瞬時もみ合いました。

「放せ！　刺すぞ。」

夫の右手にジャックナイフが光っていました。そのナイフは、夫の愛蔵のものでございまして、たしか夫の机の引出しの中にあったので、それではさっき夫が家へ帰るなり何だか引出しを掻《か》きまわしていたようでしたが、かねてこんなことになるのを予期して、ナイフを捜し、懐《ふところ》にいれていたのに、違いありません。

男のひとは身をひきました。そのすきに夫は大きい鴉《からす》のように二重廻《にじゅうまわ》しの袖《そで》をひるがえして、外に飛び出しました。

「どろぼう！」

と男のひとは大声を挙《あ》げ、つづいて外に飛び出そうとしましたが、私は、はだしで土間に降りて男を抱いて引きとめ、

「およしなさいまし。どちらにもお怪我《けが》があっては、なりませぬ。あとの始末は、私がいたします。」

と申しますと、傍《そば》から四十の女のひとも、

「そうですね、とうさん。気ちがいに刃物《はもの》です。何をするかわかりません。」

と言いました。

「ちきしょう！　警察だ。もう承知できねえ。」

ぼんやり外の暗闇《くらやみ》を見ながら、ひとりごとのようにそう呟《つぶや》き、けれども、その男のひとの総身の力はすでに抜けてしまっていました。

「すみません。どうぞ、おあがりになって、お話を聞かして下さいまし。」

と言って私は式台にあがってしゃがみ、

「私でも、あとの始末はできるかも知れませんから。どうぞ、おあがりになって、どうぞ。きたないところですけど。」

二人の客は顔を見あわせ、幽《かす》かに首肯《うなず》き合って、それから男のひとは様子をあらため、

「何とおっしゃっても、私どもの気持は、もうきまっています。しかし、これまでの経緯《いきさつ》は一応、奥さんに申し上げておきます。」

「はあ、どうぞ。おあがりになって。そうして、ゆっくり。」

「いや、そんな、ゆっくりもしておられませんが。」

と言い、男のひとは外套を脱ぎかけました。

「そのままで、どうぞ。お寒いんですから、本当に、そのままで、お願いします。家の中には火の気が一つもないのでございますから。」

「では、このままで失礼します。」

「どうぞ。そちらのお方も、どうぞ、そのままで。」

男のひとがさきに、それから女のひとが、夫の部屋の六畳間にはいり、腐りかけているような畳、破れほうだいの障子、落ちかけている壁、紙がはがれて中の骨が露出している襖《ふすま》、片隅《かたすみ》に机と本箱、それもからっぽの本箱、そのような荒涼たる部屋の風景に接して、お二人とも息を吞《の》んだような様子でした。破れて綿のはみ出ている座蒲団《ざぶとん》を私はお二人にすすめて、

「畳が汚《きた》のうございますから、どうぞ、こんなものでも、おあてになって。」

と言い、それから改めてお二人に御挨拶《ごあいさつ》を申しました。

「はじめてお目にかかります。主人がこれまで、たいへんなご迷惑ばかりおかけしてまいりましたようで、また、今夜は何をどういたしましたことやら、あのようなおそろしい真似《まね》などして、おわびの申し上げようもございませぬ。何せ、あのような、変わった気象の人なので。」

と言いかけて、言葉がつまり、落涙《らくるい》しました。

「奥さん。まことに失礼ですが、いくつにおなりで？」

と男のひとは、破れた座蒲団に悪びれず大あぐらをかいて、肘《ひじ》をその膝《ひざ》の上に立て、こぶしで顎《あご》を支《ささ》え、上半身を乗り出すようにして私に尋ねます。

「あの、私でございますか？」

「ええ。たしか旦那《だんな》は三十、でしたね？」

「はあ、私は、あの、……四つ下です。」

「すると、二十、六、いやこれはひどい。まだ、そんなですか？　いや、そのはずだ。

旦那が三十ならば、そりゃそのはずだけど、おどろいたな。」

「私も、さきほどから、」と女のひとは、男のひとの背中の蔭《かげ》から顔を出すようにして、「感心しておりました。こんな立派な奥さんがあるのに、どうして大谷さんは、あんなに、ねえ。」

「病気だ。病気なんだよ。以前はあれほどでもなかったんだが、だんだん悪くなりやがった。」

と言って大きい溜息《ためいき》をつき、

「実は、奥さん、」とあらたまった口調になり、「私ども夫婦は、中野駅の近くに小さい料理屋を経営していまして、私もこれも上州の生まれで、私はこれでも堅気《かたぎ》のあきんどだったのでございますが、道楽げが強い、というのでございましょうか、田舎《いなか》のお百姓を相手のケチな商売にもいや気がさして、かれこれ二十年前、この女房を連れて東京へ出て来まして、浅草の、ある料理屋に夫婦ともに住込みの奉公をはじめまして、まあ人並に浮き沈みの苦労をして、すこし蓄《たくわ》えも出来ましたので、いまのあの中野の駅ちかくに、昭和十一年でしたか、六畳一間に狭い土間《どま》附きのまことにむさくるしい小さい家を借りまして、一度の遊興費が、せいぜい一円か二円の客を相手の、心細い飲食店を開業いたしまして、それでもまあ夫婦がぜいたくもせず、地道に働いて来たつもりで、そのおかげか焼酎《しょうちゅう》やらジン*やらを、割にどっさり仕入れておくことができまして、その後

ジン gin（英）蒸溜酒の一種で、トウモロコシ、大麦、ライ麦を原料とし、杜松子《ねず》で香味をつけたもの。

の酒不足の時代になりましてからも、よその飲食店のように転業などせずに、どうやら頑張《がんば》って商売をつづけてまいりまして、また、そうなると、ひいきのお客もむきになって応援をして下さって、いわゆるあの軍官の酒さかなが、こちらへも少しずつ流れて来るような道を、ひらいて下さるお方もあり、対米英戦がはじまって、だんだん空襲がはげしくなって来てからも、私どもには足手まといの子供はなし、故郷へ疎開などする気も起こらず、まあこの家が焼けるまでは、と思って、この商売一つにかじりついて来て、どうやら罹災《りさい》もせず終戦になりましたのでほっとして、こんどは大ぴらに闇酒《やみざけ》を仕入れて売っているという、手短かに語ると、そんな身の上の人間なのでございます。けれども、こうして手短かに語ると、さして大きな難儀もなく、割に運がよく暮らして来た人間のようにお思いになるかも知れませんが、人間の一生は地獄でございまして、寸善尺魔、とは、まったく本当のことでございますね。一寸《いっすん》の仕合せには一尺の魔物が必ずくっついてまいります。人間三百六十五日、何の心配もない日が、一日、いや半日あったら、それは仕合せな人間です。あなたの旦那《だんな》の大谷さんが、はじめて私どもの店に来ましたのは、昭和十九年の、春でしたか、とにかくそのころはまだ、対米英戦もそんなに負けいくさではなく、いや、そろそろもう負けいくさになっていたのでしょうが、私たちにはそんな、実体、ですか、真相、ですか、そんなものはわからず、ここ二、三年頑張れば、どうにかこうにか対等の資格で、和睦《わぼく》ができるくらいに考えていまして、大谷さんがはじめて私どもの店にあらわれた時にも、たしか、久留米絣《くるめがすり》の着流しに二重廻《にじゅうまわ》しを引っかけていたはずで、けれども、それは大谷さんだけでなく、まだそのころは東京でも防空服装で身をかためて歩いている人は少なく、たいてい普通の服装でのんきに外出できたころでしたので、私どもも、その時の大谷さんの身なりを、別段だらしないとも何とも感じませんでした。大谷さんは、その時、おひとりではございませんでした。奥さんの前ですけれども、いや、もう何も包みかくしなく洗いざらい申し上げましょう、旦那は、ある年増女《としまおんな》に連れられて店の勝手口からこっそりはいってまいりましたのです。もっとも、もうそのころは、私どもの店も、毎日おもての戸は閉《し》めっきりで、そのころのはやり言葉で言うと閉店開業というやつで、ほんの少数の馴染客《なじみきゃく》だけ、勝手口からこっそりはいり、そうしてお店の土間の椅子席《いすせき》でお酒を飲むということはなく、奥の六畳間で電気を暗くして大きい声を立てずに、こっそり酔っぱらうという仕組みになっていまして、また、その年増女というのは、そのすこし前まで、新宿のバアで女給さんをしていたひとで、その女給時代に、筋《すじ》のいいお客を私の店に連れて来て飲ませて、私の家の馴染にしてくれるという、まあ蛇《じゃ》の道はへび、という具合いの附き合いをしておりまして、そのひとのアパートはすぐ近くでしたので、新宿のバアが閉鎖になって女給をよしましてからも、ちょいちょい知合いの男のひとを連れてまいりまして、私どもの店にもだんだん酒が少なくなり、どんなに筋のいいお客でも、飲み手がふえるというのは、以前ほど有難くないばかりか、迷惑にさえ思われたのですが、しかし、その前の四、五年間、ずいぶん派手な金遣《かねづか》いをするお客ばかり、たくさん連れて来てくれたのでございますから、その義理もあって、その年増のひとから紹介された客には、私どもも、いやな顔をせずお酒を差し上げることにしていたのでした。だから旦那がその時、その年増のひと、秋ちゃん、といいますが、そのひとに連れられて裏の勝手口からこっそりはいって来ても、別に私どもも怪しむことなく、れいのとおり、奥の六畳間に上げて、焼酎を出しました。大谷さんは、その晩はおとなしく飲んで、お勘定は秋ちゃんに払わせて、また裏口からふたり一緒に帰って行きましたが、私には奇妙にあの晩の、大谷さんのへんに静かで上品な素振りが忘れられません。魔物がひとの家にはじめて現われる時には、あんなひっそりした、ういういしいみたいな姿をしているものなのでしょうか。その夜から、私どもの店は大谷さんに見込まれてしまったのでした。それから十日ほど経《た》って、こんどは大谷さんがひとりで裏口からまいりまして、いきなり百円紙幣を一枚出して、いやそのころはまだ百円と言えば大金でした、いまの二、三千円にも、それ以上にも当たる大金でした、それを無理矢理、私の手に握らせて、たのむ、と言って、気弱そうに笑うのです。もうすでに、だいぶ召し上がっている様子でしたが、とにかく、奥さんも御存じでしょう、あんな酒の強いひとはありません。酔ったのかと思うと、急にまじめな、ちゃんと筋のとおった話をするし、いくら飲んでも、足もとがふらつくなんてことは、ついぞ一度も私どもに見せたことはないのですからね。人間三十前後はいわば血気のさかりで、酒にも強い年頃《としごろ》ですが、しかし、あんなのは珍らしい。その晩も、どこかよそで、かなりやって来た様子なのに、それから私の家で、焼酎を立てつづけに十杯も飲み、まるでほとんど無口で、私ども夫婦が何かと話しかけても、ただはにかむように笑って、うん、うん、とあいまいに首肯《うなず》き、突然、何時ですか、と時間をたずねて立ち上がり、お釣《つり》を、と私が言いますと、いや、いい、と言い、それは困ります、と私が強く言いましたら、にやっと笑って、それではこの次まであずかっておいて下さい、また来ます、と言って帰りましたが、奥さん、私どもがあのひとからお金をいただいたのは、あとにもさきにも、ただこの時いちどきり、それからはもう、なんだかんだとごまかして、三年間、一銭のお金も払わずに、私どものお酒をほとんどひとりで、飲みほしてしまったのだから、呆《あき》れるじゃありませんか。」

思わず、私は、噴《ふ》き出しました。理由のわからない可笑《おか》しさが、ひょいとこみ上げて来たのです。あわてて口をおさえて、おかみさんのほうを見ると、おかみさんも妙に笑ってうつむきました。それから、ご亭主《ていしゅ》も、仕方なさそうに苦笑いして、

「いや、まったく、笑い事ではないんだが、あまり呆れて、笑いたくもなります。じっさい、あれほどの腕前を、他のまともな方面に用いたら、大臣にでも、博士にでも、なんにでもなれますよ。私ども夫婦ばかりでなく、あの人に見込まれて、すってんてんになってこの寒空に泣いている人間がほかにもまだまだある様子だ。げんにあの秋ちゃんなど、大谷さんと知り合ったばかりに、いいパトロンには逃げられるし、お金も着物もなくしてしまうし、いまはもう長屋の汚ない一部屋で乞食《こじき》みたいな暮しをしているそうだが、じっさい、あの秋ちゃんは、大谷さんと知り合ったころには、あさましいくらいのぼせて、私たちにも何かと吹聴《ふいちょう》していたものです。だいいち、ご身分が凄《すご》い。四国のある殿様の別家の、大谷男爵《だんしゃく》の次男で、いまは不身持のため勘当《かんどう》せられているが、いまに父の男爵が死ねば、長男と二人で、財産をわけることになっている。頭がよくて、

天才、というものだ。二十一で本を書いて、それが石川啄木《たくぼく》*という大天才の書いた本よりも、もっと上手で、それからまた十何冊だかの本を書いて、としは若いけれども、日本一の詩人、ということになっている。おまけに大学者で、学習院から一高、帝大とすすんで、ドイツ語フランス語、いやもう、おっそろしい、何が何だか秋ちゃんに言わせるとまるで神様みたいな人で、しかし、それもまた、まんざら皆うそではないらしく、他のひとから聞いても、大谷男爵の次男で、有名な詩人だということに変りはないので、こんな、うちの婆《ばばあ》まで、いいとしをして、秋ちゃんと競争してのぼせ上がって、さすがに育ちのいいお方はどこか違っていらっしゃる、なんて言って大谷さんのおいでを心待ちにしていたらくなんですから、たまりません。いまはもう華族もへったくれもなくなったようですが、終戦前までは、女を口説《くど》くには、とにかくこの華族の勘当息子という手に限るようでした。へんに女が、かっとなるらしいんです。やっぱりこれは、その、いまはやりの言葉で言えば奴隷根性というものなんでしょうね。私なんぞは、男の、それも、すれっからしと来ているのでございますから、たかが華族の、いや、奥さんの前ですけれども、四国の殿様のそのまた分家の、おまけに次男なんて、そんなのは何も私たちと身分のちがいがあろうはずがないと思っていますし、まさかそんな、あさましく、かっとなったりなどはしやしません。ですけれども、やはり、何だかどうもあの先生は、私にとっても苦手《にがて》でして、もうこんどこそ、どんなにたのまれてもお酒は飲ませまいと固く決心していても、追われて来た人のように、意外の時刻にひょいとあらわれ、私どもの家へ来てやっとほっとしたような様子をするのを見ると、つい決心もにぶってお酒を出してしまうのです。酔っても、別に馬鹿騒ぎをするわけじゃなし、あれでお勘定さえきちんとしてくれたら、いいお客なんですがねえ。自分で自分の身分を吹聴するわけでもないし、天才だのなんだのとそんな馬鹿げた自慢をしたこともありませんし、秋ちゃんなんかが、あの先生の傍《そば》で、私どもに、あの人の偉さについて広告したりなどすると、僕はお金がほしいんだ、ここの勘定を払いたいんだ、とまるっきり別なことを言って座を白けさせてしまいます。あの人が私どもに今までお酒の代を払ったことはありませんが、あのひとのかわりに、秋ちゃんが時々支払って行きますし、また、秋ちゃんのほかにも、秋ちゃんに知られては困るらしい内緒の女のひともありまして、そのひとはどこかの奥さんのようで、そのひとも時たま大谷さんと一緒にやって来まして、これもまた大谷さんのかわりに、過分のお金を置いてゆくこともありまして、私どもだって、商人でございますから、そんなことでもなかった日には、いくら大谷先生であろうが宮様であろうが、そんなにいつまでも、ただで飲ませるわけにはまいりませんのです。けれども、そんな時たまの支払いだけでは、とても足りるものではなく、もう私どもの大損で、なんでも小金井に先生の家があって、そこにはちゃんとした奥さんもいらっしゃるということを聞いていましたので、いちどそちらへお勘定の相談にあがろうと思って、それとなく大谷さんにお宅はどのへんでしょうと、たずねることもありま

石川啄木　明治十九年—明治四十五年（1886—1912）。岩手県出身。詩人、歌人、評論家。本名一《はじめ》。窮乏の生活の中から、ロマン主義的な抒情詩を歌った。思想的には社会主義に接近した。歌集「一握の砂」「悲しき玩具」、詩集「呼子と口笛」などがある。

したが、すぐ勘附《かんづ》いて、ないものはないんだよ、どうしてそんなに気をもむのかね、喧嘩《けんか》わかれは損だぜ、などと、いやなことを言います。それでも、私どもは何とかして、先生のお家だけでも突きとめておきたくて、二、三度あとをつけてみたこともありましたが、そのたんびに、うまくまかれてしまうのです。そのうちに東京は大空襲の連続というようなことになりまして、何が何やら、大谷さんが戦闘帽*などかぶって舞い込んで来て、勝手に押入れの中からブランデイの瓶《びん》なんか持ち出して、ぐいぐい立ったまま飲んで風のように立ち去ったりなんかして、お勘定も何もあったものでなく、やがて終戦になりましたので、こんどは私どもも大っぴらで闇《やみ》の酒さかなを仕入れて、店先には新しいのれんを出し、いかに貧乏の店でも張り切って、お客への愛嬌《あいきょう》に女の子をひとり雇ったりいたしましたが、またもや、あの魔物の先生があらわれまして、こんどは女連れでなく、必ず二、三人の新聞記者や雑誌記者と一緒にまいりまして、なんでもこれからは、軍人が没落して今まで貧乏していた詩人などが世の中からもてはやされるようになったとかいうその記者たちの話でございまして、大谷先生は、その記者たちを相手に、外国人の名前だか、英語だか、哲学だか、何だかわけのわからないような、へんなことを言って聞かせて、そうしてひょいと立って外へ出て、それっきり帰りません。記者たちは、興覚《きょうざ》め顔に、あいつどこへ行きやがったんだろう、そろそろおれたちも帰ろうか、など帰り仕度《じたく》をはじめ、私は、お待ち下さい、先生はいつもあの手で逃げるのです、お勘定はあなたたちから戴《いただ》きます、と申します。おとなしく皆で出し合って支払って帰る連中もありますが、大谷に払わせろ、おれたちは五百円生活*をしているんだ、と言って怒《おこ》る人もあります。怒られても私は、いいえ、大谷さんの借金が、いままでいくらになっているかご存じですか？　もしあなたたちが、その借金をいくらでも大谷さんから取って下さったら、私は、あなたたちに、その半分は差し上げます、と言いますと、記者たちも呆《あき》れた顔をいたしまして、なんだ、大谷がそんなひでえ野郎とは思わなかった、こんどからはあいつと飲むのはごめんだ、おれたちには今夜は金は百円もない、あした持って来るから、それまでこれをあずかっておいてくれ、と威勢よく外套《がいとう》を脱いだりなんかするのでございます。記者というものは柄《がら》が悪い、と世間から言われているようですけれども、大谷さんにくらべると、どうしてどうして、正直であっさりして、大谷さんが男爵の御次男なら、記者たちのほうが、公爵の御総領くらいの値打ちがあります。大谷さんは、終戦後は一段と酒量もふえて、人相がけわしくなり、これまで口にしたことのなかったひどく下品な冗談などを口走り、また、連れて来た記者をやにわに殴《なぐ》って、つかみ合いの喧嘩《けんか》をはじめたり、また、私どもの店で使っているまだはたち前の女の子を、いつのまにやらだまし込んで手に入れてしまった様子で、私どもも実に驚き、まったく困りましたが、すでにもう出来てしまったことですから泣き寝入りのほかはなく、女の子にもあきらめるように言いふくめて、こっそり親御《おやご》のもとにかえしてやりました。

戦闘帽　旧軍隊で使用した略帽で、緑色がかった黄土色の布で作った運動帽に似たもの。戦時中は民間にも用いられた。**五百円生活**　「円貨の切り換え」（四二九頁参照）のときだされた金融緊急措置令で、給与の支払いは五百円までで、それ以上の金額は、封鎖預金と同等にあつかわれた。封鎖預金は、月額世帯主三百円世帯員百円を引き出せる限度とした。

大谷さん、何もかも言いませんし、拝むから、これっきり来ないで下さい、と私が申しましても、大谷さんは、闇《やみ》でもうけているくせに人並の口をきくな、僕はなんでも知っているぜ、と下司《げす》な脅迫がましいことなど言いまして、またすぐ次の晩に平気な顔してまいります。私どもも、大戦中から闇の商売などして、その罰《ばち》が当たって、こんな化け物みたいな人間を引き受けなければならなくなったのかも知れませんが、しかし、今晩のような、ひどいことをされては、もう詩人も先生もへったくれもない、どろぼうです、私どものお金を五千円ぬすんで逃げ出したのですからね。いまはもう私どもも、仕入れに金がかかって、家の中にはせいぜい五百円か千円の現金があるくらいのもので、いや本当の話、売り上げの金はすぐ右から左へ仕入れに注《つ》ぎ込んでしまわなければならないんです。今夜、私どもの家に五千円などという大金があったのは、もうことしも大みそかが近くなって来ましたし、私が常連のお客さんの家を廻《まわ》ってお勘定をもらって歩いて、やっとそれだけ集めてまいりましたのでして、これはすぐ今夜にでも仕入れのほうに手渡してやらなければ、もう来年の正月からは私どもの商売をつづけてやって行かれなくなるような、そんな大事な金で、女房が奥の六畳間で勘定して戸棚《とだな》の引出しにしまったのを、あのひとが土間の椅子《いす》席《せき》でひとりで酒を飲みながらそれを見ていたらしく、急に立ってつかつかと六畳間にあがって、無言で女房を押しのけ引出しをあけ、その五千円の札束をわしづかみにして二重まわしのポケットにねじ込み、私どもがあっけにとられているうちに、さっさと土間に降りて店から出て行きますので、私は大声を挙《あ》げて呼びとめ、女房と一緒に後を追い、私はこうなればもう、どろぼう！　と叫んで、往来のひとたちを集めてしばってもらおうかとも思ったのですが、とにかく大谷さんは私どもとは知合いの間柄ですし、それもむごすぎるように思われ、今夜はどんなことがあっても大谷さんを見失わないようにどこまでも後をつけて行き、その落ちつく先を見とどけて、おだやかに話してあの金をかえしてもらおう、とまあ私どもも弱い商売でございますから、私ども夫婦は力を合わせ、やっと今夜はこの家をつきとめて、かんにんできぬ気持をおさえて、金をかえして下さいと、おんびんに申し出たのに、まあ、何ということだ、ナイフなんか出して、刺すぞだなんて、まあ、なんという、」

またもや、わけのわからぬ可笑《おか》しさがこみ上げて来まして、私は声を挙げて笑ってしまいました。おかみさんも、顔を赤くして少し笑いました。私は笑いがなかなかとまらず、ご亭主《ていしゅ》に悪いと思いましたが、なんだか奇妙に可笑しくて、いつまでも笑いつづけて涙が出て、夫の詩の中にある「文明の果ての大笑い」というのは、こんな気持のことを言っているのかしらと、ふと考えました。

二

とにかく、しかし、そんな大笑いをして、すまされる事件ではございませんでしたので、私も考え、その夜お二人に向かって、それでは私が何とかしてこの後始末をすることにいたしますから、警察沙汰《けいさつざた》にするのは、もう一日お待ちになって下さいまし、明日そちらさまへ、私のほうからお伺いいたします、と申し上げまして、その中野のお店の場所をくわしく聞き、無理にお二人にご承諾をねがいまして、その夜はそのままでひとまず引きとっていただき、それから、寒い六畳間のまんなかに、ひとり坐《すわ》って物案じいたしましたが、べつだん何のいい工夫も思い浮かびませんでしたので、立って羽織を脱いで、坊やの寝ている蒲団《ふとん》にもぐり、坊やの頭を撫《な》でながら、いつまでも、いつまで経《た》っても、夜が明けなければいい、と思いました。

私の父は以前、*浅草公園の瓢簞池《ひょうたんいけ》のほとりに、おでんの屋台を出していました。母は早くなくなり、父と私と二人きりで長屋住居《ずまい》をしていて、屋台のほうも父と二人でやっていましたのですが、いまのあの人がときどき屋台に立ち寄って、私はそのうちに父をあざむいて、あの人と、よそで逢《あ》うようになりまして、坊やがおなかに出来ましたので、いろいろごたごたの末、どうやらあの人の女房というような形になったものの、もちろん籍も何もはいっておりませんし、坊やは、てなし児《ご》ということになっていますし、あの人は家を出ると三晩も四晩も、いいえ、ひとつきも帰らぬこともございまして、どこで何をしていることやら、帰る時は、いつも泥酔《でいすい》していて、真蒼《まっさお》な顔で、はあっはあっと、くるしそうな呼吸をして、私の顔を黙って見て、ぽろぽろ涙を流すこともあり、またいきなり、私の寝ている蒲団にもぐり込んで来て、私のからだを固く抱きしめて、

「ああ、いかん。こわいんだ。こわいんだよ、僕は。こわい！　たすけてくれ！」

などと言いまして、がたがた震えていることもあり、眠ってからも、うわごとを言うやら、呻《うめ》くやら、そうして翌《あく》る朝は、魂の抜けた人みたいにぼんやりして、そのうちにふっといなくなり、それっきりまた三晩も四晩も帰らず、古くからの夫の知合いの出版のほうのお方が二、三人、そのひとたちが私と坊やの身を案じて下さって、時たまお金

を持って来てくれますので、どうやら私たちも飢え死にせずにきょうまで暮らしてまいりましたのです。

とろとろと、眠りかけて、ふと眼をあけると、雨戸のすきまから、朝の光線がさし込んでいるのに気附いて、起きて身仕度《みじたく》をして坊やを背負い、外に出ました。もうとても黙って家の中におられない気持でした。

どこへ行こうというあてもなく、駅のほうに歩いて行って、駅の前の露店で飴《あめ》を買い、坊やにしゃぶらせて、それから、ふと思いついて吉祥寺《きちじょうじ》までの切符を買って電車に乗り、吊皮《つりかわ》にぶらさがって何気なく電車の天井にぶらさがっているポスターを見ますと、夫の名が出ていました。それは雑誌の広告で、夫はその雑誌に「フランソワ・ヴィヨン」という題の長い論文を発表している様子でした。私はそのフランソワ・ヴィヨンという題と夫の名前を見つめているうちに、なぜだかわかりませぬけれども、とてもつらい涙がわいて出て、ポスターが霞《かす》んで見えなくなりました。

吉祥寺で降りて、本当にもう何年ぶりかで井の頭公園に歩いて行ってみました。池のはたの杉の木が、すっかり伐《き》り払われて、何かこれから工事でもはじめられる土地みたいに、へんにむき出しの寒々した感じで、昔とすっかり変わっていました。

坊やを背中からおろして、池のはたのこわれかかったベンチに二人ならんで腰をかけ、家から持って来たおいもを坊やに食べさせました。

「坊や。綺麗《きれい》なお池でしょ？　昔はね、このお池に鯉《こい》トトや金《きん》トトが、たくさんいたの

浅草公園の瓢箪池　東京都台東区にある浅草公園にあった池の名。戦後埋められて今はない。

だけれども、いまはなんにも、いないわねえ。つまんないねえ。」

坊やは、何と思ったのか、おいもを口の中に一ぱい頰張《ほおば》ったまま、けけ、と妙に笑いました。わが子ながら、ほとんど阿呆《あほう》の感じでした。

その池のはたのベンチにいつまでいたって、何のらちのあくことではなし、私はまた坊やを背負って、ぶらぶら吉祥寺の駅のほうへ引き返し、にぎやかな露店街を見て廻《まわ》って、それから、駅で中野行きの切符を買い、何の思慮も計画もなく、いわばおそろしい魔の淵《ふち》にするすると吸い寄せられるように、電車に乗って中野で降りて、きのう教えられたとおりの道筋を歩いて行って、あの人たちの小料理屋の前にたどりつきました。

表の戸は、あきませんでしたので、裏へまわって勝手口からはいりました。ご亭主《ていしゅ》さんはいなくて、おかみさんひとり、お店の掃除《そうじ》をしていました。おかみさんと顔が合ったとたんに私は、自分でも思いがけなかった嘘《うそ》をすらすらと言いました。

「あの、おばさん、お金は私が綺麗《きれい》におかえしできそうですの。今晩か、でなければ、あした、とにかく、はっきり見込みがついたのですから、もうご心配なさらないで。」

「おや、まあ、それはどうも。」

と言って、おかみさんは、ちょっとうれしそうな顔をしましたが、それでも何か腑《ふ》に落ちないような不安な影がその顔のどこやらに残っていました。

「おばさん、本当よ。かくじつに、ここへ持って来てくれるひとがあるのよ。それまで私は、人質になって、ここにずっといることになっていますの。それなら、安心でしょう？　お金が来るまで、私はお店のお手伝いでもさせていただくわ。」

私は坊やを背中からおろし、奥の六畳間にひとりで遊ばせておいて、くるくると立ち働いて見せました。坊やは、もともとひとり遊びには馴《な》れておりますので、少しも邪魔になりません。また頭が悪いせいか、人見知りをしないたちなので、おかみさんにも笑いかけたりして、私がおかみさんのかわりに、おかみさんの家の配給物をとりに行ってあげている留守にも、おかみさんからアメリカの缶詰《かんづめ》の殻《から》を、おもちゃ代りにもらって、それを叩《たた》いたりころがしたりしておとなしく六畳間の隅《すみ》で遊んでいたようでした。

お昼ごろ、ご亭主がおさかなや野菜の仕入れをして帰って来ました。私は、ご亭主の顔を見るなり、また早口に、おかみさんに言ったのと同様の嘘を申しました。

ご亭主は、きょとんとした顔になって、

「へえ？　しかし、奥さん、お金ってものは、自分の手に、握ってみないうちは、あてにならないものですよ。」

と案外、しずかな、教えさとすような口調で言いました。

「いいえ、それがね、本当にたしかなのよ。だから、私を信用して、おもて沙汰《ざた》にするのは、きょう一日待って下さいな。それまで私は、このお店でお手伝いしていますから。」

「お金が、かえってくれば、そりゃもう何も、」とご亭主は、ひとりごとのように言い、「何せことしも、あと五、六日なのですからね。」

「ええ、だから、それだから、あの私は、おや？　お客さんですわよ。いらっしゃいまし。」と私は、店へはいって来た三人連れの職人ふうのお客に向かって笑いかけ、それから小声で、「おばさん、すみません。エプロンを貸して下さいな。」

「や、美人を雇いやがった。こいつぁ、凄《すご》い。」

と客のひとりが言いました。

「誘惑しないで下さいよ。」とご亭主は、まんざら冗談でもないような口調で言い、「お金のかかっているからだですから。」

「百万ドルの名馬か？」

ともうひとりの客は、げびた洒落《しゃれ》を言いました。

「名馬も、雌《めす》は半値だそうです。」

と私は、お酒のお燗《かん》をつけながら、負けずに、げびた受けこたえをいたしますと、

「けんそんするなよ。これから日本は、馬でも犬でも、男女同権だってさ。」と一ばん若いお客が、呶鳴《どな》るように言いまして、「ねえさん、おれは惚《ほ》れた。一目惚れだ。が、しかし、お前は、子持ちだな？」

「いいえ。」と奥から、おかみさんは、坊やを抱いて出て来て、「これは、こんど私どもが親戚《しんせき》からもらって来た子ですの。これでもう、やっと私どもにも、あとつぎが出来たというわけですわ。」

「金も出来たし。」

と客のひとりが、からかいますと、ご亭主はまじめに、

「いろも出来、借金も出来、」と呟《つぶや》き、それから、ふいと語調をかえて、「何にしますか？　よせ鍋《なべ》でも作りましょうか？」

と客にたずねます。私には、その時、あることが一つ、わかりました。やはりそうか、と自分でひとり首肯《うなず》き、うわべは何気なく、お客にお銚子《ちょうし》を運びました。その日は、クリスマスの、前夜祭とかいうのに当たっていたようで、そのせいか、お客が絶えることなく、次々と参りまして、私は朝からほとんど何一つ戴《いただ》いておらなかったのでございますが、胸に思いがいっぱい籠《こ》もっているためか、おかみさんから何かおあがりと勧められても、いいえ沢山と申しまして、そうしてただもう、くるくると羽《は》衣《ごろも》一まいを纏《まと》って舞っているように身軽く立ち働き、自惚《うぬぼ》れかも知れませぬけれども、その日のお店は異様に活気づいていたようで、私の名前をたずねたり、また握手などを求めたりするお客さんが二人、三人どころではございませんでした。けれども、こうしてどうなるのでしょう。私には何も一つも見当が附いていないのでした。ただ笑って、お客のみだらな冗談にこちらも調子を合わせて、さらにもっと下品な冗談を言いかえし、客から客へ滑《すべ》り歩いてお酌《しゃく》して廻って、そうしてそのうちに、自分のこのからだがアイスクリームのように溶けて流れてしまえばいい、などと考えるだけでございました。

奇蹟《きせき》はやはり、この世の中にも、ときたま、あらわれるものらしゅうございます。九時すこし過ぎくらいのころでございましたでしょうか。クリスマスのお祭りの、紙の三角帽をかぶり、ルパン*のように顔の上半分を覆《おお》いかくしている黒の仮面をつけた男

ルパン　アルセーヌ・ルパン。フランスの小説家モーリス・ルブラン Maurice Leblanc（1864―1941）の書いた探偵小説に活躍する紳士風の怪盗の名。

と、それから三十四、五の痩《や》せ型の綺麗《きれい》な奥さんと二人連れの客が見えまして、男のひとは、私どもには後ろ向きに、土間の隅《すみ》の椅子《いす》に腰を下ろしましたが、私はその人がお店にはいってくるとすぐに、誰だか解りました。どろぼうの夫です。

向うでは、私のことに何も気附かぬようでしたので、私も知らぬ振りして他のお客とふざけ合い、そうして、その奥さんが夫と向かい合って腰かけて、

「ねえさん、ちょっと。」

と呼びましたので、

「へえ。」

と返事して、お二人のテーブルのほうに参りまして、

「いらっしゃいまし。お酒でございますか？」

と申しました時に、ちらと夫は仮面の底から私を見て、さすがに驚いた様子でしたが、私はその肩を軽く撫《な》でて、

「クリスマスおめでとうって言うの？　なんていうの？　もう一升くらいは飲めそうね。」

と申しました。

奥さんはそれには取り合わず、改まった顔つきをして、

「あの、ねえさん、すみませんがね、ここのご主人にないないお話し申したいことがございますのですけど、ちょっとここへご主人を。」

と言いました。

私は奥で揚物《あげもの》をしているご亭主のところへ行き、

「大谷が帰ってまいりました。会ってやって下さいまし。でも、連れの女のかたに、私のことは黙っていて下さいね。大谷が恥ずかしい思いをするといけませんから。」

「いよいよ、来ましたね。」

ご亭主は、私の、あの嘘《うそ》を半ばは危《あや》ぶみながらも、それでもかなり信用していてくれたもののようで、夫が帰って来たことも、それも私の何か差しがねによってのことと単純に合点《がてん》している様子でした。

「私のことは、黙っててね。」

と重ねて申しますと、

「そのほうがよろしいのでしたら、そうします。」

と気さくに承知して、土間に出て行きました。

ご亭主は土間のお客を一わたりざっと見廻し、それからまっすぐに夫のいるテーブルに歩み寄って、その綺麗な奥さんと何か二言、三言話を交《かわ》して、それから三人そろって店から出て行きました。

もういいのだ。万事が解決してしまったのだと、なぜだかそう信ぜられて、さすがにうれしく、紺絣《こんがすり》の着物を着たまだはたち前くらいの若いお客さんの手首を、だしぬけに強く摑《つか》んで、

「飲みましょうよ、ね、飲みましょう。クリスマスですもの。」

ほんの三十分、いいえ、もっと早いくらい、おや、と思ったくらいに早く、ご亭主がひとりで帰って来まして、私の傍《そば》に寄り、

「奥さん、ありがとうございました。お金はかえしていただきました。」

「そう。よかったわね。全部?」

ご亭主は、へんな笑い方をして、

「ええ、きのうの、あの分だけはね。」

「これまでのが全部で、いくらなの? ざっと、まあ、大負けに負けて。」

「二万円。」

「それだけでいいの?」

「大負けに負けました。」

「おかえしいたします。おじさん、あすから私を、ここで働かせてくれない? ね、そうして! 働いて返すわ。」

「へえ? 奥さん、とんだ、おかる*だね。」

私たちは、声を合わせて笑いました。

その夜、十時すぎ、私は中野のお店をおいとまして、坊やを背負い、小金井《こがねい》の私たちの家にかえりました。やはり夫は帰って来ていませんでしたが、しかし私は、平気でした。あすまた、あのお店へ行けば、夫に逢《あ》えるかも知れない。どうして私はいままで、

こんないいことに気づかなかったのかしら。きのうまでの私の苦労も、所詮《しょせん》は私が馬鹿で、こんな名案に思いつかなかったからなのだ。私だって昔は浅草の父の屋台で、客あしらいは決して下手ではなかったのだから、これからあの中野のお店できっと巧《うま》く立ちまわれるに違いない。現に今夜だって私は、チップを五百円ちかくもらったのだもの。

ご亭主の話によると、夫は昨夜あれからどこか知合いの家へ行って泊まったらしく、それから、けさ早く、あの綺麗《きれい》な奥さんの営んでいる京橋のバーを襲って、朝からウイスキーを飲み、そうして、そのお店に働いている五人の女の子に、クリスマス・プレゼントだと言ってむやみにお金をくれてやって、それからお昼ごろにタクシーを呼び寄させてどこかへ行き、しばらくたって、クリスマスの三角帽やら仮面やら、デコレーションケーキやら七面鳥まで持ち込んで来て、四方に電話を掛けさせ、お知合いの方たちを呼び集め、大宴会をひらいて、いつもちっともお金を持っていない人なのにと、バーのマダムが不審がって、そっと問いただしてみたら、夫は平然と、昨夜のことを洗いざらいそのまま言うので、そのマダムも前から大谷とは他人の仲ではないらしく、とにかくそれは警察沙汰《けいさつざた》になって騒ぎが大きくなっても、つまらないし、かえさなければなりませんと親身《しんみ》に言って、お金はそのマダムがたてかえて、そうして夫に案内させ、中野のお店に来てくれたのだそうで、中野のお店のご亭主は私に向かって、

おかる　お軽。「仮名手本忠臣蔵」の中の人物。山崎の与市兵衛の娘で、早野勘平の妻。京都祇園の一力楼に身を売り、由良之助の密書を見る。兄の平右衛門は、お軽を殺して謝罪しようとし、由良之助はその誠忠に感じて、平右衛門が同志に入るのを許す筋。

「たいがい、そんなところだろうとは思っていましたが、しかし、奥さん、あなたはよくその方角にお気が附きましたね。大谷さんのお友だちにでも頼んだのですか。」

とやはり私が、はじめからこうしてかえって来るのを見越して、このお店に先廻《さきまわ》りして待っていたもののように考えているらしい口振りでしたから、私は笑って、

「ええ、そりゃもう。」

とだけ、答えておきましたのです。

その翌《あく》る日からの私の生活は、今までとはまるで違って、浮き浮きした楽しいものになりました。さっそく電髪屋*に行って、髪の手入れもいたしましたし、お化粧品も取りそろえまして、着物を縫い直したり、また、おかみさんから新しい白足袋《しろたび》を二足もいただき、これまでの胸の中の重苦しい思いが、きれいに拭《ぬぐ》い去られた感じでした。

朝起きて坊やと二人で御飯をたべ、それからお弁当をつくって坊やを背負い、中野にご出勤ということになり、大みそか、お正月、お店のかきいれどきなので、椿屋《つばきや》の、さっちゃん、というのがお店での私の名前なのでございますが、そのさっちゃんは毎日、眼のまわるくらいの大忙しで、二日に一度くらいは夫も飲みにやって参りまして、お勘定は私に払わせて、またふっといなくなり、夜おそく私のお店を覗《のぞ》いて、

「帰りませんか。」

とそっと言い、私も首肯《うなず》いて帰り仕度《じたく》をはじめ、一緒にたのしく家路《いえじ》をたどることも、しばしばございました。

「なぜ、はじめからこうしなかったのでしょうね。とっても私は幸福よ。」

「女には、幸福も不幸もないものです。」

「そうなの？　そう言われると、そんな気もして来るけど、それじゃ、男のひとは、どうなの？」

「男には、不幸だけがあるんです。いつも恐怖と、戦ってばかりいるのです。」

「わからないわ、私には。でも、いつまでも私、こんな生活をつづけて行きとうございますわ。椿屋のおじさんも、おばさんも、とてもいいお方ですもの。」

「馬鹿なんですよ、あのひとたちは。田舎者《いなかもの》ですよ。あれでなかなか慾張《よくば》りでね。僕に飲ませて、おしまいには、もうけようと思っているのです。」

「そりゃ商売ですもの、当り前だわ。だけど、それだけでもないんじゃない？　あなたは、あのおかみさんを、かすめたでしょう。」

「昔ね。おやじは、どう？　気附いているの？」

「ちゃんと知っているらしいわ。いろも出来、借金も出来、といつか溜息《ためいき》まじりに言ってたわ。」

「僕はね、キザのようですけど、死にたくて、仕様がないんです。生まれた時から、死ぬことばかり考えていたんだ。皆のためにも、死んだほうがいいんです。それはもう、たしかなんだ。それでいて、なかなか死ねない。へんな、こわい神様みたいなものが、僕の死ぬのを引きとめるのです。」

「お仕事が、おありですから。」

電髪屋　パーマネント屋。現在の美容院。

「仕事なんてものは、なんでもないんです。傑作も駄作《ださく》もありゃしません。人がいいと言えば、よくなるし、悪いと言えば、悪くなるんです。ちょうど吐くいきと、引くいきみたいなものなんです。おそろしいのはね、この世の中の、どこかに神がいる、ということなんです。いるんでしょうね？」

「え？」

「いるんでしょうね？」

「私には、わかりませんわ。」

「そう。」

十日、二十日とお店にかよっているうちに、私には、椿屋にお酒を飲みに来ているお客さんがひとり残らず犯罪人ばかりだということに、気がついてまいりました。夫などはまだまだ、優しいほうだと思うようになりました。また、お店のお客さんばかりでなく、路《みち》を歩いている人みなが、何か必ずうしろ暗い罪をかくしているように思われて来ました。立派な身なりの、五十年配の奥さんが、椿屋の勝手口にお酒を売りに来て、一升三百円、とはっきり言いまして、それはいまの相場にしては安いほうですので、おかみさんがすぐに引きとってやりましたが、水酒でした。あんな上品そうな奥さんさえ、こんなことをたくらまなければならなくなっている世の中で、我が身にうしろ暗いところが一つもなくて生きて行くことは、不可能だと思いました。トランプの遊びのように、マイナスを全部あつめるとプラスに変わるということは、この世の道徳には起こり得ないことでしょうか。

神がいるなら、出て来て下さい！　私は、お正月の末に、お店のお客にけがされました。

その夜は、雨が降っていました。夫は、あらわれませんでしたが、夫の昔からの知合いの出版のほうの方で、時たま私のところへ生活費をとどけて下さった矢島さんが、その同業のお方らしい、やはり矢島さんくらいの四十年配のお方と二人でお見えになり、お酒を飲みながら、お二人で声高く、大谷の女房がこんなところで働いているのは、よろしくないとか、よろしいとか、半分は冗談みたいに言い合い、私は笑いながら、

「その奥さんは、どこにいらっしゃるの？」

とたずねますと、矢島さんは、

「どこにいるのか知りませんがね、すくなくとも、椿屋のさっちゃんよりは、上品で綺《き》麗《れい》だ。」

と言いますので、

「やけるわね。大谷さんみたいな人となら、私は一夜でもいいから、添ってみたいわ。私はあんな、ずるいひとが好き。」

「これだからねえ。」

と矢島さんは、連れのお方のほうに顔を向け、口をゆがめて見せました。

そのころになると、私が大谷という詩人の女房だということが、夫と一緒にやって来る記者のお方たちにも知られていましたし、またそのお方たちから聞いてわざわざ私をからかいにおいでになる物好きなお方などもありまして、お店はにぎやかになる一方で、

ご亭主のご機嫌《きげん》もいよいよ、まんざらでございませんでしたのです。

その夜は、それから矢島さんたちは紙の闇取引《やみとりひき》の商談などして、お帰りになったのは十時すぎで、私も今夜は雨も降るし、夫もあらわれそうもございませんでしたので、お客さんがまだひとり残っておりましたけれども、そろそろ帰り仕度《じたく》をはじめて、奥の六畳の隅《すみ》に寝ている坊やを抱き上げて背負い、

「また、傘《かさ》をお借りしますわ。」

と小声でおかみさんにお頼みしますと、

「傘なら、おれも持っている。お送りしましょう。」

とお店に一人のこっていた二十五、六の、痩《や》せて小柄な工員ふうのお客さんが、まじめな顔をして立ち上がりました。それは、私には今夜がはじめてのお客さんでした。

「はばかりさま。ひとり歩きには馴《な》れていますから。」

「いや、お宅は遠い。知っているんだ。おれも、小金井の、あの近所の者なんだ。お送りしましょう。おばさん、勘定をたのむ。」

お店では三本飲んだだけで、そんなに酔ってもいないようでした。

一緒に電車に乗って、小金井で降りて、それから雨の降るまっくらい路を相合傘《あいあいがさ》で、ならんで歩きました。その若いひとは、それまでほとんど無言でいたのでしたが、ぽつりぽつり言いはじめ、

「知っているのです。おれはね、あの大谷先生の詩のファンなのですよ。おれもね、詩を書いているのですがね。そのうち、大谷先生に見ていただこうと思っていたのですが

ね。どうもね、あの大谷先生が、こわくてね。」

　家につきました。

「ありがとうございました。また、お店で。」

「ええ、さようなら。」若いひとは、雨の中を帰って行きました。

深夜、がらがらと玄関のあく音に、眼をさましましたが、れいの夫の泥酔《でいすい》のご帰宅かと思い、そのまま黙って寝ていましたら、

「ごめん下さい、大谷さん、ごめん下さい。」

という男の声がいたします。

起きて電灯をつけて玄関に出て見ますと、さっきの若いひとが、ほとんど直立できにくいくらいにふらふらして、

「奥さん、ごめんなさい。かえりにまた屋台で一ぱいやりましてね、実はね、おれの家は立川でね、駅へ行ってみたらもう、電車がねえんだ。奥さん、たのみます。泊めて下さい。ふとんも何も要《い》りません。この玄関の式台でもいいのだ。あしたの朝の始発が出るまで、ごろ寝させて下さい。雨さえ降ってなきゃ、その辺の軒下にでも寝るんだが、この雨では、そうもいかねえ。たのみます。」

「主人もおりませんし、こんな式台でよろしかったら、どうぞ。」

と、私は言い、破れた座蒲団《ざぶとん》を二枚、式台に持って行ってあげました。

「すみません。ああ酔った。」

と苦しそうに小声で言い、すぐにそのまま式台に寝ころび、私が寝床に引き返した時

には、もう高い鼾《いびき》が聞こえていました。

そうして、その翌《あく》る日のあけがた、私は、あっけなくその男の手にいれられました。

その日も私は、うわべは、やはり同じように、坊やを背負って、お店の勤めに出かけました。

中野のお店の土間で、夫が、酒のはいったコップをテーブルの上に置いて、ひとりで新聞を読んでいました。コップに午前の陽《ひ》の光が当たって、きれいだと思いました。

「誰もいないの？」

夫は、私のほうを振り向いて見て、

「うん。おやじはまだ仕入れから帰らないし、ばあさんは、ちょっといままでお勝手のほうにいたようだったけど、いませんか？」

「ゆうべは、おいでにならなかったの？」

「来ました。椿屋のさっちゃんの顔を見ないとこのごろ眠れなくなってね、十時すぎにここを覗《のぞ》いてみたら、いましがた帰りましたというのでね。」

「それで？」

「泊まっちゃいましたよ、ここへ。雨はざんざ降っているし。」

「あたしも、こんどから、このお店にずっと泊めてもらうことにしようかしら。」

「いいでしょう、それも。」

「そうするわ。あの家をいつまでも借りてるのは、意味ないもの。」

夫は、黙ってまた新聞に眼をそそぎ、

「やあ、また僕の悪口を書いている。エピキュリアン*のにせ貴族だってさ。こいつは、当たっていない。神におびえるエピキュリアン、とでも言ったらよいのに。さっちゃん、ごらん、ここに僕のことを、人非人《にんぴにん》なんて書いていますよ。違うよねえ。僕は今だから言うけれども、去年の暮にね、ここから五千円持って出たのは、さっちゃんと坊やに、あのお金で久しぶりのいいお正月をさせたかったからです。人非人でないから、あんなことも仕出かすのです。」

私は格別うれしくもなく、

「人非人でもいいじゃないの。私たちは、生きていさえすればいいのよ。」

と言いました。

エピキュリアン　epicurean（英）快楽主義者。享楽主義者。美食家。

桜桃《おうとう》

われ、山にむかいて、目を挙《あ》ぐ。
――詩篇、第百二十一。

子供より親が大事、と思いたい。子供のために、などと古風な道学者みたいなことを殊勝らしく考えてみても、何、子供よりも、その親のほうが弱いのだ。少なくとも、私の家庭においては、そうである。まさか、自分が老人になってから、子供に助けられ、世話になろうなどという図々《ずうずう》しい虫のよい下心は、まったく持ち合わせてはいないけれども、この親は、その家庭において、常に子供たちのご機嫌《きげん》ばかり伺っている。子供、といっても、私のところの子供たちは、皆まだひどく幼い。長女は七歳、長男は四歳、次女は一歳である。それでも、すでにそれぞれ、両親を圧倒しかけている。父と母は、さながら子供たちの下男下女の趣きを呈しているのである。

夏、家族全部三畳間に集まり、大にぎやか、大混雑の夕食をしたため、父はタオルでやたらに顔の汗を拭《ふ》き、

「めし食って大汗かくもげびた事、と柳多留《やなぎだる》にあったけれども、どうも、こんなに子供たちがうるさくては、いかにお上品なお父さんといえども、汗が流れる。」

と、ひとりぶつぶつ不平を言い出す。

母は、一歳の次女におっぱいを含ませながら、そうして、お父さんと長女と長男のお給仕をするやら、子供たちのこぼしたものを拭くやら、拾うやら、鼻をかんでやるやら、八面六臂《ろっぴ》のすさまじい働きをして、

「お父さんは、お鼻に一ばん汗をおかきになるようね。いつも、せわしくお鼻を拭いていらっしゃる。」

父は苦笑して、

「それじゃ、お前はどこだ。内股《うちまた》かね？」

「お上品なお父さんですこと。」

「いや、何もお前、医学的な話じゃないか。上品も下品もない。」

「私はね、」

と母は少しまじめな顔になり、

「この、お乳とお乳のあいだに、……涙の谷、……」

柳多留 江戸時代に出た川柳集。百六十七編。正しくは「誹風柳多留」という。初代柄井川柳《からいせんりゅう》（享保三年—寛政二年　1718—1790）以下五世に至る代々の川柳撰。明和二年—天保九年（1765—1838）刊。柳樽とも書く。**涙の谷** 旧約聖書詩篇第八十四篇七節に見られる言葉で、ヘブライ語では「荒野の谷」の意味。湿気の少ない谷の意。

涙の谷。

父は黙して、食事をつづけた。

私は家庭に在《あ》っては、いつも冗談を言っている。それこそ「心には悩みわずらう」ことの多いゆえに、「おもてには快楽《けらく》」をよそわざるを得ない、とでも言おうか。いや、家庭に在る時ばかりでなく、私は人に接する時でも、心がどんなにつらくても、からだがどんなに苦しくても、ほとんど必死で、楽しい雰囲気《ふんいき》を創《つく》ることに努力する。そうして、客とわかれた後、私は疲労によろめき、お金のこと、道徳のこと、自殺のことを考える。いや、それは人に接する場合だけではない。小説を書く時も、それと同じである。私は、悲しい時に、かえって軽い楽しい物語の創造に努力する。自分では、もっとも、おいしい奉仕のつもりでいるのだが、人はそれに気づかず、太宰という作家も、このごろは軽薄である、面白さだけで読者を釣《つ》る、すこぶる安易、と私をさげすむ。

人間が、人間に奉仕するということは、悪いことであろうか。もったいぶって、なかなか笑わぬというのは、善《よ》いことであろうか。

つまり、私は、糞真面目《くそまじめ》で興覚《きょうざ》めな、気まずいことに堪え切れないのだ。私は、私の家庭においても、絶えず冗談を言い、薄氷を踏む思いで冗談を言い、一部の読者、批評家の想像を裏切り、私の部屋の畳は新しく、机上は整頓《せいとん》せられ、夫婦はいたわり、尊敬し合い、夫は妻を打ったことなどないのは無論、出て行け、出て行きます、などの乱暴な口争いしたことさえ一度もなかったし、父も母も負けずに子供を可愛《かわい》がり、子供たちも父母に陽気によくなつく。

しかし、それは外見。母が胸をあけると、涙の谷、父の寝汗も、いよいよひどく、夫婦は互いに相手の苦痛を知っているのだが、それに、さわらないように努めて、父が冗談を言えば、母も笑う。

しかし、その時、涙の谷、と母に言われて父は黙し、何か冗談を言って切りかえそうと思っても、とっさにうまい言葉が浮かばず、黙しつづけると、いよいよ気まずさが積もり、さすがの「通人《つうじん》」の父も、とうとう、まじめな顔になってしまって、

「誰か、人を雇いなさい。どうしたって、そうしなければ、いけない。」

と、母の機嫌を損じないように、おっかなびっくり、ひとりごとのようにして呟《つぶや》く。

子供が三人。父は家事には全然、無能である。蒲団《ふとん》さえ自分で上げない。そうして、ただもう馬鹿げた冗談ばかり言っている。配給だの、登録だの、そんなことは何も知らない。全然、宿屋住いでもしているような形。来客。饗応《きょうおう》。仕事部屋にお弁当を持って出かけて、それっきり一週間も御帰宅にならないこともある。仕事、仕事、といつも騒いでいるけれども、一日に二、三枚くらいしかお出来にならないようである。あとは、酒。飲みすぎると、げっそり痩《や》せてしまって寝込む。そのうえ、あちこちに若い女の友達などもある様子だ。

子供、……七歳の長女も、ことしの春に生まれた次女も、少し風邪《かぜ》をひきやすいけれども、まずまあ人並。しかし、四歳の長男は、痩《や》せこけていて、まだ立てない。言葉は、アアとかダアとか言うきりで一語も話せず、また人の言葉を聞きわけることもできない。

這って歩いていて、ウンコもオシッコも教えない。それでいて、ごはんは実にたくさん食べる。けれども、いつも痩せて小さく、髪の毛も薄く、少しも成長しない。

父も母も、この長男について、深く話し合うことを避ける。白痴、唖《おし》、……それを一言でも口に出して言って、二人で肯定し合うのは、あまりに悲惨だからである。母と時時、この子を固く抱きしめる。父はしばしば発作的に、この子を抱いて川に飛び込み死んでしまいたく思う。

「唖の次男を斬殺《ざんさつ》す。×日正午すぎ×区×町×番地×商、何某（五三）さんは自宅六畳間で次男何某（一八）君の頭を薪割《まきわり》で一撃して殺害、自分はハサミで喉《のど》を突いたが死に切れず附近の医院に収容したが危篤《きとく》、同家では最近二女某（二二）さんに養子を迎えたが、次男が唖の上に少し頭が悪いので娘可愛さから思い余ったもの。」

こんな新聞の記事もまた、私にヤケ酒を飲ませるのである。

ああ、ただ単に、発育がおくれているというだけのことであってくれたら！　この長男が、いまに急に成長し、父母の心配を憤り嘲笑《ちょうしょう》するようになってくれたら！　夫婦は親戚《しんせき》にも友人にも誰にも告げず、ひそかに心でそれを念じながら、表面は何も気にしていないみたいに、長男をからかって笑っている。

母も精一ぱいの努力で生きているのだろうが、父もまた、一生懸命であった。もともと、あまりたくさん書ける小説家ではないのである。極端な小心者なのである。それが公衆の面前に引き出され、へどもどしながら書いているのである。書くのがつらくて、ヤケ酒に救いを求める。ヤケ酒というのは、自分の思っていることを主張できない、もどっかしさ、いまいましさで飲む酒のことである。いつでも、自分の思っていることをハッキリ主張できるひとは、ヤケ酒なんか飲まない。(女に酒飲みの少ないのは、この理由からである。)

私は議論をして、勝ったためしがない。必ず負けるのである。相手の確信の強さ、自己肯定のすさまじさに圧倒せられるのである。そうして私は沈黙する。しかし、だんだん考えてみると、相手の身勝手に気がつき、ただこっちばかりが悪いのではないのが確信せられて来るのだが、いちど言い負けたくせに、またしつこく戦闘開始するのも陰惨だし、それに私には言い争いは殴《なぐ》り合いと同じくらいにいつまでも不快な憎しみとして残るので、怒りにふるえながらも笑い、沈黙し、それから、いろいろさまざま考え、ついヤケ酒ということになるのである。

はっきり言おう。くどくどと、あちこち持ってまわった書き方をしたが、実はこの小説、夫婦喧嘩《げんか》の小説なのである。

「涙の谷。」

それが導火線であった。この夫婦はすでに述べたとおり、手荒なことはもちろん、口汚なく罵《ののし》り合ったことさえないすこぶるおとなしい一組ではあるが、しかし、それだけまた一触即発の危険におののいているところもあった。両方が無言で、相手の悪さの証拠固めをしているような危険、一枚の札《ふだ》をちらと見ては伏せ、また一枚ちらと見ては伏せ、いつか、出し抜けに、さあ出来ましたと札をそろえて眼前にひろげられるような危険、それが夫婦を互いに遠慮深くさせていたと言って言えないところがないでもなかった。妻のほうはとにかく、夫のほうは、たたけばたたくほど、いくらでもホコリの出そうな男なのである。

「涙の谷。」

そう言われて、夫は、ひがんだ。しかし、言い争いは好まない。沈黙した。お前はおれに、いくぶんあてつける気持で、そう言ったのだろうが、しかし、泣いているのはお前だけでない。おれだって、お前に負けず、子供のことは考えている。自分の家庭は大事だと思っている。子供が夜中に、へんな咳《せき》一つしても、きっと眼がさめて、たまらない気持になる。もう少し、ましな家に引っ越して、お前や子供たちをよろこばせてあげたくてならぬが、しかし、おれには、どうしてもそこまで手が廻《まわ》らないのだ。これでもう、精一ぱいなのだ。おれだって、兇暴《きようぼう》な魔物ではない。妻子を見殺しにして平然というような「度胸」を持ってはいないのだ。配給や登録のことだって、知らないのではない、知るひまがないのだ。……父は、そう心の中で呟《つぶや》き、しかし、それを言い出す自信もなく、また、言い出して母から何か切りかえされたら、ぐうの音《ね》も出ないような気もして、

「誰か、ひとを雇いなさい。」

と、ひとりごとみたいに、わずかに主張してみた次第なのだ。

母も、いったい、無口なほうである。しかし、言うことに、いつも、つめたい自信を持っていた。（この母に限らず、どこの女も、たいていそんなものであるが。）

「でも、なかなか、来てくれるひともありませんから。」

「捜せば、きっと見つかりますよ。来てくれるひとがないんじゃない、いてくれるひとがないんじゃないかな？」

「私が、ひとを使うのが下手だとおっしゃるのですか？」

「そんな、……」

父はまた黙した。じつは、そう思っていたのだ。しかし、黙した。

ああ、誰かひとり、雇ってくれたらいい。母が末の子を背負って、用足しに外に出かけると、父はあとの二人の子の世話を見なければならぬ。そうして、来客が毎日、きまって十人くらいずつある。

「仕事部屋のほうへ、出かけたいんだけど。」

「これからですか？」

「そう。どうしても、今夜のうちに書き上げなければならない仕事があるんだ。」

それは、嘘《うそ》でなかった。しかし、家の中の憂鬱《ゆううつ》から、のがれたい気もあったのである。

「今夜は、私、妹のところへ行って来たいと思っているのですけど。」

それも、私は知っていた。妹は重態なのだ。しかし、女房が見舞いに行けば、私は子供のお守《も》りをしていなければならぬ。

「だから、ひとを雇って、……」

言いかけて、私は、よした。女房の身内のひとのことに少しでも、ふれると、ひどく二人の気持がややこしくなる。

生きるということは、たいへんなことだ。あちこちから鎖《くさり》がからまっていて、少しでも動くと、血が噴《ふ》き出す。

私は黙って立って、六畳間の机の引出しから稿料のはいっている封筒を取り出し、袂《たもと》につっ込んで、それから原稿用紙と辞典を黒い風呂敷に包み、物体でないみたいに、ふわりと外に出る。

もう、仕事どころではない。自殺のことばかり考えている。そうして、酒を飲む場所へまっすぐに行く。

「いらっしゃい。」

「飲もう。きょうはまた、ばかに綺麗《きれい》な縞《しま》を、……」

「わるくないでしょう？　あなたの好《す》く縞だと思っていたの。」

「きょうは、夫婦喧嘩でね、陰《いん》にこもってやりきれねえんだ。飲もう、今夜は泊まるぜ。だんぜん泊まる。」

子供より親が大事、と思いたい。子供よりも、その親のほうが弱いのだ。

桜桃《おうとう》が出た。

私の家では、子供たちに、ぜいたくなものを食べさせない。子供たちは、桜桃など、見たこともないかも知れない。食べさせたら、よろこぶだろう。父が持って帰ったら、よろこぶだろう。蔓《つる》を糸でつないで、首にかけると、桜桃は、珊瑚《さんご》の首飾りのように見えるだろう。

しかし、父は、大皿《おおざら》に盛られた桜桃を、きわめてまずそうに食べては種を吐き、食べ

ては種を吐き、食べては種を吐き、そうして心の中で虚勢みたいに呟《つぶや》く言葉は、子供よりも親が大事。

太宰治伝

臼井吉見

I

太宰治《だざいおさむ》（本名・津島修治《つしましゅうじ》）は、明治四十二年（一九〇九）六月十九日、青森県北津軽郡金木《きたつがるぐんかなぎ》村《むら》（現・金木町）に生まれた。金木は、津軽平野のほぼ中央に位する、人口五、六千の小さな町である。

彼の生家は、田地二百町歩、三百人の小作人をもつ大地主で、父の津島源右衛門は、多額納税者として、貴族院の勅選議員であった。

太宰治が東北のはての津軽に生まれたということ、生家がその地方きっての大地主だったということ、これらは太宰治の文学の秘密を解く鍵《かぎ》ではないだろうか。現に太宰自身が、敗戦あくる年に書いた随想ふうの小説「十五年間」で、次のように語っている。

《私はゲートルを着け、生まれてはじめて津軽の国の隅々《すみずみ》まで歩きまわってみた。……結局、私がこの旅行で見つけたものは「津軽のつたなさ」というものであった。拙劣さである。不器用さである。文化の表現方法のない戸惑《とまど》いである。私はまた、自身にもそれを感じた。けれども同時に私は、それに健康を感じた。ここから、何かしら全然あたらしい文化（私は、文化という言葉に、ぞっとする。むかしは文花と書いたようである）そんなものが、生まれるのではなかろうか。愛情のあたらしい表現が生まれるのではなかろうか。私は、自分の血の中の純粋の津軽気質に、自信に似たものを感じて帰京したのである。つまり私は、津軽には文化なんてものはなく、したがって、津軽人の私も少しも文化人ではなかったということを発見してせいせいしたのである。それ以後の私の作品は、少し変わったような気がする。私は「津軽」という旅行記みたいな長篇《ちようへん》小説を発表した。》

「津軽」は、戦中の昭和十九年五月十二日、東京を発《た》ち、六月初旬までかかって津軽半島を一周したときの紀行である。「十五年間」には、つづいて、こんな言葉が見える。津軽に疎開したまま、東京のジャーナリズムの風潮を傍観しての感懐である。

《またもや、八つ当りしてヤケ酒を飲みたくなって来たのである。日本の文化がさらにまた一つ堕落しそうな気配を見たのだ。このごろのいわゆる「文化人」の叫ぶ何々主義、すべて私には、れいのサロン思想のにおいがしてならない。何食わぬ顔をして、これに便乗すれば、私もあるいは「成功者」になれるのかも知れないが、田舎者《いなかもの》の私にはてれくさくて、だめである。私は、自分の感覚をいつわることができない。それらの主義が発明された当初の真実を失い、まるで、この世界の新現実と遊離して空転しているようにしか思われないのである。

新現実。まったく新しい現実。ああ、これをもっともっと高く強く言いたい！　そこから逃げ出してはだめである。ごまかしてはいけない。……私たちのいま最も気がかりなこと、最もうしろめたいもの、それをいまの日本の「新文化」は、素通りして走りそうな気がしてならない。私は、やはり、「文化」というものを全然知らない、頭の悪い津軽の百姓でしかないのかも知れない。雪靴《ゆきぐつ》をはいて、雪路を歩いている私の姿は、まさに田舎者そのものである。しかし、私はこれからこそ、この田舎者の要領の悪さ、拙劣さ、のみ込みの鈍さ、単純な疑問でもって、押し通してみたいと思っている。いまの私が、自身にたよるところがありとすれば、ただその「津軽の百姓」の一点である。十五年間、私は故郷から離れていたが、故郷も変わらないし、また、私も一向に都会人らしく垢抜《あかぬ》けていないし、いや、いよいよ田舎臭く野暮ったくなるばかりである。「サロン思想」は、いよいよ私と遠くなる。》

あえて長い引用になったのは、ほかでもない。ここに、太宰自身によって、彼の文学の本質ともいうべきものが、かなりはっきり示されているように思うからである。彼のまばゆいばかりの才華と、その作品の一見派手な衣裳《いしょう》に目を奪われて、作品の底にひそむ「野暮ったい誠実さ」「田舎者の愚直さ」を見落としたら、太宰の文学を理解するわけにはいかないだろう。太宰治は、津軽の大地主の家の男七人、女四人の末から二番目として生まれたが、長兄と次兄が夭折《ようせつ》し、弟も高校在学中に亡《な》くなったので、生き残った八人きょうだいの末っ子として育った。このことが彼の生涯《しょうがい》と文学に、どんなに深い影響をもたらしたか、はかり知れないものがある。このことは、自身の少年期を描いた処女作「思い出」によって、たしかめることができる。いかに自伝的な作品であろうと、小説をそのまま事実の記録とみることのまちがいであることはいうまでもない。だが、「思い出」に語られている少年期の資質――早熟で感受性が鋭く、いつも嘘《うそ》をつき、嘘をつかないと必ずよくない結果が起ると思っている少年、どんな些細《ささい》なさげすみを受けても死なんかなと悶《もだ》え、異常なおののきを覚える少年――はまぎれもない太宰治の原型とみることができる。「作家は処女作に向かって成長する」とは、彼の後年の言葉である。短い生涯の最後に書いた代表作ともいうべき「人間失格」で、「思い出」の少年期の資質が誇張され、歪《ゆが》められて描き出されている。こういう資質を育てたのは、貧しい農民やその子弟たちの好奇な目にさらされている、大地主の子、貴族院議員の子としての誇りと羞《は》じらいであった。注がれているまわりの目に対して、たえず自分を意識し、その反応を用意しないわけにはいかなかったのである。

青森中学へ進んだ太宰治は、学業の成績もよかったが、入学早々、頭角を現わしたのは作文であった。教師は太宰の作文を朗読して、最大級のほめ言葉を与えた。「花子サン」と題する、原稿紙三十枚あまりのユーモア小説で、同級生どもを涙の出るほど笑いこけさせた話が伝えられている。道化師の役を買って出て、つとめてまわりの者を喜ばせ、楽しませようとのはからいは、太宰の身についたものとみられるが、それがすでに、こんな作文にも示されているわけである。

「思い出」には、仲間を語らって、同人雑誌を出した話が出てくるが、中学三年のころから、小説を書きはじめている。が、それらの習作には、太宰独自のものはみられない。このことは、弘前《ひろさき》高等学校時代に書いた、いくつかの小説についても同じであって、芥川龍之介の模倣《もほう》だったり、泉鏡花をまねたり、当時流行のプロレタリア文学まがいのものだったり、まだ自分自身を発見するまでには至らなかったことがわかる。

「思い出」を書きはじめたのは、昭和七年、二十三歳の八月であるが、この一作によって、突如として、太宰治の個性が開花したといっていいだろう。まさしく太宰の処女作であった。その「思い出」を書くに至るまでの彼の青春はどうであったか。

Ⅱ

青森中学時代、太宰治は親戚筋《しんせきすじ》の大きな呉服商、豊田太左衛門方から通学した。そのころの彼はまじめな勉強家だったが、対人関係では、ひどく気をくばって、クラスの仲間に対しても、相手を喜ばせ楽しますよう心がけるようなところがあった。そんなとき、自分の感情や本心は、つとめて人前からおおいかくし、わざと冗談を言い、道化てみせた。前記のユーモア小説「花子サン」は、その意味で、彼の人間的側面に通ずるものとみることができる。また、このことは、のちに彼の文学の本質を形成する要素になるものである。

昭和二年四月、太宰治は青森中学の四年を修了して、弘前高等学校の文科へ進んだ。そして、遠縁に当たる市内の酒づくりの旧家、藤田豊三郎方から通学することになった。藤田家の近くに義太夫《ぎだゆう》の女師匠が住んでいたが、太宰は入門して、「野崎村」や「紙治《かみじ》」の稽古《けいこ》をした。おしゃれな彼は、角帯に雪駄《せった》というでたちで得意然としていたこともある。彼の部屋の書架には、近松門左衛門や泉鏡花、谷崎潤一郎や横光利一などが並んでいた。そのころには、芸者あそびも覚え、土曜日には、青森まで出かけて、亡父源右衛門や当時若手の県会議員だった長兄文治のひいきにしていた料亭で、しばしば遊興した。そのくせ、やがて、彼が中心になって発行した同人雑誌「細胞文芸」に、「無間奈落《むげんならく》」と題する小説を発表したりもした。これは彼の生家をモデルにして、大地主で貴族院議員である父の淫蕩《いんとう》と偽善の生活を描いた暴露小説であるが、当時の文壇の流行の反映とみられるものであった。生家や亡父をモデルにして、左翼ふうの暴露小説を書いたのも、当時高等学校の生徒にまで侵入してきた左翼思想への負い目からであって、彼自身が左翼運動へ赴《おもむ》いたのではない。昭和四年二月、弘前高校に校長排斥の同盟休校がおこった。校長が公金を遊興に費消したことがわかったからであった。すでに小さな遊興児であった太宰は、ほかの生徒たちのように、校長の責任を追及して退職を要求する運動へ参加する気にはなれなかった。弘前高校の同盟休校事件の前後に、共産党の一斉《いっせい》検挙、いわゆる三・一五事件と四・一六事件がおこった。これが当時の知識階級に、どんな深刻な反応をもたらしたか、いまとなっては、想像も及ばないことかもしれない。まして、東北のはての高等学校生徒の一部を、どんな異常な興奮にまきこんだかは、見当もつかないことにちがいない。わけても、当時のプロレタリア文学運動は、野火のごとく燃えひろがり、文学に志をいだく青年たちで、身の火照《ほて》る思いなしにすんだ者は、はなはだ稀《まれ》であった。早くから小説家たらんと決意していた太宰治として、こうした雰囲気《ふんいき》に無関心でおれようはずはなかった。「細胞文芸」に左翼の暴露小説ふうのものを発表したことは前記のとおりだが、ほかにも、プロレタリア小説の試作めいたものを書いている。だが、彼の生まれと育ち、その繊細で巧緻《こうち》な美意識と、傷つきやすい気質からいっても、そんな運動に突き進めるはずはなかった。

この年の十二月十日、弘前高校三年生の太宰治はカルモチンを多量に服用して自殺をはかった。「地主一代」を執筆中であった。知らせによって、次兄の英治が駆けつけたとき、彼は昏睡から醒《さ》めて、その顔は意外に明るかった。英治から自殺の理由を聞かれても、微笑するだけで、一言も答えなかった。

自殺の動機については、いろんな人たちが、いろんな詮議《せんぎ》だてを試みている。ある者は、革命の恐怖や思想的苦悩を言い、別の人は、学年末の落第の恐怖を挙《あ》げるというふうに。太宰自身も、のちに「苦悩の年鑑」のなかで、それとおぼしいことにふれている。

《プロレタリヤ独裁。それには、たしかに、新しい感覚があった。協調ではないのである。独裁である。相手を例外なくたたきつけるのである。金持は皆わるい。貴族は皆わるい。金のない一賤民《せんみん》だけが正しい。私は武装蜂起《ほうき》に賛成した。ギロチンのない革命は意味がない。しかし、私は賤民でなかった。ギロチンにかかる役のほうであった。……いよいよこれは死ぬよりほかはないと思った。》

こんな場合の事情については、本人の書いたものであろうと、どこまであてになるものやら、わかったものではない。太宰自身、しかとはわかっていなかったのではないだろうか。二年前に自殺した芥川龍之介がそうであったように。芥川は、「ぼんやりした不安」という言葉を残しているが、太宰にしても、おそらくは「ぼんやりした不安」、もしくは、「ぼんやりした不満」とでもいうほかないものだったかもしれない。それとも、あれやこれやで、生きていくのが面倒くさくなったというようなものかもしれない。いずれにせよ、芥川龍之介の死が、華《はな》やかなあこがれとして、思いうかべられていたにはちがいない。あまり深刻に考えるのは、真相をはずれるのではないかという気がする。

Ⅲ

昭和五年四月、弘前高等学校を卒業した太宰治は東京帝国大学仏文科に入学した。その年の仏文科には、入学試験はあったが、志望者が少なかったので、ろくにフランス語の読めない彼の入学が許可されたのである。彼は美術学校の生徒で彫刻を学んでいた三兄圭治《けいじ》の住んでいた近くの戸塚町の常盤館《ときわかん》に下宿した。

東大入学のころから、太宰は非合法の左翼運動に関係した。そのいきさつについては、彼は最後まで何も書き残していないし、人に語ろうともしなかった。一夜明ければ、あの男がと思うようなのが急進派のコミュニストになっているような場合が、当時の大学生については、しばしばみられたのであるが、そんな時代の背景と雰囲気を膚《はだ》で知る者でなくては、太宰の行動は不可解というほかないだろう。大地主の家に生まれたあれこれの社会的特権に対する負い目もあったにちがいない。弱い者、貧しい者への共感もあったかもしれない。マルクス主義についての文献もある程度読んでいたので、理論の正しさへの信頼もあったことと思われる。革命へのあこがれ、正義派的感傷への陶酔もなくはなかったろう。それらのすべてがまじり合っていたかもわからない。だが、太宰治の人生と文学にとって重要なのは、左翼運動へ参加したことではなくて、そこから脱落したこと、太宰自身の言葉によれば、それを裏切ったことであった。その裏切りがどんなものだったかはよくわからない。のちに書いた「虚構の春」のなかに、次のような一節がある。

≪月のない夜、私ひとりだけ逃げた。残された仲間は、すべて、いのちを失った。私は、大地主の子である。転向者の苦悩？　なにを言うのだ。あれほどたくみに裏切って、いまさら、ゆるされると思っているのか。裏切り者なら、裏切り者らしく振舞うがいい。私は唯物史観を信じている。唯物論的弁証法によらざれば、どのような些々《ささ》たる現象をも把握《はあく》できない。十年来の信条であった。肉体化さえ、されている。十年後もまた、変わることなし。けれども私は、労働者と農民とが私たちに向けて示す憎悪と反撥《はんぱつ》とを、いささかも和らげてもらいたくないのである。……私は彼らの単純なる勇気を二なく愛しているがゆえに、二なく尊敬しているがゆえに、私は私の信じている世界観について一言半句も言い得ない。私の腐った唇《くちびる》から、明日の黎明《れいめい》を言い出すことは、ゆるされない。裏切り者なら、裏切り者らしく振舞うがいい。『職人ふぜい。』と嚙《か》んで吐き出し、『水吞《みずの》み百姓。』と嗤《わら》いののしり、そうして、刺し殺される日を待っている。》

「虚構の春」はあくまでも小説であって、そこに書かれてあることを事実そのままの記録と考えるわけにはいかない。太宰のように、事実や体験の記録そのままを小説とは考えず、小説をあくまで虚構のものと考えた作家の場合はなおさらである。右に引用した部分についてみても、太宰が唯物史観の正しさを確信し、それが肉体化されていて、労働者や農民にこの上ない愛情と尊敬を抱《いだ》いていたかどうかは、いささか疑わしい。また、自分ひとりだけが逃げ、そのために残された仲間がすべていのちを失ったというような事実が実際にあったかどうかも不明である。おそらくは、かなりの誇張と修飾がまじっているものと思われる。ただ確かなのは、動機は何であれ、太宰が左翼運動から脱落したこと、それを自分から「裏切り」と感じ、その罪の意識にはげしく悩まされたということ、その一時期だけ悩まされたというのではなく、おそらく生涯にわたって、その罪悪意識に追われる思いを持ちつづけたと思われることである。

太宰の書いた別の文章がある。

《いったい私たちの年代の者は、過去二十年間、ひでえめにばかり遭《あ》って来た。それこそ怒濤《どとう》の葉っぱだった。めちゃ苦茶だった。はたちになるやならずのころに、すでに私たちのほとんど全部が、れいの階級闘争に参加し、ある者は投獄され、ある者は学校を追われ、ある者は自殺した。東京に出てみると、ネオンの森である。……絶望の乱舞である。遊ばなければ損だとばかりに眼つきをかえて酒をくらっている。つづいて満洲《まんしゅう》事変。五・一五だの、二・二六だの、何の面白くもないようなことばかり起こって、いよいよ支那《シナ》事変になり、私たちの年頃の者は皆戦争に行かなければならなくなった。事変はいつまでも愚図々々つづいて、蔣介石《しょうかいせき》を相手にするのしないのと騒ぎ、結局どうにも形がつかず、こんどは敵は米英ということになり、日本の老若男女すべてが死ぬ覚悟を極《き》めた。実に悪い時代であった。その期間に、愛情の問題だの、信仰だの、芸術だのと言って、自分の旗を守りとおすのは、実に至難の事業であった。》

前記「十五年間」の一部である。太宰が青春を生きたのは、こんな時代であった。彼の世代が、ほかのそれと決定的にちがっているのは、その青春の門出に当たって、早くも階級闘争の嵐《あらし》にまきこまれ、多かれ少なかれ、生涯消えることのない傷痕《きずあと》を負わされたことである。やや時代が下がって、青春の冒頭から、戦争に投げこまれた世代とも、はっきり区別される。だまされたのでもない、強《し》いられたのでもない、自ら進んで抽象的な思想への情熱に身を焦がし、屈服し敗北した。少なからぬ青年たちが、抽象的な思想におのれのいのちを賭《か》け、敗れ去ったのは、日本の歴史を通じて、この時たった一度だけ現われたといっていいかもしれない。自分を欺《あざむ》くことのできない人間にとって、この傷痕は深く、彼らはその青春の出発において、早くも自己を喪失したのである。太宰もまた、こういう青年のひとりであった。前記「虚構の春」の引用と、部分的に叙述のかさなる別の文章がある。

《ある月のない夜に、私ひとりが逃げたのである。とり残された五人の仲間は、すべて命を失った。私は大地主の子である。地主に例外はない。等しく君の仇敵《きゅうてき》である。裏切り者としての厳酷なる刑罰を待っていた。撃ち殺される日を待っていたのである。けれども私はあわて者。殺される日を待ちきれず、われから進んで命を断とうと企てた。衰亡のクラスにふさわしき破廉恥、頽廃《たいはい》の法をえらんだ。ひとりでも多くの者に審判させ、嘲笑させ、悪罵させたい心からであった。有夫の婦人と情死を図ったのである。私、二十二歳。女、十九歳。師走《しわす》、酷寒の夜半、女はコオトを着たまま、私もマントを脱がずに、入水した。女は、死んだ。》

このこと——二度目の自殺未遂があってから七年の後、三度目の自殺を企てたとき、往時を自嘲的に回想して、「狂言の神」に書かれている言葉である。左翼運動からの敗走が、どんな残酷な傷手《いたで》を与えたかは明瞭である。

前記の引用では、有夫の婦人との情死未遂が語られているが、昭和五年十一月二十九日、太宰治は内縁の夫のある銀座裏のバーの女給と、江の島袖《そで》ケ浦《がうら》の海で心中をはかった。相手は死亡、太宰は漁船に救われた。このため自殺幇助罪《ほうじょざい》に問われたが、起訴猶予となった。この事件を太宰は、「道化の華《はな》」「狂言の神」「虚構の春」の三つの作品でとりあげている。

心中まで企てた二人ではあったが、彼らは深い恋仲だったのではない。酒場の女給と客というだけの関係であって、それも、はじめて顔を合わせた程度ではなかったかとみられている。仲間を裏切った罪におびえていた太宰と、不幸な境遇に絶望していた彼女とが、死の甘美な誘いのままに、とっさに情死行をきめたのではないだろうか。

このとき、太宰にもまた、内縁の妻ともいうべき女性がいたのである。青森の芸者紅子《べにこ》がそれであって、本名を小山初代《おやまはつよ》といった。太宰より二つほど年下で、小柄で丸顔、色の白い、しっかり者といった感じの女であった。太宰が上京して、東大の仏文科に籍をおいて、左翼運動に熱中しているとき、抱《かか》え主《ぬし》から逃げた彼女は、太宰のところへ飛びこんできた。太宰と打合せの上であったことというまでもない。転々と住居を移しながらの同棲生活がはじまったが、彼女は着物はもとより、持ちもの全部を質屋へ運ばなければならなかった。そこへ長兄文治が上京してきて、芸者置屋と彼らとの間に立って斡旋《あっせん》するところがあり、将来夫婦にさせる約束で、初代は青森へ帰って行った。その間に、太宰は前記の情死行に赴《おもむ》いたのである。「東京八景」のなかで、太宰自身の書いているところによれば、そのいきさつはこうである。

《戸塚。――私ははじめ此処《ここ》にいたのだ。……私は昭和五年に弘前の高等学校を卒業し、東京帝大の仏蘭西《フランス》文科に入学した。……二学期からは学校へはほとんど出なかった。世人の最も恐怖しているあの日蔭《ひかげ》の仕事に、平気で手助けしていた。その仕事の一翼と自称する大袈裟《おおげさ》な身振りの文学には軽蔑《けいべつ》をもって接していた。私はその期間、純粋な政治家であった。その年の秋に、女が田舎《いなか》からやって来た。私が呼んだのである。Hである。私が高等学校へ入ったとしの初秋に知り合って、それから三年間遊んだ。無心の芸妓《げいぎ》である。私はこの女のために本所区東駒形に一室を借りてやった。大工さんの二階である。肉体的の関係はそのときまで一度もなかった。故郷から、長兄がその女のことでやって来た。七年前に父を失った兄弟は、戸塚の下宿の、あの薄暗い室で相会うた。兄は急激に変化している弟の兇悪《きょうあく》な態度に接して涙を流した。必ず夫婦にしていただく条件で私は兄に女を手渡すことにした。……手渡すその前夜、私は、はじめて女を抱いた。兄は、女を連れて、ひとまず田舎へ帰った。女は、始終ぼんやりしていた。ただいま無事につきました、という事務的な堅い口調の手紙が一通来たきりで、その後は、女から、何の便りもなかった。女は、ひどく安心してしまっているらしかった。私には、それが不平であった。こちらが、すべての肉親を仰天させ、母には地獄の苦しみを嘗《な》めさせてまで、戦っているのに、おまえ一人、無智《むち》な自信でぐったりしているのは、みっともないことである、と思った。毎日でも私に手紙をよこすべきである、と思った。……けれども女は、手紙を書きたがらないひとであった。私は、絶望した。朝早くから、夜おそくまで、れいの仕事の手助けに奔走した。……自分のその方面における能力の限度が、少しずつ見えて来た。私は、二重に絶望した。銀座裏のバアの女が、私を好いた。好かれる時期が、誰にだって一度ある。不潔な時期だ。私は、この女を誘って一緒に鎌倉の海へはいった。破れた時は、死ぬ時だと思っていたのである。れいの反神的な仕事にも破れかけた。肉体的にさえ、とても不可能なほどの仕事を、私は卑怯と言われたくないばかりに、引き受けてしまっていたのである。Hは、自分ひとりの幸福のことしか考えていない。おまえだけが、女じゃないんだ。おまえは私の苦しみを知ってくれなかったから、こういう酬《むく》いを受けるのだ。ざまを見ろ。私には、すべての肉親と離れてしまったことが一ばん、つらかった。Hとのことで、母にも、兄にも、叔母《おば》にも呆《あき》れられてしまったという自覚が、私の投身の最も直接な一因であった。女は死んで、私は生きた。死んだひとのことについては、以前に何度も書いた。私の生涯の、黒点である。……兄たちは、死にぞこないの弟に優しくしてくれた。》

太宰の江の島情死事件を初代は青森の生家で風呂《ふろ》にはいっているとき聞いた。父親が知らせてくれたのである。どうぞ助かるようにと、二人は神棚《かみだな》に灯明をあげて、一生懸命におがんだ。まもなく、ほかの女と一緒に投身したことがわかって、初代は、糞《くそ》くらえ、と思ったそうである。

だが、情死事件のあった三カ月後の昭和六年二月、長兄は初代を芸者から解放し、太宰のもとへ送ってよこした。太宰は彼女と正式に結婚し、五反田《ごたんだ》に三十円の家を借りて住んだ。そして、今後、生家や長兄に迷惑の及ばぬよう、太宰は分家して、津島家との関係を断つことになった。だが、大学在学中ではあり、生活能力もなかったので、長兄はこれまでどおりの仕送りをつづけることを約束した。

「家」の問題は、太宰治の文学の主題の一つである。それは、封建的な家に反逆して、新しい生きかたの道徳を求めるといったような単純なものではない。母も兄も叔母も、気だてがやさしく、中学時代成績のよかった太宰を愛していた。太宰もまた、肉親たちに深い愛情を抱《いだ》いている。そのくせ、「家」は重苦しく太宰の上にのしかかってくる。たがいに愛しているからこそ息苦しいのである。後に書かれた、あれこれの作品で、形を変えて、太宰は「家」の問題ととりくむことになるのであるが、そこには彼自身の、のたうちまわるほどの苦しい体験があってのことである。

はじめ五反田に、つづいて神田《かんだ》、柏木《かしわぎ》と、太宰は初代とともに転々居を移しながら、左翼運動との関係をつづけていたが、すでにそれへの情熱は失っていた。といって、大学へは顔も見せなかった。文学への熱意もなくしていた。この時期を太宰は「破廉恥な、低能な時期」とみずから呼んでいる。

そんな無気力な生活をつづけていた昭和七年の初夏のことであった。ふとしたことから太宰は、初代の過去のあやまちを知ったのである。太宰は初代を処女とばかり信じていた。無垢《むく》なままで、自分が彼女を苦界から救い出したのだと思いこんでいただけに、彼は自分の甘さがやりきれなかった。だが、初代に対する、ひたすらな愛情から、別れるわけにはいかなかった。堪えがたい感情をもてあました彼は、絶望感に追い立てられる思いで、青森警察特高課に、左翼運動に関係ある旨を自首して出た。そのころ、青森県では共産党の秘密組織が発覚して、太宰にも取調べの必要から出頭命令が出ていたからである。

左翼運動と、妻初代の過去のあやまちとの間には、なんのつながりもない。だが、何かのきっかけで、はげしい感情にゆすぶられると、たちまち彼は虚無的な行動に突っ走るくせがあった。彼はすでに左翼運動のきびしさに疲れていた。彼には左翼運動を闘《たたか》いぬくだけの階級的地盤も、政治的野心もなかった。一方、左翼陣営は、きびしい弾圧にさらされていた。警察への自首は、脱落の、太宰独自の手段にすぎなかったと見るむきもある。だが、太宰にとっては、警察への自首もこれまでの自殺や情死と動機において変わるところはなかったにちがいない。ともかく、左翼の非合法運動と絶縁して、その絶望と虚無との中から、太宰の処女作「思い出」は生まれた。この時期のことは、太宰が後に書いた「東京八景」によってたどることができる。

《生きて行く張合いが全然、一つもなかった。ばかな、滅亡の民の一人として、死んで行こうと、覚悟をきめていた。時潮が私に振り当てた役割を、忠実に演じてやろうと思った。必ず人に負けてやる、という悲しい卑屈な役割を。……小さい遺書のつもりで、こんな穢《きたな》い子供もいましたという幼年および少年時代の私の告白を、書き綴《つづ》ったのであるが、その遺書が、逆に猛烈に気がかりになって、私の虚無に幽《かす》かな燭灯《ともし》がともった。死にきれなかった。その「思い出」一篇だけでは、なんとしても、不満になって来たのである。どうせ、ここまで書いたのだ。

全部を、書いておきたい。……まず、鎌倉の事件を書いて、だめ。どこかに手落ちがある。さらにまた、一作書いて、やはり不満である。溜息《ためいき》ついて、また次の一作にとりかかる。……死ぬるばかりの猛省と自嘲と恐怖の中で、死にもせず私は、身勝手な、遺書と称する一聯《れん》の作品に凝《こ》っていた。》

大藤熊太のペン・ネームで「学生群」という小説を書いて以来、「思い出」を書くまで、ほぼ二年近くの間、太宰は創作と縁を絶っていた。作家たらんとする野望も、失われてしまっていた。その二年の空白の後に書かれた「思い出」は、前記のように、「遺書」として書かれたものであった。それまで生きて来た自分の真実を書き残しておこうとしたものであった。そこには、あえて小説を書こうという意識さえなかったかもしれない。そんな「思い出」によって、太宰治は、自分の文学の鉱脈をさぐりあてることができたのであった。

「思い出」によって、「虚無に幽かな燭灯がとも」された太宰は、つづいて「列車」という短篇を書き、「東奥《とうおう》日報」の日曜付録に発表したが、このとき彼は太宰治のペン・ネームをはじめて使った。昭和八年二月、二十四歳であった。つづいて書かれたのが「魚服記」、この十八枚の短篇は古谷綱武《つなたけ》、今官一、木山捷平《きやましょうへい》らのはじめた同人雑誌「海豹《かいひょう》」創刊号に発表され、その独自出色の作風は、文壇の一部に反響を呼んだ。かくて、四、六、七月号に「思い出」を発表するに及んで、新進作家太宰治の名は、識者の注目を集めることになった。だが、太宰の生活には、これという変りはなかった。「東京八景」にはこうある。

《私は身のまわりの整理をはじめた。人から借りていた書籍はそれぞれ返却し、手紙やノオトも、屑屋《くずや》に売った。「晩年」の袋の中には、別に書状を二通こっそり入れておいた。準備ができた様子である。私は毎夜、安い酒を飲みに出かけた。Hと顔を合わせているのが、恐ろしかったのである。そのころ、ある学友から、同人雑誌を出さぬかという相談を受けた。私は、半ばは、いい加減であった。「青い花」という名前だったら、やってもいいと答えた。冗談から駒が出た。諸方から同志が名乗って出たのである。その中の二人と、私は急激に親しくなった。私はいわば青春の最後の情熱を、そこで燃やした。死ぬる前夜の乱舞である。ともに酔って、低能の学生たちを殴打《おうだ》した。穢《けが》れた女たちを肉親のように愛した。Hの箪笥《たんす》は、Hの知らぬ間に、からっぽになっていた。純文芸冊子「青い花」は、そのとしの十二月にできた。たった一冊出て仲間は四散した。目的のない異様な熱狂に呆《あき》れたのである。あとには、私たち三人だけが残った。三馬鹿《さんばか》と言われた。けれどもこの三人は生涯の友人であった。私には、二人に教えられたものが多くある。》

「『晩年』の袋」というのは、「身勝手な、遺書と称する一連の作品」を書きあげると、三つ、四つと大きな紙袋に貯蔵し、その袋に、毛筆で「晩年」と書いた、それをいうのである。「晩年」と題する、遺書のつもりの作品集を意味していた。Hは妻の初代、二人の友人というのは、山岸外史と檀一雄。「青い花」に、太宰は短篇「ロマネスク」を発表した。「青い花」の出た十二月というのは、昭和九年であった。

「東京八景」は前記引用がこうつづけられている。

《あくる年、三月、そろそろまた卒業の季節である。私は、某新聞社の入社試験を受けたりしていた。同居の知人にも、またHにも、私は近づく卒業にいそいそしているように見せかけたかった。……どうせ露見することなのに、一日でも一刻でも永く平和を持続させたくて、人を驚愕《きょうがく》させるのがなんとしても恐ろしくて、私は懸命にその場かぎりの嘘《うそ》をつくのである。私は、いつでも、そうであった。そうして、せっぱつまって、死ぬことを考える。……もちろん新聞社などへ、はいるつもりもなかったし、また試験にパスするはずもなかった。完璧《かんぺき》の瞞《まん》着《ちゃく》の陣地も、今は破れかけた。死ぬ時が来た、と思った。私は、三月中旬、ひとりで鎌倉へ行った。昭和十年である。私は鎌倉の山で縊死《いし》を企てた。

やはり鎌倉の、海に飛び込んで騒ぎを起こしてから、五年目のことである。私は泳げるので、海で死ぬのは、むずかしかった。私は、かねて確実と聞いていた縊死を選んだ。けれども私は、再び、ぶざまな失敗をした。息を、ふき返したのである。私の首は、人並はずれて太いのかも知れない。首筋が赤くただれたままの姿で、私は、ぼんやり天沼《あまぬま》の家に帰った。》

鎌倉八幡宮近くの山中でくわだてた縊死は失敗して、三月十七日の深夜、太宰は天沼の家へ帰った。ここには、井伏鱒二、伊馬鵜平《いまうへい》、檀一雄、中村地平などの親しい人たちがつめかけて太宰の身を案じていた。青森からは長兄の文治が駈《か》けつけていた。こうして、いのちが救われたのであったが、思いもかけなかった運命が太宰を待っていた。それから十数日後、急性盲腸炎をおこして阿佐ケ谷《あさがや》の病院に入院したが、医者に見せるのがおくれた上に湯たんぽで温めたのが悪く、腹膜炎を併発し、手術は困難をきわめ、一時は重態に陥った。一命はとりとめたが、手術後二日目に咽喉《のど》から血のかたまりが出た。前々から病んでいた胸部疾患がおもてに出たのであった。それ以上によくなかったことは、入院中、患部の苦痛を鎮《しず》めるためにパビナールを使用しはじめたことである。太宰は世田谷経堂《せたがやきょうどう》の病院に移り、さらに医者のすすめで千葉県船橋に転地したが、パビナール中毒は日一日と太宰の身心をむしばんで行った。さまざまの苦悩が、この麻痺剤《まひざい》の量をふやしていく。パビナールなしには、夜も眠れぬようになった。船橋に移ってからは、町の医院に行って薬品を強要し、のちには医者にむりやりに証明書を書かせて町の薬屋から直接に薬品を購入するようになった。

郷里からの仕送り以外には、ほとんど収入のなかった太宰は、たちまち金に窮した。「逆行」が「文芸」に、「玩具」「雀こ」が「作品」に、「猿ケ島」が「文學界」に、というふうに、いくらか原稿が売れるようになったが、そんな程度では追いつかなかった。借銭——地方の名門に人となった太宰にとって、借銭は堪えがたい不徳であったが、ほかに方法はなかった。友人たちから次々と奪い去るように金を借りた。諛《こ》び、へつらい、嘘《うそ》をつき、卑屈な笑いを浮かべ、哀願し、愁訴し、強請した。その慚愧《ざんき》、焦燥《しょうそう》は、さらにパビナールの量をふやして行った。底なしの地獄であった。

その間に、「逆行」が第一回の芥川賞候補になった。太宰はこれに大きな期待をかけていた。これより前、山岸外史の斡旋《あっせん》で、芥川賞委員の佐藤春夫に「道化の華」を読んでもらい、「はなはだおもしろく存じ候。無論及第点をつけ申し候。……ほのかにあわれなる真実の蛍光《けいこう》を発するを喜びます」という推賞のことばを受けとっていたからである。だが、候補作が「道化の華」でなく、「逆行」だったことが不運であったのかもしれない。銓衡《せんこう》の結果は、石川達三の「蒼氓《そうぼう》」が入選、太宰は高見順、外村繁《とのむらしげる》、衣巻省三《きぬまきしょうぞう》とともに次席となった。太宰の受けた衝撃は山岸外史あてのはがきが語っている。「屈辱、無念やるかたなく転てんした。私は侮辱を受けた。しかもかつてないほどの侮辱を」爾来《じらい》、芥川賞は太宰の執念となったかのようである。「文藝春秋」は次席の四人に作品を依頼した。太宰は「ダス・ゲマイネ」をその十月号に発表した。これは、紙袋の中の「遺書」、つまり「晩年」の諸作品の中の最初の作品であった。

この年の暮れ、太宰は甥《おい》の津島逸朗《いつろう》を伴って湯河原《ゆがわら》、箱根を漂泊した。井伏鱒二あてに次のように報告している。

《井伏さん、ゆうべ、かえりました。追いたてられるようにして歩きまわりました。湯本で風邪をひいてしまいました。旅に病んで夢は枯野をかけめぐる、旅に病んで夢は枯野をかけめぐる、旅に病んで夢は枯野をかけめぐる、ただ、この言葉ばかり口ずさんでいました。心も、からだも、めちゃくちゃです。けさ、ひどく悪いユメを見て、床の中で泣いて、家人に笑われました。》

年が変わって十一年二月、佐藤春夫あてに、こんな手紙を書いた。

《一言のいつわりもすこしの誇張も申しあげません。物質の苦しみがかさなりかさなり死ぬことばかりを考えて居ります。佐藤さん一人がたのみでございます。私は恩を知って居ります。私はすぐれたる作品を書きました。これからもっともっとすぐれたる小説を書くことができます。私はもう十年くらい生きていたくてなりません。私はよい人間です。しっかりして居りますが、いままで運がわるくて、死ぬ一歩手前まで来てしまいました。芥川賞をもらえば私は人の情に泣くでしょう。そうして、どんな苦しみとも戦って生きて行けます。元気が出ます。お笑いにならずに私を助けて下さい。佐藤さんは私を助けることができます。私をきらわないで下さい。私は必ずお報いすることができます。お伺いしたほうがよいでしょうか。何日何時に来いとおっしゃれば、大雪でも大雨でも飛んでまいります。みもよもなくふるえながらお祈り申して居ります。

家のない雀　治拝》

佐藤春夫から折り返し連絡があったと見え、太宰は次のようなはがきの返事を出している。
《それでは八日の三時に。お叱《しか》りにならないで。御心配をおかけして、穴あれば、はいりたき心地《ここち》でございます。》

心をおどらせて飛びつけた太宰にむかって、佐藤春夫の持ち出したのは待望の芥川賞についての話ではなく、パビナール中毒治療のため、芝の済生会病院へ入院せよとの忠告であった。佐藤春夫は太宰の前記の手紙を読み、精神の異状疑いなしと判断し、治療の必要を感じたからである。だが、入院中もぬけ出して酒を飲み、医者のゆるしもえないで退院してしまった。

「生きることにも心せき、感ずることも急がるる」(クライスト)——これは太宰が愛してやまぬ言葉であった。あれほどまでに、生きることに心せかず、感じることに急がなかったならば、彼の文学と人生は変わっていたかもしれない。だが、「晩年」から「人間失格」にいたる彼の文学は、われわれの前にありえなかったにちがいない。

この年の六月、第一創作集『晩年』が刊行され、その出版記念会が上野の精養軒《せいようけん》で行なわれた。これが契機となったのか、八月のはじめ、ひとりで群馬県の谷川温泉に出かけ、パビナール中毒と肺病の治療につとめた。そこの旅館から、親戚《しんせき》で美術学校の学生だった小館《こだて》善四郎に、こんなたよりを書いている。

《七日からこちらへ来ています。丈夫になろうと存じ、苦しく、それでも人類最高の苦しみ、くぐり抜けて、肺病もとにかくおさえて、それから下山するつもりです。一日一円なにがし、半ば自炊、まずしく不自由、蚤《のみ》がもっとも苦しく存じます。中毒も一日一日苦痛うすらぎ、山

の険《けわ》しい霊気に打たれて、蜻蛉《とんぼ》すらかげうすく、はらはら幽霊みたいに飛んでいます。》

しかし、その地で、心をはずまして期待していた芥川賞にまたもはずれたことを知って、彼は逆上した。自負心を傷つけられもしたが、別の現実的な理由から惑乱し狼狽《ろうばい》した。太宰は五百円の賞金をあてにしていたのである。これをあてにして引き出した借金もすくなくなかった。

堅実な生活人、着実な生活設計は、太宰治からは縁遠いものであった。のちに第二の結婚生活に入ってからは、生活の建設を心がけ、小市民の幸福にあこがれもしたが、しかも、たえずそれに反撥《はんぱつ》する自分との秘《ひそ》かな暗闘を経験せずにはいられなかった。それにもう一つ、太宰が生来持っていた妄想癖《もうそうへき》を考えないわけにはいかない。妄想と現実がまじり合い、一つに融《と》け合ってしまうような性向——これは生活人としての太宰にとっては悲劇であった。だが、作家太宰治にとっては、いくつかの名作を生む貴重な資質であった。

八月下旬、太宰は谷川温泉を去って船橋の家へ帰った。太宰の身の上を案じていた井伏鱒二や北芳四郎らの強いすすめで、板橋の武蔵野《むさしの》病院という精神病院へ入院させられた。北芳四郎は津島家から恩顧を受けていた人で、太宰の身の上を世話したり、監督するような立場にいた人であった。しかし、中毒をなおすためとはいえ、精神病院への入院が、太宰にとって、どれほどの衝撃であったかは想像に難《かた》くない。廃人《はいじん》——そんな言葉が太宰の脳裏をかすめたにちがいない。その入院中のことを書いた小説が、退院した晩から書きはじめられた「HUMAN LOST」であるが、自分は人間として扱われず、人間を失格したのだという思いが太宰の胸を嚙《か》んだのである。この思いは終生太宰につきまとい、さいなんだ。死の直前に書かれた「人間失格」の最後の部分が、主人公の脳病院入りになっていること、それがさながら太宰の文学の総決算のような形になっていることによっても、二十七歳の秋のこの出来事が太宰の人生にいかに大きな影を投じたかがわかろうというものである。

一カ月間の入院生活によって、パビナール中毒は根治された。しかし、太宰はもう人生への希望も、生活への気力も失ってしまった。そういう太宰にとって、決定的な打撃を与える事件がおこった。妻の初代が、太宰が武蔵野病院に入院中、前記の小館善四郎とあやまちを犯したのであった。二人からそれを告白されて、太宰はうちのめされた。「東京八景」には、こんな叙述が見えている。

《私は、苦しい中でも、Hを不憫《ふびん》に思った。Hは、もう、死ぬるつもりでいるらしかった。どうにも、やり切れなくなった時に、私も死ぬことを考える。二人で一緒に死のう。神さまだって、ゆるしてくれる。私たちは、仲の良い兄妹のように、旅に出た。水上《みなかみ》温泉。その夜、二人は山で自殺を行なった。Hを死なせては、ならぬと思った。私は、そのことに努力した。Hは、生きた。私も見事に失敗した。薬品を用いたのである。》

水上から帰った太宰は初代と離婚した。初代は青森の母親のもとへ帰って行った。

太宰に、思いがけない転機が来た。生きようとする意欲が、文学への情熱が胸の中で燃えあがるのを覚えた。「東京八景」にはこうある。

《私は、その三十歳の初夏、はじめて本気に、文筆生活を志願した。思えば、晩《おそ》い志願であった。私は下宿の、何一つ道具らしい物のない四畳半の部屋で、懸命に書いた。下宿の夕飯がお櫃《ひつ》に残れば、それでこっそり握りめしを作っておいて深夜の仕事の空腹に備えた。こんどは、遺書として書くのではなかった。生きて行くために、書いたのだ。……やがて、「姥捨《うばすて》」という作品ができた。Hと水上温泉へ死にに行った時のことを、正直に書いた。》

Ⅳ

昭和十三年九月十三日、太宰は井伏鱒二が滞在中の山梨県《やまなしけん》の御坂峠《みさかとうげ》の天下茶屋へ出かけて行った。北芳四郎と、同じく津島家に出入りしていた中畑慶吉に頼まれて、太宰の結婚の相手をさがしていた井伏鱒二のところへ甲府の石原《いしはら》美知子のはなしが持ちこまれていた。十九日に、太宰は井伏鱒二とともに山をおりて、甲府の石原家で美知子と見合いをした。太宰は、その場で結婚を決意した。

石原美知子は、太宰より三つ年下の二十六歳、理学士石原初太郎の四女で、東京女高師を卒業後、山梨県の都留《つる》高等女学校で教鞭《きょうべん》をとっていた。十一月六日、井伏鱒二に立ち合ってもらい、酒入れの式をあげるについて、太宰は井伏鱒二にあてて、次のような誓約書を入れた。

《このたび石原氏と婚約するに当たり、一札申し上げます。私は私自身を家庭的の男と思っています。よい意味でも、悪い意味でも、私は放浪に堪えられません。誇っているのではございませぬ。ただ私の迂愚《うぐ》な、交際下手な性格が、宿命として、それを決定しているように思います。小山初代との破婚は、私としても平気で行なったことではございませぬ。私は、あのときの苦しみ以来、多少、人生というものを知りました。結婚というものの本義を知りました。結婚は、家庭は、努力であると思います。厳粛な努力であると信じます。浮いた気持はございません。貧しくとも一生大事に努めます。ふたたび私が破婚を繰りかえしたときには、私を完全な狂人として棄《す》てて下さい。以上は平凡な言葉でございますが、私が、こののち、どんな人の前でもはっきり言えることでございますし、また、神様の前でも、少しの含羞もなしに誓言できます。なにとぞ御信頼下さい。》

同月十六日、太宰は甲府市西竪町《にしたつまち》の寿館に下宿した。年を越した一月八日、杉並区清水町《しみずちょう》の井伏家で、簡素な結婚式が行なわれた。甲府市内に三間の家を借りて、彼らは結婚生活にはいった。次はその新居から結婚式の二日のちに井伏鱒二あての手紙の一部である。

《……仕事します。遊びませぬ。うんと永生きして、世の人たちからも、立派な男と言われるよう、忍んで忍んで努力いたします。決して巧言ではございませぬ。もう十年、くるしさ、制御し、少しでも明るい世の中つくることに努力するつもりでございます。このごろ何か、芸術について動かせぬ信仰持ちはじめて来ました。たいてい大丈夫と思います。自愛いたします。このたびのことはお礼とても言えませぬ。今後をじっと見ていて下さい。それよりほかはございませぬ。》

御坂峠にのぼり、石原美知子と見合いする前後のことを書いた小説が、太宰の代表作のひとつ「富嶽《ふがく》百景」であった。二年ほど前に書かれた「二十世紀旗手」とこの「富嶽百景」とをくらべれば、構成や文体に大きなちがいのあることは一読瞭然《りょうぜん》である。すべて平明で、自然で、おちついて来ている。太宰の人生が転機を迎えて、惑乱と絶望が安定と希望に変わるにつれて、彼の文学も変貌《へんぼう》したのである。「富嶽百景」はその変貌の見事な定着ということができる。

十四年一月から八月いっぱい、太宰は甲府市御崎町《みさきちょう》の新居で新婚生活を楽しんだ。一生を通じて最も平静で安定した時期であった。「富嶽百景」をはじめ、「女生徒」「懶惰《らんだ》の歌留多《かるた》」「葉桜と魔笛」「花燭《かしょく》」「愛と美について」「八十八夜」「美少女」「畜犬談」と、次々と作品も生まれた。

九月一日、太宰は甲府から東京府下三鷹村下連雀《みたかむらしもれんじゃく》に移った。国電中央線の三鷹駅から徒歩十五分の新開地に建てられた六畳、四畳半、三畳の簡易住宅。当時は周囲に畠《はたけ》がひろがり、森が散見されて、きわめて辺鄙《へんぴ》なところであった。井の頭公園まで歩いて十分、この公園は太宰の散策地となった。

戦争末期に甲府に疎開し、敗戦直後に故郷の金木町に約一年間移り住んだほかは、この三鷹下連雀の家が太宰の終《つい》の栖《すみか》となった。東大入学のために上京した昭和五年から足かけ十年、戸塚、五反田、神田、柏木、日本橋、白金三光町、天沼、船橋、御坂、甲府と転々居を変え、住を移し、苦悩辛酸の彷徨《ほうこう》をつづけて来た太宰が、ついにここに安住の地をえたのである。平和な家庭、おちついた生活、規律正しい執筆――「おしゃれ童子」「皮膚と心」「偽《にせ》天使」「鷗《かもめ》」と次々と作品が書かれた。十四年の秋には、単行本「女生徒」が第四回北村透谷《とうこく》賞にえらばれ、中堅作家としてのたしかな地位がきずかれた。「女の決闘」「駈込《かけこ》み訴え」「走れメロス」の三つの名短篇は、この安定の中から生まれた。

「女の決闘」「駈込み訴え」「走れメロス」の三つの作品には、いずれもそのもととなった作品なり、なんなりがあったのであるが、古典の作り変えといった仕事を、この時期から戦争中にかけて、太宰は数多く手がけて来た。「聊斎志異《りょうさいしい》」から取材した「清貧譚」「竹青」、「吾妻《あづま》鏡《かがみ》」に独特な解釈を加えた「右大臣実朝《さねとも》」、井原西鶴の小説に素材を求めた「新釈諸国噺《ばなし》」、日本古来のお伽《とぎ》ばなしに発想をえた「お伽草紙」などがそれである。世の中は挙《あ》げて戦争への道を進み、どこを見まわしても感興を唆《そそ》るものとてなかった。太宰は古典の中にひそみ、そこに文学的情熱の吐け口を見出《みいだ》していた。しかし太宰には、安定してゆく自分の人生に対する反逆が、たえず動いていたように思われる。小市民の堅実さにあこがれに似たものを持ちながら、そこに小さく固まって行くことはこの天性の浪漫派には堪えられなかった。

昭和十六年二月、太宰は懸案の長篇小説「新ハムレット」の執筆にかかった。第二次世界大戦が苛烈《かれつ》の度を加え、世はあげてファシズムの嵐《あらし》にまきこまれていき、時局謳歌《おうか》の俗文学がしきりに書かれ、読まれていた時代に、太宰は自分の文芸の道をひとすじに歩んでいた。

戦争のはじまった翌年の十七年二月、太宰は甲府の湯村温泉へ出かけ、「正義と微笑」を書いた。同年十月号の「文芸」に発表した「花火」は全文削除を命じられた。戦争の真最中、不良少年の話などけしからんというのか、家庭の道徳の破壊はゆるせない、というのか、いずれにせよ、当局が望んでいた戦意昂揚《こうよう》には似もつかぬものであった。この年の秋ごろから、「右大臣実朝」の執筆がはじまった。政権の争いから超絶し、滅亡を直覚しながら和歌の道にいそしんだ実朝の孤高の心境に、戦争時代を生きる文学者としての共感を覚えたにちがいなく、それがこの作品をして、太宰文学中、特異な秀作たらしめたゆえんかと思われる。さらに広がっていく戦争のなかで、「新釈諸国噺」が、同じ十九年に、もう一つの長篇「津軽」が書かれた。「津軽」の取材旅行で、太宰の見つけたものは、「津軽のつたなさ」であり、「野暮ったい誠実さ」であったことについては、すでに書いた。このことは、「津軽」を生んだこととともに、彼にとって大きな収穫だったとみられる。

「正義と微笑」「右大臣実朝」「新釈諸国噺」「津軽」——これらの作品は、あの大きな戦争のさなかに書かれたとはとうてい思えぬほど、硝煙《しょうえん》のにおいを感じさせるものがない。だが、太宰も幾つかの小さな作品で、戦争への協力の姿勢をとっている。「十二月八日」「作家の手帳」「佳人」「散華」などがこれである。これらは大声をあげての戦争讃美ではない。市井《しせい》の片《かた》隅《すみ》からの、ささやかな声援であった。太宰自身の言葉によれば、「馬鹿《ばか》な親が血みどろになって喧嘩《けんか》をしているのを黙って傍観していられない息子《むすこ》の気持」からの声援であった。

十九年のはじめ、内閣情報局と文学報国会が、大東亜五大宣言の小説化ということを企画し、その一つの「民族親和」を小説の形で書いてほしい旨、太宰に依嘱《いしょく》して来た。長篇小説「惜別」はその結果として生まれたもの。中国の作家魯迅《ろじん》が明治の末に日本に留学し、仙台医専で医学の勉学をしていた当時の話である。この作品のあとがきで、太宰はこう書いている。

《この『惜別』は、内閣情報局と文学報国会との依嘱で書きすすめた小説には違いないけれども、しかし、両者からの話がなくても、私は、いつかは書いてみたいと思って、その材料を集め、その構想を久しく案じていた小説である。》

つづいての仕事が「お伽草紙」——これは二十年三月起筆、六月末完成した。三月末には妻と二人の子を甲府の妻の生家に疎開させ、三鷹の家で太宰は自炊生活をはじめた。四月二日未明、来訪中の田中英光、小山清とともに空襲に遭《あ》い、難は避けたが、家を損傷され、一時は吉《きち》祥寺《じょうじ》の亀井勝一郎方に身を寄せた後、留守を小山清に託して自分も甲府に疎開した。「お伽草紙」は、こんな状態のなかで、《もうこうなったら、最後までねばって小説を書いて行かなければウソだと思った。それはもう理屈ではなかった。百姓の糞意地《くそいじ》である。》という気持で書かれた。

「お伽草紙」を書きあげて間もなく、七月七日未明、甲府は空襲に遭い、石原家は全焼した。二十八日、太宰は妻子をつれて、東京経由で故郷の金木町へ向かった。東北線、陸羽線《りくうせん》、五能線《ごのうせん》と乗り継いで、金木町へたどりついたのは同月三十一日であった。それから半月後の八月十五日、戦争は終わった。

敗戦から翌二十一年十一月まで、太宰は金木町の生家に滞在した。その一年半に書かれたのは、長篇小説では「パンドラの匣《はこ》」、短篇小説では「親友交歓」「男女同権」「トカトントン」など十五篇。ほかに「冬の花火」「春の枯葉」の戯曲二つである。

もったいぶった理屈を言い、やたらに人を非国民あつかいにした指導者や啓蒙家《けいもうか》が、戦争が終わると、やれ民主主義、やれ文化国家、やれ戦争責任と、指導理論の氾濫《はんらん》であった。太宰の目には、日本文化がさらにまた一つ堕落しそうなけはいが見えた。すべて彼には、例のサロン思想のにおいがしてならなかった。

「パンドラの匣」のなかに、次のような言葉がある。

《先生の詩のように軽くて清潔な詩を、いま、僕たちがいちばん読みたいんです。僕にはよくわかりませんけど、たとえば、モオツァルトの音楽みたいに、軽快で、そうして気高く澄んでいる芸術を僕たちは、いま求めているんです。へんに大げさな身振りのものや、深刻めかしたものは、もう古くてわかり切っているのです。焼跡の隅のわずかな青草でも美しく歌ってくれる詩人がいないものでしょうか。現実から逃げようとしているのではありません。苦しさはもうわかり切っているのです。僕たちはもう、なんでも平気でやるつもりです。……そんな僕た

ちの気持にぴったり逢《あ》うような、素早く走る清流のタッチを持った芸術だけが、いま、ほんもののような気がするのです。》

この時期に、太宰が何を考えていたかは、彼が親しい人たちに寄せた手紙が語り明かしている。たとえば二十一年一月十五日付井伏鱒二あてで、彼は次のように書いている。

《このごろの雑誌の新型便乗、ニガニガしきことかぎりなく、おおかたこんなことになるだろうと思っていましたが、あまりのことに、ヤケ酒でも飲みたくなります。私は無頼派《リベルタン》ですから、この気風に反抗し、保守党に加盟し、まっさきにギロチンにかかってやろうかと思っています。》

一月二十五日付堤重久あての手紙には、次のような言葉が見える。

《このごろの日本、あほらしい感じ、馬の背中に狐《きつね》の乗ってる姿で、ただウロウロ、たまに血相かえたり、赤旗をふりまわしたり、ばかばかしい。次に明確な指針を与えますから、それを信じてしばらくいること。

一、十年一日のごとき不変の政治思想などは迷夢にすぎない。二十年目にシャバに出て、この新現実に号令しようたって、そりゃ無理だ、顧問にお願いしましょう、名誉会員は如何。

君、いまさら赤い旗振って、〝われら若き兵士プロレタリアの〟という歌、うたえますか。無理ですよ。自身の感覚に無理な行動はいっさいさけること、必ず大きい破綻《はたん》を生ずる。

一、いまのジャーナリズム、大醜態なり、新型便乗というものなり。文化立国もへったくれもありゃしない。戦時の新聞雑誌と同じじゃないか。古いよ。とにかくみんな古い。

一、戦時の苦労を全部否定するな。

一、いま叫ばれている何々主義、何々主義は、すべて一時の間に合わせのものなるゆえをもって、次にまったく新しい思想の擡頭《たいとう》を待望せよ。
一、教養のないところに幸福なし。教養とは、まず、ハニカミを知ることなり。
一、保守派になれ。保守は反動にあらず、現実派なり。チェホフを思え。「桜の園」を思い出せ。
一、もし文献があったら、アナキズムの研究をはじめよ。倫理を原子《アトム》にせしアナキズム的思潮、あるいは新日本の活力になるかも知れず。
一、天皇を倫理の儀表としてこれを支持せよ。恋い慕う対象なければ、倫理は宙に迷うおそれあり。》

昭和二十一年十一月の半ばに、太宰は金木町を去って、東京三鷹の自宅に戻った。それから一年半、二十三年六月十三日に、玉川上水に投身するまでの期間は、流行作家としてジャーナリズムの寵児《ちょうじ》として脚光を浴び、その文学的生涯《しょうがい》のうち、最も華やかな一時期であった。さまざまの雑誌が次々と創刊され、復刊され、ジャーナリズムは未曾有《みぞう》のにぎわいを呈した。原稿の注文は太宰のもとに殺到した。しかし、太宰は濫作《らんさく》はしなかったし、できなかった。朝の九時から午後の三時ごろまで、特別のことのないかぎり、必ず毎日執筆をつづけた。そして、一日にだいたい五枚前後を欠かさず書きつづけた。それはまるで勤勉で実直な勤め人の勤務ぶりに似ていた。結果として、「人間失格」「斜陽」の長篇と、「ヴィヨンの妻」「桜桃」「父」など多くのすぐれた中短篇が生まれたのである。

「斜陽」は大きな反響を呼び、太宰の文名は、いよいよ高くなった。多くの若い読者の讃美と支持が太宰をとりかこんだ。その反面、太宰の生活の放縦を非難する声もおこって来た。非難する人は、彼が収入を大半浪費し、妻子に窮迫した生活をさせて家をかえりみないことを挙《あ》げた。だが、事実、そうだったのか。それは、「ヴィヨンの妻」の大谷や「斜陽」の上原二郎と、太宰治自身とを混同したところからくる誤解ではなかったのか。

たしかに太宰は収入を浪費した。だが、その内容は、友人や編集者たちと道ばたの屋台店か粗末な小料理屋で酒を飲むのが精々であった。太宰は酒を飲まずにはいられなかった。飲まずにはいられない苦しさに、身をさいなまれていた。何故《なにゆえ》の苦しさか。その問いには、太宰の全文学が答えているはずである。

酒は飲んでも、「斜陽」の直治のように、少しも楽しくなかったにちがいない。それに費消した金は決してわずかではなかったにせよ、妻子に窮迫した生活を強《し》いて家をかえりみなかったというのは伝説にすぎない。彼は、それほど強い男ではなかった。大谷や上原二郎に太宰は自分のある面を仮託してはいる。しかし、それを太宰自身ととりちがえることは、あまりにも素朴《そぼく》な錯覚といわなければならない。

一人称で語られたいわゆる私小説めいた作品においても、太宰は虚構の粉飾を施さずにはおかなかった。太宰治は、骨の髄までの小説家であった。

それにしても、彼が世間普通の意味での、よき家庭人であったとはいえない。彼は妻を愛し、子を愛し、やさしくいたわろうと努めた。だが、彼は家庭の中に安住所を見出し、夫とし、父として、炉辺《ろへん》の幸福を楽しむことができなかった。《炉辺の幸福。どうして私には、それができないのだろう。とても、いたたまらない気がするのである。炉辺がこわくてならぬのである。》（「父」）

「家」の問題は太宰の文学の終生のテーマの一つであった。かつてそれは封建的な家との対決、自分の血筋との対決という形をとって現われた。いま、死を前にしたこの時期において、「家」は「家庭」に置きかえられ、彼は、鋭く明確に、「家庭」に相対した。「父」「おさん」「家庭の幸福」「桜桃」などこの時期の短篇の多くは、すべてこの「家庭」との暗闘の直接の所産といっていいだろう。

昭和二十三年六月十三日の深更、太宰治は山崎富栄《とみえ》とともに仕事部屋を出て、付近の玉川上水に身を投じた。仕事部屋の机辺《きへん》には、朝日新聞に連載するはずだった小説「グッド・バイ」の十回分の校正刷と十一回から十三回までの草稿、妻美知子への遺書、三人の愛児への玩具、伊馬春部あての伊藤左千夫の歌の色紙（池水は濁りににごり藤波の影もうつらず雨降りしきる）が残されてあった。

降りつづく雨の中を死体捜索がつづけられたが、十九日早朝に、井の頭公園の万助橋の下流で発見された。告別式は二十一日に三鷹下連雀の自宅で行なわれ、七月十八日、黄檗《おうばく》宗《しゅう》禅林寺に葬られた。この境内は、太宰が散歩の途中、しばしば立ち寄ったところで、彼の墓所は生前ひそかに願っていたごとく、森鷗外の墓前にきめられた。

太宰の死は、ジャーナリズムによって異常にセンセーショナルな扱いかたをされた。さまざまの人が、彼の死について感想を述べ、その死因をさぐった。

太宰治は、なぜ死んだのか？　それについての臆測《おくそく》は、所詮臆測にすぎまい。それは太宰だけが、いや太宰自身にもしかと説明することはできないだろう。はっきり言えることは、彼は明確な意志で死をえらんだということである。そして、その死の謎を解く鍵《かぎ》は、「思い出」から「人間失格」にいたる彼の文学全体の中に、ひそんでいるにちがいないということである。

作品解説

臼井吉見

「晩年」その他

「滅亡の民の一人」として、「小さい遺書」のつもりで、「思い出」を書いたいきさつは、巻頭の伝記で書いたとおりである。つづいて書きあげた一連の作品を、大きい紙袋に貯蔵し、その紙袋に毛筆で「晩年」と書いたことは、「東京八景」のなかでも語られている。この「晩年」で、「思い出」と並ぶ秀作は「魚服記」と「ロマネスク」であろうか。「魚服記」が、いかに澄明な結晶を示す名短篇であるか、「ロマネスク」が、なんとウイットとユーモアをもりこんだ好短篇であるかを説明する要はあるまい。

「ダス・ゲマイネ」には、作者は自信があったらしく、脱稿後、山岸外史あての手紙で、次のように書いている。

《僕の作品をゆっくりゆっくり読んでみたまえ。歴史的にさえずば抜けた作品である。自分からこんなことを言うのは、生まれてはじめてだ。僕はひとりで感激している。これだけは一歩もゆずらぬ。》

「ダス・ゲマイネ」は、「道化《どうけ》の華《はな》」「狂言の神」「虚構の春」「二十世紀旗手」など一連の作品と同じく、パビナール中毒に苦しんでいた時期に書かれたもの。これらの作品で語ろうとしたのは、事件でもなく、心理でもなかった。そういうものを語りたいのであったら、私小説の形式がふさわしいかもしれない。私小説のべたついた、なまなましさを嫌うなら、客観小説の形式をとることもできる。ところが、太宰の語ろうというのが、自分の全存在にかかわる、にがい苦悩の真実であるからには、これらいずれの形式でも手にあまるものだったのだ。私小説は、あまりに日常的な心理と行動の報告めいて真実に遠く、客観小説は、これまた、そらぞらしく、厳粛な態度をとればとるほど、てれくさいものにならざるをえない。太宰はどちらの形式にもたよることができず、私小説の「私」のなかへ、客観小説の「彼」が侵入し、客観小説の「彼」のなかへ、私小説の「私」がまぎれこむような、混乱した形式を採用しなければならなかったのである。多くの作家が、それぞれの資質と、それぞれの場合において、なんの不安もなく信頼している、この二つの小説形式を信頼できなかったところに、自己を喪失した作者の、いのちを賭《か》けた苦悩の真実の表現を見出《みいだ》すのである。自己喪失者の自己表現が、以上のような形式の革命を実行しなければならなくなった事情を見のがしてはならぬということである。

こういう混乱形式なら、すでに「贋金《にせがね》づくり」があるではないかというひとがいるかもしれない。無論、ジイドに学んだにはちがいないが、ジイドの創《はじ》めた混乱形式をそれとして真似《まね》たのではない。このような混乱形式によらなければ、おのれの全的存在を表現できないような悲劇を強《し》いられた個性的な作家が出現したということにほかならない。

自己解体を迫られ、屈辱感にまみれた個性的作家にとって、リアリズムほど味気ないものはなかっただろう。すべてを時間的経過に即して整序するところに成立する自然主義ふうのリアリズムは、その時間的整序の作用のなかに、嘘《うそ》の入りこむのを拒みえないものに見えたであろう。リアリズムのいわば純粋化の結晶が私小説であるというのが、私小説作家の信念であるにちがいない。だが、私小説ほど嘘のかたまりはないというのが太宰の考えではなかったろうか。ほんとうのことを口にするとき、たちまち嘘になりやすい。ほんとうのことであればあるだけ嘘になる。ここに、太宰の作家的苦悩があったのではなかろうか。虚構による真実の誕生を太宰くらいおのれの資質から信じていた作家はなかったのである。

虚構による真実の表現、自己喪失者の自己表現——これが、自覚的実践的な要求として太宰に迫ったとき、リアリズムによる古典的完成や古典的秩序がいかに無縁なものとして見えてきたか、いう要はあるまい。

《ギリシャをあこがれてはならない。これはもう、はっきりこの世に二度と来ないものだ。これは、あきらめなければいけない。これは捨てなければいけない。ああ、古典的完成、古典的秩序、私は君に、死ぬるばかりのくるしい恋着の思いをこめて敬礼する。そうして、言う。さようなら。》（「一日の労苦」）

古典的完成、古典的秩序にはっきり訣別《けつべつ》したとき、太宰には、次のような、ゆるぎない自信が生まれたのであった。危機を生きぬこうとする強烈な意識である。

《無性格、よし。卑屈、結構。女性的、そうか。復讐心《ふくしゆうしん》、よし。お調子もの、またよし。怠惰、よし。変人、よし。化物、よし。古典的秩序へのあこがれやら、訣別やら、何もかも、みんなもらって、ひっくるめて、そのまま歩く。ここに生長がある。ここに発展の路がある。称して浪曼的完成、浪曼的秩序。これは、まったく新しい。鎖につながれたら、鎖のまま歩く。

十字架に張りつけられたら、十字架のまま歩く。牢屋《ろうや》に入れられても、牢屋を破らず、牢屋のまま歩く。笑ってはいけない。私たち、これよりほかに生きるみちがなくなっている。いまは、そんなに笑っていても、いつの日にか君は、思い当たる。》

現代の危機を危機としてたじろがず認め、危機意識に徹するほかに生きる道なしと覚悟した作家的決意が語られているのである。

おのれとは無縁と悟った「古典的完成」「古典的秩序」に、太宰は「浪曼的完成」「浪曼的秩序」を対置する。だが、ここで、「浪曼的」といい、「完成」といい、「秩序」といっても、それは「古典的完成」と「古典的秩序」への対置の必要から出た言葉にすぎない。どう、もがいたところで、「古典的完成」とか、「古典的秩序」への途上にあるものとは別ものだという意味であって、ほんとうのところは、形をなさないもの、「完成」たりえないもの、「秩序」になりえないもの、むしろ窮極的に形をなさないということにおいて形であるところのものとして、おのれを自覚したことを語っている。ここでいう「無性格」「卑屈」「女性的」「復讐心」「お調子もの」「怠惰」「変人」「化物」などは、いわば、「古典的完成」から、あらかじめぬけものにされたもの、こういうものをぬけものにし、はじき出すことによって、「古典的完成」がもたらされることはいうまでもあるまい。ぬけものにされはじき出されたものは、「何もかも、みんなもらってひっくるめて、そのまま歩く」ほかはない。ここに、自己喪失者の新しい自己発見があり、自覚があり、肯定がある。「古典的完成」のがわからすれば、自己否定にほかならないが、こっちのがわからは、そのまま、自己肯定に転じているのだ。あっちのがわからの人間失格が、こっちのがわからすれば、そのまま、人間合格の唯一の道として見えてきたということである。

以上は、太宰治という一個の作家にのみ特殊な事情ではない。現代という彼の時代そのものの問題であることを太宰は感じとっているのである。現代に強いられた問題を、さきに見てきたような構造をもつ感受性が、のっぴきならぬ自分の問題と化したところに、太宰の作家的資質があるのである。かくて、《トランプの遊びのように、マイナスを全部あつめるとプラスに変わるということは、この世の道徳には起こり得ないことでしょうか。》という「ヴィヨンの妻」の言葉が、太宰の倫理的な抗議と祈願を強くひびかしていることの偶然ではないゆえんを知ることができる。おのれの手にマイナスの札がすでにくばられているということ、この札が気にかかってならないということ、そこで、マイナスを全部あつめることでプラスになるよりほかはないと悟ったのである。かくて、無限に人間を失格するしかない。そのほかに太宰にとっての倫理はなかった。

富嶽百景

独自の資質と才能とを調和的形式のなかに結晶させた「思い出」や「魚服記」に出発して、作者の肉体と精神の異常さ――苦悩や焦燥《しょうそう》や惑乱が、そのまま文体と化したかのような、「ダス・ゲマイネ」その他前記一連の作品を経て、昭和十四年、甲州御坂峠《みさかとうげ》に上り、石原美知子と見合いをする前後のことを書いた「富嶽百景」のころが、生活的にも最も平静な時期であった。「十五年間」のなかで、太宰自身そのことを語って、「幽《かす》かにでも休養のゆとりを感じた一時期」と書いている。「富嶽百景」には、装われた道化のにぎやかさは姿を消し、ゆとりのある飄逸味《ひょういつみ》が溢《あふ》れている。このころ、もっとも親しくしていた井伏鱒二の文学と通ずるような世界がひらかれてきている。

二年ほど前に書かれた「二十世紀旗手」と、この「富嶽百景」とをくらべれば、構想や文体に大きなちがいのあることがわかる。文章はきわめて平明であり、自然でもある。

「富嶽百景」のなかに、《素朴《そぼく》な、自然のもの、従って簡潔な鮮明なもの、そいつをさっと一挙動で摑まえて、そのままに紙にうつしとること、それよりほかにはないと思い、そう思うときには、眼前の富士の姿も、別な意味をもって目にうつる。この姿は、この表現は、結局、私の考えている「単一表現」の美しさなのかも知れない、》という一節があるが、その「単一表現」の美しさが、この作品にはある。前記作品群の晦渋《かいじゅう》をきわめた文体からみると、なんという変貌《へんぼう》ぶりであろうか。

太宰治の人生が転機を迎えて、惑乱と絶望が安定と希望に変わるにつれて、さらに肉体の健康が恢復《かいふく》するにつれて、文学もまたその姿を一変したかのようである。

「富嶽百景」を書く前に、「姥捨《うばすて》」「満願」などの短篇を書いている。「姥捨」は小山初代との水上《みなかみ》における心中未遂を書いたものであるが、そんな題材にもかかわらず、表現は直截《ちょくせつ》かつ簡潔になってきている。同じ自殺行を扱ったものでも、「狂言の神」などとは、まるで調子が一変してしまっている。心の惑乱や苦悩が表現の奥へ引っこんで、全体として平静さが支配している。その変貌の見事な定着が「富嶽百景」であった。

《富士には、月見草がよく似合う。》——こんな単一表現の美しさは、これまでの太宰治の文学にはなかった。いま、御坂峠の彼の文学碑には、この言葉が刻まれている。

「駈込み訴え」その他

平和な家庭、おちついた生活、規則正しい執筆――この安定のなかから、「葉桜と魔笛」「女生徒」のような素直な短篇が生まれ、つづいて、「駈込み訴え」「走れメロス」「女の決闘」の傑作短篇三つが生まれた。

「走れメロス」は信実と愛への頌歌《しょうか》である。正義と純潔への讃仰《さんぎょう》である。ここには、頽廃《たいはい》のかげも、虚無のにおいも、苦渋のいろもない。その意味で、「走れメロス」は、太宰治の全作品のなかで、きわめて特異な作品である。もっとも、太宰にとっては、苦悩も、虚無も頽廃も、理想への要求の裏返しにされたものだったのである。それに、この作品の文体は、小説というよりは、散文詩に近いものであることを見のがすわけにはいかない。

「駈込み訴え」は、イエス・キリストを役人の手に売り渡したと言われているイスカリオテのユダの話である。新約聖書からの材料ではあるが、ユダを単に冷酷な裏切者として扱っている聖書とちがって、この小説のユダはイエスに無上の愛情を抱《いだ》いている。それも、ペテロやヨハネやヤコブがイエスを神の子と信じ、その福音をあがめ、信仰と尊崇をもってイエスと相対しているのにくらべ、ユダは一人の人間としてのイエスに純粋な愛情を抱いている。商人であるユダは天国も信じない。神も信じない。イエスの説く教えにいたっては、ばかばかしいかぎりである。

≪あの人は嘘つきだ。言うこと言うこと、一から十まで出鱈目《でたらめ》だ。私はてんで信じていない。けれども私は、あの人の美しさだけは信じている。あんな美しい人はこの世にない。私はあの

人の美しさを、純粋に愛している。》
ユダは懸命になって、イエスの身のまわりの世話をする。群衆から賽銭《さいせん》をまきあげ、村の物持から供物を取り立て、それによって宿舎を世話し、衣食を買いととのえる。イエスが貧しい人たちに施しをしたりすると、ユダはかげでやりくり算段に、たいへんな苦労をしなければならない。しかし、そんなユダに、イエスの態度は冷たい。世俗の生活のやりくりに四苦八苦するなど、イエスには価値あることとは思えない。しかし、ユダがそれをやらなければ、イエスとその弟子たちは明日にも飢渇してしまうではないか。ユダはイエスの軽蔑《けいべつ》に堪えて、無償の愛の行為をつづけるのである。
だが、イエスが村の娘マリヤに、恋に似たあやしい感情を抱いたとき、いや、抱いたにちがいないとユダが思ったとき、ユダは胸をかきむしりたいほどの口惜《くや》しさに襲われる。自分がいのちを捨てるほどの思いで慕い、つき随《したが》ってきたのに、やさしい言葉ひとつかけてくれなかった。それなのに、あんな行きずりの百姓女に、と思うと、ユダは嫉妬《しっと》と自虐にさいなまれる。いっそイエスを自分の手で殺そうと思うようになる。いずれは殺される運命のイエスなのだから、他人の手で殺させたくない、自分の手で殺そうと思う。イエスたちがイェルサレムに入り、イエスの秘密の居所を役人に知らせた者には銀三十が褒美《ほうび》として与えられるというわさをユダは耳にする。
《もはや猶予の時ではない。あの人は、どうせ死ぬのだ。ほかの人の手で、下役たちに引き渡すよりは、私が、それをなそう。きょうまで私の、あの人に捧げた一すじなる愛情の、これが最後の挨拶《あいさつ》だ。私の義務です。私があの人を売ってやる。》

ユダは役人のもとへ夜道を走る。

このユダは、太宰の作りあげたユダであることというまでもない。新約聖書の四つの福音書では、ユダはあくまで冷酷な裏切者として、憎悪の対象でしかない。太宰のユダは、イエスを愛している。一途《いちず》に、ひとすじに愛している。イエスの思想や、その偉さは、ユダにはわからない。しかし、好きなのだ。イエスは自分のものだ。他人の手には渡さない。そのような愛のかたち。愛とはいったい何だろうかという問いを太宰は終生自分にくりかえしていた。「駈込み訴え」は、その課題への一つの答案であったと思われる。

ヴィヨンの妻

戦後の多くの仕事のなかで、特に注目すべきものは「ヴィヨンの妻」「斜陽」「人間失格」の三篇であろう。傷つきやすい心をもって生まれたために、ゆえ知らぬ不安におびえて巷《ちまた》を彷徨《ほうこう》する、のんだくれの薄汚《うすよご》れた詩人の身の上について、決して傷つくことのない、すべてを軽くさばいていくその妻の口を通して語るという構想であるが、一種冷たい戦慄《せんりつ》の美ともいうべきものを創《つく》り出している。太宰の倫理的抗議と祈願が強くひびき合っていることで、作品が緊張したリズムで貫ぬかれている。

この小説の主題は何か。飲んだくれの詩人大谷は、《男には、不幸だけがあるんです。いつも恐怖と、戦ってばかりいるのです。》と言う。また、《死にたくて、仕様がないんです。生まれた時から、死ぬことばかり考えていたんだ。》と言い、《へんな、こわい神様みたいなものが、僕の死ぬのを引きとめるのです。》と言う。これらの言葉には、たしかに太宰自身の感懐が託されている。だが、この小説の主人公は大谷ではない。主人公は語り手である大谷の妻である。彼女は生活について、あれこれ思い煩ったり、道徳や世間体について重苦しくかかわったりしない。すべてを軽やかにさばいて拘泥《こうでい》するところがない。無思想、無道徳といえるかもしれない。だが、そこから新しい思想が生まれ、新しい道徳が生まれる、太宰はそんなふうに言いたげに見える。

斜陽　人間失格

昭和二十二年二月下旬、太宰は神奈川県下曾我《しもそが》に太田静子を訪《たず》ね、その地に約一週間滞在し、そこから伊豆の三津浜《みとはま》にまわった。「斜陽」はそこの旅館で書きはじめられた。「斜陽」の構想がはじめに太宰の頭に浮かんだのは敗戦直後のことではなかったかと思われる。しかし、そのときの構想は、いま、われわれの前にある作品とはまるでちがったものだったのではなかろうか。戦後の農地解放によって、太宰の生家も広大な田畑を解放させられたのであるが、地主階級の没落は太宰に一種の哀れさを感じさせたにちがいない。当時、井伏鱒二あての手紙で、《金木《かなぎ》の私の生家など、いまは「桜の園」です。あわれ深い日常です。》と書いている。共産党を中心とする左翼勢力が、マッカーサー司令部の権威を背後にして、時を得顔にふるまい、その新勢力の前に、古い地主たちが罪を犯した小羊のごとく無力であるのを見たとき、太宰はその没落階級に深い哀れを感じた。チェーホフの「桜の園」が改めて思い浮かべられた。太宰は、「斜陽」という題のもとに、日本の「桜の園」を、社会の大きな流れのなかに滅んでゆく地主の悲劇を書こうと思ったらしい。

しかし、その構想が熟さないうちに、以前からの知人であった太田静子との間に文通がはじまり、（地主ではないがやはり没落階級のひとりである静子が戦後の日記を克明につけていることを知り、）その日記にヒントをえて、「斜陽」の構想は現在のような形に変わって行ったものと思われる。

「斜陽」は、しかし、単に没落華族の悲劇にはおわっていない。女主人公かず子の小説家上原二郎への恋が経《たてい》となっている。かず子が上原の子をみごもり、その私生児を生んで恋の冒険を成就させようとするところで「斜陽」はおわっている。思うに、これは、太宰自身の太田静子との間の出来事が、この作品を最初の構想から変えさせて行ったのではないだろうか。

「斜陽」は没落貴族の家庭を背景にして、老母、姉、弟、小説家の四人を登場させ、だいたい姉の日記と手紙を通して語られる、にぎやかなロマンであり、追憶に浮かぶ老母の姿に作者の憧憬的《どうけいてき》な人間像を夢みているのであるが、これは亡び去って再びはこの世に出現することのないものとして描かれている。人間と争い、人間と戦わなくては生きていくことのできない人間社会に絶望して弟は自殺するが、姉は既成の日常道徳を越えて強く生きて行こうとする。小説家上原は「ヴィヨンの妻」の詩人であろう。太宰はここでおのれの分身を上原に与えていることはいうまでもないが、さらに弟に、部分的には姉にも、自分の魂を分かち与えている。太宰の魂を一ばん多く与えられているのは、自殺する弟であろう。作者身辺の、切実な題材をとりあげながら、登場する四人の人物のうち、一人におのれの憧憬を、二人におのれの魂を、残りの一人におのれの姿を頒《わか》ち与えて、一個のロマンを構成したのである。あまりにおのれの魂を頒ちすぎて、それぞれの人物の独立性が稀薄になったきらいがなくはない。弟の手記や姉の手紙に託して、多量の太宰的随想を点綴《てんてい》し、いわば太宰のおもちゃ箱をひっくりかえして見せたといったふうの、にぎやかさ、はなやかさである。

《人は世俗の借金で自殺することもあれば、また概念の無形の恐怖から自殺することだってあるのです。》とは「女の決闘」のなかの言葉である。「概念の無形の恐怖」が肉化されてロマンとなったのが、「ヴィヨンの妻」とすれば、作者の私生活のなかに、この「恐怖」が追跡されたとき、「父」や「桜桃」が生まれたであろう。自分の感受性が手さぐりしたものしか表現しようとしなかったこの潔癖な作家は、処女作「思い出」と前後して書かれた「魚服記」で早くも示しているようなロマンへの道が、たとえば悠揚《ゆうよう》たる飄逸味《ひょういつみ》をたたえている「ロマネスク」や、そのほかさまざまのその種の作品に滲《し》みて、水脈の一部は、「富嶽百景」や「斜陽」にも流れ入っているのであるが、結局は大きなロマンにまで到達することなく、「父」や「桜桃」のような、私小説の延長線にありながら、従来の私小説とは、まるで性格のちがった特異な作品を生み出している。

「人間失格」は太宰治の文学の総決算とみることができるだろう。主人公大庭葉蔵は、太宰自身の小説化された自画像である。十二年前の昭和十年、パビナール中毒で精神病院へ入院させられたとき、「HUMAN LOST」という小説を書いた。自分はあたりまえの世間人として、まっとうな生活者として、この世を生きて行けないのではないかという怖《おそ》れは、すでにそのとき、はっきりと彼の心に刻みこまれた。これは、太宰のそれからの生涯《しょうがい》において、ついに消えることのなかったものである。その怖れは、同時に、怖れをおこさせるもの、世間と人間とに対する恐怖心であり、不信でもあった。この恐怖と不信のあるかぎり、愛情も、道徳も、所詮《しょせん》は空虚な妄想《もうそう》にすぎない。神は？　神さえも太宰には信じられなくなった。では何が残るか？　何が心の支えとなるか？　何も残らない。心の支えなどは何もない。

《いまは自分には、幸福も不幸もありません。

ただ、一さいは過ぎて行きます。

自分がいままで阿鼻叫喚《あびきょうかん》で生きて来たいわゆる「人間」の世界において、たった一つ、真理らしく思われたのは、それだけでした。

ただ、一さいは過ぎて行きます。》

太宰は大庭葉蔵の生涯に仮託して、過ぎ去ったおのれの実生活の追憶なんか綴っているのではない。文字どおりの意味において、自己を語っているのだ。その自己にしても、こんなゆがめられた形でしか語れなかったのである。「思い出」と対照すれば、このことは明瞭だ。日本の私小説の伝統は、ここにいたって、もっとも現代的な性格において開花した。

太宰治年譜

奥野健男

＊年齢は満年齢による

明治四十二年（一九〇九）

六月十九日、青森県北津軽郡金木村大字金木字朝日山四一四番地に生まる。戸籍名津島修治。父は源右衛門（西津軽郡木造町、松木家の出）、母はたね（先代惣五郎長女）。修治はその六男で、文治、英治、圭治の三兄（長男総一郎、次男勤三郎は夭折）、たま、とし、あい、きやうの四姉があった。このほか曾祖母さよ、祖母いし、叔母きゑ（たねの妹）、きゑの娘四人、の大家族であった。（なお、後に三歳下の弟礼治が生まれた。）津島家は通称〈源（ヤマゲン）〉といい、県下有数の大地主であった。生母たねが病弱だったため、生まれるとすぐ乳母に抱かれ乳母の乳で育てられた。三歳頃乳母と離れ、代りに子守のたけが付いた。三歳から八歳までたけからいろいろ教育された。また幼時、叔母きゑに可愛がられた。小学校に入るすこし前、きゑは一家を連れて同郡五所川原町に分家した。この間、明治四十五年一月二十六日、長姉たま死し（享年二十四）、大正二年八月、次姉としは金木村の津島市太郎と婚姻した。

大正五年（一九一六）　七歳

金木第一尋常小学校に入学す。成績は優秀で、六年間首席で通した。大正九年十二月二十四日、曾祖母さよ死す。享年八十。

大正十一年（一九二二）　十三歳

尋常科を卒業す。学力補充のため、金木村から半里ほど離れた松林の中にあった明治高等小学校に一年間通学す。

大正十二年（一九二三）　　十四歳

三月四日、父源右衛門、貴族院（多額納税）議員在任中、東京市神田区小川町の佐野病院において死す。享年五十三。四月、県立青森中学校に入学し、遠縁にあたる青森市寺町豊田太左衛門方から通学した。

大正十四年（一九二五）　　十六歳

この頃から、作家になることをひそかに願望しはじめた。三月、青森中学校『校友会誌』に「最後の太閤」を発表。夏、阿部合成など四、五人の級友と同人雑誌『星座』を出し、戯曲「虚勢」を発表。十月、青森中学校『校友会誌』に「角力」を発表。十一月、弟礼治、級友中村貞次郎など十人ほどと同人雑誌『蜃気楼』を創刊、自ら積極的に編集に当たり、同誌に「温泉」「犧牲」「地図」「負けぎらひト敗北ト」「私のシゴト」「針医の圭樹」「瘤」「将軍」「哄笑に至る」「モナコ小景」「怪談」などの小説、「侏儒楽」「傴僂」などのエッセイを次々と発表した。翌十五年九月、当時美術学校彫塑科在学中の三兄圭治が編集して兄弟間に『青んぼ』という雑誌が作られ、これにも「口紅」「埋め合せ」等の小説、エッセイを書いた。

昭和二年（一九二七）　　十八歳

掌劇「名君」を『蜃気楼』一月号に発表。『蜃気楼』は一時休刊されたが、高等学校進学のため結局この号を最後にして廃刊となった。四月、四年修了をもって弘前高等学校文科甲類に入学す。文科乙類には上田重彦（石上玄一郎）がいた。新入生は一応寮生活をする規則になっていたが入寮せず、遠縁の弘前市富田新町藤田豊三郎方に止宿し、そこから通学した。七月、芥川龍之介の自殺に烈しい衝撃を受けた。夏休みの頃より竹本咲栄という女師匠のもとに通い義太夫を習いはじめ、また服装に凝り、青森、あるいは浅虫の料亭にしげしげと通った。九月、青森の芸妓、玉家の紅子（小山《おやま》初代）と識り合う。

昭和三年（一九二八）　　十九歳

三月、共産党弾圧の三・一五事件。五月、三浦正次、菅原敏夫、小泉静治、服部義彦と、同人雑誌『細胞文芸』を創刊し、第一号に「無間奈落」㈠（序篇）を辻島衆二の筆名で発表した。六月、「無間奈落」㈡を同誌第二号に発表、この小説はそれ限り未完のままにおわった。七月、「股をくゞる」を同誌第三号に発表。この月、上田重彦、小林伸男等が同人に加入した。この夏休み、かねてから敬慕し、また書簡の往復のあった井伏鱒二に文学上の指導を受けたく、『細胞文芸』第三号を持って上京、しかしこの時は会えずにおわった。九月、「彼等と其のいとしき母」を同誌第四号に発表。『細胞文芸』はこの号をもって結局廃刊となった。なおこの雑誌は、井伏鱒二、久野豊彦、吉屋信子、舟橋聖一、八木隆一郎、北村小松、井上幸次郎、崎山正毅、崎山猷逸等の寄稿を受けた。この夏、中学時代の級友葛西信造と函館に遊ぶ。十二月、弘前高校新聞雑誌部委員となり、『弘前高等学校校友会雑誌』第十三号に「此の夫婦」を本名で発表した。

昭和四年（一九二九）　　二十歳

一月五日、弟礼治敗血症にて死去す。享年十八。二月、時の校長鈴木信太郎の校費及び校友会費不正費消がたまたま生徒によって発見され、約一週間にわたり同盟休校が行われた。この月、『弘高新聞』第五号に「鈴打」を、五月、『弘高新聞』第六号に「哀蚊」を、八月、青森の文芸雑誌『猟騎兵』に「虎徹宵話」を、九月、『弘高新聞』第八号に「花火」を、いずれも小菅銀吉の筆名で発表。十月、「地主一代」の執筆を始めたが、執筆の途中、十二月十日夜半、思想的な苦悩からカルモチン自殺を図った。十二月、

『弘前高等学校校友会雑誌』第十五号に「虎徹宵話」を改作して小菅銀吉の筆名で発表す。

昭和五年（一九三〇）　二十一歳

青森県下の主な同人雑誌を糾合して創刊された文芸雑誌『座標』の一、三、五月号に「地主一代」を、七、八、九、十一月号に「学生群」を、大藤熊太の筆名で発表したが、いずれも未完のままでおわっている。三月、弘前高等学校を卒業し、四月、東京帝国大学仏文科に入学、三兄圭治が住んでいた近くの戸塚の諏訪町二五〇常盤館に下宿す。井伏鱒二に神田須田町の作品社事務所で初めて会い、以後永く師事した。この頃から非合法運動に関係す。六月二十一日、三兄圭治死去。享年二十八。秋、弘高時代からの愛人小山初代が家出上京し、本所区東駒形に一室を借りて住まわせた。長兄文治が上京し事を解決、将来夫婦にしてもらう約束で初代はひとまず帰郷した。十一月十九日、金木村同番地に分家す。同月二十六日夜、銀座のカフェ〝ホリウッド〟の女給田部シメ子（夫は無名の画家）と識り、二十七日、八日を本所、浅草、帝国ホテルなどで過ごし、二十九日鎌倉郡腰越町小動《こゆるが》崎《さき》海岸でカルモチンを服用し心中を図る。シメ子は死に、ひとり鎌倉恵風園に収容されたが、このため自殺帮助罪に問われ起訴猶予となる。

昭和六年（一九三一）　二十二歳

二月、上京した小山初代と同棲し、品川区五反田一丁目に住む。夏、神田同朋町に、晩秋、神田和泉町に移る。東大の反帝国主義学生運動に加わり、左翼の非合法運動を積極的に続けるかたわら、朱麟堂と号して俳句に凝ったりしていた。登校は全く怠っていた。この年九月、満洲事変起る。

昭和七年（一九三二）　二十三歳

早春、淀橋柏木に、晩春、日本橋八丁堀にと転々す。北海道生れの落合一雄と称していた。六月、同棲以前の初代の過失を知り、強い衝撃を受け、七月、青森警察署に自首して出た。この自首により非合法運動から離れた。八月、初代と共に静岡県沼津の坂部啓次郎方に行き、約一カ月滞在す。この頃から「思ひ出」を書きはじめた。九月、沼津から帰って、芝区白金三光町二七六番地のもと大鳥圭介の住んでいた邸宅の一室を借りて住んだ。同郷の先輩東京日日新聞社会部記者飛島定城がやがて同居した。この頃、吉沢祐（初代の叔父）、小館善四郎（姉きやうの夫小館貞一の三弟）等と雑誌を出すことを計画、黒虫俊平という筆名で「ねこ」という小品を書いたが、雑誌は発刊されずにおわった。「ねこ」は後に「葉」のなかに採り入れられている。十二月、青森検事局から呼ばれて出頭す。

昭和八年（一九三三）　　　二十四歳

二月、飛島家と共に杉並区天沼三丁目七四一番地に移転す。同月、『東奥日報』の日曜附録『サンデー東奥』に、太宰治の筆名で「列車」を発表した。大鹿卓、神戸雄一、木山捷平、新庄嘉章、今官一、古谷綱武、藤原定等のはじめた同人雑誌『海豹』に今官一の紹介で加わり、三月、その創刊号に「魚服記」を発表、識者の注目を受けた。次いで、同誌四、六、七月号に「思ひ出」を発表す。これが機縁で古谷綱武の紹介で檀一雄と識り合い、また頻繁に訪問していた井伏鱒二の家で伊馬鵜平（春部）、中村地平、北村謙次郎等と識り合う。この間、九月、飛島家と共に天沼一丁目一三六番地に移った。この年の末頃から今官一、中村地平、伊馬鵜平、久保隆一郎等と屢ゝ会合を持ち、文学を論じたり自作を読み合ったりしていたが、その会が後に同人雑誌『青い花』に発展した。

昭和九年（一九三四）　　　二十五歳

四月、古谷綱武、檀一雄編輯の季刊同人雑誌

『鵯《ばん》』が発刊され、その第一輯に「葉」を発表す。またこの月、『文藝春秋』に井伏鱒二との合作の「洋之助の気焔」が井伏鱒二の名で発表された。七月、『鵯』第二輯に「猿面冠者」を発表。八月、静岡県三島の坂部武郎方に滞在して「ロマネスク」を書く。外村繁、中谷孝雄、尾崎一雄等の同人雑誌『世紀』十月号に「彼は昔の彼ならず」を発表。また同月八日の『帝国大学新聞』に中島健蔵著『懐疑と象徴』の書評を〈飾らぬ生水晶〉という題で井伏鱒二の名で代作した。十二月、今官一、津村信夫、伊馬鵜平、小山祐士、木山捷平、北村謙次郎、檀一雄、山岸外史、中原中也等と同人雑誌『青い花』を創刊し、「ロマネスク」を発表した。『青い花』は第一号が出ただけで休刊となり、結局、翌十年三月、佐藤春夫、萩原朔太郎、亀井勝一郎、保田與重郎、中谷孝雄、外村繁、神保光太郎等の『日本浪曼派』とその第三号から合流した。

昭和十年（一九三五）　二十六歳

「逆行」のうちの「蝶蝶」「決闘」「くろんぼ」の三篇を『文芸』二月号に発表。これが同人雑誌以外に作品を発表した最初であった。三月、都新聞社の入社試験を受けて失敗し、同月十五日朝家郷よりの仕送り九十円を持って家を出、小館善四郎を誘って銀座、歌舞伎座、浅草、横浜本牧に遊び、十六日善四郎と別れてひとり鎌倉に行き深田久弥を訪問、その夜八幡宮近くの山中において縊死を計ったが失敗、十七日深更帰宅す。四月、盲腸炎を起し阿佐ケ谷の篠原病院に入院、手術後、腹膜炎を起して重態に陥る。一カ月後、予後静養のため、世田谷の経堂病院に移り、七月一日、千葉県船橋町五日市本宿一九二八番地に転地す。篠原病院に入院中、患部の苦痛を鎮めるためにパビナールを使用したが、その後、中毒に悩んだ。その間、「道化の華」を『日本浪曼派』五月号に、「玩具」「雀こ」を

『作品』七月号に発表した。八月、第一回芥川賞の詮衡が行われ、作品「逆行」をもって候補となったが、石川達三の「蒼氓」が賞を獲得、高見順、衣巻省三、外村繁と共に次席となった。同月二十一日、山岸外史に伴われて佐藤春夫を訪問、以後師事す。「猿ケ島」を『文學界』九月号に発表。『文藝春秋』より芥川賞に次席となった高見、衣巻、外村、および太宰あてに原稿の依頼があり、同誌十月号に「ダス・ゲマイネ」を発表。この原稿料をもって山岸外史、檀一雄、小館善四郎と湯河原に遊ぶ。「逆行」の一篇である「盗賊」を十月七日付『帝国大学新聞』に発表。同月、檀一雄の慫慂により、浅見淵が編集を担当していた砂子屋書房からの、『晩年』の刊行が決定された。「地球図」を『新潮』十二月号に発表。十二月十九日から二十二日まで甥の津島逸郎と共に湯河原、箱根を漂泊す。小説のほかにこの年、〈もの思ふ葦〉を『日本浪曼派』八、十、十一、十二月号、および十二月十四、十五日付『東京日日新聞』に、また、〈川端康成へ〉を『文芸通信』十月号に発表した。京城にいた田中英光から小包で原稿が度々送られ、手紙による交遊がはじまったのはこの年の秋からである。

昭和十一年（一九三六）　二十七歳

「めくら草紙」を『新潮』一月号に、〈もの思ふ葦〉を『作品』『文芸通信』『文芸汎論』『文芸雑誌』各一月号に、〈人物に就いて〉を一月一日付『東奥日報』に、〈碧眼托鉢〉を『日本浪曼派』一、二、三月号に、それぞれ発表。パビナール中毒が進み、佐藤春夫の紹介により芝区赤羽町の済生会病院に二月十日入院したが、全治せぬままに同月二十三日退院す。「陰火」を『文芸雑誌』四月号に、「雌に就いて」を『若草』五月号に、〈古典竜頭蛇尾〉を『文芸懇話会』五月号に、〈悶悶日記〉を『文芸』六月号に、それぞれ発表。六月二十五日、第一創作集『晩年』（収録――「葉」「思ひ出」「魚服記」「列車」「地球図」「猿ケ島」「雀こ」「道化の華」「猿面冠者」「逆行」「彼は昔の彼ならず」「ロマネスク」「玩具」「陰火」「めくら草紙」）が砂子屋書房より刊行され、七月十一日午後五時から上野精養軒においてその出版記念会が行われた。「虚構の春」を『文學界』七月号に、〈走ラヌ名馬〉を七月二十五日付『工業大学蔵前新聞』に発表。八月七日、パビナール中毒と肺病を癒そうと単身群馬県谷川温泉に行き、金盛館に滞在、同地にて第三回芥川賞に落ちたことを知り強い打撃を受けた。同月下旬、下山す。九月から十月のはじめ頃、肺病をなおすために二カ年ほどサナトリウム生活をしようと計画した。「狂言の神」を『東陽』、「創生記」を『新潮』、「喝采」を『若草』各十月号に発表。十月十三日、井伏鱒二、北芳四郎等のすすめにより東京武蔵野病院に入院、パビナール中毒症を根治し、十一月十二日退院す。病院から杉並区天沼のアパート昭山荘に移り、その夜から「HUMAN LOST」を書きはじめた。十五日天沼の碧雲荘に移り、さらに二十五日、単身熱海温泉に赴き、一カ月ほど滞在、その間「二十世紀旗手」を書きあげた。

昭和十二年（一九三七）　二十八歳

「二十世紀旗手」を『改造』一月号に、〈音について〉を一月二十日付『早稲田大学新聞』に発表。三月、小山初代と共に水上温泉に行き、カルモチンによる心中を企て、未遂におわる。帰京後、初代は叔父吉沢祐に引き取られ、結局吉沢祐を仲にして離別、初代は故郷の青森に帰った。『新潮』四月号に「HUMAN LOST」を発表。五月、井伏鱒二、浅見淵、川崎長太郎、秋沢三郎、永松定、塩月赳と三宅島に行き、一週間ほど滞在。六月、天沼一丁目二一三番地、鎌滝方に移る。同月、新選純文学叢書の一巻として『虚構の彷徨　ダス・ゲマイネ』

（収録――「道化の華」「狂言の神」「虚構の春」「ダス・ゲマイネ」）を新潮社より刊行。七月、『二十世紀旗手』（収録――「雌に就いて」「二十世紀旗手」「喝采」）を版画荘より刊行。〈檀君の近業について〉を『日本浪曼派』九月号に、「灯籠」を『若草』十月号に、〈思案の敗北〉を『文芸』十二月号、〈創作余談〉を十二月十日付『日本学芸新聞』に発表。

昭和十三年（一九三八）　二十九歳

〈「晩年」に就いて〉を『文筆』二月号に、〈一日の労苦〉を『新潮』三月号に、〈多頭蛇哲学〉を『あらくれ』五月号に、〈答案落第〉を『月刊文章』七月号に、〈緒方氏を殺した者〉を『日本浪曼派』、〈一歩前進二歩退却〉を『文筆』各八月号に、「満願」を『文筆』九月号に、「姥捨」を『新潮』十月号にそれぞれ発表す。九月十三日、鎌滝方を引き払い、井伏鱒二が滞在していた山梨県南都留郡河口村御坂峠の天下茶屋に行く。その以前から甲府の斎藤文二郎の紹介により井伏鱒二を通して結婚の話があり、十九日、石原美知子（理学士石原初太郎四女、明治四十五年一月三十一日生、東京女高師文科卒、当時都留高女在職）と甲府の石原方にて見合いをした。十月六日付『国民新聞』に〈富士に就いて〉、三十一日付『帝国大学新聞』に〈校長三代〉を発表。この間、長篇「火の鳥」を苦吟しつつ書き進む。十一月六日、石原美知子と婚約し、同月十六日御坂峠を下りて甲府市西竪町九三番地の寿館に下宿す。〈女人創造〉を『日本文学』十一月号に発表、十二月九、十、十一日付『国民新聞』に〈九月十月十一月〉を発表。

昭和十四年（一九三九）　三十歳

一月八日、杉並区清水町の井伏家で、井伏鱒二夫妻の媒妁、山田貞一夫妻（美知子の姉夫妻）、斎藤文二郎夫人、中畑慶吉、北芳四郎が同席して結婚式を挙げ、甲府市御崎町五六番地に新居を構えた。八畳、三畳、一畳の三間の家で家賃は六円五十銭であった。同月末、書下し創作集に収録するつもりでいた百枚の原稿が紛失する事件があった。『若草』二月号に「I can speak」、『文体』二、三月号に「富嶽百景」を発表。この頃、当時出征して山西省にいた田中英光の「鍋鶴」を『若草』に紹介、発表の労をとった。「女生徒」を『文學界』、「懶惰の歌留多」を『文芸』各四月号に発表。また四月、「黄金風景」が国民新聞の短篇コンクールに上林暁の「寒鮒」と共に当選し賞金五十円を得た。五月九、十、十一日付の『国民新聞』に〈当選の日〉を、十五日付の『帝国大学新聞』に〈正直ノオト〉を発表。同月、書下し創作集『愛と美について』（収録——「秋風記」「新樹の言葉」「花燭」「愛と美について」「火の鳥」）を竹村書房より刊行。またこの月、美知子と共に上諏訪、蓼科に遊んだ。「葉桜と魔笛」を『若草』、〈春昼〉を『月刊文章』各六月号に発表。六月二日、家を探すため上京し、国分寺、三鷹、荻窪方面を歩きまわった。また同月、「黄金風景」の賞金をもって美知子、美知子の母、妹と共に三保、修善寺、三島に遊んだ。七月、『女生徒』（収録——「満願」「女生徒」「I can speak」「富嶽百景」「懶惰の歌留多」「姥捨」「黄金風景」）を砂子屋書房より刊行。七月、〈「人間キリスト記」その他〉を『文筆』第一号に発表。七月十五日、再び家探しのため上京し、三鷹に新築中の借家を見つけた。「八十八夜」を『新潮』八月号に、「座興に非ず」を『文学者』九月号に発表。九月一日、甲府を引き払い東京府下三鷹村下連雀一一三番地に移る。六畳、四畳半、三畳の三間で家賃は二十四円であった。同月二十日、東奥日報社の主催により日比谷公園の松本楼において青森県出身の在京芸術家座談会が行われ、今官一、阿部合成等と出席した。当夜の出席者には他に秋田雨雀、江口隆哉、棟方志功、板垣直子、上原敏などがいた。「美少女」を『月刊文章』、「畜犬談」を『文学者』、「ア、秋」を『若草』各十月号に発表。「おしゃれ童子」を『婦人画報』、「デカダン抗議」を『文芸世紀』、「皮膚と心」を『文學界』各十一月号に、〈市井喧争〉を『文芸日本』十二月号に発表。なおこの秋、単行本『女生徒』が、岡崎義恵著『日本文学の様式』、山岸外史著『人間キリスト記』と共に第四回北村透谷賞に選ばれ、透谷記念賞牌を受けた。

昭和十五年（一九四〇）　三十一歳

「俗天使」を『新潮』、「鷗」を『知性』、「兄たち」（発表当時は「美しい兄たち」）を『婦人画報』、「春の盗賊」を『文芸日本』、「女人訓戒」を『作品倶楽部』各一月号に、〈困惑の弁〉を『懸賞界』一月下旬号に、「心の王者」を一月二十五日付『三田新聞』に、〈このごろ〉を一月三十、三十一、二月一日付『国民新聞』に、それぞれ発表。『月刊文章』の一月号から「女の決闘」の連載を始めた（六月号にて完結）。「駈込み訴へ」を『中央公論』二月号に、〈鬱屈禍〉を二月十二日付『帝国大学新聞』に、「老《アルト》ハイデルベルヒ」を『婦人画報』、〈知らない人〉を『書物展望』、〈無趣味〉を『新潮』、「酒ぎらひ」を『知性』各三月号に、それぞれ発表。四月十四日、山岸外史の『芥川龍之介』の出版記念会が行われ、幹事として尽力した。同月、『皮膚と心』（収録――「俗天使」「葉桜と魔笛」「美少女」「畜犬談」「兄たち」「おしゃれ童子」「八十八夜」「ア、秋」「女人訓戒」「座興に非ず」「デカダン抗議」「皮膚と心」「鷗」「老《アルト》ハイデルベルヒ」）を竹村書房より刊行。「善蔵を思ふ」を『文芸』、「誰も知らぬ」を『若草』、〈義務〉を『文学者』各四月号に、〈作家の像〉を三月二十五、二十六、二十七日付『都新聞』にそれぞれ発表。四月三十日、井伏鱒二、伊馬鵜平、および三人の早大生と上州四万温泉に遊ぶ。「走れメロス」を『新潮』五月号に発表。『婦人公論』から

〝復讐〟をテーマにした随筆を依頼され、気が進まぬままに「大恩は語らず」を執筆、しかしこの原稿は掲載されずにおわった（発表は歿後の二十九年『文章倶楽部』七月号）。六月『思ひ出』（収録――「思ひ出」「ダス・ゲマイネ」「二十世紀旗手」「新樹の言葉」「富嶽百景」他）を人文書院より、『女の決闘』（収録――「女の決闘」「駈込み訴へ」「古典風」「誰も知らぬ」「春の盗賊」「走れメロス」「善蔵を思ふ」）を河出書房より刊行。「古典風」を『知性』六月号に、〈自信の無さ〉を六月二日付『東京朝日新聞』に発表。七月三日から伊豆湯ヶ野の福田屋に滞在して「東京八景」を書き、八日、井伏鱒二、小山祐士、伊馬鵜平と熱川温泉で落ち合って小山祐士の『魚族』の出版を祝い、翌日谷津温泉、前後三日の後再び湯ヶ野へ帰り、迎えに来た美知子と帰京、途中、鮎釣りのためなお谷津に滞在中の井伏鱒二、亀井勝一郎を訪ね、十三日、共に水害に遭った。「盲人独笑」を『新風』七月号に発表、また「乞食学生」を『若草』の七月号から連載しはじめた（十二月号にて完結）。〈六月十九日〉を『博浪沙』七月号に、〈貪婪禍〉を八月五日付『京都帝国大学新聞』に、〈自作を語る〉を『月刊文章』九月号に、〈砂子屋〉を『文筆』十月号に発表。〈文盲自嘲〉を十月一日執筆（発表は十七年十月の『琴』第一輯誌上）。この秋、東京商大において「近代の病」と題して講演。十月十四日、佐藤春夫、井伏鱒二、山岸外史と甲州に遊ぶ。十一月、新潟高等学校に招かれて講演に行き、その帰途佐渡に遊ぶ。「きりぎりす」を『新潮』、「一灯」を『文芸世紀』、〈パウロの混乱〉を『現代文学』各十一月号に、〈かすかな声〉を十一月二十五日付『帝国大学新聞』に発表。「リイズ」「失敗園」もこの頃書かれた。「ろまん灯籠」が『婦人画報』に連載されはじめたのはこの年十二月号からで、翌十六年六月号で完結した。十二月六日、第一回の阿佐ケ谷会が阿佐ケ谷駅北口のピノチオで行われ、出席、以後屢々会合に顔を出した。

昭和十六年（一九四一）　三十二歳

「清貧譚」を『新潮』、「みみづく通信」を『知性』、「佐渡」を『公論』、「東京八景」を『文學界』、〈弱者の糧〉を『日本映画』、〈青森〉を『月刊東奥』各一月号に、〈男女川と羽左衛門〉を一月五日付『都新聞』に、それぞれ発表。一月十五日、美知子と共に伊豆伊東温泉に遊ぶ。二月一日、懸案の長篇小説「新ハムレット」の執筆にかかり、そのため同月十九日、静岡県三保の三保園に籠り同月末まで滞在、更に四月上旬には甲府市錦町の東洋館に行って稿を継ぐなど懸命の努力をつづけ、五月末に完成した。この間、『文藝春秋』二月号に「服装に就いて」を発表し、五月、『東京八景』（収録――「東京八景」「HUMAN　LOST」「きりぎりす」「一灯」「失敗園」「リイズ」「盲人独笑」「ロマネスク」「乞食学生」）を実業之日本社より刊行した。六月七日、長女園子生まる。「千代女」を『改造』、「令嬢アユ」を『新女苑』、〈容貌〉を『博浪沙』、〈「晩年」と「女生徒」〉を『文筆』各六月号に発表。七月、文藝春秋社より最初の書下し長篇『新ハムレット』が刊行された。八月、北芳四郎のすすめにより十年ぶりで故郷金木町に帰り、母、祖母、次兄英治、叔母などに会う。「山岸外史著『煉獄の表情』」を『新潮』八月号に発表、同月、『千代女』（収録――「みみづく通信」「佐渡」「清貧譚」「服装に就いて」「令嬢アユ」「千代女」「ろまん灯籠」）を筑摩書房より刊行。十一月、文士徴用を受け、本郷区役所で身体検査を受けたが、胸部疾患を理由にして免除となった。同月、井伏鱒二のシンガポール行を東京駅に送る。「風の便り」を『文學界』、「秋」（「風の便り」の一部）を『文芸』各十一月号に、「旅信」（「風の便り」の一部）を『新潮』、「誰」を『知性』各十二月号に、〈私信〉を十二月二日付『都新聞』に発表。限定版『駈込み訴へ』を十二月末に月曜荘より刊行。この年十二月八日、太平洋戦争勃発す。

昭和十七年（一九四二）　三十三歳

「恥」を『婦人画報』、「新郎」、〈或る忠告〉を『新潮』、〈食通〉を『博浪沙』各一月号に、「十二月八日」を『婦人公論』、「律子と貞子」を『若草』各二月号に発表。二月中旬から甲府市湯村温泉の明治屋に滞在し、堤康久（当時前進座俳優）の日記をもとにした「正義と微笑」を書き進め、二月末に一日帰京し三月十日から二十日まで武州御嶽駅前の和歌松旅館に滞在、残りを完成す。四月、『風の便り』（収録――「風の便り」「新郎」「誰」「畜犬談」「鷗」「猿面冠者」「律子と貞子」「地球図」）を利根書房より刊行し、〈一問一答〉を『芸術新聞』に発表す。「待つ」もこのころ書かれたものらしい。五月、『老《アルト》ハイデルベルヒ』（収録――「兄たち」「愛と美について」「新樹の言葉」「老《アルト》ハイデルベルヒ」「おしやれ童子」「八十八夜」「秋風記」「ア、秋」「女人訓戒」「座興に非ず」「デカダン抗議」「俗天使」「花燭」）を竹村書房より刊行。「水仙」を『改造』五月号に発表。六月、第二の書下し長篇『正義と微笑』を錦城出版社より、『女性』（収録――「十二月八日」「女生徒」「葉桜と魔笛」「きりぎりす」「灯籠」「誰も知らぬ」「皮膚と心」「恥」「待つ」）を博文館より刊行す。また七月、改造社の『新日本文学全集第十四巻坪田譲二集』の月報に〈小照〉を寄稿す。この頃から、屡と点呼の軍事教練を受け、突撃の練習などをさせられた。「小さいアルバム」を『新潮』、〈無題〉を『現代文学』各七月号に発表。七月下旬には甲府市水門町二九番地の夫人の実家石原家に、八月中旬には箱根に、それぞれ十日ずつほど滞在す。〈天狗〉を『みつこし』九月号に、「花火」（戦後「日の出前」と改題）を『文芸』十月号に発表。しかし「花火」は、時局に添わざるを理由として全文削除を命じられた。十月、母たね重態のため美知子および園子を伴って帰郷し、五、六日滞在す。十一月、『文藻集信天翁』を昭南書房より刊行。同月二十日から三十日まで甲府の石原方に行き新年号の短篇三つ「黄村先生言行録」「故郷」「禁酒の心」を書く。十二月はじめ井伏鱒二と熱海に遊び、八日から「右大臣実朝」執筆のため静岡県三保に赴いたが、母たね危篤の知らせを受け単身急遽金木に帰る。同月十日たね死去す。享年七十一。

昭和十八年（一九四三）　　三十四歳

一月、昭和名作選集の一冊として『富嶽百景』（収録――「富嶽百景」「女生徒」「満願」「駈込み訴へ」「女の決闘」「走れメロス」「彼は昔の彼ならず」「ロマネスク」）を新潮社より刊行。「黄村先生言行録」を『文學界』、「故郷」を『新潮』、「禁酒の心」を『現代文学』各一月号に発表。同月中旬、亡母三十五日法要のため妻子を伴って帰郷す。三月、甲府に行き、石原家および湯村温泉の明治屋に滞在して、前年末から執筆していた「右大臣実朝」を完成す。「鉄面皮」を『文學界』四月号に発表。四月二十九日、塩月赳の結婚式が目黒雅叙園で行われたが、身内代りとなって結納をおさめたり式の打合せをしたりいろいろ力を尽した。〈赤心〉を『新潮』五月号に発表。六月、「帰去来」を『八雲』第二輯に発表。六月頃、「花吹雪」を執筆。この小説は『改造』七月号に発表するはずであったが、不掲載におわったらしい。〈わが愛好する言葉〉を『現代文学』八月号に発表。九月、第三の書下し長篇『右大臣実朝』を錦城出版社より刊行す。「作家の手帖」を『文庫』、「不審庵」を『文芸世紀』、〈金銭の話〉を『雑誌日本』各十月号に発表。秋、小山書店の慫慂で、京都の未見の読者木村庄助の病床日記をもとにした「雲雀の声」（二百枚）を完成したが、検閲不許可の懼れがあるため、相談の結果出版を中止した。

昭和十九年（一九四四）　三十五歳

「裸川」（「新釈諸国噺」）を『新潮』、「佳日」を『改造』各一月号に、〈横綱〉を一月十三日付『東京新聞』、〈革財布〉を『日本医科大学殉公団時報』七十号に発表。一月三日、東宝プロデューサー山下良三より「佳日」映画化の申入れがあり、承諾、同月八日から十三日まで八木隆一郎、如月敏と共に熱海山王ホテルに籠って脚色にかかった。また同月早々、大東亜五大宣言の小説化を内閣情報局と文学報国会から依嘱され、その以前から久しく構想を案じていた「惜別」をこの機会に書こうと志し、『大魯迅全集』を読み毎月の『日華学報』に眼を通すなど魯迅の研究を進めた。「散華」を『新若人』三月号に、〈芸術ぎらひ〉を『映画評論』四月号に、「雪の夜の話」を『少女の友』、「義理」（「新釈諸国噺」）を『文芸』各五月号に発表。小山書店から『新風土記叢書』の一冊として「津軽」を書くことを依頼され、五月十二日から六月五日にかけて津軽地方を旅行し、金木の生家、蟹田町の旧友中村貞次郎、小泊に住む幼時の女中たけの家などを歴訪した。その間、中村方で「奇縁」を執筆し、当時満州で発行されていた雑誌『満洲良男《ますらお》』に送ったが、この作品のその後の消息は不明である。六月二十一日、出産のため妻子を甲府の石原方に送り、十日ほど滞在、帰京後、三鷹の家で自炊生活をおくった。七月、「津軽」完成す。甲府との間を屢々往来、八月十日、長男正樹生まる。同月、「東京だより」を『文学報国』第三十三号に発表、『佳日』（収録――「帰去来」「故郷」「散華」「水仙」「禁酒の心」「作家の手帖」「佳日」「黄村先生言行録」「花吹雪」「不審庵」）を肇書房より刊行す。「貧の意地」（「新釈諸国噺」）を『文芸世紀』九月号に発表。九月十七日家族を迎えに甲府に行き、二十一日一家帰京す。「人魚の海」(「新釈諸国噺」)を『新潮』十月号に発表。初秋、〝四つの結婚〟(「佳日」の映画化)が封切られた。十月一日から翌二十年三月まで順番制の隣組長となり、また、十月一日、十月二十一日、十一月十一日、郷軍暁天動員を受けた。十一月『津軽』を小山書店より刊行。「女賊」(「新釈諸国噺」)を『月刊東北』十一月号、〈純真〉を十一月十六日付『東京新聞』に発表。「雲雀の声」はその後小山書店から出版される運びになったが、十二月上旬、神田の印刷工場が空襲に遭い、発行間際の本が全焼した。後に『河北新報』に連載した「パンドラの匣」は、映画化を企画した山下良三の手許に残っていたゲラ刷りをもとにして執筆したものである。十二月二十日、魯迅の仙台在留当時のことを調査するため仙台に赴き、河北新報社でその頃の綴込みを調べたり、町を踏査したりして、二十五日帰京。なおこの年、小山初代青島で死す。享年三十二。

昭和二十年(一九四五)　三十六歳

一月、『新釈諸国噺』を生活社より刊行、「竹青」(中国語訳)を『大東亜文学』に発表。二月、「惜別」を完成。引き続く空襲警報中に三月、「お伽草紙」を書きはじめた。この頃「春」(未発表)を執筆、三月末、妻子を甲府の石原家に疎開させ、送り帰ると間もなく四月二日未明、来訪中の田中英光、小山清と共に空襲に遭い、爆撃のため家を損傷された。一時、吉祥寺の亀井勝一郎方に厄介になり、その後、留守を小山清に託して自身も甲府の石原家(当時美知子の妹愛子がひとりで家を守っていた)に疎開した。「竹青」を『文芸』四月号に発表。甲府では甲運村疎開中の井伏鱒二、詩人の大江満雄、『中部文学』同人などと交遊、また、小山清、田中英光、河上徹太郎、中島健蔵などの来訪を受けた。五月下旬、甲府市外の千代田村に書籍その他の荷物を夫人と共に運ぶ。六月末、「お伽草紙」完成。七月七日未明、甲府も焼夷弾攻撃を受け石原家も全焼、甲府市新柳町六番地山梨高工教授大内勇方に身を寄せた。見舞に駈けつけた小山清に託し「お伽草紙」の原稿を筑摩書房に届けさせた。同月二十八日、妻子を連れて東京経由津軽に向かい、東北線、陸羽線、奥羽線、五能線と乗り継ぎ、苦労のすえ三十一日、金木の生家に辿り着いた。着く早々八月四日に田中英光の訪問を受けた。同月十五日、終戦。九月、『惜別』を朝日新聞社より刊行。同月上旬、河北新報社村上辰雄の訪問依頼によって同紙に「パンドラの匣」を書くことになり、十月二十二日から連載を開始、翌二十一年一月七日に完結した。その間十月、『お伽草紙』を筑摩書房より刊行。十一月十四日、四姉きやう死し(享年四十)、二十一日青森で葬儀が行われた。

昭和二十一年(一九四六)　三十七歳

「庭」を『新小説』、「親といふ二字」を『新風』各一月号に発表。ジャーナリズム、文壇の新型便乗に憤りを覚え、友人などに保守派を宣言す。二月六日、母校青森中学で講演、また、弘前、鰺ガ沢、黒石などを歩いて座談会に出席したりし、弘前、木造などから青年の訪れるのも多くなった。「嘘」を『新潮』、「貨幣」を『婦人朝日』各二月号に、「やんぬる哉」を『月刊読売』三月号に発表。この頃、「惜別」が機縁となって貴司山治との間に文通がはじまり、二人の往復書簡を貴司が編輯していた『東西』に連載することになり、同誌三月号の貴司の手紙に対する太宰の「返事の手紙」が五月号に掲載された。しかしこの企画は一回だけで取り止めになった。三月、最初の戯曲「冬の花火」を非常な抱負をもって執筆、十五日完成す。四月十日、戦後最初の衆議院選挙が行われ、長兄文治当選す。同月二十五日、小泊からたけが来訪した。「十五年間」を『文化展望』四月号に、「未帰還の友に」を『潮流』五月号に発表。五月、芥川比呂志が、加藤道夫等と作った思想座での「新ハムレット」上演の許可を得るため訪問し、二晩滞在して近郊に遊ぶ。この頃、「大鴉」の執筆にかかったが、二枚半ほどで中絶した。同月、〈津軽地方とチェホフ〉を『アサヒグラフ』に発表。六月、『パンドラの匣』を河北新報社より刊行。「冬の花火」を『展望』六月号に、「苦悩の年鑑」を『新文芸』第三号に、〈政治家と家庭〉を六月十五日付『東奥日報』に発表。七月四日、祖母いし死す。享年九十。「チャンス」を『芸術』、〈海〉を『文学通信』各七月号に、第二の戯曲「春の枯葉」を『人間』九月号に発表。十月、「雀」を『思潮』三号に発表。十月二十七日に祖母いしの葬儀が行われ、それを済ませて、十一月十二日金木を出発、途中仙台にて一泊して、十四日、約一年半の疎開から小山清が留守を預かる三鷹の旧居に帰った。同月二十五日、坂口安吾、織田作之助と『改造』の座談会に出席す。またこの年の暮、『文芸季刊』の座談会に坂口安吾、織田作之助、平野謙と出席す。「たづねびと」を『東北文学』十一月号に発表。十一月、『薄明』（収録――「小さいアルバム」「日の出前」「鉄面皮」「東京だより」「雪の夜の話」「竹青」「薄明」ほか）を新紀元社より刊行。「親友交歓」を『新潮』、「男女同権」を『改造』各十二月号に発表。同月、「冬の花火」が新生新派により東劇で上演されるはずであったが、マッカーサー司令部の意向により中止された。

昭和二十二年（一九四七）　三十八歳

「トカトントン」を『群像』、「メリイクリスマス」を『中央公論』、〈同じ星〉を『鱒』、〈新しい形の個人主義〉を『月刊東奥』各一月号に発表。一月十二日、織田作之助の告別式に列席、〈織田君の死〉を一月十三日付『東京新聞』に発表。同月二十九日、それまで同居していた小山清が北海道の夕張炭坑に行く。二月二十一日、神奈川県下曾我に太田静子を訪問、約一週間滞在し、それから田中英光が疎開していた伊豆の三津浜に廻り、安田屋旅館に止宿、三月上旬まででかかって「斜陽」の一、二章を書き、八日帰宅す。「母」を『新潮』、「ヴィヨンの妻」を『展望』各三月号に発表。三月三十日、次女里子生まる。「父」を『人間』四月号、「女神」を『日本小説』五月号、七月、「フォスフォレッスセンス」を『日本小説』六・七月合併号に発表。この春、山崎富栄と識り合う。四月から六月にかけて三鷹下連雀の田辺方、上連雀の藤田方に一室を借りて仕事部屋とし「斜陽」を書き続け、六月末に完成す。この間、五月下旬に「春の枯葉」が伊馬春部の脚色、演出によりNHKから放送された。七月、『冬の花火』(収録――「冬の花火」「春の枯葉」「苦悩の年鑑」「未帰還の友に」「チャンス」「庭」「やんぬる哉」「親といふ二字」「嘘」「雀」)を中央公論社より刊行。「朝」を『新思潮』七月号に発表。「斜陽」は『新潮』の七月号から十月号まで四回に分けて連載された。八月、『ヴィヨンの妻』(収録――「トカトントン」「男女同権」「親友交歓」「メリイクリスマス」「父」「母」「ヴィヨンの妻」)を筑摩書房より刊行。この夏、筑摩書房から刊行することになった『井伏鱒二選集』の編纂の打合せを、筑摩書房主古田晁、臼井吉見、井伏鱒二などと三鷹の山崎富栄方で行う。九月二十四日、伊馬春部と熱海に旅行す。「おさん」を『改造』十月号、〈わが半生を語る〉を『小説新潮』十一月号、〈小志〉を十一月十七日付『朝日新聞』に発表。この秋、八雲書店と実業之日本社から全集刊行の申入れがあり、八雲書店に決定、準備に入った。十一月十二日、太田静子との間に治子生まる。十二月、『斜陽』を新潮社より刊行。

昭和二十三年(一九四八)　三十九歳

「犯人」を『中央公論』、「酒の追憶」を『地上』、「饗応夫人」を『光』、〈かくめい〉を『ろまねすく』各一月号に発表。二月四日から七日まで、俳優座創作劇研究会の第一回公演として、「春の枯葉」が千田是也の演出により毎日ホールで上演された。同月二十九日、吉原愛子（美知子の妹）死し、三月三日葬儀が行われた。三月初旬、朝日新聞から小説連載の申入れあり、同月、『太宰治随想集』を若草書房より刊行。「美男子と煙草」を『日本小説』、「眉山」を『小説新潮』、〈如是我聞〉の一を『新潮』、〈小説の面白さ〉を『個性』各三月号に発表。三月十日から筑摩書房主古田晁のはからいで、熱海市咲見町の起雲閣に滞在して「人間失格」を「第二の手記」まで書き、三十一日帰京。四月、三鷹の仕事部屋で「第三の手記」の前半を書き、同月二十九日から五月十二日まで大宮市大門町の藤縄方に滞在して完成す。「渡り鳥」を『群像』、「女類」を『八雲』、〈徒党について〉を『文芸時代』各四月号に、「桜桃」を『世界』、〈如是我聞〉の二を『新潮』各五月号に発表。四月二十八日、『太宰治全集』の第一回配本『虚構の彷徨』（第二巻）が八雲書店より刊行された。五月中旬頃から『朝日新聞』に連載予定の「グッド・バイ」を仕事部屋で書きはじめ、下旬に第十回分までの草稿を渡した。この頃、身体は極度に疲労し、不眠症も一層ひどく、屢喀血す。「人間失格」の第一回を『展望』、〈如是我聞〉の三を『新潮』各六月号に発表。六月十三日深更、「グッド・バイ」十回分の校正刷と十一回から十三回までの草稿、美知子宛の遺書、子供達への玩具、伊馬春部に遺した短歌（〝池水は濁りににごり藤波の影もうつらず雨降りしきる〟伊藤左千夫作）等を机辺に残し、山崎富栄と共に玉川上水に入水して世を去る。降り続く雨の中を捜索が続けられ、十九日早朝、死体発見、二十一日、自宅において、葬儀委員長豊島与志雄、副委員長井伏鱒二にて告別式が行われた。七月十八日、三鷹町下連雀二九六、黄檗宗禅林寺に葬り、三十五日法要を営む。死後、「人間失格」の第二、三回が『展望』七、八月号、「グッド・バイ」の十三回分が『朝日評論』、〈如是我聞〉の四が『新潮』各七月号、「家庭の幸福」が『中央公論』八月号に発表され、七月、『人間失格』が筑摩書房より、『桜桃』(収録――「おさん」「犯人」「饗応夫人」「酒の追憶」「美男子と煙草」「眉山」「女類」「渡り鳥」「家庭の幸福」「桜桃」)が実業之日本社より刊行される。

・この年譜は、奥野健男『太宰治』(文春文庫)所収のものを流用しました。今後の調査研究により訂正される点のあることをお断わりしておきます。

文春文庫

斜陽《しやよう》 人間失格《にんげんしつかく》 桜桃《おうとう》 走《はし》れメロス 外七篇

定価はカバーに表示してあります

2000年10月10日　第1刷
2025年7月25日　第32刷

著　者　太《だ》宰《ざい》　治《おさむ》
発行者　大沼貴之
発行所　株式会社 文藝春秋

東京都千代田区紀尾井町 3-23　〒102-8008
TEL 03・3265・1211(代)
文藝春秋ホームページ　https://www.bunshun.co.jp

落丁、乱丁本は、お手数ですが小社製作部宛お送り下さい。送料小社負担でお取替致します。

印刷・TOPPANクロレ　製本・加藤製本

Printed in Japan
ISBN978-4-16-715111-9